CB036405

HALLO

WEEN

DADOS INTERNACIONAIS DE
CATALOGAÇÃO NA PUBLICAÇÃO (CIP)
Jéssica de Oliveira Molinari CRB-8/9852

McNeill, Dustin
Halloween: o legado de Michael Myers / Dustin McNeill, Travis Mullins ; tradução de Antonio Tibau. — Rio de Janeiro : DarkSide Books, 2021.
352 p : il

ISBN: 978-65-5598-125-4
Título original: Taking shape: developing Halloween from script to scream

1. Myers, Michael (personagem fictício)
2. Halloween - Cinema 3. Filmes de terror
I. Título II. Mullins, Travis III. Tibau, Antonio

21-3372 CDD 791.436164

Índices para catálogo sistemático:
1. Myers, Michael (personagem fictício)

Ao longo de quase uma década abraçando o lado dark da literatura, nos reunimos para o Halloween mais especial de toda a nossa história. A Fazenda Macabra saúda a colheita de Dia das Bruxas com seus irmãos e irmãs mascarados em uma sombria Haddonfield. O poder e a beleza do horror na sétima arte seguem vivos. E com Michael Myers em casa.

Acervo de Imagens © DarkSide/Macabra, iStockphoto, MovieStillDB, Alamy Stock Photo e Getty Images.
Impressão: Braspor.

Fazenda Macabra
Reverendo Menezes
Pastora Moritz
Coveiro Assis
Caseiro Moraes

Leitura Sagrada
Isadora Torres
Jessica Reinaldo
Talita Grass
Tinhoso e Ventura

Direção de Arte
Retina78
Macabra
Coord. de Diagramação
Irmão Chaves

Ilustrações de capa e miolo
Vitor Willemann

A toda Família DarkSide

MACABRA™
DARKSIDE

DUSTIN MCNEILL & TRAVIS MULLINS

HALLOWEEN

O LEGADO DE MICHAEL MYERS

TRADUÇÃO
ANTONIO TIBAU

MACABRA™
DARKSIDE

"Eu escolhi fazer um filme que adoraria ter visto quando criança, cheio de truques baratos como uma casa mal-assombrada de um parque de diversões onde você anda pelos corredores e as coisas pulam em você."

JOHN CARPENTER

SUMÁRIO

PALAVRAS DOS ADORADORES

Para muitos fãs, existe um momento em que se percebe que há muito mais na história de Michael, Laurie e Loomis do que apenas os filmes. Talvez tenha sido ao ler o romance adaptado com sua história pregressa expandida. Talvez ao assistir a *Halloween II* na televisão e perceber todos os trechos adicionados. Talvez lendo na revista *Fangoria* sobre as cenas de *Halloween 5* que foram excluídas do filme. Ou talvez tenha sido ao comprar uma cópia pirata granulada de *Halloween 6* e experimentar uma montagem radicalmente diferente do filme. Esses momentos adicionais, alternativos e expandidos são quase sempre produtos excedentes do processo de filmagem. Historicamente, os fãs demonstraram enorme interesse por esse processo e buscaram com determinação tais materiais, filmados ou não. A criação e a evolução da fascinante mitologia de Halloween são, por si mesmas, igualmente fascinantes.

Com *Halloween: O Legado de Michael Myers*, nosso desejo é celebrar a incrível história de quarenta anos de *Halloween* de um jeito único. Isso significa olhar de perto as cenas e as ideias que chegaram à telona, e também aquelas que ficaram na gaveta. Ao escrever este volume, tivemos a sorte de conversar com cineastas de todas as onze encarnações em busca de insights de seus processos criativos. De certa maneira, essas são as histórias por trás das histórias. *Halloween: O Legado de Michael Myers* é um livro sobre origens, inspirações, retornos, *easter eggs*, curiosidades obscuras, cenas deletadas, versões alternativas, ideias descartadas, interferências dos estúdios, testes de elenco, reinvenções, doces e travessuras.

Ainda que o original reine supremo para sempre, nosso objetivo foi dar a todos os filmes da franquia a sua devida atenção. Esperamos que vocês sejam adoradoras e adoradores da beleza do horror assim como nós e apreciem essa sangrenta celebração feita de fã para fã.

Dustin McNeill
Travis Mullins

A NOITE DO TERROR

A Noite em que ELE Voltou para Casa.

Dirigido por John Carpenter
Escrito por John Carpenter e Debra Hill

H*alloween*. Para traçar as origens do feriado, você precisaria viajar milhares de anos no tempo até a terra que hoje conhecemos como Irlanda. Para traçar as origens da franquia de filmes, você só precisaria voltar ao norte da Itália, no ano de 1976. O Festival de Cinema de Milão havia terminado recentemente, e o produtor Irwin Yablans embarcara de volta aos Estados Unidos. Ele tomaria a maior parte de seu longo voo para casa em processo de *brainstorming* de seu novo projeto, que seria um filme de terror. Yablans formulou uma premissa rudimentar sobre um assassino que tinha como alvo babás de um tranquilo subúrbio norte-americano. A trama atendia pelo sinistro título provisório de *The Babysitter Murders* [Os assassinatos de babás]. Ainda que tivesse poucas definições além dessas, Yablans sabia que queria John Carpenter na cadeira de diretor. O promissor cineasta acabara de filmar *Assalto à 13ª DP* (*Assault on Precint 13*, no original), que seria distribuído pela companhia de Yablans, a Compass International Pictures.

O produtor logo se aproximou de Carpenter com a ideia, e este demonstrou interesse em guiar o projeto. Carpenter teria aceitado um modesto salário de 10 mil dólares para escrever, dirigir e compor a música do filme. Exigiu em troca diversas condições. Em primeiro lugar, ele teria o controle criativo completo sobre a película. Depois, seu nome entraria em destaque nos créditos, antes do título do filme. E por último, sua então namorada Debra Hill seria contratada como corroteirista e produtora. Essas eram demandas bastante parrudas levando em consideração a relativa inexperiência de Carpenter como diretor e a total inexperiência de Hill como produtora. Mesmo assim, Yablans deu um salto no escuro e aceitou todas as condições.

Então, Yablans apresentou *The Babysitter Murders* para seu parceiro comercial, Moustapha Akkad, que concordou em financiar a produção por 300 mil dólares. Ainda que viesse a ter um papel mais ativo no desenvolvimento das sequências, Akkad era essencialmente um sócio capitalista do *Halloween* original. Ele passou a maior parte da produção fora do país, desenvolvendo um projeto cinematográfico que ele mesmo dirigiria, um épico histórico líbio chamado *O leão do deserto*. Akkad renunciaria ao título de produtor executivo do filme, optando pelo crédito de "Apresentado por".

Tendo já escrito e dirigido dois longas, Carpenter era um talento em ascensão. Debra Hill, ao contrário, demonstrava ser uma continuísta promissora, mas não possuía nenhum crédito como roteirista ou produtora. Nesse sentido, *The Babysitter Murders* seria uma grande prova de fogo. Carpenter e Hill começaram a trabalhar no projeto arquitetando uma lista de sustos que eles desejavam incluir no filme. Juntos, escreveram um argumento básico que incorporava tais cenas. Inicialmente, os cineastas estavam inseguros em decidir quem seria o assassino mascarado de sua história, e consideraram usar um pai da vizinhança ou um professor da escola para o papel. Mesmo com Carpenter mantendo o controle criativo total, Yablan estava liberado para fazer seus comentários, e muitos deles foram incorporados no roteiro. Uma sugestão essencial foi condensar a maior parte da ação do filme para uma única noite, como forma de reduzir o orçamento. Outra foi utilizar o feriado do Halloween. E mais uma foi apenas mudar o título do filme de *The Babysitter Murders* para *Halloween* (para a surpresa de todos, esse título ainda não havia sido capitalizado por nenhum longa-metragem).

Carpenter foi forçado a se afastar inicialmente do desenvolvimento de *Halloween* para dirigir *Alguém Me Vigia* (*Someone's Watching Me*), um telefilme sobre um perseguidor voyeurístico em um arranha-céu. Um suspense digno de nota, *Alguém Me Vigia* serve como um bom prelúdio a *Halloween* (dica para os fãs: Charles Cyphers atua no papel do personagem Gary Hunt). Na ausência de Carpenter, Hill escreveu um primeiro tratamento de *Halloween* baseado no argumento inicial de ambos. Após entregar *Alguém me Vigia*, Carpenter fez sua própria versão do roteiro. Segundo contam, o roteiro foi finalizado em questão de semanas.

A NOITE EM QUE ELE VOLTOU PARA CASA

Halloween começa durante o feriado homônimo em 1963, na pacata cidade de Haddonfield, Illinois. Vestido como um palhaço e armado com uma faca de cozinha, o menino de seis anos, Michael Myers, assassina sua irmã mais velha, Judith, no quarto dela, no segundo andar. O filme então corta para quinze anos depois, e encontra o psiquiatra do garoto, dr. Samuel Loomis, dirigindo até o sanatório Smith's Grove, durante uma noite de tempestade, para conduzir seu paciente a uma audiência. Descobrimos que Michael foi imediatamente internado em estado catatônico, incapaz de dar qualquer explicação para seu crime. Assim que chega, Loomis sente-se alarmado ao descobrir os pacientes do hospital vagando livremente pelo local. No meio do caos, Michael rouba o veículo de transferência e foge noite adentro. Justamente como Loomis suspeitava, Michael dirige de volta a Haddonfield, assassinando um mecânico no caminho, para roubar seu macacão.

Na manhã seguinte, encontramos a jovem de dezessete anos, Laurie Strode, deixando uma chave na velha casa dos Myers para seu pai, um corretor de imóveis, totalmente alheia ao fato de que o assassino a observa lá de dentro. A partir desse momento, Michael fica obcecado por Laurie, a quem segue durante todo o dia. Laurie está acompanhada de suas amigas, Lynda e Annie. Preocupado com a fuga de seu paciente, o dr. Loomis viaja até Haddonfield a fim de alertar o xerife Brackett sobre o perigo iminente. Enquanto isso, Michael invade uma loja de material de construção e rouba uma máscara branca, uma corda e duas facas de cozinha. Quando cai a noite, Brackett e Loomis encontram evidências perturbadoras de que Michael realmente voltou para casa. Eles vigiam o antigo lar de Myers na esperança de capturar o assassino fugitivo. Loomis luta para convencer o xerife de que seu paciente não é um doente mental, e sim um indivíduo maligno e bastante perigoso.

Na noite de Halloween, Laurie trabalha como babá para duas crianças, Tommy Doyle e Lindsey Wallace, enquanto Lynda e Annie se envolvem em atividades mais carnais. Michael logo mata ambas as garotas, além do namorado de Lynda, estrategicamente escondendo seus corpos na escuridão da casa de Wallace. Incapaz de falar com seus amigos pelo telefone, a preocupada Laurie põe as crianças para dormir e atravessa a rua para investigar. Fica horrorizada ao descobrir seus amigos mortos na casa. Michael ataca Laurie, rasgando seu braço e a empurrando por um lance de escada. Ela foge de volta para a casa de Doyle, mas seu algoz a persegue. Laurie e Michael se metem em uma série violenta de confrontos até que ele enfim consegue asfixiar Laurie. Tommy e Lindsey saem da casa gritando, o que chama a atenção de Loomis.

Ao subir até o local da luta, Loomis atira seis vezes em seu paciente, jogando seu corpo varanda abaixo. Loomis se vira rapidamente para Laurie, ainda tossindo pela falta de ar, antes de olhar outra vez para o chão, onde o corpo de Michael deveria estar. Como diz o roteiro: "Loomis olha para baixo com um pavor crescente e, então, olha para fora de casa. O quintal, o jardim dos vizinhos, a rua, tudo está vazio. Há apenas o som do vento balançando as árvores. Michael desapareceu".

Quatro décadas depois, é difícil encontrar qualquer coisa para dizer sobre *Halloween* que já não tenha sido dito antes. Como *Casablanca, Rastros do Ódio* (*The Searchers*) ou *Tubarão* (*Jaws*), ele é um desses raros filmes perfeitos. Talvez por isso ainda nos preocupamos com sequências, remakes e clones. Sabemos que as chances são pequenas, mas ainda temos esperança de que o raio possa cair duas vezes no mesmo lugar. Se não for o caso, sempre teremos o original. Quarenta anos depois, sua força bruta não diminuiu. Qual o segredo do seu sucesso? Dê o seu palpite. Entre as atuações, a música, a fotografia, a iluminação e a direção de arte, há muito o que se apreciar. Mas tudo começou com um roteiro brilhante.

A força da parceria criativa de Carpenter e Hill é particularmente evidente na dupla narrativa do filme. Existem essencialmente duas histórias convergindo em *Halloween* — a de um doutor obcecado no encalço de um assassino em fuga, e a do próprio assassino em fuga que persegue jovens inocentes. Ambos os roteiristas disseram ter se inspirado profundamente em experiências pessoais na redação do filme. Hill usou seus anos como babá para desenvolver interações autênticas entre as protagonistas. Carpenter refletiu sobre seus anos universitários no Kentucky, onde frequentou um hospital psiquiátrico como parte de seu currículo. A sombria visita o colocou cara a cara com vários pacientes mentalmente perturbados, um deles que serviria de inspiração para caracterização sinistra que Loomis faz de Michael Myers: "Encontrei esse menino de seis anos com o rosto pálido, nulo, ausente de emoções... e os olhos mais escuros... os olhos do diabo".

Foi Roger Ebert quem disse: "Um filme é tão bom quanto o seu vilão". Isso com certeza explica por que *Halloween* se mantém um clássico duradouro. Michael Myers pode não ser o primeiro slasher do cinema, mas ele logo se tornou o protótipo de todos os slashers que vieram depois. O personagem é indiscutivelmente uma obra-prima de simplicidade. Diferentemente de seus colegas slashers, não existe uma motivação clara para Michael. Ele apenas mata. As razões de Freddy Krueger e Jason Vorhees estão ao menos parcialmente enraizadas na vingança, o que não ocorre com Michael. Ele parece seguir Laurie e suas amigas totalmente ao acaso (lembre-se de que a conexão de sua irmã não aparece em cena antes do segundo filme). A natureza indiscriminada das urgências assassinas de Michael deixa *Halloween* sem amarras ideológicas.

Mas a falta de um motivo claro é apenas parte do que faz o bicho-papão de *Halloween* um vilão cinematográfico tão terrível. Seu personagem está calcado em uma perturbadora dualidade de que ele é, ao mesmo tempo, humano e inumano. Carpenter citou o pistoleiro robô de Yul Brynner em *Westworld: Onde Ninguém tem Alma* como uma das principais influências do personagem. Como Michael, o androide assassino é silencioso, inevitável, e demonstra uma total falta de emoções. Michael pode se parecer com um homem, mas não é. Os autores de *Halloween* se esforçaram para desumanizar o assassino durante o roteiro, referindo-se a ele como "a Forma" nas rubricas. Um detalhe que passa despercebido por muitos espectadores é o de que o nome completo de Michael nunca é dito durante todo o filme. Na verdade, ninguém sequer profere seu nome durante a cena de abertura, na qual ele mata sua irmã. Loomis se refere a seu paciente exclusivamente como "ele" ou "isso". Para o jovem Tommy, Michael é apenas o "bicho-papão".

Mais do que apenas esconder um rosto falso, a icônica máscara branca da Forma é uma projeção brilhante de personificação ou ausência dela. Enquanto a maioria dos fãs já sabe que a máscara foi adaptada de uma fantasia de 1975 do capitão Kirk, poucos sabem que ela não foi a única a ser considerada. O diretor de arte Tommy Lee Wallace ponderou diversas opções — duas delas, de Richard Nixon e do sr. Spock, foram descartadas por serem muito reconhecíveis. A única opção a ser seriamente considerada foi a de um palhaço triste com um cabelo vermelho arrepiado, no estilo do famoso artista circense Emmet Kelly. Fosse a escolhida, essa opção alternativa teria ressoado com a máscara de palhaço feliz que o jovem Michael usa na cena de abertura de *Halloween*. Wallace apresentou ambas as máscaras para Carpenter e Hill no escritório de produção do filme. Ainda que a do palhaço triste tenha sido adorada, a do rosto modificado de Kirk foi considerada por todos a mais assustadora, pela ausência de qualquer detalhe e cor.

A maioria dos personagens de *Halloween* ignora abençoadamente que o mal retornou a Haddonfield. Apenas o dr. Samuel Loomis, psiquiatra de longa data de Michael, carrega o terrível fardo de saber a verdade. Narrativamente, Loomis funciona como uma espécie de orador — nossa única fonte de exposição sobre a Forma. Seus monólogos proféticos sobre a aproximação do perigo não conseguem inspirar uma resposta apropriada das forças policiais. Como descobrimos em *Halloween,* Loomis é um homem amaldiçoado com suas premonições. Ele conta ao xerife Brackett como perdeu oito anos tentando tratar de Michael antes de perceber a perigosa ausência de humanidade no menino. Loomis perderia mais sete anos tentando manter seu paciente trancafiado por temer que ele certamente voltaria a matar. Ele se arma com uma Smith & Wesson pelo mesmo motivo que Van Helsing carrega uma estaca.

Carpenter inicialmente desejava escalar Christopher Lee ou Peter Cushing para o papel do dr. Loomis, embora ambos tenham declinado. Cushing teria sido especialmente apropriado dado seus anos interpretando Van Helsing na série de filmes de *Drácula* da Hammer Productions. Irwin Yablans escreveu em sua autobiografia que ele se opôs totalmente à contratação de veteranos de filmes de terror, com medo de que eles pudessem "reduzir *Halloween* a mais uma produção da Hammer". Ao contrário, ele sugeriu que Carpenter considerasse chamar o ator britânico Donald Pleasence. "Meus instintos diziam que ele daria ao personagem uma originalidade peculiar e um senso de dignidade, com o sotaque inglês e tudo mais. Carpenter concordou."

Pleasence aceitou o papel de Loomis apesar de não entender totalmente as escolhas do seu personagem no decorrer da história. Ele relevaria essas preocupações e interpretaria suas partes tal como escritas, com uma exceção. Na metade do filme, Loomis para em uma cabine telefônica de beira de estrada a fim de alertar as autoridades de Haddonfield sobre a aproximação de Michael. De acordo com o que estava no roteiro, Loomis deveria ligar para sua esposa, que vocaliza suas preocupações pela insônia de seu marido ("Sim, sim. Estou bem. Não se preocupe. Depois disso vou dormir por uma semana. Duas semanas."). Pleasence sugeriu que Carpenter omitisse que seu personagem tivesse uma esposa, argumentando que um médico tão obcecado por seu trabalho seria um solitário e não um homem casado. O diretor concordou e a cena foi alterada na locação.

No filme, a Forma persegue a adolescente de dezessete anos, Laurie Strode, após vê-la deixar a chave na casa dos Myers em uma manhã de Halloween. No que diz respeito a heroínas, Laurie está entre as melhores. Não é por acaso, nem por status virginal, que apenas Laurie consegue terminar a noite viva. Ela sobrevive por ter uma consciência aguçada sobre o mundo à sua volta e um feroz espírito de luta. Os personagens em *Halloween* constantemente ignoram sinais de alerta sobre o retorno da Forma — mas Laurie não. Alguma coisa está errada em Haddonfield, e ela percebe. Laurie também demonstra coragem e uma preocupação legítima em relação aos outros, ambas qualidades de uma verdadeira heroína. Perceba como ela vai procurar por Lynda e Annie dentro da casa dos Wallace às escuras, apesar da evidente atmosfera negativa. Seu comportamento e sua aproximação cautelosa são declarações. Ela está claramente assustada, mas vai investigar mesmo assim. Além de conseguir se esquivar do ataque da Forma, ela também consegue manter em segurança as duas crianças sob sua responsabilidade durante o ataque. Assim como a Forma, Laurie pode não ter sido a primeira garota final — pegando emprestado um termo cunhado pela estudiosa em cinema, Carol J. Clover —, mas ela se tornou um protótipo das garotas que vieram depois.

A protagonista de *Halloween* seria interpretada pela novata Jamie Lee Curtis, filha dos superastros Tony Curtis e Janet Leigh. O fato de Leigh ter estrelado *Psicose* (*Psycho*), de Hitchcock, foi fundamental para Curtis conseguir o papel de Laurie. "Eu sabia que contratar Jamie Lee seria uma excelente divulgação para o filme, já que sua mãe esteve em *Psicose*", Hill contou à *Entertainment Weekly*. "Pelo menos eu sabia que seus gritos de horror eram genéticos." Na verdade, sua escalação não foi a única conexão com *Psicose*, nem seria a última. Carpenter já havia homenageado a obra-prima de Hitchcock ao batizar o dr. Samuel Loomis com o nome do namorado da personagem de Leigh naquele filme.

Em retrospecto, Halloween se diferencia do subgênero slasher, que ele ajudou a criar, devido à surpreendente falta de espetáculo sangrento. Ao contrário de seus inúmeros imitadores, não há cenas grotescas no filme de 1978 e quase nenhum sangue. Carpenter preferiu deixar esses pavorosos detalhes totalmente para a imaginação do público. É fácil demais chamar de falso um corpo mutilado estando no conforto da poltrona do cinema. Claro, é falso. Mas quando um cineasta retém esses visuais, sua mente poderá preencher involuntariamente o que você não está vendo por algo ainda mais horrível. É muito mais difícil menosprezar algo que se vê com os olhos da mente. Ao evitar uma violência tão explícita, Carpenter é capaz de focar na tensão construída pelo suspense. Essa é uma das melhores qualidades de *Halloween* e, mesmo assim, aquela que suas próprias continuações não costumam reproduzir.

Alguns poucos devem ter notado as semelhanças entre *Halloween* e *Noite do Terror* (*Black Christmas*), de 1974, um frequentemente subestimado pioneiro do fenômeno slasher. É difícil não traçar comparações, já que ambos os filmes começam com câmeras subjetivas do assassino entrando em uma casa para matar alguém. Na superfície, sim — ambos contam com jovens mulheres sendo aterrorizadas por assassinos temáticos em subúrbios de classe média, mas suas conexões vão mais fundo do que isso. O cineasta Bob Clark quase dirigiu um roteiro de Carpenter logo após *Noite do Terror*, intitulado *Prey* [Presa], uma espécie de precursor espiritual de *Quadrilha de Sádicos* (*These Hills Have Eyes*). Diz a história que Carpenter questionou sobre como seu colega conduziria uma hipotética continuação para *Noite do Terror*. Clark respondeu que o assassino de seu filme teria sido preso e internado e conseguiria fugir durante o Halloween, que teria sido o título da sequência. Esta anedota pode parecer amaldiçoada em um primeiro momento, mas lembre-se de que foi Irwin Yablans quem concebeu *Halloween* e então se aproximou de Carpenter para que ele o desenvolvesse. Clark negou veementemente o roubo criativo, insistindo que seu próprio Halloween teria sido bem diferente do desenvolvido por Carpenter. Em pronunciamento durante o trigésimo aniversário do próprio filme, em 2004, o cineasta tentou deixar tudo bem claro: "Ele não copiou o meu filme. *Halloween* é inteiramente de John Carpenter, e é um dos melhores do gênero".

Carpenter e Hill encheram *Halloween* com referências tanto obscuras quanto evidentes. Laurie Strode foi batizada em homenagem à primeira namorada do diretor. O icônico assassino do filme recebeu o nome do distribuidor cinematográfico Michael Myers, que ajudara com o lançamento britânico de *Assalto à 13ª DP*. A cidade fictícia de Haddonfield, Illinois, foi batizada com o nome da cidade natal de Hill, Haddonfield, New Jersey. O sanatório Smith's Grove é uma referência a Smith's Grove, Kentucky, cidade vizinha de onde Carpenter cresceu. Tanto o falso asilo quanto a cidade real são localizadas dentro do condado de Warren. Um autoproclamado fã de Hitchcock, Carpenter deu nome a dois personagens em tributo ao mestre do suspense. Além do Loomis de *Psicose*, o diretor também batizou Tommy Doyle em homenagem a um personagem de *Janela Indiscreta*. O xerife Leigh Brackett foi batizado segundo a homônima roteirista por trás de filmes como *À Beira do Abismo* (*The Big Sleep*), *Onde Começa o Inferno* (*Rio Bravo*) e *O Império Contra-Ataca* (*The Empire Strikes Back*). Infelizmente, Brackett não viveria para ver a homenagem, já que ela faleceu durante a pré-produção de *Halloween*.

SIGNIFICADOS PROFUNDOS

Assim como a máscara branca e sem expressões da Forma, você pode projetar uma série de interpretações sobre a história de *Halloween*, algumas convincentes. Como Jamie Lee Curtis já disse, brincando, é o filme que originou milhares de PhDs. Não é exagero dizer que fãs, acadêmicos e críticos levaram a obra-prima de John Carpenter bem mais a sério do que ele mesmo. O filme foi desconstruído e analisado ao extremo por décadas em uma tentativa de encontrar significados mais profundos escondidos na história, fossem socioeconômicos ou políticos, entre outros. Talvez a forma mais fácil de interpretar *Halloween* seja como uma fábula moralista, como tantos já fizeram. Nessa leitura do filme, a Forma é um carrasco patriarcal decepando aqueles que se rebelam contra o código moral conservador que proíbe o sexo pré-casamento. Isso explicaria a razão por que ele mata as pecadoras Annie e Lynda, mas não a virtuosa Laurie. A leitura da fábula moralista se mantém uma interpretação popular que, de acordo com os roteiristas de *Halloween*, é inteiramente incorreta e de forma alguma intencional. Àqueles que ainda acreditam que esse seja o palpite apropriado, talvez Loomis tenha a melhor resposta: "Vocês entenderam tudo errado".

"Já sugeriram que eu estava fazendo um tratado moralista. Acreditem em mim, eu não estava."
– John Carpenter, SciFi.com

A teoria da fábula moralista se debruça no fato de que quatro das cinco vítimas do filme são mortas em momentos anteriores ou posteriores ao coito. Mas, como já mencionado, essas personagens não são mortas porque estão transando, e sim porque estão muito distraídas para perceber a Forma. Por não prestarem atenção ao seu redor, tornam-se vulneráveis. Já Laurie mantém a guarda levantada durante o filme, atraindo a atenção de seu perseguidor antes que ele ataque. Jack Halberstam, especialista em cinema, chama isso de "medo produtivo". Ao estar ciente de que está sendo observada, Laurie se torna observável. Em seu livro *Skin Shows: Gothic Horror and the Technology of Monsters* [Marcas na pele: o terror gótico e a tecnologia dos monstros], Halberstam escreve: "As mulheres que não se preocupam em serem observadas nos filmes de terror costumam morrer. A alternativa à paranoia é, com frequência, sinal de uma ingenuidade quase estúpida".

Inacreditavelmente, no começo, algumas feministas desdenharam de *Halloween* após seu lançamento, por incitar o que elas acreditavam ser um moralismo conservador que oprimia as mulheres. Debra Hill reagiu às críticas na *Entertainment Weekly*: "Uma resenha disse que a coisa mais notável em relação ao filme é que ele foi produzido por uma mulher, o que demonstra que ela tem o gosto cafona de um porco chauvinista. Eu tive que rir".

Carpenter e Hill afirmaram que *Halloween* não é um conto preventivo sobre os perigos da expressão sexual, mas, ao contrário, é um alerta sobre os perigos da repressão sexual. Enquanto os desejos sexuais reprimidos da Forma têm um papel importante nos seus atos de violência, os cineastas negam que ele esteja punindo suas vítimas especificamente por causa de suas atividades sexuais. Falando à *Cinefantastique*, Carpenter comentou que "as vítimas (de Michael) são escolhidas ao acaso. Ele não sabe que elas vão agir com promiscuidade, não sabe nada sobre elas. As pessoas ficam chateadas com isso, mas esquecem um ponto importante. Ironicamente, a garota no filme que não transa, Jamie Lee Curtis, é a mesma que o apunhala várias vezes com aquela faca enorme! Ela é tão reprimida quanto ele, e está gastando essa tensão sexual acumulada. E ninguém percebe isso".

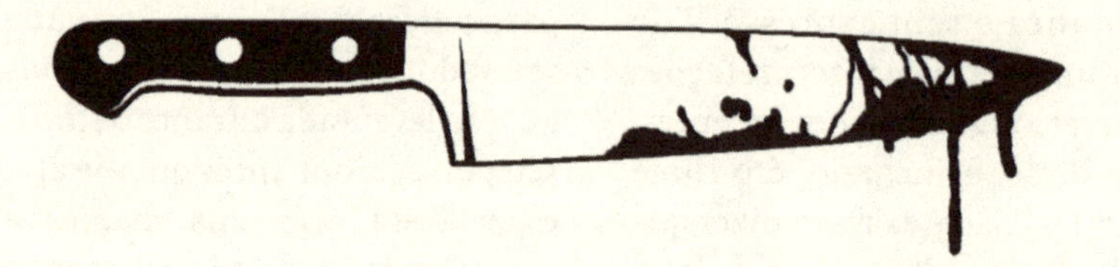

Essa repressão compartilhada entre o assassino e a garota final é um dos significados profundos que se pode compreender com facilidade no filme. De um jeito estranho, é o que une Laurie e a Forma como iguais, predispondo ambos à violência. Eles expressam a violência de maneiras opostas, é claro. A violência da Forma é guiada para o ataque, enquanto a de Laurie é guiada pela defesa. Em seu livro *Games of Terror* [Jogos de terror], a autora Vera Dika sugere que Carpenter usa a Forma para personificar a intensa frustração sexual de Laurie, um sentimento que por pouco não a destrói. Sua batalha final, escreve Dika, representa um ato altamente sexualizado, já que ambos os personagens atacam um ao outro com armas fálicas e compridas.

O final de *Halloween* também tem sido examinado sob as lentes da teoria feminista. Ainda que inicialmente (e equivocadamente) criticado por impor uma pauta conservadora moralista, estudiosas desde então têm reconhecido Laurie Strode como uma heroína feminista. Quando atacada por um predador masculino, Laurie utiliza objetos de uso cotidiano como suas armas de defesa. Tais objetos — uma agulha de tricô e um cabide — são discutivelmente femininos em sua natureza, e mesmo assim são usados para penetrar a Forma de uma maneira fálica. Laurie não apenas se desvia da violência masculina perpetrada contra si — ela a devolve imediatamente ao tomar a faca de seu algoz, um objeto fálico, e a usa contra ele. Mais tarde Laurie rasga a máscara da Forma para revelar seu verdadeiro rosto, um ataque à nova identidade de Michael.

A genialidade de *Halloween* está no fato de que ele não é apenas um filme simples, mas enganosamente simples. Não por acaso, e sim de forma intencional. Pegue a cena em que o professor de Laurie discute o destino. Quando questionado sobre o significado mais profundo dessa cena pelo site *Halloween Daily*, Carpenter destacou: "Não tenho a menor ideia do que estava querendo dizer ou sugerir, mas soa bem, não? A ilusão de profundidade sem profundidade alguma". Do jeito como foi escrito no roteiro original, a cena continha um diálogo adicional que não acontece no filme. São falas que aparecem estranhamente relevantes às reflexões excessivas sobre *Halloween*. O professor pede que um aluno explique como a visão de Samuel a respeito do destino difere da visão de Costaine. O garoto responde: "Hã... não é que ele pensa que não importa quão complicada uma coisa possa ser, ela também é muito simples?". O professor faz uma pausa por um instante antes de responder "Não". É quase como se Carpenter e Hill falassem diretamente com aqueles que intelectualizam demais a história deles.

"Ele é o que é. Um filme muito simples."
– John Carpenter, Telegraph.co.uk

CENAS DELETADAS OU A AUSÊNCIA DELAS

O *Halloween* original teve um roteiro sem excessos e um orçamento ainda mais apertado. Uma produção tão enxuta não poderia se dar ao luxo de ter cenas deletadas. Consequentemente, o roteiro final se aproxima muito do filme pronto, com algumas pequenas exceções. Uma diferença envolve uma fala icônica do dr. Loomis quando Michael foge do Smith's Grove. No filme, Loomis exclama: "Ele fugiu! Ele fugiu daqui! O mal escapou". No roteiro, essa frase é dita por um paciente errante que pede ajuda para encontrar seu cortador de grama roxo. Que esse paciente se refira a Michael como sendo o mal sugere que ele ganhou uma certa reputação no sanatório. Essa implicação jogaria um pouco de luz sobre um período até então misterioso da vida de Michael.

No cinema, somos pouco informados sobre os pais de Laurie, ainda que vejamos seu pai rapidamente, quando ele pede que ela deixe a chave na velha casa dos Myers. Do jeito que foi escrito, a mãe de Laurie também faria uma breve aparição, preparando maçãs do amor quando sua filha chega em casa da escola. Esta cena teria precedido diretamente o momento em que Laurie confunde a Forma com seu vizinho, o idoso sr. Riddle. (Divagando: dentro do contexto de *Halloween*, o sr. Strode pedir que Laurie leve a chave até a casa dos Myers faz sentido. Ele gerencia a Imóveis Strode, afinal de contas. Já no contexto da trama-gêmea de *Halloween II*, este pedido é bastante errado. Pedir a Laurie para deixar uma chave na casa dos Myers no aniversário de assassinato de sua irmã mais velha pelo seu irmão vai além do assustador. Você é um sujeito perverso, sr. Strode.)

Apesar de bastante estilosos, os créditos de abertura não são do jeito como Carpenter e Hill pensaram para começar o filme. No roteiro, os créditos deveriam mostrar a máscara branca da Forma, não uma lanterna de abóbora. ("Nos aproximamos cada vez mais até vermos que a Forma é uma máscara de Halloween. Ela é grande, uma máscara de látex que cobre toda a cabeça, não se trata de um monstro ou fantasma, mas as expressões pálidas e neutras de um rosto masculino estranhamente distorcidas pela borracha.") *Halloween* então corta para sua memorável cena de abertura, uma subjetiva do ponto de vista do assassino que começa e termina fora da casa dos Myers. Carpenter estava decidido a tentar um plano assim após assistir Orson Welles realizar sua cena tão bem-sucedida em *A Marca da Maldade* (*A Touch of Evil*). Frequentemente creditado de forma errônea, como um plano de Steadicam (estabilizador de câmera), o diretor de fotografia Dean Cundey utilizou um suporte Panaglide a fim de alcançar o efeito desejado. (*Halloween* foi o quarto filme a utilizar a então recente tecnologia de Panavision.) Apesar de conter vários cortes bem escondidos durante a cena, o plano de abertura ainda impressiona nos dias de hoje.

Mesmo *Halloween* tendo pouco material deletado, ele inspirou um romance que continha inúmeras cenas adicionais. Lançado em outubro de 1979, o livro foi escrito pelo autor Richard Curtis usando o pseudônimo de Curtis Richards. Não é incomum este tipo de adaptações conter diálogos extras ou até cenas inteiras. Tais discrepâncias frequentemente se devem ao fato de que os autores costumam receber versões inacabadas do roteiro para basearem seu trabalho e cumprirem os prazos de publicação. Certos detalhes mudam durante a filmagem, independentemente da redação do livro. Ainda que seja o caso em muitas adaptações do filme para o romance, isso não explicaria as novas cenas presentes na adaptação de *Halloween* pela editora Bantam Books.

Curiosamente, a adaptação de Curtis parece ter tido algum efeito em John Carpenter e/ou Debra Hill durante a escrita do roteiro de *Halloween II*. Várias frases de diálogo que aparecem exclusivamente no romance também iriam aparecer na sequência de 1981. Incluindo o bate-bola que Loomis tem com um vizinho: "Você não sabe o que é a morte!", que originalmente acontece no romance *antes* dele atirar em Michael, e não depois. Curtis é também o escritor responsável por dar a Michael e Judith seus respectivos nomes do meio — Audrey e Margaret.

"Me dei conta de que, por trás daqueles olhos, havia apenas a mais pura maldade."

HALLOWEEN
(1978)

O ROMANCE: PRÓLOGO / SAMHAIN

A adaptação de Richard Curtis contém o que aparenta ser a primeira menção do Samhain conectada com a franquia, na forma de um prólogo extenso. Enquanto o filme de Carpenter começa em 1963 em Haddonfield, a adaptação retorna muitos anos antes à Irlanda do Norte. Curiosamente, o roteiro final de *Halloween* não menciona o Samhain em lugar algum, ainda que haja uma breve referência em *Halloween II*. O festival druida dos mortos teria um papel bem mais importante no filme de 1995, *Halloween: A Última Vingança* (*Halloween: The Curse of Michael Myers*).

> O terror começou na véspera do Samhain, num vilarejo enevoado na Irlanda do Norte na alvorada da raça celta. E uma vez iniciado, ele caminhou a Terra para todo o sempre, satisfazendo sua selvageria abruptamente, rapidamente, e com incrível ferocidade. Então, com sua luxúria saciada, ele se recolheu nas brumas do tempo por um ano, uma década, talvez uma geração. Mas ele apenas dormiu, não morreu, já que não pode ser morto. E na véspera do Samhain ele despertaria, e se o desejo fosse forte o bastante, ele se levantaria para cumprir a maldição evocada muitos Samhains atrás. Então o povo trancaria suas portas. De pouco adiantaria, já que a coisa ria das trancas e dos ferrolhos. Havia os incautos. Sempre os incautos.

O prólogo continua contando a história de um amor não correspondido envolvendo a princesa Deidre, a filha caçula do rei druida Gwynnwyll. Na iminência de se tornar mulher adulta, ela é cortejada pelos solteiros do vilarejo. Um plebeu especialmente apaixonado por Deidre é o desafortunado Enda, que possui uma deficiência física devido a complicações no parto. Apesar de reconhecer a si mesmo como um pretendente improvável, Enda se aproxima desconfortavelmente de Deidre para implorar por sua mão em casamento. A jovem princesa o confunde com um estuprador, antes de zombar publicamente dele. Enda se enfurece com a reação dela, sobretudo após descobrir que ela está prometida a Cullain. De coração partido e furioso, ele afoga suas mágoas no vinho assim que o festival de Samhain começa.

Embriagado, Enda ferve de raiva ao ver Deidre e Cullain dançarem ao lado de outros foliões. Manuseando um facão de açougueiro de trinta centímetros, ele mata ambos na frente de seus colegas. O prólogo explica que Enda é então "literalmente decepado pela tribo enfurecida". Enquanto Deidre e Cullain são postos para descansar em terreno sagrado, o rei ordena que Enda seja enterrado junto de outros párias na Colina dos Demônios. O xamã de Gwynnwylls conjura uma maldição sobre os restos de Enda: "Que tua alma vagueie pela Terra até o fim dos tempos, revivendo teus atos odiosos e tua punição odiosa, e que deus Muck Olla visite todas as aflições de teu espírito para sempre". O que tudo isso tem a ver com Michael Myers? Já chegaremos lá.

> Com a chegada da civilização moderna, as superstições e as tradições do festival original perderam seus significados e sua vitalidade. O reconhecimento dos símbolos pode ser visto nas lanternas caseiras de abóbora, com bustos talhados de bruxas e de goblins pendurados do lado de fora das casas, e nas pegadinhas inocentes que são versões tolas do caos absoluto de tempos antigos. Crianças desfilam em fantasias cujo significado há muito perderam correspondência com o mal que outrora envolvia o mundo no início do inverno. O Halloween, como tantos outros feriados, tornou-se um vazio embaraçoso. Com a exceção de que, de tempos em tempos, a inocente travessura da véspera do dia de Todos os Santos (All Hallow's Eve) é quebrada por algum crime brutal e inexplicável, e o espírito original da celebração retorna ao lar num mundo aterrorizado.

O ROMANCE: NOITE DE HALLOWEEN, 1963

Depois de um prólogo que de maneira alguma reflete o roteiro de Carpenter e Hill, o romance de Curtis mapeia novos territórios com uma abertura *anterior* ao assassinato de Judith Myers na noite de Halloween de 1963. Enquanto o filme começa com a morte de Judith, o romance tem início algumas horas antes, com o jovem Michael visitando sua avó materna na noite de Halloween. Para o seu deleite, ela recita contos medonhos do "bicho-papão" de sua juventude. A mãe de Michael protesta contra essas histórias, devido ao que estava acontecendo recentemente com seu filho, incluindo entrar em brigas, fazer xixi na cama e ouvir vozes que incitavam o ódio a outras pessoas. A avó sente-se profundamente tocada ao saber de tudo isso, e comenta que o bisavô de Michael sofreu com problemas semelhantes muitos anos atrás. Uma conversa posterior entre o dr. Loomis e o xerife Brackett revelaria que o bisavô de Michael foi coagido por vozes a atirar em duas pessoas no baile da colheita da cidade.

A avó inicialmente faz piadas sobre a fantasia de palhaço de Michael, dizendo ser uma "tralha de 1,99", e menosprezando as modernas tradições de Halloween como sendo "bobagens". Ela reconta várias histórias que aconteceram "no meu tempo", sobre como o feriado era celebrado antigamente, incluindo a referência ao bicho-papão. Seu comportamento muda drasticamente ao saber dos problemas recentes de Michael. Tremendo, ela agora muda sua atitude negativa em relação à fantasia do neto e implora que a mãe lhe telefone assim que chegarem em casa. O papel da avó evoca a velha sra. Blankenship de *Halloween 6: A Última Vingança*: "Nós levamos o Halloween muito a sério. Quando preparamos espantalhos ou lanternas de abóboras é porque estamos genuinamente tentando afastar o bicho-papão". Compare essa frase ao monólogo da sra. Blankenship: "Por toda a região, grandes fogueiras foram acesas. Ah, era uma celebração maravilhosa. As pessoas dançavam, brincavam e se fantasiavam na esperança de afastar os espíritos ruins, especialmente o bicho-papão".

É interessante notar que o romance de Curtis faz algo que o filme de Carpenter nunca fez — *deixa o assassino falar!* Lembre que a única aparição do jovem Michael na versão cinematográfica é breve e sem diálogos. O romance dá ao adolescente Myers uma miríade de falas!

À medida que a noite de Halloween avança, encontramos Judith sozinha na propriedade dos Myers esperando por seu namorado. Seu irmão, enquanto isso, saiu com um grupo de crianças da vizinhança. Quando os traquinas batem na porta da casa 45 da Lampkin Lane, é Judith quem atende. Ela implica com eles no começo. "E se eu não der os doces? O que vocês vão fazer?" As crianças dão de ombros, mas o pequeno Michael abre a boca: "Vamos te matar". Chocada, Judith repreende o irmão por fazer um comentário daqueles, ao que ele responde: "Não sou Michael Myers. Sou um palhaço". Essa mudança sinistra sugere que um mal poderoso já começou a tomar conta do menino.

O romance então segue mais parelho à abertura do filme de Carpenter. O jovem Michael se aproxima e entra no lar com as luzes apagadas, enquanto Judith e seu namorado fazem amor. Aqui o autor novamente vai além da narrativa do filme para permitir ao leitor um vislumbre do estado mental de Michael. A fúria assassina que ele sente em relação à irmã é revelada como sendo resultado de uma voz que vem atormentando sua mente. O romance ainda conta que Michael teve visões misteriosas de celebrações ancestrais, ainda que ele não saiba o que elas sejam. Uma dessas visões parece idêntica ao antigo festival de Samhain do prólogo. Na verdade, Michael imagina ser o próprio Enda, espreitando furiosamente Judith e seu namorado dançando no meio da multidão como se fossem Deidre e Cullain.

O namorado de Judith aparece na casa dos Myers logo após a dispersão dos moleques traquinas. A noite então segue exatamente como no filme — Michael esfaqueia sua irmã mais velha até a morte no quarto dela no segundo andar, apenas para ser descoberto no jardim por seus pais.

O ROMANCE: O SANATÓRIO SMITH'S GROVE

Seguindo o assassinato de Judith, o *Halloween* original avança para quinze anos depois, na noite em que Michael foge do sanatório Smith's Grove. Descobrimos sobre seu confinamento na adolescência na mesma cena em que ele escapa da audiência, já adulto. A adaptação de Curtis, entretanto, não abandona a Haddonfield dos anos 1960 tão rapidamente. Na verdade, ela passa o próximo capítulo cobrindo o julgamento criminal de Michael e sua internação. Tais cenas não servem apenas para construir a Forma como um ser formidavelmente maligno, mas também estabelece uma rica história pregressa entre Michael e o dr. Loomis, que no filme é apenas sugerida.

Uma enorme diferença envolve o discurso. O filme de Carpenter retrata o jovem Michael como um ser calado na sequência do assassinato de sua irmã. Quando confrontado nos instantes após o crime, ele aparece em silêncio e completamente alheio à realidade. O corte da cena seguinte, de quinze anos no futuro para encontrá-lo ainda mudo, sugere que ele perdeu toda a comunicação verbal depois da morte de Judith. O romance segue uma abordagem diferente. Na versão do livro, o jovem Michael depõe em seu próprio julgamento, admitindo o assassinato da irmã. Um detalhe macabro revelado durante os procedimentos é que Michael esfaqueou Judith pelo menos 31 vezes naquela noite, ou até mais.

O juiz que preside o julgamento de Michael sente pena pelo jovem, chamando seu crime de "um ato de loucura". Ele agoniza ao sentenciar o garoto e acredita que ele poderá ser reabilitado e se tornar um membro produtivo da sociedade. O juiz Christopher decreta que Michael seja colocado sob os cuidados do dr. Loomis, o psiquiatra residente encarregado dos menores no Smith's Grove, que deve reportar à corte, no interesse dos pais do réu, a cada seis meses. O juiz então determina que, se Michael continuar no Smith's Grove até seu 21º aniversário (1978), ele deverá ser julgado como adulto por seu crime de 1963, o que é no mínimo legalmente dúbio. Esta audiência agendada se torna uma oportunidade para Michael escapar.

O primeiro relatório de Loomis ao juiz Christopher sobre o estado de Michael em Smith's Grove não é nada bom. Apesar de ser o mais jovem dos pacientes da instituição, Loomis considera que Michael possa ser "a pessoa mais perigosa com quem eu jamais tive de lidar". Quando o juiz pergunta quais são as bases para tal declaração, Loomis oferece apenas evidências circunstanciais. Um garoto que implicou com Michael apareceu com fortes dores estomacais. Uma enfermeira que discutiu com Michael sofreu uma queda terrível nas escadas. Um interno que tomou emprestado e esqueceu de devolver um dos jogos de Michael desenvolveu urticária. Nenhum desses casos poderia ser ligado diretamente a Michael, mas ele se tornou um nome largamente temido tanto pelos funcionários quanto pelos pacientes. Tais especulações deixaram o juiz Christopher furioso, e ele ameaçou liberar Michael do sanatório se Loomis voltasse novamente com "pistas que não fossem concretas". Derrotado, Loomis voltou ao hospital onde teve o seguinte diálogo com seu paciente:

> "Se você pedisse as chaves de um plantonista, pedisse a um guarda ou a um administrador para se virar de costas num momento apropriado, você poderia sair daqui tranquilamente, tamanho é o poder que você exerce sobre eles. Tamanho o medo que eles sentem de você. Não é verdade, Michael?"
>
> O garoto dá de ombros. "Não sei o que quer dizer, senhor."
>
> "Ah, mas você não pediria, não é? Não pediria porque você chegou até aqui. Aqui você tem seu próprio mundinho. Se você fugisse — por quê? —, o que esperaria por você lá fora além de brigas e aporrinhações? Então você fica aqui, seguro e confortável, não é verdade, seu diabinh...?"
>
> Loomis se deu conta. Não importa o que ele acreditava, não foi uma atitude profissional se expressar daquela maneira. E além do mais, quando você pensa a respeito, ninguém jamais viu o garoto fazer nada com ninguém.

Quando chega outubro, Michael pergunta ao dr. Loomis se o hospital poderia realizar uma festa de Halloween na ala dos adolescentes. Loomis a princípio se sente afrontado com a audácia do pedido, já que este Halloween irá marcar o aniversário de um ano da morte de Judith. Ele suspeita que Michael esteja experimentando a "síndrome do aniversário", na qual indivíduos perturbados procuram aliviar traumas recentes no dia ou próximo da data em que eles ocorreram. Loomis acaba cedendo e aceita o pedido, esperando enfim pegar Michael em flagrante. Na verdade, ele está preparando uma armadilha perigosa usando crianças com doenças mentais como isca (cruzes, doutor!). A equipe percebe que a festa dá ânimo ao espírito de sua jovem clientela, já que é permitido aos pacientes fazer suas próprias fantasias.

A celebração de Halloween acontece dentro do ginásio do hospital. Loomis coloca a equipe em alerta e encarrega dois funcionários de vigiar Michael com exclusividade. Surpreendentemente, Michael cria uma fantasia de palhaço parecida com a que ele vestiu para assassinar sua irmã. Em um determinado momento durante a noite, as luzes do ginásio se apagam por vários minutos. Quando elas voltam, uma garota é encontrada afogada no barril do jogo das maçãs. Loomis percebe que Michael está a dez passos de distância, sorrindo e completamente seco. Os funcionários agem com rapidez e conseguem ressuscitar a garota. A armadilha de Loomis falha miseravelmente, quase matando uma criança no processo.

Esses momentos extras ajudam a explicar a paranoia extrema e a superstição exibidas pelo dr. Loomis durante a fuga de Michael em 1978. O romance continua com Loomis pronto para dar um novo parecer sobre a condição de Michael, ainda que o juiz Christopher tenha morrido inesperadamente na noite anterior à audiência. Seu substituto é bem mais complacente com as acusações feitas por Loomis de que Michael seria um psicopata homicida, mesmo sem provas. Isso mantém Michael internado em Smith's Grove por anos a fio.

A VERSÃO PARA TV

No começo de 1981, a NBC comprou os direitos de transmissão de *Halloween* pela impressionante quantia de 4 milhões de dólares, mais de treze vezes o orçamento original do filme. Uma batalha então foi travada entre os produtores e a rede de TV sobre censura. A edição resultante do filme ficou consideravelmente curta para a janela de duas horas na programação que a NBC esperava ocupar. Para compensar as cenas perdidas, Carpenter e Hill ofereceram filmar novas cenas que expandiriam *Halloween* para uma duração mais desejável. Esse material extra seria filmado utilizando a equipe de *Halloween II* uma vez que este entrasse em produção. Os três dias de filmagem custaram mais do que toda a produção original, com um novo material totalizando onze minutos. Hill comentou as novas cenas em *Fangoria:* "as filmagens extras deveriam ter sido feitas desde o começo. Elas se integraram muito bem e ajudaram o filme a fazer mais sentido. Nós preenchemos o tempo entre a primeira morte antes dos créditos e quando ele foge".

A primeira das novas cenas acontece seis meses após o assassinato de Judith, em 1º de maio de 1964. Encontramos um dr. Loomis preocupado, alertando os membros da corte sobre os riscos de internar Michael em uma instituição de segurança mínima como o Smith's Grove. Ele argumenta que Michael, mesmo sendo uma criança, representa uma extraordinária ameaça aos outros e, portanto, deveria ser transferido a uma instituição de segurança máxima imediatamente. Os oficiais se opõem, dizendo que Loomis não tem evidências que sustentem tais acusações e que Michael "exibe um comportamento catatônico", sem "reação a estímulos externos". De tal forma, eles mantêm a internação em Smith's Grove. A declaração de Loomis de que Michael é "o paciente mais perigoso que eu já atendi" foi tirada diretamente da adaptação literária. A única diferença é que, no livro, o jovem Michael não se torna mudo logo após matar Judith.

Frustrado, Loomis deixa a reunião para visitar seu paciente. O menino permanece impassível. "Você enganou eles, não foi, Michael? Mas não me engana." Essa cena traz de volta o ator Will Sandin como o jovem Michael da cena inicial. Curiosamente, Sandin não repetiu seu papel em *Halloween II*, que tem Adam Gunn em seu lugar, e apresenta uma locação do hospital.

A próxima cena corta para quinze anos depois, quando Loomis inspeciona a cela de Michael após sua fuga. O quarto está revirado e a palavra "irmã" foi rabiscada em vermelho na parede. Aos não iniciados, parece ser uma referência a Judith Myers. No contexto do prestes a ser lançado *Halloween II,* é mais provavelmente uma referência a Laurie Strode. Loomis pergunta: "Quem estava tomando conta?". A enfermeira responde: "Devia ser o Bernardi". Trata-se de um aceno ao cineasta Barry Bernardi, produtor associado das duas primeiras sequências de *Halloween* e um aliado frequente de Carpenter. (Bernardi também atuou no papel do mecânico morto no *Halloween* original.)

A última cena nova trouxe Jamie Lee Curtis, Nancy Loomis e P.J. Soles de volta como Laurie, Annie e Lynda. Alocada na residência dos Strode, a cena apresenta Laurie emergindo de um banho vespertino. Na realidade, a casa estava localizada em West Hollywood, e apareceria anos depois como o número 1428 da Elm Street na franquia *A Hora do Pesadelo* (*Nightmare on Elm Street*) — Isso mesmo. Laurie Strode e Nancy Thompson vivem na mesma casa! Na cena, uma agitada Lynda corre pra dentro da casa de Laurie por acreditar que o motorista de uma van a está seguindo. "Não consigo ver muito bem, mas acho que é o Steve Todd." Lynda tenta pegar uma blusa emprestada, mas Laurie está preocupada com o motorista misterioso. Annie então liga para perguntar se ela também pode pegar uma blusa emprestada. A cena termina com uma Laurie pensativa olhando pela janela.

Entrevista:

RICHARD CURTIS

Autor — Adaptação literária THE HALLOWEEN

Entrevistado por Dustin McNeill

Você é escritor e agente literário. Como começou em ambas as carreiras?

Eu sempre quis escrever, mas não havia empregos desse tipo quando terminei a faculdade. Então acabei trabalhando em uma agência literária. Foi como aprendi a ser um agente, por sete ou oito anos. Saí quando encontrei oportunidades que me permitiram escrever em tempo integral. Assim, alguns velhos clientes me pediram para que os representasse. Eu era um agente pela manhã e um autor à tarde. Tornei-me um agente em tempo integral porque é bem mais lucrativo. Eu ganhava mais com uma venda do que conseguiria escrevendo um livro por dois ou três meses.

Curtis Richards há de ser o melhor pseudônimo de todos os tempos. É como se esconder na frente de todo mundo!

(risos) Não me lembro do motivo exato pela escolha do nome, apenas que eu estava determinado a ser um escritor sério. Comecei fazendo folhetins em edições baratas como ganha-pão, sob vários pseudônimos, mas eu queria que minha carreira fosse maior do que isso. Muitos escritores *freelancers* decidem não misturar seus trabalhos populares com seus esforços literários e usam um pseudônimo. Um pode contaminar o outro, você sabe. Eu queria que meu pseudônimo fosse ao menos reconhecível a qualquer um que me perguntasse se eu tinha mesmo escrito aquilo.

Você se lembra de como foi abordado para escrever a adaptação do filme?

Não me lembro das circunstâncias exatas, mas eu conhecia gente na editora Bantam. Eles me convidaram para escrever a adaptação. Eu me lembro de ter visto *Halloween* no cinema e feito diversas anotações durante a sessão, mas nunca me deram uma cópia do roteiro, o que geralmente acontece nessas situações. Autores também têm a chance de conversar com os cineastas e de fazer perguntas sobre o material. Não tive nenhuma dessas oportunidades.

Sua adaptação tomou enormes liberdades em relação à fonte original, preenchendo vácuos na história e oferecendo detalhes extras que não são vistos no filme. Fale sobre isso.

Bem, eu tive que fazer isso. Quando você assiste a quase qualquer filme de terror, ele passa tão rápido e freneticamente que você não tem tempo para questionamentos. Você não para e faz perguntas sobre o que acabou de ver até sair do cinema. Alguns acontecimentos em *Halloween* funcionam muito bem se você está sentado no cinema. Os mesmos acontecimentos não funcionam se você está lendo em um livro, página por página. Algumas coisas do filme me deixaram perplexos como um escritor, coisas que eu precisei racionalizar para o leitor.

A mais significativa delas foi o fato de que Michael se comporta como uma criatura sobrenatural. Você não pode, como Donald Pleasence fez, atirar em alguém à queima-roupa e jogá-lo pela varanda com uma Magnum .357 e ele se levantar e sair andando. Isso é completamente assustador no cinema, mas é mais difícil de contemplar quando se lê em um livro. Então eu cheguei à conclusão de que, de alguma forma, Michael era um ser sobrenatural. Isso não aparece de maneira alguma no filme. Não é sequer sugerido no filme. E provavelmente nem foi pensado pelas pessoas que fizeram o filme porque não era uma preocupação deles, era minha preocupação. Portanto, decidi criar uma personificação sobrenatural para Michael. Foi quando cheguei a esse ritual celta de mil anos atrás que termina com um sacrifício de sangue. A cada mil anos, este ser sobrenatural volta por uma noite para aterrorizar as pessoas.

O que eu fiz com *Halloween* seria quase impossível nos dias de hoje. Escritores de adaptações cinematográficas essencialmente servem a dois mestres, o editor e o produtor. O produtor está casado com o roteiro, e o editor está casado com o leitor. Essas duas coisas com frequência são inconciliáveis. Se eu tomasse as mesmas liberdades numa adaptação hoje em dia, ou o produtor ou o editor arrancaria seus cabelos. Eles gritariam dizendo que as coisas que eu escrevi não estavam no roteiro. Com *Halloween*, senti que precisava explicar algumas coisas. O livro seria absurdo a qualquer leitor perspicaz se eu apenas escrevesse o que estava no filme.

De alguma maneira, eu consegui me livrar. Talvez os cineastas nunca tenham visto o que eu escrevi. Talvez eles não tenham se importado. Talvez o editor também não tenha se importado. O que quer que tenha acontecido, eu me livrei sem ninguém me dizer nada. As qualidades sobrenaturais de Michael foram apenas um dos elementos que eu tive que reconciliar para deixar o livro mais palatável à massa de leitores.

De vez em quando, eu entro na Amazon para ler as críticas. Até o momento, existem apenas comentários de cinco estrelas sobre o livro, dezenas deles. Nunca vi nada parecido em nenhum dos livros que eu gerenciei como agente. Não há sequer uma resenha neutra. E alguns dos comentários chegam a dizer que o livro é melhor do que o filme! Eu escapei por pouco de me dar mal com os riscos criativos que tomei, mas fico feliz que o público leitor acabou gostando do livro.

Que outros furos na trama você sentiu que precisava resolver?
Um enorme envolvendo Michael dirigindo de volta ao lar, já que ele foi internado desde que era um menino pequeno. Como ele aprendeu a dirigir? Ninguém faz essa pergunta quando está assistindo ao filme porque ele é um adulto, e ele está dirigindo, mas quem o ensinou? Eu inventei uma história inteira sobre como confiaram a ele dirigir um caminhão no terreno da instituição. Você não vai encontrar em lugar nenhum no roteiro porque foi escrito por mim bem depois do filme ser lançado nos cinemas.

O livro está fora de catálogo faz tempo. Por que não relançá-lo?
Não faço ideia. Fui contratado pela Bantam como um escritor sob encomenda. Por isso não tenho direitos sobre o texto. Ele foi licenciado à editora pela produtora do filme, mas esses direitos retornaram desde então à Trancas International. Escrevi a eles dez anos atrás com esperança de que pudessem relançar o livro, mas fui ignorado. Novamente, não tenho direitos sobre o livro. Apenas o orgulho do meu trabalho e a noção de que as pessoas querem ler o livro outra vez. Pedi a advogados e agentes que contatassem a Trancas, e todos foram bloqueados. Nunca tivemos uma resposta. Então, o livro permanece fora de catálogo. A única maneira de conseguir uma cópia é no Ebay, geralmente por 200 dólares ou mais. É bastante frustrante. Achei que no aniversário de trinta, 35 e agora de quarenta anos, eles iam querer relançá-lo, mas não. Todo ano eu lamento um pouco, reclamo um pouco, e sigo em frente.

Você ouviu algum comentário de John Carpenter sobre sua adaptação?
Não, nunca.

É meio estranho, considerando que alguns de seus diálogos acabaram parando no roteiro dele de Halloween II. Com certeza um deles leu o seu livro, ele ou Debra Hill.

Não sei dizer, mas me sinto honrado se ele tiver usado alguns trechos do livro. Obrigado por me dizer isso. Eles detêm o copyright do que eu escrevi. Não há nada que eu possa fazer além de sentir orgulho de que algo que criei tenha sido usado.

Eles também podem ter puxado o Samhain do seu romance. Ele nunca é mencionado no primeiro filme, mas é citado em Halloween II e em algumas sequências posteriores.
Também não sei sobre isso, mas fico surpreso e feliz. Não vi nenhuma das sequências. No entanto, estou em contato com o autor que está fazendo a adaptação literária do novo filme. Eu disse a ele que estava muito curioso para ver o que ele estava criando e que tipo de margem lhe deram para adaptar o novo projeto. Estou curioso para ler esse novo livro porque quero ver como ele lidou com certos desafios que encarei com o meu romance.

Tradicionalmente, seria preocupante que um escritor fizesse alterações tão dramáticas da visão do cineasta, mas suas adições são mesmo interessantes. Nunca temos a chance de ver o dr. Loomis interagindo com o jovem Michael na telona, mas conseguimos em seu romance.
Tudo foi criado para preencher furos em nossa compreensão da história. Eu esperava enriquecer o mistério do filme sem precisar explicá-lo totalmente. Sendo bastante honesto, parte do meu trabalho pode ter sido apenas criar palavras o suficiente para escrever um livro. Resuma um filme e você dificilmente chegará a 15 mil palavras. Como um escritor, preciso de cerca de 75 mil palavras para fazer um livro. Todo autor de adaptações sabe disso, em algum momento, você precisa preencher um pouco em certos lugares, do contrário, seu livro vai ser ridiculamente pequeno.

Mas obrigado por me dizer essas coisas. Fico agradecido com nossa conversa, você não faz ideia. Não me sinto rancoroso pelo livro estar fora de catálogo, por falar nisso. Apenas intrigado. Você pensaria que alguém lá fora chegaria à conclusão de que podia ganhar algum dinheiro com o livro. A Trancas tem sido muito teimosa a esse respeito, e eu só posso imaginar que o motivo para segurarem meu livro seja algo deliberado e muito bem pensado.

John Carpenter's HALLOWEEN

IMPRESSÕES DA CRÍTICA

"Após uma abertura promissora, Halloween se torna mais um suspense com um-louco-à-solta. No entanto, apesar da trama prosaica, o diretor John Carpenter segura o ritmo das matanças, de forma a preencher seus 93 minutos com tensão suficiente." ----- VARIETY

"Um filme tenso e assustador. (...) Carpenter obviamente conhece bem o gênero e constrói uma atmosfera devidamente aterradora com sua direção compassada. É um lançamento efetivo para seu segmento de mercado (...) evita sangue em excesso e escatologia nas cenas de assassinato. As ações violentas são mais implícitas do que explícitas, o que serve para intensificar o efeito. Donald Pleasence (...) cria uma forte presença. Jamie Lee Curtis está excelente." --- RON PENNINGTON, THE HOLLYWOOD REPORTER

"Um thriller bem-feito, porém mórbido e vazio."
THE LOS ANGELES TIMES

"Um thriller belamente construído -- mais chocante do que sangrento, que lhe deixará aos gritos com regularidade. (...) Halloween funciona porque Carpenter sabe como chocar enquanto nos faz sorrir. (...) A tensão é considerável. (...) Uma coisa é fazer um thriller eficiente com cenas noturnas, mas é um feito consideravelmente mais difícil assustar à luz do dia."
GENE SISKEL, THE CHICAGO TRIBUNE

"Uma variação muito estilosa do tema do maníaco homicida à solta (...) seu esforçado cineasta vem sendo comparado a Hitchcock, mas o sr. Carpenter é claramente um estudioso aos pés do mestre. (...) Às vezes os ingredientes parecem ser muito técnicos (...) porém são habilmente eficientes neste longa-metragem. O roteiro é simples, mas nunca simplório. É admiravelmente funcional e vai direto ao ponto." VICENTE CANBY, THE NEW YORK TIMES

"Um exercício soberbo na arte do suspense. (...) Sacana, voyeurístico, implacável, não tem um alvo específico, mas ainda assim é mais assustador do que o diabo. (...) Halloween é implausível em determinados momentos, mas não há nada vulgar em seu design sombriamente elegante. Para Carpenter (...) o status de cult parece garantido." --- DAVID ANSEN, NEWSWEEK

"Halloween tem um roteiro lamentável, amadorístico (...) Ainda assim, um bando de gente está convencida de que se trata de algo especial -- um clássico." ----- PAULINE KAEL, THE NEW YORKER

O PESADELO CONTINUA

MAIS da Noite em que Ele Voltou para Casa.

Dirigido por Rick Rosenthal
Escrito por John Carpenter e Debra Hill

Na esteira do sucesso desenfreado de *Halloween,* muitos por trás das câmeras ficaram ansiosos por uma continuação, sobretudo os produtores e investidores. Os cineastas John Carpenter e Debra Hill não estavam entre aqueles que rogavam por uma sequência. O desejo deles era, ao contrário, focar na criação de histórias originais para a telona. Como Carpenter lembra, eles foram pressionados para retornarem a Haddonfield. "Fomos literalmente forçados a fazer a continuação por causa dos negócios", o cineasta revelou na faixa de áudio com comentários do DVD do primeiro *Halloween.* "A continuação seria feita com ou sem nossa participação. E parte da razão da sequência foi conseguir a grana do primeiro filme que havia sido prometida tanto pra Debra quanto pra mim. Como bons capitalistas, decidimos ir em frente e fazer o filme."

O produtor de *Halloween,* Irwin Yablans, garantiu rapidamente um acordo verbal com Carpenter para fazer *A Bruma Assassina* (*The Fog*) e *Halloween II*. Num voo partindo de Cannes, França, ele cometeu o erro de discutir seus planos com Bobo Rehme, o chefe da AVCO Embassy Pictures. Yablans depois ficou furioso ao descobrir que Carpenter também acertara um acordo de dois filmes com a AVCO para fazer *A Bruma Assassina* e *Fuga de Nova York* (*Escape from New York*). Subsequentemente, ele processou tanto Rehne como Carpenter, acordando que a AVCO poderia seguir adiante com *A Bruma Assassina* desde que Carpenter se comprometesse a escrever *Halloween II* logo após. Com esse acordo firmado, a sequência foi anunciada oficialmente ao público. Yablans logo foi contatado pelo produtor, o magnata italiano Dino De Laurentiis, que admirava bastante o *Halloween* original. Laurentiis esperava convencer Yablans de vender a ele os direitos para *Halloween II*, que — incrivelmente — Yablans acabou aceitando. Esse negócio lucrativo permitiu a Laurentiis fazer o segundo *Halloween* com uma opção contratual para um terceiro filme, que ele exerceria. A distribuição foi garantida pela Universal Pictures após uma negociação inicial com a Filmways Pictures.

"Cometi alguns grandes erros na vida, mas esse foi colossal", Yablans escreveu em sua autobiografia. "Certo, ganhamos muito dinheiro com o acordo, mas perdemos controle temporário da franquia que teria impulsionado a Compass a um crescimento inimaginável. A decisão de aceitar o acordo com Laurentiis foi influenciada em parte por um cronograma muito apertado na Compass. Estávamos prestes a colocar dois filmes em produção, um atrás do outro." Os termos do acordo com Laurentiis eram tais que Yablans não teve voz durante a continuação, apesar de ter dado tantas sugestões significativas no primeiro filme. Deve ter sido melhor assim, já que sua relação com os cineastas de *Halloween* havia minguado consideravelmente desde então. Na primeira sequência de *Halloween*, Hill exaltou na revista *Fangoria:* "Irwin Yablans não está autorizado a ir ao set de filmagem, não está autorizado a ver o copião (primeira cópia revelada dos negativos das filmagens, material bruto), e não tem nenhum tipo de controle".

A temperatura logo aumentaria entre os investidores de *Halloween,* já que Yablans cortou relações com Moustapha Akkad. Apesar de uns poucos sucessos no segmento do terror, a Compass International Pictures de Yablans, que incluía entre seus parceiros o produtor Joseph Wolf, iria se desfazer. Isso efetivamente deixaria todos os direitos legais de *Halloween* nas mãos das frentes inimigas.

O PESADELO NUNCA ACABA

Dado o fim do filme original, você seria desculpado se pensasse que os cineastas de *Halloween* tivessem planejado a continuação desde o começo — mas não era o caso. Carpenter com frequência comparava o final do primeiro filme com um "encerramento ao estilo O. Henry", em referência ao homônimo autor, conhecido por tais surpresas de último minuto. Posteriormente, o diretor lamentaria ter contado sua história completa no primeiro filme, uma conclusão a que ele chegaria outra vez enquanto tentava escrever *Halloween II*. Nós também deveríamos notar o quanto essas continuações eram incomuns nos anos 1970. Três das maiores sequências de terror da década — *O Exorcista II*, *A Profecia II* e *Tubarão 2* (*Exorcist II*, *Omen II* e *Jaws 2*, respectivamente) — foram lançadas no mesmo ano em que *Halloween* chegava aos cinemas.

Sobre o desenvolvimento da sequência de *Halloween*, Debra Hill contou à *Cinefantastique:* "Nós discutimos se os personagens Laurie Strode e Sam Loomis já haviam terminado suas funções, na verdade. Em um determinado momento, John e eu pensamos em começar o filme com a Laurie morta e então, como em *Psicose*, introduzir um grupo de novos personagens. Uma das motivações para tentar esse caminho era a Jamie Lee Curtis. Ela havia amadurecido e se desenvolvido tanto nos últimos três anos que pensamos se o público ainda acreditaria nela como uma colegial".

Na esteira do lançamento de *Halloween*, Curtis fez sucesso como "a rainha do grito" ou, como Yablans diria, "a rainha dos esquisitões". Apesar de não ser uma fã do gênero, ela apareceria em uma sequência de filmes de baixo orçamento, que consistia em *A Bruma Assassina*, de John Carpenter, *Baile de Formatura*, *O Trem do Terror* e *Enigma na Estrada* (*Prom Night*, *Terror Train* e *Road Games*, respectivamente). A atriz inicialmente hesitou em assinar o contrato da continuação, mas acabou aceitando como um favor a Carpenter e

Hill por lançarem sua carreira. Querendo trilhar novos caminhos, Curtis anunciaria publicamente *Halloween II* como seu canto do cisne no gênero do terror.

Tendo garantido o retorno de Curtis e do coadjuvante Donald Pleasence, os produtores brincaram com vários conceitos distintos. No primeiro deles, como Yablans contou ao *The Los Angeles Times*, acompanharíamos Laurie sendo perseguida pela Forma enquanto frequentava uma universidade. "Imagine as possibilidades", ele brincou, "um dormitório inteiro repleto de colegas gostosinhas." Outra direção seria encontrar Laurie muitos anos depois, agora vivendo no apartamento de um arranha-céu afastado de Haddonfield. De alguma maneira, a Forma teria descoberto seu paradeiro, com o dr. Loomis não muito longe dali. Esse conceito de assassino-num-arranha-céu era extremamente semelhante a *Alguém Me Vigia*, um telefilme de 1978 que Carpenter dirigiu antes de fazer *Halloween*. Os cineastas também consideraram filmar a continuação em 3D, ainda que a tecnologia da época fosse considerada incompatível com as muitas cenas noturnas do roteiro.

"John e eu tivemos algumas reuniões a respeito da direção que a sequência deveria tomar", Pleasence contou à *Fangoria*. "Eu fiz algumas sugestões muito malucas. Como você deve imaginar, ele ignorou todas elas e apenas continuou a história de onde o filme original terminou. No final das contas, *Halloween II* foi um tanto violento para o meu gosto. Ele não tem a mesma inteligência e o suspense menos apelativo do original."

Halloween II começa onde o original acaba, com a Forma desaparecendo noite adentro. Um frenético dr. Loomis se reúne ao xerife Brackett para continuarem sua procura enquanto Laurie Strode é levada ao Hospital Haddonfield Memorial. Gravemente ferida, a Forma evita a polícia, espreitando pelos becos de Haddonfield. Após roubar uma faca, mata uma adolescente que escutava as notícias sobre seus crimes sinistros. Loomis confunde um mascarado do Dia das Bruxas com o seu paciente, e o garoto é morto num acidente inflamável com um carro da polícia. Brackett fica devastado ao saber que sua filha estava entre as vítimas da chacina e parte para casa para avisar sua esposa, mas somente após acusar Loomis de deixar o paciente dele escapar. Brackett deixa encarregado o delegado Gary Hunt, que insiste em achar que o mascarado carbonizado é de fato Michael Myers. Loomis permanece desconfiado e exige uma identificação positiva do médico-legista.

A equipe do hospital encontra Laurie emocionalmente instável após seu encontro com a Forma, e decide sedá-la sem o seu consentimento. Tendo seguido ela até o Haddonfield Memorial, a Forma sistematicamente isola o hospital do mundo exterior cortando as linhas telefônicas e rasgando os pneus dos carros do estacionamento. Ele então parte contra a equipe, matando primeiro o vigia noturno com um martelo de carpinteiro, antes de estrangular um motorista de ambulância e afogar uma enfermeira. A seguir, mata a enfermeira-chefe aplicando uma agulha intravenosa no braço dela, que drena todo o seu sangue. Ele então mata um doutor e uma enfermeira via embolia aérea injetando neles seringas vazias. Myers mata mais uma enfermeira com um bisturi, na frente de Laurie, que por pouco escapa de seu perseguidor e consegue abrigo em um carro estacionado lá fora.

Enquanto isso, Loomis e Hunt investigam um arrombamento na escola primária de Haddonfield. Lá, encontram a palavra "Samhain" rabiscada com sangue na lousa e uma faca de açougueiro cravada em um desenho infantil de uma família. Loomis explica que Samhain se refere ao senhor celta dos mortos (nota do autor: uma falácia, de acordo com muitos estudiosos). Ele é imediatamente puxado por Marion Chambers, a enfermeira que o acompanhara no *Halloween* original para a transferência de Michael na noite em que este fugiu, o que tecnicamente ocorreu ontem. Ela foi enviada junto de um xerife federal para trazer Loomis de volta a Smith's Grove, onde deverá esclarecer ao governador sobre os acontecimentos recentes. No caminho, Marion revela um segredo de família há muito enterrado: Laurie Strode é a irmã biológica caçula de

Michael Myers. Loomis percebe então que seu paciente está atrás dela, e obriga o xerife a alterar sua rota, indo ao Haddonfield Memorial em vez de ao Smith's Grove.

Assim que chegam lá, encontram Laurie sendo perseguida pela Forma, em quem Loomis descarrega seu revólver. O assassino despenca no chão, onde permanece imóvel, mas logo desperta para matar o inocente xerife um instante depois. A caçada recomeça quando Laurie e Loomis se escondem em uma sala de cirurgia com as luzes apagadas, na qual Michael força a entrada. Tomando o revólver de Loomis, Laurie atira duas vezes nos olhos do seu irmão, deixando-o cego. Mesmo sem enxergar, a Forma agita um bisturi de um lado para o outro na tentativa de acertar alguém. Um Loomis ferido começa a encher a sala com oxigênio, que ele irá incendiar assim que Laurie sair dali. Tanto o doutor como o paciente são engolfados por uma explosão de fogo, pondo fim ao terror daquela noite.

Uma das ideias mais interessantes de *Halloween II* envolve puxar de volta o foco narrativo para ver como Haddonfield responde à tragédia. Não surpreendentemente, a histeria se espalha pela pequena cidade. Os noticiários locais transmitem incessantemente. Uma turba furiosa se reúne em frente à casa dos Myers. Uma personagem tem uma amiga que jura ter visto Michael na cidade no dia anterior: "Julie é cascateira. Ele só fugiu na noite passada". Um repórter informa prematuramente que a polícia teria matado Michael Myers. Isso dá aos moradores uma perigosa sensação de segurança. Haddonfield é demonstrada como o tipo de lugar onde todos se conhecem, o que significa que ninguém passa intocável pela carnificina de Michael. Como Loomis diz: "Não sinta pena de mim. Sinta pena daquela pequena cidade. Vai levar anos até que esqueçam disso tudo".

Falando sobre Loomis, o personagem se torna duplamente interessante em *Halloween II* apenas pelo jeito com que ele fica desesperado para deter seu paciente. No primeiro *Halloween*, Loomis está seriamente preocupado que a fuga de Michael levasse a um banho de sangue. Em *Halloween II*, esse medo se torna a cruel realidade à medida que os corpos começam a aparecer. Loomis fica tão desesperado que aponta uma arma para um xerife e o sequestra, para que possam ir até o local para onde o doutor suspeita que seu paciente esteja se dirigindo — o Haddonfield Memorial. O que explicaria uma ação tão drástica? Preocupação com a segurança pública? Em parte, sim. Mas a razão principal é que isso tudo é muito pessoal para ele. Ainda que por duas vezes se defenda das acusações de Brackett de que foi ele quem deixou Michael escapar, é um tanto óbvio que Loomis se sente responsável pelo que está acontecendo. Ele culpa a si mesmo, mais do que isso, ele se sente obrigado a deter os assassinatos.

Enquanto Loomis tem muito o que fazer na continuação, Laurie nem tanto. É curiosa a decisão de relegar a ela um papel tão pequeno na história. A heroína regressa pouco aparece em *Halloween II*, apesar de ganhar mais relevância na trama. Lá se foi a lutadora astuta do primeiro filme, já que Laurie passa a maior parte da sequência em uma cama de hospital. Quando ela enfim se levanta, corre desesperadamente da Forma, até ser salva de novo pelo dr. Loomis.

A falta de protagonismo de Laurie é muito estranha, dado que ela lutou bravamente por horas no primeiro filme. Ela nunca menciona as duas amigas cujos corpos ela encontrou na casa dos Wallace. Ela também nunca pergunta para saber se Tommy ou Lindsey estão bem. A cena de abertura da continuação mostra o dr. Loomis incansável, noite adentro, atrás de seu paciente. Estaria Laurie se perguntando quem era aquele barbudo estranho que acabara de disparar contra o bicho-papão e jogá-lo da varanda? Aparentemente não, mas ela aceitaria uma Coca-Cola, por favor. Seu papel é tão insignificante que, ignorando o flashback de abertura, ela chega a ter mais falas em *Halloween: Ressurreição* do que em *Halloween II*. E não esqueçamos que ela morre aos quinze minutos daquele filme. O único personagem com menos falas do que ela parece ser a Forma. Uma das poucas novidades sobre Laurie em *Halloween II* envolve um flerte com um paramédico chamado Jimmy.

> **"Foi estranho ter tão pouco pra fazer ou falar (em *Halloween II*) porque Laurie teve um papel tão importante no primeiro filme."**
> **— Jamie Lee Curtis, no livro *Jamie Lee Curtis: Scream Queen*, de David Grove**

Além de Laurie, Loomis e a Forma, *Halloween II* trouxe de volta o xerife Brackett em diversas cenas. Embora Brackett tenha duvidado dos avisos de Loomis durante a maior parte de *Halloween*, ele é agora um crente absoluto. Para Brackett, a situação em Haddonfield nunca chegou a ser tão real ou pessoal antes de descobrir que sua filha está entre os mortos. Que Brackett deixe o filme tão cedo representa uma oportunidade perdida. Que pensamentos tortuosos devem ter passado pela cabeça do xerife enlutado? Vingança? Remorso? Poderia Brackett ter levado mais a sério a ameaça do retorno de Michael no dia anterior e, se assim fosse, ele conseguiria ter poupado a vida de Annie? Um remorso para toda a vida, sem dúvida.

A sequência ainda traz de volta a enfermeira Marion Chambers, do primeiro filme, a quem a Forma havia atacado durante sua fuga do Smith's Grove. Ela intercepta Loomis na escola primária de Haddonfield, com ordens do governador para que ele retorne. Loomis falha inicialmente em reconhecer sua colega (assim como a plateia, provavelmente), o que é compreensível. Sem o uniforme de enfermeira, como da última vez que a vimos, Marion chega na escola com roupas comuns e os cabelos soltos. Os cineastas usam esse rosto mais ou menos familiar para detonar uma reviravolta bombástica na trama: Laurie Strode é, na verdade, a irmã caçula de Michael Myers.

Ao tornar Laurie e Michael irmãos, os cineastas asseguram à Forma uma clara motivação. Desse jeito, *Halloween II* trai descaradamente o filme original. A Forma deixa de ser o bicho-papão primordial para se tornar um simples assassino complexado com a irmãzinha. Toda a ideia do primeiro *Halloween* é a de que Michael não seja um personagem, mas uma ausência. Ele é vazio, uma forma. A parte bizarra disso é que *Halloween II* não foi relegado a roteiristas de segunda categoria. Aqui tínhamos John Carpenter quebrando uma de suas regras principais. Em sua defesa, Carpenter lamentou firmemente a redação de *Halloween II* como uma tarefa cansativa que quase sempre exigiu viradas de noite e muita cerveja. "Eu me sentei para escrever a continuação e percebi que não havia história. Tudo o que estávamos fazendo agora era xerocar. É chato quando as pessoas querem que você repita a mesma coisa muitas e muitas vezes."

A respeito do roteiro de *Halloween II*, Carpenter não deu meias-palavras: ele detestou seu trabalho, sobretudo a recém-descoberta conexão familiar entre Michael e Laurie. Falando ao site *Halloween Daily News*, em 2014, Carpenter assumiu total responsabilidade pelos equívocos do filme: "A continuação teve seus problemas, e provavelmente todos por minha culpa, porque eu não escrevi um roteiro muito bom". Sua opinião negativa é provavelmente exacerbada pelo fato de que os próximos sete filmes (com exceção de *Halloween III: A Noite das Bruxas*) se agarram ao parentesco dos dois como um ponto fundamental de suas tramas. O maior arrependimento de Carpenter em *Halloween II* seria cauterizado na própria identidade da franquia dali em diante.

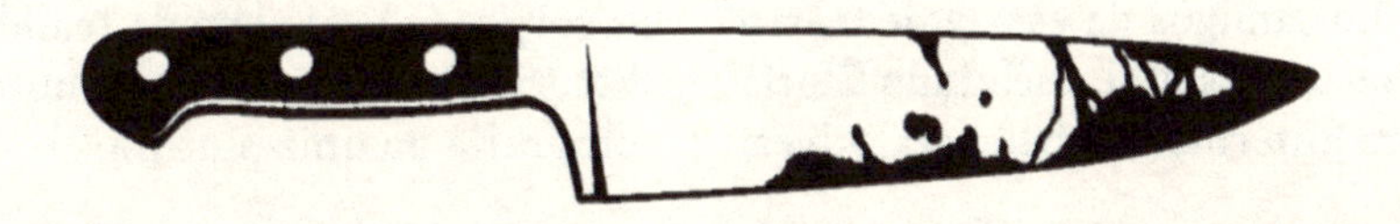

MUDANDO DE DIREÇÃO

Ainda que John Carpenter e Debra Hill tenham voltado a contragosto para escrever *Halloween II*, nenhum deles queria a cadeira de diretor. Carpenter deixou claro que não queria se repetir. E mesmo que Hill tivesse aspirações como diretora, ela não queria fazer sua estreia em uma continuação. Outra escolha óbvia para a direção era o diretor de arte de *Halloween*, Tommy Lee Wallace. Ele declinou, entretanto, após ler o roteiro e detestá-lo. Até Yablans, que era o mais afoito em fazer a continuação, não gostou do que os roteiristas fizeram.

O *Los Angeles Times* anunciou que um dos concorrentes à cadeira de diretor seria nenhum outro senão o cineasta David Lynch. Isso foi anos antes dele aperfeiçoar sua marca registrada de estilo surrealista presente em obras como *Twin Peaks*. Nesse momento inicial de sua carreira, Lynch ainda era um novato qualquer em Hollywood, tendo capitaneado apenas o bizarro e tenebroso *Eraserhead* e a desconcertante cinebiografia *O Homem Elefante* (*The Elephant Man*). O grau de conexão entre Lynch e *Halloween II* permanece um mistério, já que Carpenter escolheu o graduado em Harvard, Rick Rosenthal, para dirigir o filme. Essa seria a primeira experiência de Rosenthal dirigindo um longa-metragem.

Entrando na produção, a tarefa de Rosenthal não foi nada fácil. Ele estava atado a um roteiro com o qual poucos se mostravam contentes — a equipe de *Halloween*, Jamie Lee Curtis e nem mesmo o próprio Carpenter. Em reverência ao estilo do primeiro filme, boa parte da equipe seria trazida de volta, sendo o mais notável deles o diretor de fotografia, Dean Cundey. Sentindo-se um peixe fora d'água entre os veteranos, Rosenthal escalou alguns de seus velhos amigos da escola de teatro para os papéis da equipe do hospital. Incluindo Gloria Gifford como a austera enfermeira-chefe, sra. Alves; Ana Alicia como a voluntária Janet, e Leo Rossi como Budd, o técnico de emergência sabichão. A seleção de Gifford e Rossi em particular trouxeram alguma controvérsia aos bastidores. Como roteirista e produtora, Hill estava preocupada que os atores não refletissem os personagens como descritos no roteiro. Gifford era uma jovem atriz negra, enquanto a sra. Alves havia sido originalmente imaginada como idosa e branca. O sotaque ítalo-novaiorquino de Rossi também bateu de frente consideravelmente com a localização do centro-oeste americano na qual o filme se passa. Hill se cansaria e permitiria que Rosenthal escolhesse o elenco contra as indicações do roteiro.

Ao discutir seu trabalho na sequência, Rosenthal confessou sentir que era tanto uma obrigação quanto uma expectativa seguir o estilo de *Halloween* o mais fiel possível. Isso se devia em grande parte ao fato de *Halloween II* ser uma continuação direta da noite exibida no primeiro filme. Adicionar seu próprio talento à sequência acabou se provando uma batalha. Rosenthal consegue trazer diversas cenas com o que ele identifica como expressionismo alemão, em especial no enquadramento dos corredores vazios do hospital e nas mortes de Janet e do dr. Mixter. Mais adiante, o paramédico Jimmy descobre o corpo sem vida da sra. Alves em uma sala de cirurgia com as luzes apagadas. Ela teve o seu sangue completamente drenado, que agora cobre todo o chão. Jimmy escorrega na poça carmim em um dos momentos de maior impacto visual do filme, e sofre uma concussão. "A imagem é tão poderosa", Rosenthal contou ao *Los Angeles Times*. "A poça de sangue, sua cor, os corpos (...) vai além da realidade e se torna surreal. Pictoricamente, o plano é muito excitante, como uma fotografia ou uma pintura."

CORTANDO A GORDURA

Não é segredo que o primeiro corte de *Halloween II* não foi bem recebido — nem nos testes de audiência e nem pelos produtores. A principal crítica de John Carpenter era de que simplesmente não estava assustador, comparando-o com um episódio da série hospitalar *Quincy*. Ele ofereceu a Rosenthal comentários detalhados sobre como melhorar o filme por meio da montagem. Apesar disso, o segundo corte de Rosenthal também falhou em impressionar os manda-chuvas. Carpenter então tomou as rédeas num esforço para salvar o projeto. O diretor de *Halloween* rejeitou cenas desnecessárias enquanto reeditava outras. Ele também liderou três dias de filmagem adicionais para aumentar o gore e o suspense do filme.

Uma reclamação estranha dos testes de audiência foi a de que, em nenhum momento em *Halloween II*, a Forma mata um adolescente, o que então havia se transformado em um fundamento do gênero slasher. Em resposta, Carpenter filmou uma cena adicional que se transformaria na primeira morte em *Halloween II*, uma curta porém sinistra estocada em uma adolescente chamada Alice, dentro da casa dela. Esse assassinato aleatório segue a cena em que a Forma rouba uma faca da tábua de cortar carne da sra. Elrod. Enquanto Rosenthal inicialmente justificava a inclusão da cena ao *Los Angeles Times* para "deixar o filme mais comercial", ele depois externou que a desaprovava por violar a lógica interna da história. Falando à *Fangoria:* "Você pode argumentar que Michael só mata pessoas que se metem entre ele e a Laurie, exceto por ela. Não tive muito o que dizer a respeito. Eles só queriam ter mais momentos chocantes".

Você não tem outra escolha além de sentir pena de Rosenthal em *Halloween II*, já que sua influência, sendo um diretor novato, foi claramente limitada. Enquanto Carpenter gozou de total controle criativo no primeiro *Halloween*, Rosenthal precisou lutar contra múltiplos jogadores poderosos durante a sequência, cada um deles com sua própria visão conflitante a respeito de como o projeto deveria ser. O diretor tinha originalmente planejado favorecer o suspense sobre o gore, assim como no original. Ele foi vencido por Carpenter, entre todos, que acreditava firmemente que a plateia esperaria mais violência explícita na esteira de imitadores de *Halloween*, como *Sexta-Feira 13* (*Friday the 13th*). Como consequência, o filme acabou tão sangrento que muitos o consideram um *splatter*, subgênero dos filmes slasher.

"No fim, o corte de *Halloween II* que foi lançado com certeza não era o meu", contou Rosenthal à *Fangoria*. "Nunca fui amigo de John Carpenter. Eu era apenas alguém que ele contratou. Então, tive pouquíssima voz quando eles decidiram mudar o meu corte do filme. Não vi ou falei com John em anos, mas não é que eu seja ressentido com ele." O cineasta posteriormente registrou suas aflições na *H40 Convention:* "Tinha muito cacique nesse filme. Tinha John e Debra, e depois o Moustapha Akkad, depois o Dino De Laurentiis, e finalmente a Universal. Dino veio à sala de montagem logo no começo e disse: 'Ah, Rick, está tãoooo lento. Jogue fora a cena com a maçã e a gilete'. E eu disse: 'Dino, não sei quem tem o corte final, mas eu posso te garantir que o John e a Debra amam aquela cena'. E então, no final, a cena ficou. Esse é um bom exemplo de como havia politicagem em *Halloween II*".

"Acho *Halloween* II abominável, um filme horrível."
John Carpenter
Cinema Showcase

"Fiquei desapontado de verdade com *Halloween* II", Carpenter disse à *Cinema Showcase* em 1984. "O diretor seguiu em frente e fez outros filmes. Acho que sua carreira engrenou agora. Mas não acho que ele teve apego ao material. Acho que esse foi o problema. Ele não teve sensibilidade ao que estava acontecendo."

Uma leitura superficial do roteiro revela que *Halloween* II não foi escrito de uma forma tão precisa quanto o filme original. A continuação tenta amontoar muita coisa em seus frenéticos 92 minutos de duração. Como resultado, muitos momentos de apresentação de personagens secundários foram filmados, mas deixados de fora, alguns contra a vontade do diretor. Praticamente todos os personagens do roteiro perderam cenas no processo até a versão que foi aos cinemas. O chão da sala de montagem de *Halloween* II não estava apenas sujo com excesso de celuloide — estava imundo. Algumas dessas cenas acabariam na infame versão televisiva do filme, enquanto outras nunca foram exibidas. Outras cenas deletadas apareceram na adaptação literária, que foi baseada em um tratamento anterior do roteiro.

CENAS DELETADAS

Mesmo que a maior parte do material deletado de *Halloween II* englobasse pequenos momentos, havia uma subtrama de tamanho considerável que acontecia durante o segundo ato. Essas cenas deletadas continham uma morte adicional e ofereciam uma explicação alternativa de como Michael chegou até o Haddonfield Memorial. Apesar da remoção dessas cenas ter deixado a seção intermediária do filme mais enxuta, ela acabou trazendo muitos furos na história, como consequência.

Essa subtrama começa com a equipe da WWAR News fazendo uma reportagem em frente à casa dos Doyle. Com exceção do repórter Robert Mundy, a equipe da WWAR quase não aparece na versão de *Halloween II* que chegou aos cinemas. Só nos mostram um breve momento em que a produtora dá instruções ao seu assistente (Dana Carvey, o Garth de *Quanto Mais Idiota Melhor*, em seu primeiro papel) sobre como conseguir declarações dos garotos. Mas preste atenção ao papo de Loomis e Hunt do lado de fora da casa dos Doyle e você verá que a produtora está só de olho na conversa. Ela ouve que a polícia pode ter matado Michael Myers, assume como sendo um fato, e de maneira descuidada acaba passando a informação falsa ao vivo. Tanto na versão cinematográfica quanto na televisiva, essa é a última vez que veremos sua personagem. Mas não no roteiro original.

Da maneira que foi originalmente escrito e filmado, a produtora instrui a equipe de reportagem para encontrá-la no Haddonfield Memorial e assim conseguirem um depoimento de Laurie Strode. (A produtora se chama Debra, no que certamente era um aceno à corroteirista e produtora Debra Hill.) Ela prefere dirigir sozinha do que ir na van da reportagem, permitindo que Michael lhe prepare uma armadilha. Ele esvazia um dos seus pneus e logo se esconde no porta-malas. Momentos mais tarde, a produtora estaciona o carro para trocar o pneu e encontra a ajuda de um caipira imundo (interpretado por nenhum outro senão o próprio Rosenthal) que lhe oferece assistência. Ela abre mão da ajuda, e o caipira a deixa sozinha. Quando abre o porta-malas, Michael salta sobre ela e corta sua garganta. Deixando-a morrer no acostamento, ele dirige até o Haddonfield Memorial. De acordo com Rosenthal, esta cena foi ao menos parcialmente filmada.

A equipe da WWAR chega ao Haddonfield Memorial logo após e encontra o carro da produtora no estacionamento. Acreditando que ela já está lá dentro, eles entram no hospital à procura do quarto de Laurie. A presença deles desperta a ira da sra. Alves, que os expulsa com vontade. Jimmy escuta um dos jornalistas mencionar a suposta morte de Michael pela polícia e corre para dar as notícias a Laurie, que se recusa a acreditar nele, insistindo que Michael ainda está lá fora em algum lugar e ainda está atrás dela. Ficando histérica, ela tenta se levantar, obrigando Jimmy a conter seus movimentos. O dr. Mixter chega apressado e lhe administra uma dose de sedativo, apesar dos apelos contrários de Laurie. "Não! Não me faça dormir. Ele vai me achar!" Na mesma hora em que eles a medicam, as luzes se apagam. O gerador de emergência é acionado instantes depois, mantendo apenas metade das luzes acesas para economizar energia.

A remoção dessas cenas resultou em três furos na narrativa. O primeiro derruba a parte em que Michael corta a luz do hospital durante o ataque de pânico de Laurie. O roteiro indica que as luzes internas deveriam mudar como resultado, o que de fato acontece. Apesar do corte da cena, o hospital permaneceu à meia-luz pelo restante do filme sem que haja nenhuma explicação. Sem essa informação, a plateia fica sozinha imaginando por que todo mundo parece disposto a correr por aí às escuras.

O segundo furo na trama diz respeito à condição de Laurie mais adiante na história. No cinema, nós a vemos ser sedada apenas uma vez, antes de receber os pontos no braço. Ela acorda depois do procedimento, totalmente lúcida. Mais tarde, Jimmy a encontra imóvel em sua cama de hospital, sem nenhum motivo. Logo mais, ela desperta abobalhada e vaga pelo hospital sob o efeito das drogas. Na verdade, não podemos atribuir a condição de Laurie à dose adicional de diazepam administrada durante o seu ataque de pânico deletado. O roteiro mais adiante deixa claro que o dr. Mixter já havia lhe administrado uma dose dupla de relaxante muscular antes da cirurgia, o que significa que ela recebera uma sobredosagem de medicamentos quando Jimmy a encontrou, catatônica. Os cineastas também deletaram várias subjetivas de ponto de vista desfocadas, que serviriam para comunicar visualmente sua incapacidade.

O terceiro furo diz respeito a como Michael foi até o Haddonfield Memorial. Na filmagem original, ele pega uma carona com a produtora do canal de TV. Com esta cena deletada, os cineastas precisavam de um jeito para comunicar sua ida até o hospital. Carpenter remendou esse furo sozinho, filmando uma cena adicional durante a pós-produção que mostrava Michael caminhando pela praça da cidade em direção ao hospital. Ele esbarra no caminho com um garoto com um boombox (o filho de Dick Warlock, o ator que interpreta Michael Myers), ouvindo pelo rádio a notícia de que Laurie estava sendo levada até o centro hospitalar. Quando a cena termina, vemos Michael passar por uma placa de rua que indica o caminho até o Haddonfield Memorial. Essa nova cena também apresentou a enfermeira Karen antes do que estava previsto no roteiro original.

O ataque de pânico de Laurie seria posteriormente citado em uma conversa deletada entre Janet e Karen, na ala infantil. Janet expressa seu desconforto sobre o desenrolar daquela noite. Ela deixa escapar algo sobre seringas roubadas da enfermaria, que Karen atribui, de brincadeira, a Budd. Janet depois lamenta como é assustador que as luzes tenham sido cortadas e que ela não consiga encontrar o sr. Garret ou a sra. Alves. Karen responde que ela está se preocupando à toa e que deveria relaxar. "Fácil pra você falar. Você não ouviu a Laurie Strode gritando que o Michael ainda está por aí... que ele está vindo atrás dela!"

Uma cena improvisada que foi deletada pelo diretor de *Halloween II* envolvia Karen, personagem de Pamela Susan Shoop, escutando um barulho estranho na ala infantil. A Forma acidentalmente acerta um macaquinho percussionista de brinquedo, o que atrai a atenção da enfermeira. Ela presencia a cena, mas Michael está fora do seu ângulo de visão. Ele se esconde num armário ali perto. "É uma cena incrivelmente tensa", Rosenthal disse em *Halloween: 25 Years of Terror* [Halloween: 25 anos de terror]. "Ela vai até o brinquedo, e do nada ele para. Você está só esperando Michael Myers dar o bote. E então ela sai da sala e você respira aliviado. Eu gostei porque deixou assimétrico o aspecto do terror. Significa que nem sempre que você vê o assassino, acaba com mais um corpo. Eu gostei disso."

Outra cena cortada dessa parte do filme retratava um pouco mais da conversa entre Hunt e Loomis quando eles deixam o escritório do médico-legista. Loomis agradece Hunt por mandar seus policiais voltarem a procurar Michael. "Eu conhecia Annie Brackett. Os outros garotos também. E agora pode haver mais um garoto deitado naquela maca lá dentro que morreu por causa dele. Então não me agradeça, doutor. Só me ajude a encontrá-lo. E a detê-lo." Loomis teoriza que um Michael ferido pode tentar voltar pra casa, o que explica sua visita à casa dos Myers. Uma discrepância no diálogo: na filmagem, Hunt acusa Michael pela morte de Ben Tramer. No roteiro original, ele acusa Loomis.

Na versão cinematográfica, *Halloween II* termina com Laurie sendo colocada na ambulância e levada para outro hospital. Só que os cineastas haviam planejado originalmente incluir um último susto aqui. Quando a ambulância parte, vemos uma criatura encoberta por um lençol se levantar por trás dela. Laurie se vira e suspira de pavor, ainda que seja apenas Jimmy. Ele está com a cabeça enfaixada, presumivelmente por causa da concussão que sofreu após escorregar no sangue da sra. Alves. Laurie começa a soluçar: "Nós conseguimos!", e eles dão as mãos. Entra a canção "Mr. Sandman", e sobem os créditos. Rosenthal já disse que esse era seu final preferido.

VERSÃO ALTERNATIVA: O SONHO DE LAURIE

Um dos momentos mais intrigantes de *Halloween II* apresenta um flashback da infância de Laurie. Essa memória reprimida por tantos anos retorna durante um sonho que ela tem sob o efeito dos sedativos. Narrativamente, o sonho tem a função de informar (ou relembrar) a Laurie que ela e Michael são irmãos. Sem esse sonho, ela deveria sobreviver àquela noite ainda pensando: "Por que eu?". Não é como se Loomis entrasse pelo hospital louco para divulgar sua recente descoberta. Já imaginou? "Desculpe ter lhe deixado. Precisamos sair daqui. A propósito, Michael é seu maninho. Uma longa história, depois te conto." Tudo indica que, inicialmente, os cineastas ficaram inseguros em como contar essa sequência importante. A versão cinematográfica, a versão televisiva, o roteiro e a adaptação literária — todos lidam com o assunto de maneiras um pouco diferentes. No cinema, vemos a jovem Laurie ao ar livre, em um dia de sol, ao lado de sua mãe. A garota pergunta: "Por que você nunca me conta nada?", ao que a mãe responde: "Já disse, não sou sua mãe". Não fica claro se aquela é a sra. Myers ou a sra. Strode. Os créditos finais a identificam apenas como "Mãe da Laurie". Do sonho, então, cortamos para Smith's Grove, onde a jovem Laurie se aproxima de um garoto de costas, que se vira para encará-la. Ainda que eles nunca conversem, entendemos que aquele é o jovem Michael Myers. Eles se olham fixamente. Laurie acorda.

A versão para a TV de *Halloween II* apresenta o mesmo encontro no hospício, mas sem que a mãe de Laurie apareça antes negando ser sua mãe. Outra diferença é que a jovem Laurie agora tem falas, dubladas por cima de sua performance: "Michael, por favor, não fique com raiva de mim. Sou sua irmã. Por favor, não fique com raiva de mim. Por favor, não me machuque." Claramente, essa versão não privilegia a sutileza. A adaptação televisiva também embaralhou bastante o sonho de Laurie, que agora aparece *depois* de Loomis descobrir o segredo de família dos Myers, e não antes, como acontece no cinema.

O roteiro original constrói melhor a grande revelação com um flashback extra, que aparece mais cedo na trama. Neste flashback, a jovem Laurie está sentada no banco traseiro do carro da família, ninando uma boneca. Seus pais estão nos bancos da frente. Estranhamente, os olhos deles estão sem pupilas, e sangue escorre pelos seus rostos. O pai de Laurie está chateado: "Eu disse que não era para trazer ela. Ele a viu. Ele a viu." Confusa, Laurie pergunta: "Quem era ele, mamãe? Por que você não me conta? Por que você não nunca me conta nada?". Aqui ouvimos outra vez a frase misteriosa: "Já disse, não sou sua mãe". O sangue então começa a escorrer da boca da boneca de Laurie. Assim, ela acorda de sobressalto na cama do hospital. Será que essa sequência chegou a ser filmada? Provavelmente sim, já que nos créditos finais de *Halloween II* Dennis Holahan está listado como o pai de Laurie, apesar de ele nunca aparecer em cena. O roteiro então descreve o encontro no hospício entre Laurie e Michael da mesma maneira, mas com um detalhe extra: a Laurie do presente está em cena, atrás de sua versão mais jovem, observando toda a ação se desenrolar!

A adaptação literária é similar ao roteiro, com um momento adicional no primeiro flashback. No romance, descobrimos que o nome da boneca de Laurie é "Mikey". Tristonha após ser renegada pela própria mãe, ela consola a boneca: "Tudo bem, Mikey. Não chore".

"Todos temos medo da escuridão dentro de nós."

HALLOWEEN II
(1981)

HALLOWEEN II: A VERSÃO PARA A TV

Assim como no filme original de John Carpenter, *Halloween II* exigiu uma montagem extensa para que pudesse ser exibido na TV aberta. Isso graças a linguagem, violência e nudez. Previsivelmente, a remoção desses momentos deixaram a versão curta demais para a janela de exibição. Felizmente, *Halloween II* teve inúmeras cenas deletadas que poderiam ser reaproveitadas por motivos de minutagem. O que resultou em uma versão da continuação conhecida atualmente como "a versão para a TV". De maneira bizarra, esse *Halloween II* faz mais do que trocar cenas censuradas por cenas deletadas — ele monta as cenas em ordem diferente, alterando a cronologia durante o processo. Alguns acreditam que essa versão televisiva representa o corte original de Rick Rosenthal do filme, mas isso é notoriamente falso. Ainda que algumas das cenas restauradas saúdem o corte original do diretor, outras não, como por exemplo aquelas filmadas por Carpenter durante a pós-produção. Esta versão é uma colcha de retalhos cinematográfica.

A versão para a TV de *Halloween II* conserta muitos dos já citados furos da trama ao devolver o material deletado. Agora, nós ficamos sabendo que o Haddonfield Memorial tem a energia cortada e que o gerador de emergência é acionado em resposta. Também vemos o dr. Mixter administrar a superdosagem de diazepam de Laurie, que a deixa catatônica. Além disso, os cineastas restauram diversos planos subjetivos sob o ponto de vista desfocado de Laurie, que demonstram sua perspectiva grogue. Apesar desses consertos, a versão para TV também cria seus próprios furos. Ao retirar as mortes de Janet, da sra. Alves e do dr. Mixter, somos levados a pensar que esses personagens continuam vivos. Então por que eles somem sem qualquer explicação na metade final do filme? Outra personagem poupada na transmissão televisiva é a adolescente Alice, que escuta a sra. Elrod gritar e depois volta a conversar pelo telefone. A cena foi cortada de forma abrupta antes que Michael entrasse furtivamente pela casa.

A versão para a TV também muda os detalhes da cabeça machucada de Jimmy. Ao remover a cena em que ele descobre o corpo da sra. Alves, ele deixa de escorregar no sangue dela. Ainda assim, o final original, em que Jimmy aparece dentro da ambulância com a cabeça enfaixada, foi reeditado. Como ele se machucou se não foi escorregando no sangue? Esse corte apresenta uma solução esperta. Planos com Jimmy vagando pelo hospital são intercalados com a cena final na sala de cirurgia. Quando Loomis acende o gás, cortamos rapidamente para Jimmy escorregando e caindo. A sugestão aqui é que ele caiu por causa da explosão, e não por ter escorregado em uma poça de sangue. A solução cria um novo problema, entretanto. Se Jimmy não caiu antes do finalzinho do filme, ele não poderia cambalear no estacionamento com uma concussão quando Laurie se esconde em um dos carros. A cena precisou ser alterada para remover um Jimmy com a cabeça enfaixada, garantindo algum senso de continuidade.

ESCRITO, MAS NÃO FILMADO

O tratamento original de *Halloween II* continha diversos momentos extras que nunca foram filmados, incluindo uma abertura totalmente diferente do que a vista no longa-metragem. No cinema, a continuação começa com um flashback do final do filme anterior. No primeiro tratamento do roteiro, a continuação começa com dois garotos da vizinhança, Dave e Bobby, saindo para pedir doces no Dia das Bruxas. Um pouco antes das 22h, eles batem na porta da velha senhora McNally, que reclama a respeito de pessoas gritando na vizinhança. Os garotos então visitam a casa de Doyle, aparentemente vazia e às escuras. Percebendo a porta entreaberta, eles entram e escutam os sons de uma briga vinda do segundo andar. Momentos depois, seis tiros ressoam, e Michael Myers cai no jardim perto deles. Tendo testemunhado o final de *Halloween* em primeira mão, os garotos ficam paralisados de medo. Loomis desce a escada correndo logo depois e não encontra seu paciente. Um vizinho chega para investigar, certo de que aquilo era parte de uma pegadinha. "Estamos mortos de tantos doces e travessuras." Loomis responde: "Você não sabe o que é a morte!".

A chegada de Michael ao hospital também foi prevista de outra forma no primeiro roteiro. Uma Laurie semiconsciente percebe a aproximação de seu irmão ao olhar pela janela de seu quarto no hospital. Jimmy também teria percebido o invasor mascarado vagando pelas instalações. Ele comenta com Budd, que implica dizendo que Jimmy está vendo coisas e que precisa fumar um baseado para relaxar. Ao entrar no prédio, a Forma se esconde no berçário. Em uma referência à abertura de *Halloween*, ele encontra uma máscara infantil de palhaço abandonada no chão. Ele se abaixa para pegá-la, mas sangue escorre de seus dedos até a máscara. Michael amassa a máscara salpicada de sangue com raiva, antes de jogá-la de lado.

O roteiro contém mais diferenças perto do final. Na versão cinematográfica, é a enfermeira Marion Chambers quem o governador manda para trazer Loomis de volta à Haddonfield. No roteiro original, seria a sra. Susan Chambers, uma personagem totalmente diferente. O delegado federal também sofre uma morte alternativa nesse primeiro tratamento. Em vez de cortar a garganta do delegado, Michael joga ele sobre uma porta quebrada. O delegado é empalado num caco de vidro gigantesco. Laurie tem um papel ainda menor neste final, já que Loomis nunca lhe entrega uma arma. É Loomis quem dispara nos olhos de Michael. Ele então é esfaqueado na barriga. Sangrando no chão, Loomis grita: "Por que você não morre?".

No filme, a Forma perde alguns minutos golpeando o ar com um bisturi, em uma brincadeira mortal de cabra-cega. No primeiro tratamento, ele se encontrava originalmente subjugado após ser baleado no rosto, mesmo quando Loomis e Laurie começam a abrir o gás. "A Forma permanece no meio da sala. Suspensa. Balançando para frente e para trás. As mãos caídas. Sangue jorrando dos buracos dos olhos de sua máscara."

Quando o Sol nasce na manhã seguinte, as autoridades trabalham para apagar as chamas do Haddonfield Memorial. O delegado Hunt pergunta quantas vítimas foram recolhidas, e lhe respondem que foram "oito", o que está de acordo com as mortes que vimos. (Nos cinemas, dez vítimas são mencionadas, mas quem são as duas extras?) Uma fala a mais confirma que Jimmy sobreviveu ao filme e que será levado ao hospital em Scottsville para receber tratamento. Quando os paramédicos colocam uma Laurie exausta dentro da ambulância, ela resmunga: "Não posso deitar. Não posso dormir agora".

O ROMANCE DE ETCHISON

Assim como o original, *Halloween II* recebeu uma adaptação literária que expandiu sua história. Escrita por Dennis Etchison, sob o pseudônimo de Jack Martin, o romance foi lançado pela Zebra Books em primeiro de novembro de 1981, dois dias após o lançamento da continuação nos cinemas. Parte do material adicional saudava tratamentos anteriores do roteiro, ainda que a maioria viesse do próprio Etchison.

O romance contém uma abertura diferente que regressava ainda mais na linha do tempo do filme anterior. Etchison começa sua adaptação com a sra. Elrod vestida em seu roupão cor-de-rosa, de quem a Forma viria a roubar uma faca, enquanto ela atende aos travessos do Dia das Bruxas. Nesse ponto da noite, os doces dela já acabaram, e ela entrega moedinhas para que as crianças possam comprar as guloseimas pela manhã. O próximo passo dessas crianças será na velha residência dos Myers, onde desafiarão umas às outras a entrarem na casa. Michael observa de longe. Um garoto, Lonnie Elam, se aproxima da porta da frente, mas uma voz grita seu nome: "Lonnie, sai já daí!". É Loomis que está escondido nos arbustos, claro, mas as crianças não sabem disso e fogem assustadas. Loomis então encontra o xerife Brackett e diz sua frase manjada: "A morte chegou na sua cidadezinha". Daqui, o romance segue do final de *Halloween* para a abertura de *Halloween II*.

A versão de Etchison dá mais ênfase ao fato de que Laurie não quer ser sedada, e ainda apresenta um motivo: "Ela pode sentir o sonho chegando". Seu encontro violento com a Forma desatarraxou velhas memórias reprimidas de suas origens familiares que, ela percebe, irão emergir mais completamente em seus sonhos. Ela tem um flashback do dia anterior, do professor discursando sobre o destino e de voltar a pé para casa com Annie e Lynda — "Sempre esqueço todos os meus livros".

Como no roteiro original, o papel da produtora do noticiário WWAR é desenvolvido, e ela depois se torna vítima da história que está cobrindo. Em seu trajeto ao Haddonfield Memorial, ela é parada pela polícia, flerta com o policial e consegue sair dali, dirigindo até ser interrompida pelo pneu furado que a levará à morte. Ela também é um pouco menos simpática no romance, e diz ao seu operador de câmera: "Ainda vou subir nessa vida, Barry. Custe o que custar. Se é para apelar com crimes sexuais nojentos, pode trazer o sangue e as tripas. Desde que não seja o meu sangue ou as minhas tripas".

Outro detalhe extra: No filme, a enfermeira Janet corre para chamar o dr. Mixter após encontrar Laurie catatônica na cama. No romance, ela corre para a mesinha do segurança, que se encontra vazia, pois o sr. Garret já está morto. Logo ela encontra o corpo do sr. Garret com um martelo de carpinteiro encravado em seu crânio (no filme, é Laurie quem encontra o corpo dele). Por fim, Janet corre até o escritório do dr. Mixter, onde a Forma espera — escondida com uma seringa nas mãos.

Etchison parecia achar que *Halloween II* seria a aparição final de Michael Myers na franquia. No epílogo do livro, o seguinte trecho: "Se você quer saber a verdade, não achamos um pedacinho sequer do outro cara. Uma coisa é certa. Mesmo se eles achem os pedaços, nem o diabo conseguiria montar todos eles de volta".

Quando Laurie é levada até a ambulância, perguntam a ela quem são seus pais para que eles *finalmente* sejam avisados. Ela responde: "Eu não sei. Juro que não sei", o que sugere que Laurie não sabia que era adotada, mas isso não se alinha com a cronologia de *Halloween II*. Nos cálculos que Marion Chambers faz, Laurie teria quatro anos quando se tornou uma Strode. Crianças de quatro anos saberiam seus nomes completos e quem são seus familiares, então a ideia de que Laurie não se lembraria de seus pais biológicos é ridícula.

Entrevista:

DEAN CUNDEY

Diretor de Fotografia — Halloween 1–3

Entrevistado por Dustin McNeill

Antes de começarmos com Halloween, gostaria de lhe dizer o quanto eu gostei do seu trabalho em Psicose II. Tantas pessoas fotografaram o cenário icônico do Bates Motel, mas ninguém o fez como você.
Muito obrigado. *Psicose II* é um dos meus filmes menos conhecidos, mas um dos que eu me lembro com mais carinho, porque estávamos tentando manter o estilo do filme original de Hitchcock.

Várias gerações já cresceram assistindo a Halloween, e muitos o consideram entre seus filmes favoritos, mas quais foram os filmes de terror que você cresceu assistindo?
Bem, com certeza *Psicose*. Nasci em 1946, então meus primeiros filmes foram no meio dos anos 1950 e 1960. Era uma época interessante porque o terror era muito mais próximo da ficção científica do que aquilo que acabamos fazendo em *Halloween*. Nosso país era fascinado por energia atômica e bomba atômica. Muitos dos monstros dos filmes eram mutações. Em *O Mundo em Perigo* (*Them!*), havia insetos que cresceram enormemente. Era também uma época em que as pessoas avistavam discos voadores nos céus, havia toda uma conjectura sobre alienígenas. O filme *Vampiros de Almas* (*Invasion of the Body Snatchers*) original era um dos poucos filmes que me assustou de verdade quando criança. Tinham muitos outros terríveis, ainda que eu tenha me esquecido deles com o passar do tempo.

Ano passado (2018) marcou o quadragésimo aniversário de Halloween. Agradeço muito por seu tempo, mas fico surpreso que você não esteja de saco cheio de ainda discutir o filme!
Não me incomodo porque sinto orgulho do filme. É interessante ouvir o contexto que algumas pessoas têm dele. Fãs aparecem e dizem: "*Halloween* foi uma inspiração em minha juventude. Um dos primeiros filmes de terror que eu vi e que sempre amei". Mas também tem as pessoas que perguntam que trabalhos eu fiz e aí dizem: "*Halloween*? Ah. Você trabalhou em um DESSES filmes?". São as mesmas pessoas que vão dizer: "Ah, você fez *Jurassic Park*? É um daqueles filmes de dinossauros, né?". Não, não é. Foi O Filme de Dinossauros. Às vezes é frustrante ver pessoas que não apreciam esses filmes pelo que eles são, sobretudo dentro do contexto dos seus lançamentos, mas eu acho que *Halloween* em geral é bem recebido, e fico feliz em conversar sobre ele.

Por que Halloween foi diferente dos outros filmes que você havia feito até então?
Eu tinha feito talvez uma dúzia de filmes de ação de baixo orçamento, quase sempre envolvendo perseguições de carros. Eu os descrevia como "garotas de biquínis com metralhadoras e então alguma coisa explode". Esses filmes eram bastante formulaicos. Trabalhei com um diretor que selecionava estrelas de TV decadentes para interpretar

personagens excêntricos como parte de uma fórmula. Eu sempre tive dificuldade em convencer esses diretores a fazer planos interessantes. Eles diziam: "Besteira, vai ser mais rápido posicionar a câmera ali". Eles achavam que a câmera era apenas um jeito de filmar os atores dialogando. Eu estava ciente do fato de que a câmera devia ser usada de um jeito melhor do que nós a usávamos.

Portanto, foi uma delícia receber uma ligação da Debra Hill, dizendo que ela e esse cara novo iam fazer um filme e que eles acharam que eu seria um bom parceiro. Ela me convidou e me apresentou esse cara chamado John Carpenter. De imediato, a gente se entendeu. Fiquei logo interessado ao ler o roteiro de *Halloween* porque era obviamente um filme diferente dos que eu estava fazendo. Aquilo me deixou intrigado. John e eu assistimos juntos a alguns filmes antigos e conversamos sobre como usar a câmera para capturar planos interessantes. Foi quando eu tive a noção de que ele tinha um olho excepcional para fazer filmes de baixo orçamento. Então nós começamos a jornada e fizemos o filme que seria *Halloween*.

O sucesso de Halloween foi atribuído a muitos com o passar dos anos, mas quem você considera que sejam os heróis subestimados do filme? Ou todos já receberam o devido valor?

Existem alguns nomes que não são mencionados. Os membros da equipe que me apoiaram são frequentemente esquecidos nas sombras, ainda que eu tenha essas pessoas em alta estima. Um deles é o eletricista-chefe ou iluminador, cujo trabalho é implementar a visão que eu tenho. Em *Halloween*, esse cara foi o Mark Walthour. Ele participou de alguns filmes de baixo orçamento comigo. Outro foi o assistente de câmera Ray Stella, que se tornou cameraman e fez a maior parte das cenas com o estabilizador Panaglide. Ray e eu trabalhamos juntos por 28 anos. Esses são os dois caras que eu acho que merecem crédito por suas grandes contribuições. Estavam interessados em muito mais do que apenas ligar as luzes. Estavam interessados no processo narrativo e se envolveram, contribuíram. Havia mais um monte de gente assim no filme original, e é por isso que ele ficou tão bom.

Não vou perguntar sobre o lendário plano-sequência em Panaglide que abre o filme porque eu sei que você já respondeu isso centenas de vezes, mas eu tenho uma pergunta a esse respeito. Vamos imaginar que o equipamento não estivesse disponível na época. O que você faria diferente? E como isso afetaria a cena de abertura do filme?

É uma boa pergunta. A ideia central da cena de abertura foi prevista para o Panaglide. Queríamos que o público acompanhasse o movimento daquele longo plano-sequência de um jeito que eles nunca haviam visto antes. Eu tenho um certo orgulho pelo fato de que nós utilizamos o Panaglide como uma ferramenta narrativa para criar um clima de apreensão e suspense. Se não tivéssemos aquela tecnologia, acho que teríamos procedido de forma diferente. Não acho que faríamos com a câmera na mão, algo de que nunca fui muito fã. Com a câmera na mão, ela se movimenta de um jeito que não enxergamos na vida real. De nossa perspectiva, nossa vida é um gigantesco plano de Panaglide, com períodos em que dormimos. A imagem é muito suave quando você anda porque seus olhos e o cérebro compensam o movimento. Então, você não tem uma imagem tremida. A câmera tremida dificulta que o espectador foque em qualquer coisa na cena.

Imagino que acharíamos uma forma diferente de transmitir a mesma informação narrativa da cena de abertura, mas de forma mais estilizada, um método convencional com dollies (câmera sobre trilhos) ou câmera na mão de alguma forma mais suave. Talvez usássemos transições criativas para disfarçar os cortes.

Em 1981, Halloween recebeu novas cenas para sua estreia na televisão. John Carpenter chamou essas cenas de encheção de linguiça, mas Debra Hill as defendeu como necessárias, cenas que deveriam ter sido incluídas desde o início. Como você avalia esse material?

Eu me lembro de quando John e Debra me contaram que *Halloween* ia passar na televisão. Foi um momento de orgulho pra mim porque nenhum dos outros filmes que eu fiz passaram na televisão. Eles eram feitos diretamente para os cinemas *drive-in*. Isso foi muito antes dos videocassetes, quando já se podia assistir aos filmes na sua sala de estar. Mas a emissora precisava que *Halloween* fosse maior para encaixá-lo na janela de exibição. Então, John achou que precisava filmar o novo material. O filme já funcionava bem do jeito que era. Achamos que daria certo desde que as cenas fossem inofensivas e não entregassem a trama. Debra talvez estivesse tentando justificá-las quando disse que eram essenciais, mas elas não eram. O objetivo foi: "O que podemos incluir que não vá atrapalhar a história?". Essas cenas foram incluídas com o simples objetivo de preencher tempo de exibição, não para melhorar a história. John foi muito hábil ao filmá-las. Ele não perdeu muito tempo refinando-as no set. Fazíamos um ou dois takes e ele dizia: "Ok, valeu. Já conseguimos".

Estamos mal-acostumados hoje em dia com as belas reedições em Blu-ray, mas não foi dessa forma que muitos dos filmes foram exibidos originalmente na TV ou em VHS. Como foi ver sua brilhante composição de 2:35:1 ser cortada de forma tão horrível?

Bastante desolador, mas era o padrão na época. Sempre nos diziam: "Se exibirmos no formato original, haveria tarjas pretas no topo e embaixo. As pessoas vão achar que estava errado. Receberemos cartas dos espectadores nos perguntado por que não queríamos que eles assistissem ao filme por completo". Essa era a desculpa das pessoas da emissora para não exibirem filmes no formato letterbox. As pessoas estão mais abertas hoje em dia. Nossos televisores são mais largos, e mesmo os comerciais agora tentam replicar esse visual widescreen. Se fossemos capazes de ensinar ao público o que estava acontecendo, talvez eles aceitassem o formato letterbox mais cedo.

Ao cortar *Halloween* para a televisão, perdemos metade do fotograma. Isso significa que os telespectadores literalmente estavam perdendo metade do filme! Então eles desenvolveram uma técnica de varredura da imagem para decidir que parte do fotograma mostrar. Um close da garota ou a porta atrás dela onde está o assassino? Esse tipo de escolha era muito triste na época. Daí havia a correção de cores, que também era feita por técnicos. Eles muitas vezes decidiam que uma cena era escura demais e atochavam o brilho até que todas as cenas ficassem iguais. Era horrível.

Eu me lembro de receber a versão da distribuidora Anchor Bay em VHS duplo do vigésimo aniversário do filme, e enfim poder assistir a Halloween em seu glorioso formato widescreen. Era como assistir a um filme totalmente diferente.

Essa é a beleza do widescreen. Por muitos anos, as pessoas não percebiam que estavam perdendo ao assistir filmes cortados para encaixar em seus televisores quadrados. Eles não estavam recebendo a beleza completa de um filme. E com certeza isso nos afetou em *Halloween*, mas pense em todos os faroestes que foram cortados. Nos cinemas, você veria uma panorâmica enorme, mas na TV quase sempre o corte só mostrava uns caras montados a cavalo. Espero que as pessoas revejam esses filmes agora e possam ver tudo o que haviam perdido. Foi um período longo e triste em que nosso trabalho foi adulterado na televisão.

Então voltemos a 1978. Você tinha acabado de entregar Halloween. Você esperava por uma continuação?

De forma alguma. Eu nunca tinha trabalhado em uma continuação antes de *Halloween II*. Isso nem passou pela minha cabeça depois que terminamos o original. E *Halloween* nem foi um sucesso imediato durante seu lançamento. Precisou que a propaganda boca-a-boca crescesse para que o filme ganhasse uma audiência maior. Minha impressão na primeira semana foi: "Bem, acho que ninguém foi ver. É isso. Qual é a próxima?". Daí se tornou um sucesso tão grande que as pessoas começaram a pedir uma continuação.

Tommy Lee Wallace não guardou segredo do fato de recusar o convite para dirigir Halloween II por não ter gostado do roteiro. Seria uma decisão que você tomaria se não gostasse do roteiro? Ou era uma simples questão de fazer o trabalho e ponto-final?
Sempre lamentei que Tommy Lee Wallace não tivesse dirigido *Halloween II*. Ele era a escolha óbvia. Acho que Tommy teria elevado o filme e feito uma continuação mais forte do filme original. Mas ele não quis. Sequências não eram isso tudo naquela época. Não acho que ninguém fazia ideia de quão importante uma sequência poderia se tornar.

Na verdade, eu recebi outra oferta bem no momento em que *Halloween II* ia começar. Me ofereceram *Poltergeist*, e eu queria muito fazer o filme, mas meu agente me ligou e disse: "Você não pode. Você já se comprometeu com *Halloween II*". E eu disse para ele: "*Halloween II*? O que é isso?". E meu agente disse: "Bem, é um filme novo, mas eles querem que você volte e mantenha o visual do primeiro. Eles querem que você apoie o novo diretor". Foi duro para mim trocar um filme do Steven Spielberg por uma continuação de algo que já fora feito, mas eles me ofereceram um aumento significativo de salário, e eu acabei aceitando.

Quão diferente foi sua experiência em Halloween II, já que Rick Rosenthal era um novato em longas-metragens? Ele estava chegando em uma família já estabelecida de cineastas, não foi?
Eu havia trabalhado com diversos cineastas inexperientes e de primeira viagem no passado. Então, eu tinha uma ideia de como lidar com isso. Para Rick, era um desafio, já que ele não quis dirigir *Halloween II* à sombra de John Carpenter. Ele queria trazer seus toques pessoais para a narrativa. Leve em consideração que eu fui chamado para filmar como uma continuação do estilo visual do primeiro filme, o que deixou as coisas interessantes. Eu tinha trabalhado anteriormente com diretores que liam um roteiro e tinham uma visão inteiramente diferente da que eu tinha ao ler o mesmo roteiro. Foi assim, às vezes, com Rick. Mas meu trabalho, minha carpintaria, minha arte — é dar suporte à visão do diretor. Às vezes isso significa convencê-lo a tentar algo diferente e, em outras, significa acompanhar a sua visão. Nem sempre era fácil dar apoio a Rick e apoiar John e Debra ao mesmo tempo, enquanto tentavam fazer um filme que seria digno de ser a sucessão do *Halloween* original.

Olhando para trás, acho que você deu crédito a Rick por ter sido corajoso o suficiente para encarar um projeto tão grande assim. Ele estava se arriscando, não estava?
Acho que sim. Você pode ver de duas maneiras. Por um lado, dirigir um filme de tamanha repercussão como *Halloween II* poderia te deixar conhecido de forma muito rápida. Era um risco e uma escolha audaciosa de sua parte aceitar dirigir o filme. O que com certeza trouxe novas oportunidades para ele, já que o filme fez tanto sucesso. Por outro lado, você acaba recebendo muito preconceito e expectativas devido ao primeiro filme.

O Halloween original teve filmagens externas, diurnas e noturnas, na bela Pasadena. A maior parte da ação de Halloween II foi relegada a um hospital na penumbra. Este cenário dificultou seu trabalho como um contador visual de histórias?
Sem dúvida. O *Halloween* original nos deu uma grande variedade em termos de estilos visuais. Em *Halloween II*, estávamos presos ao hospital na maior parte do filme. Não é como se você estivesse em alguma fabulosa mansão vitoriana ou em um castelo. O hospital de *Halloween II* era desolador. O desafio foi em como deixar aqueles corredores monótonos mais interessantes e assustadores. Se você for a um hospital de verdade, tudo é bem iluminado com luzes fluorescentes por um ótimo motivo. Como resultado, esses lugares não são particularmente assustadores nem evocativos para um filme de terror. Nós precisamos inventar desculpas para iluminar o hospital de maneira diferente. Eu contei com os eletricistas e a direção de arte para criarem essas

luzes de emergência artificiais nos salões. As luzes são da iluminação da nossa equipe, o que nos permitiu ter mais controle sobre a quantidade de luz e sombra em cada tomada. Então, sim, a locação do hospital foi um desafio no segundo filme.

Halloween II, ao contrário do original, teve um número enorme de cenas deletadas, algumas que apareceram na versão para TV. Deu para sentir na época que vocês estavam filmando cenas demais?
Tenho dificuldade em me lembrar das cenas deletadas. Esses momentos não foram deletados apenas do filme, mas do meu cérebro também. Não sei se estávamos necessariamente filmando cenas demais. Eu diria que é muito mais fácil retirar algo de um filme durante a montagem do que desejar que você tivesse filmado uma cena. É melhor ter uma cena redundante que você pode cortar mais tarde do que precisar de uma cena e não ter. *Halloween II* teve material assim com ângulos de câmera adicionais e cenas. Eu sempre preferi assim, no fim das contas, sobretudo quando você está tentando encontrar o caminho ideal.

Você imaginou que haveria outra continuação após Halloween II?
Também não. Quando ouvi dizer que fariam um terceiro filme, minha primeira reação foi: "Quem vai acreditar que Michael Myers ainda está vivo depois de pegar fogo?". Então me contaram que iriam usar as tradições do feriado como base para outra história. Eu gostei da ideia de conceituar o filme na cultura do Halloween. Isso me deixou curioso. Fico feliz que algumas pessoas ainda venham me dizer o quanto eles adoraram *Halloween III* e o quanto o filme era renovador. Fico feliz de verdade.

De certa maneira, entendo que *Halloween III* não pertence realmente à franquia. A sua única conexão com os dois filmes anteriores é ter *Halloween* no título. Mas eu me diverti demais trabalhando nesse filme. Por estarmos lidando com novos personagens e uma nova mitologia, eu pude propor uma abordagem diferente da que tive nos outros dois. Mas foi decepcionante quando ele foi lançado e todo mundo perguntava: "Peraí, cadê o Michael Myers?". Foi quando percebemos que não deveríamos chamá-lo de *Halloween III* e sim de *Season of the Witch* [Estação da bruxa].* Talvez ainda pudéssemos incluir *Halloween* no título, mas chamá-lo de algo como "Contos de Halloween". Ele funcionaria melhor como um segundo filme do que como um terceiro.

Você assistiu a alguma das outras continuações?
Não vi muitas delas, o que foi meio deliberado. Assisti à pseudo-refilmagem do Rob Zombie, e fiquei desapontado com o fato de ele ter tanto trabalho para criar uma história pregressa do Michael Myers e transformá-lo em uma criança abusada. Isso realmente se afasta da intenção original de *Halloween* — a de ser uma história muito estilizada sobre um mal implacável sem personalidade. Quase como se nós devêssemos sentir pena desse pobre garoto que não teve escolha na vida a não ser se tornar um monstro. De novo, uma vez que você começa a fazer tantas continuações de um mesmo filme, você está meio que procurando em um palheiro possíveis ideias que levem a mitologia ou a história adiante. Acaba ficando difícil demais continuar dizendo que Michael Myers não morreu de verdade *de novo*. Acho que algumas das continuações são eficientes da maneira como foram feitas, ainda que eu não tenha visto a última.

Você chegaria a pensar em voltar sem John Carpenter e Debra Hill?
Chegaria. Depende de quem seria o diretor e da qualidade do roteiro. Não tenho certeza de que faria a versão do Rob Zombie, ainda que fosse um desafio visual. Nunca me senti desanimado por não ser chamado de volta para os filmes mais recentes. Continuações são difíceis. Como pegar um filme como o *Halloween*

* No Brasil, *Halloween III* ganhou o subtítulo *A Noite das Bruxas*.

original e fazer uma continuação que possa de alguma maneira superá-lo? É possível? Pegue por exemplo *Tudo por uma Esmeralda* (*Romancing the Stone*), no qual eu trabalhei. Aquele filme foi um filme romântico de ação e aventura em um mundo desconhecido e se tornou um sucesso surpreendente. Quando soube que estavam fazendo uma continuação chamada *A Joia do Nilo* (*Jewel of the Nile*), pensei: "Como é possível fazer uma continuação que mantenha o mesmo frescor?". Por isso, não me senti desapontado de forma alguma em não ser chamado para fazer aquele filme.

Ouvi que o diretor de fotografia de Halloween 2018, Michael Simmonds, procurou você antes de fazer o novo filme. É verdade?

Sim, nós conversamos. Ele tinha perguntas específicas sobre a iluminação de certas cenas do original. As respostas eram um tanto nebulosas e frustrantes. Não tenho certeza de que fui de grande ajuda. Eram questões válidas, mas é difícil de responder não estando no set de filmagens. Fico feliz quando alguém quer aprender com o meu trabalho, mas é mais importante para um cineasta trazer sua própria sensibilidade ao projeto, mesmo em uma continuação. Eu disse a ele que aplicasse seu estilo pessoal no projeto. Eu aplaudo pessoas que conseguem efetivamente fazer suas próprias versões de algo que foi feito antes.

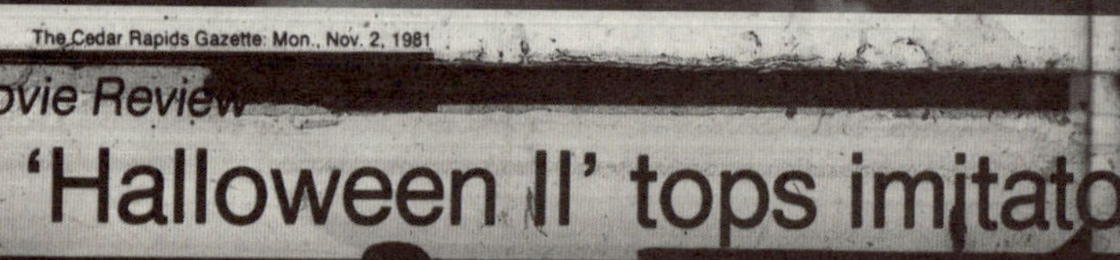

The Cedar Rapids Gazette: Mon., Nov. 2, 1981

ovie Review

'Halloween II' tops imitato

and Donald Pleasance. A Hill/John Carpenter production released by Universal. At the wn Cinema II Theatre. ting: R — Restricted, under 17 be accompanied by parent or guardian.

all the clones surfacing since Carpenter's low-budget 1978 r "Halloween" began hauling millions, there's little doubt e best so far is the movie's equel. "Halloween II" is, if pardon the expression, a cut the rest.

although "II" shares actors, ters, settings and a musical with its parent film, and gh its plot is a continuation of st one, "II" has a completely nt character. When it comes way it depicts its murders, ween II" has less in common Halloween" than it does with imitations like "Friday the "Terror Train," "My Bloody

Mike Deupree
Gazette staff writer

"Halloween" could have passed as a PG, while "II" is definitely an R.

"Halloween II" starts out with the last five minutes of "Halloween," then continues from that point. It's still Oct. 31, 1978, "the night *he* came home."

The "*he*" is Michael Myers, who was put in an asylum at age 6 after he stabbed his older sister to death. That was in 1963. Fifteen years later he came back, stalking teen-ager Laurie Strode (Jamie Lee Curtis) with a huge knife, and killing some of her friends before being shot at point-blank range by his therapist, Dr. Sam Loomis (Donald Pleasance).

Now, there are a lot of things you have to accept if you're going to enjoy "Halloween II,", and one of

HALLOWEEN II | 1981

RICK ROSENTHAL

"Essa versão sem inspiração é um amontoado de momentos mornos. (...) Há tanta gente vagando na trama que se torna difícil se importar com quem está sendo esfaqueado ou por quê." VARIETY

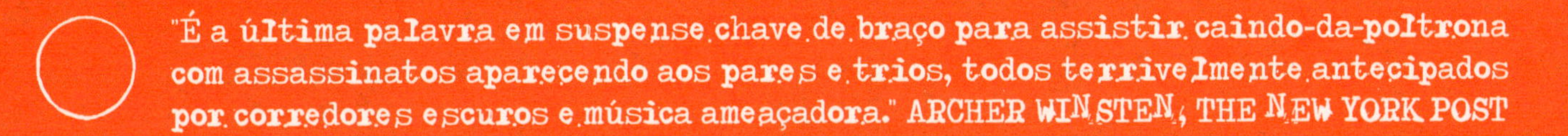

"É a última palavra em suspense chave de braço para assistir caindo-da-poltrona com assassinatos aparecendo aos pares e trios, todos terrivelmente antecipados por corredores escuros e música ameaçadora." ARCHER WINSTEN, THE NEW YORK POST

"Na verdade, Halloween ii é bom o suficiente para merecer uma continuação própria. Pelos padrões dos filmes mais recentes de terror, ele -- assim como seu antecessor -- é um requinte. (...) A direção e a fotografia são bem competentes, e os atores não parecem amadores. Pode não parecer muito pedir isso de um filme de terror, só que é bem mais do que a maioria deles têm a oferecer. E Halloween ii, acima de tudo isso, tem um ritmo ágil e algo semelhante a um senso de estilo." JANET MASLIN, THE NEW YORK TIMES

"(Jamie Lee) Curtis no papel de Laurie Strode, vítima principal da Forma, perde muito de seu tempo de tela em coma, do qual ela entra e sai por vontade própria. Já que não existe trama e muito pouco diálogo, não podia ser diferente. (...) Lixo ou travessuras? Halloween ii é bobo como seu antecessor. A Grande Abóbora não vai gostar muito desse aí." RITA KEMPLEY, THE WASHINGTON POST

"É meio triste testemunhar um declínio tão grande e é isso o que acontece em Halloween ii. (...) Existem poucos momentos passáveis de originalidade (...) mas na maior parte, Halloween ii é um Halloween recauchutado sem aquele toque artesanal, o timing preciso e um completo entendimento do gênero do terror." ROBERT EBERT, THE CHICAGO-SUN TIMES

"Rosenthal é bem-sucedido ao trabalhar numa atmosfera opressiva de pavor, mas ele sacrifica muito para chegar lá. (...) O simples fato de Halloween ii ainda ser mais assustador do que bobo não o impede de ser rapidamente esquecido."-- DAVIS ANSEN, NEWSWEEK

A NOITE DAS BRUXAS

A Noite Em Que Ninguém Volta Para Casa.

Escrito e dirigido por Tommy Lee Wallace

Para que John Carpenter e Debra Hill fizessem *Halloween II* foi necessário nada menos que uma potencial briga na justiça. Como ambos declararam, eles não tinham paixão alguma pelo projeto. Se essa falta de interesse pôde ser vista ou não na telona, é outro assunto. Apesar dos defeitos, *Halloween II* teve uma boa performance de bilheteria. Para os cineastas, foi difícil permanecer fiel ao *Halloween* original num mercado que preferia sangue e tripas ao suspense. Assim, é possível imaginar que a resposta deles a um possível *Halloween III* passasse longe de ser entusiasmada.

Hill informaria ao *The Baltimore Sun* que "não havia planos de fazer outro *Halloween*". Dino De Laurentiis, entretanto, achava o oposto. Apoiado pelo sucesso de *Halloween II*, o produtor rapidamente exerceu sua opção contratual de produzir um terceiro episódio. Carpenter e Hill voltariam com a condição de que o novo filme funcionaria sozinho e não seria uma continuação da história de Michael Myers dos dois filmes anteriores. Afinal de contas, não havia necessidade alguma de voltarem a Haddonfield, já que Myers estava morto. E para os cineastas de *Halloween*, ele estava.

A proposta era sedutora. A ideia de que *Halloween* pudesse ser reinventado como uma série antológica focada no feriado do Dia das Bruxas agradou os cineastas. Sob esta premissa, a marca poderia ser ampliada, de acordo com os interesses monetários dos detentores dos direitos, enquanto ainda ofereceria satisfação criativa aos cineastas. O plano audacioso seguiu adiante com foco de que cada novo *Halloween* teria uma narrativa original que, sendo bem-sucedida, poderia gerar suas próprias continuações.

"Não me sinto responsável por *Halloween III*", alertou o produtor Irwin Yablans na edição de Blu-ray do filme. "Não tive nada a ver com ele. Só me mandaram um cheque polpudo. A decisão de não usar o personagem Michael Myers foi estúpida, um péssimo conselho. Sabemos agora que Michael Myers é a espinha dorsal da franquia. Por que decidiram deixá-lo de lado, eu não sei."

A escolha original de John Carpenter para dirigir *Halloween III* foi o cineasta de gênero Joe Dante, que acabara de lançar *Grito de horror* (*The Howling*) pela distribuidora AVCO Embassy com grande sucesso. Dante aceitou a oferta de Carpenter e sugeriu que eles buscassem o famoso roteirista britânico Nigel Kneale para escrever o script. Kneale talvez seja mais lembrado como o criador do professor Bernard Quatermass, cientista genial e discutivelmente o precursor de *Doctor Who*, da BBC (Kneale provavelmente recusaria a comparação, mas é verdade). Acabou que Carpenter já era um grande fã do trabalho de Kneale. Sua admiração se manifestaria mais tarde no roteiro do filme de 1987, *O Príncipe das Sombras* (*Prince of Darkness*), que Carpenter assinou sob o pseudônimo de Martin Quatermass.

Na época, Kneale recém começara a trabalhar em um malfadado reboot de *O Monstro da Lagoa Negra* (*Creature from the Black Lagoon*) para a Universal Pictures. Enquanto trabalhava com a Universal, ouviu elogios de John Carpenter e concordou em se encontrar com ele para discutirem um novo projeto. Para o deleite de Carpenter, Kneale aceitou o convite para escrever *Halloween III*, apesar de sua conhecida aversão aos dois primeiros filmes. Como citado na biografia escrita por Andy Murray, *Into the Unknow: The Fantastic Life of Kneale* [Ao desconhecido: A fantástica vida de Kneale], o roteirista criticou o trabalho de Carpenter, declarando que "(*Halloween*) foi bem ordinário, um trabalho sem polimento. Eu faria melhor".

Essa atitude iria permear os encontros entre Carpenter e Dante. Apesar de ser um fã descarado, Carpenter citaria dificuldades ao trabalhar ao lado do amargo roteirista. "Nigel Kneale era um escritor brilhante, mas na época que nos conhecemos, ele era irascível e cruel", Carpenter contou à *Vulture.com*. "Ele tinha uma personalidade mesquinha. Começou fazendo piada com Jack Arnold, o diretor de *O Monstro da Lagoa Negra* original. Naquela época, Jack Arnold havia perdido uma perna, e Nigel tirou um sarro dele por causa disso. Terrível. Nigel acreditava estar acima de nós, cineastas de terror."

Assim que Nigel Kneale embarcou no projeto, Joe Dante partiu. O cineasta recebeu um convite de Steven Spielberg e John Landis para dirigir um segmento do filme *No Limite da Realidade* (*Twilight Zone*, longa-metragem inspirado na série *Além da Imaginação*) para a Warner Brothers. Como *No Limite da Realidade* estava bem mais adiantado que *Halloween III*, Dante aceitou o convite. Ironicamente, *Halloween III* chegaria aos cinemas oito meses antes de *No Limite da Realidade*, estreando antes que a produção de Spielberg terminasse de rodar. Para preencher a vaga na cadeira de diretor, Carpenter escolheu o diretor de arte e montador Tommy Lee Wallace, que previamente havia recusado uma oferta para dirigir *Halloween II*. Wallace gostou muito da ideia de contar uma história original em *Halloween III*. O filme seria sua estreia dirigindo um longa.

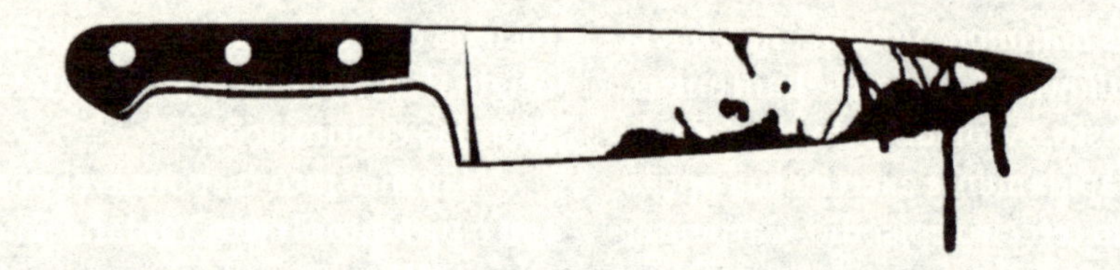

DISCORDÂNCIAS CRIATIVAS

Diferenças de personalidade à parte, todos os envolvidos concordaram que seria preciso tomar um caminho novo em *Halloween III*. Conversando posteriormente com o autor Andy Murray, Kneale expressou seu otimismo inicial com o projeto: "Fiquei bem entusiasmado em escrever (*Halloween III*). Em especial porque eles queriam afastar a franquia de sua origem slasher. Então eu pensei em uma história, nós tivemos uma reunião, e eu fui escrever o roteiro completo". Os produtores deram a Kneale uma enorme liberdade criativa para escrever seu primeiro tratamento de *Halloween III*. A única instrução que Debra Hill lhe deu foi que o filme deveria trazer a bruxaria à era da informática.

Kneale se inspirou fortemente nas tradições de *Halloween* de sua infância na ilha de Man, ilha autônoma localizada entre a Grã-Bretanha e a Irlanda. Aquelas festividades eram bem diferentes do feriado hiper comercial celebrado nos Estados Unidos, ainda que ele também fosse incorporar a cultura norte-americana. Kneale completou seu tratamento inicial em apenas seis semanas. Sua história contava de um maligno fabricante de máscaras que planejava sacrificar milhões de crianças na noite de Halloween como parte de uma tradição ancestral — um caminho bem distante do maníaco empunhando uma faca dos dois primeiros filmes.

Carpenter e Wallace gostaram bastante do primeiro tratamento de Kneale, ainda que ambos concordassem que extensas revisões seriam necessárias antes de começar a produção do filme. No final das contas, Kneale se demonstrou bastante teimoso e relutante em aceitar comentários sobre seu trabalho. Isso obrigou Carpenter a reescrever pessoalmente, sem a participação do roteirista. Wallace então, sem qualquer pudor, expressou sua insatisfação com o tratamento de Carpenter, que ele optou em reescrever sozinho. Foi esse roteiro híbrido de Kneale/Carpenter/Wallace que chegaria à telona. O roteirista original do projeto ficou bem triste com as mudanças feitas em seu texto, sobretudo a inclusão de cenas explícitas de violência. Justiça lhe seja feita, nada em seu tratamento original sequer se aproximava do terror de cabeças de crianças sendo derretidas em besouros e cobras. Kneale estava tão descontente com as alterações que exigiu que seu nome fosse retirado do projeto, privando a si mesmo tanto dos créditos quanto dos royalties. Já que o nome de Carpenter nunca foi incluído na ficha técnica, Wallace se tornou o único roteirista creditado do filme, o que ele admite ser uma enganação total.

Desde então, Kneale se manteve firme em sua decisão de renegar o projeto. Conversando com a *Starburst Magazine:* "Eu disse a eles, 'Vocês não querem um pouco de suspense no início? Um ponto zero a partir do qual podemos construir?'. E eles disseram: 'Não, você tem que começar decapitando umas cabeças'. Eles queriam dizer de verdade era o quão importante era pegar todo o dinheiro dos estudantes universitários em apenas duas semanas. Uma história que tenta explicar algo ou desenvolver personagens não é do interesse deles. (...) Então eu tirei meu nome, mesmo que eles tenham tentado me persuadir a fazer o contrário. De repente, você tem uma história de alguém roubando uma pedra de cinco toneladas de Stonehenge, quebrando ela em pedaços e produzindo microchips".

Apesar de sua franca opinião negativa sobre o filme, Kneale não tinha nada além de elogios a Wallace como diretor. "Acho que ele provavelmente será um grande diretor", ele continua. "Ele é um homem muito inteligente e com um grande senso de personagem e história, parte disso vai aparecer em *Halloween III*." Ainda que nunca oficialmente discutido, Kneale admitiu ter uma ideia para *Halloween IV* que envolveria fantasmas. Depois ele contaria a *Starburst* que desistiu do conceito por considerar muito próximo ao de *Poltergeist*, de 1982.

"O mundo vai mudar esta noite, fico feliz que você possa presenciar isso. E feliz Halloween."

HALLOWEEN III
(1982)

A BRUXARIA CHEGA À ERA DA INFORMÁTICA

A história de *Halloween III* — segundo seu roteiro reescrito duas vezes — começa uma semana antes do Dia das Bruxas, com um homem perturbado chamado Harry Grimbridge sendo caçado por capangas misteriosos de terno. Agarrando uma máscara de borracha, ele procura ajuda em um posto de gasolina e é hospitalizado sob os cuidados do dr. Dan Challis. Naquela noite, um dos capangas mata Grimbridge em sua cama de hospital. Challis o persegue até o estacionamento só para assistir ao assassino se autoimolar. No dia seguinte, ele encontra a filha de Grimbridge, Ellie, que está na cidade procurando respostas para o assassinato do pai. Juntos, rastreiam os últimos dias dele em Santa Mira. A pequena cidade é lar da Silver Shamrock Novelties, fabricante da máscara que Grimbridge segurava ao morrer.

Usando nomes falsos e fingindo ser um casal, Challis e Ellie se hospedam no mesmo motel em Santa Mira onde Grimbridge ficou antes de morrer. A pitoresca cidade, sob pesada vigilância, tem um toque de recolher às 18h. Eles descobrem que um rico irlandês chamado Conal Cochran fundou a Silver Shamrock logo após a Segunda Guerra Mundial, e desde então a empresa se transformou na maior fabricante de máscaras do planeta. Challis encontra os varejistas Marge Guttman e Buddy Kupfer acompanhado de sua esposa Betty e do filho Buddy. Naquela noite, Guttman sofre um sério acidente com uma explosão de laser ao examinar um microchip escondido em uma máscara da Silver Shamrock. Challis vai investigar o acidente, mas é bloqueado por Cochran, que assegura que ela receberá os devidos cuidados na fábrica. No dia seguinte, Challis e Ellie visitam a Silver Shamrock fingindo ser clientes. Eles conseguem se unir à família Kupfer no passeio guiado pela fábrica, onde Ellie reconhece o carro de seu pai estacionado em um armazém. Mais tarde, naquela noite, Ellie desaparece do motel. Imaginando o pior, Challis invade a fábrica procurando por ela. Ele logo é surpreendido pelos silenciosos capangas da empresa, que são, na verdade, robôs. Cochran elogia sua força de segurança androide, "leais e obedientes, diferente da maioria dos seres humanos".

Cochran então revela o plano secreto de sua empresa. Cada máscara da Silver Shamrock inclui um microchip especial energizado por um pequeno pedaço de Stonehenge. Quando ativado por um determinado comercial de TV, a máscara mata seu usuário, dissolvendo sua cabeça em insetos e cobras. Cochran planeja matar milhões de crianças na noite de Halloween por meio da transmissão da Grande Revelação da empresa, que irá instruir as crianças a vestirem as máscaras antes de ativar os chips. Ele então revela ser um bruxo imortal que deseja honrar as tradições ancestrais do Samhain, especialmente o sacrifício de crianças. Cochran obriga Challis a assistir a uma demonstração fatal do seu plano com a família Kupfer, matando todos eles.

Challis escapa do confinamento e destrói tanto Cochran quanto sua fábrica jogando caixas dos voláteis microchips nos terminais de computador. Em sua fuga da fábrica, Challis salva Ellie, mas ela era, na verdade, um clone androide que tenta matá-lo. O filme termina com Challis buscando ajuda no mesmo posto de gasolina do início. Histericamente, ele telefona a todas as estações de TV para que interrompam a transmissão da "Grande Revelação". Todas as emissoras, exceto uma, cessam a transmissão. O filme termina abruptamente com Challis gritando ao telefone, tentando fazer com que o último canal pare a transmissão.

Goste ou não do filme, os cineastas merecem crédito por seguirem firmes nesse novo rumo, sem jamais recauchutar os caminhos já percorridos. Não há uma única faca em todo o filme. Pegue o novo vilão — Conal Cochran. Charmoso e imponente, o irlandês não poderia ser mais diferente do que o assassino silencioso dos dois filmes anteriores, ainda que não seja menos perverso. De fato, as ambições e as habilidades de Cochran fazem dele um vilão mais perigoso do que o mais famoso habitante de Haddonfield. Michael Myers mal chegou a matar quinze pessoas e dois cachorros nos dois primeiros filmes. Cochran planeja matar milhões de crianças em *Halloween III*, o que em comparação faz a Forma parecer um amador. O plano do bruxo é ainda mais perturbador já que ele considera suas ações completamente justificáveis e que é a coisa certa a se fazer pelo bem da humanidade, como fora decidido por forças além de nosso controle. "Não decidimos essas coisas, você sabe. Os planetas decidem. Eles estão alinhados, e é chegada a hora novamente." Mas Cochran não faz apenas por obrigação — ele saboreia sua missão terrível com um prazer doentio.

Vindo do "Velho Mundo", Cochran ainda se lembra de como o Samhain deve ser celebrado. Acontece que isso não significa "deixar seus filhos usarem máscaras e saírem por aí implorando por doces". O bruxo sente nojo da ideia moderna de Halloween, nossa desonrosa versão americanizada de um feriado ancestral. Por causa de sua repulsa, é apropriado que Cochran escolha se infiltrar com o objetivo de destruir o Dia das Bruxas. Usando sua posição na Silver Shamrock para matar milhões de crianças inocentes, ele assegura que este será, ao mesmo tempo, o último Halloween e o retorno às raízes do Samhain.

Halloween III transborda de comentários sociais sinistros. A história funciona como uma alegoria dos perigos do poder corporativo sem limites. É bastante claro que não existe fiscalização à operação de Shamrock como o maior fabricante mundial de máscaras e brincadeiras. Localmente, eles destruíram a identidade comunitária de Santa Mira, transformando-a numa cidade fabril desalmada. Nacionalmente, eles planejam assassinar uma geração inteira de crianças inocentes. Ainda que a trama da corporação do mal com objetivos secretos soe tipicamente como uma ideia de John Carpenter, ela na verdade surgiu no roteiro inicial de Nigel Kneale. Carpenter exploraria a trama com mais profundidade no filme de 1988, *Eles Vivem* (*They Live*), que parece ser uma continuação espiritual deste filme. As críticas anticorporativas de *Halloween III* também se somam ao exército privado de robôs assassinos de Cochran. Como a própria empresa, esses capangas androides parecem ser normais o suficiente — limpos e bem-arrumados —, mas isso é apenas um disfarce de sua verdadeira natureza. Eles são bem mortais e agem para silenciar qualquer um que ameace a missão da Silver Shamrock. Não se parecem em nada com os típicos bobalhões corporativos.

A história da continuação também comenta sobre lavagem cerebral e consumo midiático. No filme, as crianças da nação são doutrinadas involuntariamente aos planos de Cochran por meio de um grudento jingle publicitário. Dessa forma, a companhia utiliza a televisão como uma arma, exatamente como um governo inescrupuloso ou um partido político faz com propaganda. Milhões sintonizam na "Grande Revelação" da Silver Shamrock na noite de Halloween, ignorando os efeitos mortais da transmissão. Não muito diferente do Flautista de Hamelin, Conal Cochran não precisa caçar suas vítimas. Elas vão até ele por meio da televisão, seduzidas por sua mortal campanha publicitária.

Em seus melhores momentos, *Halloween III* subverte a iconografia do filme original de Carpenter, e mesmo do feriado. Em Halloween, Michael Myers é a ameaça, seu instrumento mortal é uma grande faca de cozinha. Sua inexpressiva máscara branca é um ícone que enche de medo aqueles que olham para ela. As três máscaras da Silver Shamrock em *Halloween III* não se comparam à máscara da Forma — elas são inocentes e divertidas. Elas dançam nos comerciais ao som de uma cantiga infantil. E ainda assim, são a verdadeira ameaça da história, cada uma delas, um instrumento mortal. Como a televisão, *Halloween III* transforma em arma o que supostamente deveria ser inocente — simples máscaras de borracha.

Como discutido previamente, *Halloween* continha um vitorioso tipo de simplicidade. O filme estabeleceu sua premissa inicialmente sem precisar de reviravoltas ou surpresas. Era sobre um assassino mascarado perseguindo babás na noite de Halloween. *Halloween III* tem uma estrutura bem diferente. Envolta em mistério, o filme brinca não apenas com o terror direto, mas com um roteiro de suspense bem amarrado. Challis pode ser um médico, mas na história tem a função de um detetive. Os cineastas fizeram bem em esconder o ridículo de sua trama ao lentamente descortinar uma revelação por vez. A plateia raramente sabe mais do que os protagonistas, o que nos deixa grudados na tela enquanto desesperadamente esperamos colher mais informações sobre Santa Mira e a Silver Shamrock. O filme foi escrito de tal forma que cada nova revelação aumenta os riscos, colocando nossos heróis em grande perigo. Dessa forma, Wallace cria tensão e estabelece ao filme uma atmosfera macabra.

O personagem Challis, vivido por Tom Atkins, funciona como um protagonista imperfeito. Ele é inegavelmente um mulherengo, talvez a razão pela qual sua esposa o deixou. Essa característica questiona sua decisão de investigar a morte de Grimbridge, para começo de conversa. Ao bancar o detetive, ele é negligente com seus filhos, sua ex-mulher e seu trabalho. Que ele leve uma embalagem com seis latinhas de cerveja Miller High Life antes de se encontrar com a jovem filha de Grimbridge pode demonstrar suas segundas intenções. Não que depois ele deixe de tomar iniciativa para tentar impedir um genocídio eminente — ele toma. Na verdade, a missão se torna altamente pessoal para ele. Lembre-se que na última vez que Challis viu seus filhos, eles usavam máscaras da Silver Shamrock. Seus esforços para deter Cochran dizem respeito tanto a salvar milhões de crianças, bem como salvar as suas.

Halloween III contém mais de uma semelhança passageira com *Vampiros de Almas,* de 1956, de qual Wallace é um fã confesso. Os dois filmes compartilham a tropa generalizada de pessoas sendo abduzidas e substituídas por sósias impostores (clones em *Vampiros de Almas*, androides em *Halloween III*). Wallace monta seu cenário na cidade fictícia de Santa Mira, a mesma usada em *Vampiros*. Os filmes ainda contêm finais nitidamente semelhantes. Em *Vampiros*, o personagem de Kevin McCarthy, dr. Bennell, grita histericamente para a câmera, dizendo que os vampiros de almas estão chegando. Em *Halloween III*, o dr. Challis de Tom Atkins grita de forma parecida ao telefone para que as emissoras de TV interrompam a transmissão do comercial da Silver Shamrock, ou então incontáveis milhões sofrerão uma morte terrível.

Vale notar que o estúdio Allied Artists demonstrou enorme desconforto com a ambiguidade do final originalmente planejado para *Vampiros*. As plateias ficariam à deriva, imaginando se a humanidade sobreviveria ou não. O estúdio teria forçado o diretor, Don Siegel, a fazer uma cena adicional sugerindo que o governo havia descoberto o plano dos vampiros e lutaria para conter a invasão. A Universal também se sentiu igualmente desconfortável com o final ambíguo de *Halloween III*. A continuação deixou o público imaginando se Chill conseguira ou não deter o plano de Cochran. O estúdio se aproximou de Carpenter para pedir que uma cena fosse adicionada, mostrando que o bem havia triunfado sobre o mal, mas Carpenter deixou a decisão com o diretor do filme. No final, Wallace escolheu manter a ambiguidade do encerramento original, uma decisão apoiada por Carpenter.

Um detalhe engraçado incluído no roteiro foi o de exibir o *Halloween* de 1978 na televisão durante a história. Isso fica mais evidente próximo do final, quando Challis está aprisionado. O roteiro chega a especificar que parte do filme estaria no ar quando Cochran deseja um feliz Halloween a seu hóspede. Isso significaria que, dentro do universo de *Halloween III*, o capítulo original de Carpenter é apenas um filme. Esta contextualização metalinguística representa a passagem da tocha de uma narrativa para a próxima. Imagine se a franquia tivesse continuado como uma antologia. Poderia *Halloween IV* exibir *Halloween III* como um filme na televisão, e assim por diante?

O roteiro de *Halloween III* foi bem mais amarrado, já que os cineastas lutavam para fazer o máximo com seu orçamento apertado. Não existem cenas deletadas para serem discutidas, nem mesmo cortes alternativos com filmagens adicionais. O filme possui uma interessante adaptação literária que amplia a história, mas o grande insight sobre o desenvolvimento de *Halloween III* vem do tratamento original do roteirista Nigel Kneale.

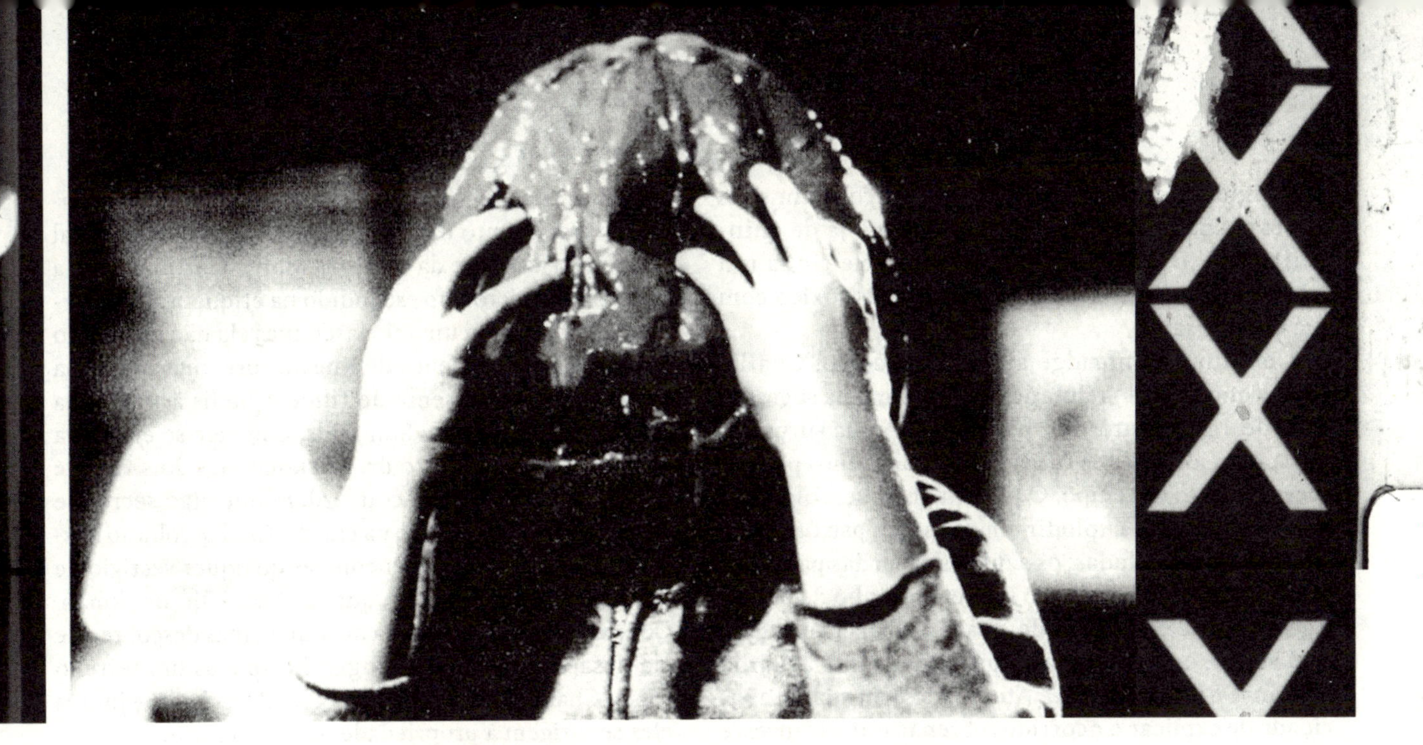

O ROTEIRO DE NIGEL KNEALE

O *Halloween III* que chegou à telona era bem diferente do que Nigel Kneale imaginou originalmente. Seu tratamento inicial continha a mesma história básica do filme de 1982, mas com numerosos detalhes que foram perdidos com as alterações escritas por Carpenter e Wallace. Nitidamente ausentes do roteiro original de Kneale estão os capangas androides, Stonehenge e as cabeças de crianças se decompondo em criaturas nojentas. A sequência dos créditos de abertura com uma abóbora digital permaneceu quase intacta, ainda que Kneale planejasse incluir também imagens pixelizadas de uma bruxa e de uma caveira.

Não totalmente diferente do filme, o *Halloween III* de Kneale começa com um desgrenhado Harry Grimbridge correndo pelo deserto ao meio-dia. Terrivelmente desorientado, ele é incapaz de responder perguntas, apenas murmurando a palavra "Samhain". Um caminhoneiro erroneamente acredita que aquele é o seu nome ("Sam Hain") e o leva até um hospital próximo para receber atendimento. No filme, Grimbridge é morto imediatamente por um robô assassino camicase, que o dr. Challis irá perseguir logo depois. No roteiro original, Grimbridge permanece hospitalizado como Sam Hain por cinco meses. Enquanto seu corpo melhora com o tempo, sua mente, não.

É curioso que os personagens no roteiro de Kneale errem tão claramente a pronúncia da palavra celta Samhain, que é o motivo deles pensarem que o nome de Grimbridge seja Samuel Hain. Donald Pleasence também erra a pronúncia da palavra em *Halloween II*. Esta gafe é estranha quando se considera que Kneale nascera na ilha de Man, uma das nações celtas originais. Se alguém saberia a pronúncia correta, esse alguém era ele. O modo correto é "sow-in", que o ator Dan O'Herlihy, natural da Irlanda, acerta no monólogo de Cochran perto do final do filme.

O personagem Challis permaneceu relativamente sem mudanças do tratamento original de Kneale ao filme que foi aos cinemas, ainda que seu hospital seja alternadamente descrito como velho, desprovido e sujo. "Os pacientes levados até ali eram azarados." Challis originalmente teria mais cenas com seus filhos, incluindo uma no início, onde eles escolhiam suas máscaras da Silver Shamrock em uma loja de quinquilharias. De acordo com o roteiro, ele tinha um relacionamento consideravelmente mais tóxico com sua ex-esposa.

Com um Grimbridge ainda emudecido, Challis acaba concordando relutantemente com uma sugestão final de um dos internos: hipnose. Para sua surpresa, a estranha ideia acaba funcionando, ao menos por um breve período de tempo. O paciente balbucia algumas palavras antes de explodir em um surto psicótico. As janelas são espatifadas, os azulejos caem das paredes e lençóis flutuam, enquanto um redemoinho de poeira e gesso enche o ar. Quando o caos acaba, Grimbridge está morto, e Challis está suspenso enquanto aguarda uma investigação formal. Atordoado com sua incapacidade de explicar o ocorrido sobrenatural, ele investe em sua própria investigação sobre Grimbridge, e então conhece a filha de seu paciente, Ellie. Diferente do filme, os dois personagens inicialmente são antagônicos um ao outro, com Ellie acusando o doutor pelo assassinato de seu pai. Eles encontram uma pista sobre a Silver Shamrock e se juntam para investigar juntos.

Sua investigação os leva até a cidade fabril de Sun Hills (Santa Mira, no filme), lar da corporação Silver Shamrock. A empresa é comandada pelo charmoso e hospitaleiro Conal Cochran (Corcoran, no roteiro), que supõe que Challis e Ellie sejam donos de varejos que foram fazer compras de último minuto antes do feriado. Assim como os heróis, Cochran é basicamente o mesmo personagem nos tratamentos iniciais, porém mais malvado. Kneale perde mais tempo desenvolvendo a personalidade de Cochran como um pregador de peças do que no filme. Em seu primeiro encontro, ele faz uma brincadeira com Challis, quando aperta sua mão usando um anel que dá choque. E quanto a empresa, a Shamrock também anuncia uma contagem regressiva para o Halloween com um jingle grudento, assim como no filme, ainda que com melodia e letra diferentes. O slogan deles é "Seu doce é a nossa travessura!".

Uma cena que se manteve basicamente sem mudanças do tratamento original de Kneale até o filme final envolvia o acidente da varejista Marge Guttman com a máscara. O microchip escondido na etiqueta ainda derrete seu rosto com um raio laser, mas ela não morre. Ao contrário, o tratamento de Kneale abre uma subtrama completamente ausente do filme. Challis acompanha Guttman à clínica em Sun Hills, onde ele se encontra com um velho colega, o dr. Brickman. Os dois vão até a casa do colega, onde concordam que algo secreto e nefasto está acontecendo na cidade. Challis volta ao hospital, mas é incapaz de encontrar qualquer vestígio de Marge ou de qualquer um que conheça o dr. Brickman. Confuso, ele retorna à casa do amigo, mas descobre que ela desapareceu, em seu lugar, há apenas um terreno vazio. Challis é então pego por Conal Cochran, e juntos eles se dirigem à propriedade do empresário.

Challis e Cochran vivem diversos embates no filme, apesar de no roteiro eles acontecerem na casa de Cochran, e não no interior da fábrica. O criador das máscaras faz seu icônico discurso: "Você não sabe muito sobre o Halloween, sabe?". Challis confronta furiosamente seu anfitrião, perguntando sobre todos os acontecimentos suspeitos na cidade. Cochran finge ignorância e inocência, alegando não saber nada sobre os microchips mortais ou sobre o falecido pai de Ellie. Ele acidentalmente se entrega, entretanto, ao se dirigir a seu hóspede como "doutor Challis", em vez de "senhor Challis". Cochran, então, rapta o médico e eles partem para a fábrica.

Outra enorme diferença entre a visão original de Kneale e o filme envolve o comerciante Buddy Kupfer. No filme, ele chega na cidade com sua mulher e filho. Eles então são mortos por cobras venenosas que emergem da cabeça desmaterializada do menino. No roteiro original, no entanto, Buddy vai até a fábrica sozinho. Ele fica muito frustrado quando a Silver Shamrock se recusa a aceitar suas compras para o próximo ano (*antecipadas!*) e invade sorrateiramente a área restrita do "Processamento Final". Lá, ele testemunha cenas dantescas, tais como pessoas aprisionadas em casulos de vime sugadores de vida. Encurralado, ele tem um impulso suicida, e ameaça pular do telhado da fábrica. Aos prantos, ele grita para a multidão: "Eu vou pular! Eu juro! Não vou deixar que façam isso comigo. Vocês não vão fazer isso comigo. Eu vi! Eu vi!". Cochran então o encoraja a pular, e o outro obedece. Um atordoado Challis fecha os olhos, ainda que ele "escute o impacto do corpo de 130 quilos de Buddy no concreto ali perto".

Após sua chegada na fábrica, Challis vê que Cochran também fez Ellie de refém, mesmo que algo pareça estar errado com ela. Logo descobrimos que Ellie fora hipnotizada e acreditava ser uma menina de seis anos de idade. Ela fala como uma criança, e ela vê Cochran como seu pai. Nesse momento, Challis é sepultado em um casulo de vime, do tipo que Buddy vira no "Processamento Final". Os casulos não foram desenhados para matar seus ocupantes, pelo menos não imediatamente. Cochran explica o propósito deles: "Uma morte lenta é curiosamente produtiva. Há o tipo de concentração de forças vitais. Os antigos celtas estudaram essas forças. Não conseguimos fazer uso delas, no entanto. Não tínhamos a tecnologia (ele sorri). Agora, nós temos". O indefeso doutor é encerrado em seu casulo, e armazenado. Em um detalhe exclusivo do roteiro, a fábrica da Silver Shamrock fora construída sobre um cemitério — literalmente. As lápides achatadas formam o piso da fábrica.

Algumas semanas depois, Cochran recupera Challis do armazém. Revelando ser aquela a noite de Halloween, ele quer que o médico testemunhe o desenrolar do plano mestre da Silver Shamrock. Challis está enfraquecido, seu corpo está comprimido no casulo apertado. Cochran deseja demonstrar seu plano para Challis antes da grande transmissão. Ele escolhe Ellie como cobaia, e ela ainda acredita ser uma menina de seis anos. Mesmo assim, Ellie consegue escapar de seu controle bem a tempo de jogar a caixa de microchips no monitor do computador, desencadeando um inferno dentro da fábrica, parecido com o filme. Infelizmente, ela morre em consequência do caos que ocasionou. No filme, Cochran perece em uma explosão de luz branca, ainda que seu destino no roteiro fosse bastante diferente.

> Corcoran é submetido à mudança mais terrível de todas. Ele parece inchar de tamanho, ficando monstruoso, bem maior do que seus companheiros. De sua boca esfarrapada vem uma gargalhada enfraquecida — como um riso mecânico ouvido com frequência, mas agora resultado de pulmões enormes e dilacerados. E lá do alto, Challis encontra a coisa escarlate e distendida que já fora Corcoran, voando por ele como um foguete sendo lançado. Aquilo já não era mais humano.

O tratamento de Kneale termina assim como no filme, com Challis fugindo até o posto de gasolina mais próximo para telefonar às estações, tentando impedir a transmissão da "Grande Revelação". A diferença aqui é que no filme Challis corre até o mesmo posto em que Harry Grimbridge havia ido no início. Mas Grimbridge nunca visitou aquele posto de gasolina no roteiro de Kneale, o que significa que aquele não é um retorno a uma locação prévia.

"Entre (Carpenter e Wallace), cortaram todas as minhas melhores cenas. Meu roteiro teria sido muito bom, sinistro de verdade, sem perfurações de globos oculares. Era mais caro, por ser mais longo. Então, não o filmamos."
— Nigel Kneale, ***Into the Unknown: The Fantastic Life of Nigel Kneale***

PREÇOS DOS BRINQUEDOS DE HALLOWEEN

PREÇOS REAIS NA LOJA DE LOS ANGELES:

Abóboras	(grande)	$4,99
	(pequena)	$2,49
Máscaras	(completa)	$7,99
	(simples)	$3,99
	(promocional)	$2,49
Chapéus	(?)	
de bruxa	(grande)	$1,99
	(pequena)	$1,25

PREÇOS DA SILVER SHAMROCK (LOJAS REVENDAS)

			FEIRÃO CORCORAN
Abóboras	(grande)	$2,99	$1,99
	(pequena)	$1,49	$0,99
Máscaras	(completa)	$5,99	$3,99
	(simples)	$2,99	$1,99
	(promocional)	$1,49	$0,99
Chapéus de bruxa	(grande)	$1,25	$0,85
	(pequeno)	$0,75	$0,49

PREÇO ATACADO SILVER SHAMROCK

			FEIRÃO CORCORAN
Abóboras	(grande)	$1,00	$0,50
	(pequena)	$0,50	$0,25
Máscaras	(completa)	$2,00	$1,00
	(simples)	$1,00	$0,50
	(promocional)	$0,50	$0,25
Chapéus de bruxa	(grande)	$0,40	$0,20
	(pequeno)	$0,25	$0,10

O roteiro original de Nigel Kneale incluía uma lista de preços das máscaras da Silver Shamrock. Por motivos de comparação, uma máscara de qualidade de *Halloween III* dos estúdios Trick-or-Treat, em 2020, não sai por menos de 49,99 dólares.

O ROMANCE DE ETCHISON

Como aconteceu com *Halloween II*, *Halloween III* recebeu uma adaptação literária de Dennis Etchison, sob seu pseudônimo, Jack Martin. O romance é um cruzamento estranho entre o tratamento original de Nigel Kneale e o roteiro final de filmagem com toques pessoais de Etchison. Diferente da fonte original, sua adaptação é contada exclusivamente do ponto de vista do dr. Challis. Enquanto o filme ocasionalmente se afasta do protagonista vivido por Tom Atkins, isso nunca acontece no romance. Por exemplo, o livro começa não com Grimbridge vagando no posto de gasolina, mas com Challis tirando um cochilo durante o plantão noturno no hospital. A história só engrena a primeira marcha depois que Grimbridge é trazido para atendimento.

O romance de Etchison está cheio de referências aos dois primeiros filmes da série *Halloween*. O hospital onde Challis trabalha emprega um guarda de segurança chamado sr. Garrett, um óbvio aceno ao personagem de *Halloween II*. Em um determinado ponto, Challis encontra uma caixa de fósforos do bar Rabbit in Red Lounge. Mais tarde, Challis presta atenção em um noticiário com o repórter Robert Mundy, que apareceu em algumas cenas de *Halloween II*. A mais divertida referência de Etchison acontece quando o *Halloween* original é exibido na TV, especialmente a cena em que Laurie, Annie e Lynda voltam andando pra casa, vindas da escola. Challis pensa em como a Annie lhe faz lembrar sua ex-esposa, uma comparação apropriada, considerando que ambas as personagens foram interpretadas por Nancy Loomis. O autor também faz múltiplas referências a outro filme de John Carpenter, *A Bruma Assassina*, cuja adaptação literária ele também assinou.

Uma das cenas exclusivas do romance é quando Challis comparece ao funeral de Grimbridge. Existe uma referência a isso no filme, mas nunca é mostrada. Outra cena ocorre quando Challis e Ellie chegam em Santa Mira. Eles quase são mortos por dois caminhões da Silver Shamrock dirigidos por capangas androides. Considerando que o romance acontece apenas sob a perspectiva de Challis, é ele — e não Ellie — quem fala primeiro com Marge Guttman no motel. Ela revela que o nome real de Conal Cochran é Dan Smith, o que nem é tão assustador assim. Outra vítima da narrativa em primeira pessoa do romance envolve a morte de Starker, o bêbado da cidade. Teatralmente, os robôs assassinos de Cochran arrancam sua cabeça após Challis ir embora. No livro, apenas ficamos sabendo da morte de Starker quando Challis vê sua cabeça ferida na mesma ambulância em que Marge Guttman é carregada.

A morte da família Kupfer é muito mais explícita do que a apresentada no romance. A máscara de abóbora de Buddy derrete em seu rosto e seus olhos se transformam em "orbes vermelho-sangue". Sua mãe é morta pela primeira criatura que surge da máscara — uma grande aranha. O senhor Buddy é morto por uma cobra que desliza para fora logo em seguida. Enquanto eles morrem, ele grita através da câmera de vigilância: "Maldito seja, Cochran! Mentiroso! Assassino! Maldito seja o inferno! Maldito!".

A última cena possui um pouco do rascunho original do filme feito por Kneale. Ellie ainda está substituída por um clone de androide, embora esteja programada para acreditar ser apenas uma menina de seis anos, filha de Cochran. A androide ajuda Challis a atirar várias caixas de etiquetas de máscaras perigosas no chão da fábrica, embora ela não esteja totalmente consciente de suas ações. Em sua mente infantil, a androide Ellie está lançando pássaros ao ar — não destruindo a fábrica inteira. Challis, de início, acredita que seja a Ellie de verdade, embora possa ter sofrido alguma espécie de lavagem cerebral por Cochran. Apenas depois de ser atacado pelo impostor, ele percebe que fora enganado.

ou eu, se não fosse o John. Acho que Debra logo abriu mão da oportunidade. Então, sobrou para mim. Estava ansioso para dizer sim, porque eu tenho muito orgulho de *Halloween*. Estávamos todos um pouco receosos com a possibilidade de uma continuação. Você precisa lembrar que naquela época as sequências não eram lugar comum de forma nenhuma. Existiam muitas delas, mas não eram como hoje. Agora temos sequências, prólogos, remakes e por aí vai. É toda uma indústria hoje em dia. Tínhamos feito um bom filme com o *Halloween* original, e sabíamos disso. O escopo e a escala de seu sucesso financeiro foram surpreendentes para nós, contudo. Nossa primeira reação ao conversarmos sobre uma continuação foi: "Por que faríamos isso?". Entendo que essa seja uma postura bastante inocente a se tomar, ainda mais sob a perspectiva atual, mas nós éramos inocentes e sinceros na época. Ficou evidente que a continuação aconteceria com ou sem a gente. Então, John e Debra disseram sim.

Tivemos conversas no início sobre o tipo de continuação que faríamos. Acho que John foi a principal força motriz de nossa parte. Ele decidiu que queria uma continuação cinco-minutos-depois do que uma discussão logo de cara. Então, virou a continuação cinco-minutos-depois. Eu esperei o roteiro chegar e, durante aquele período, fui o diretor oficial do projeto. Alguém chegou a me mostrar um anúncio na revista *Variety* que tinha meu nome creditado como diretor. Então John e Debra entregaram o roteiro deles, e eu fiquei completamente desanimado com o material. Honestamente, eu detestei. Achei que era a antítese do que fez *Halloween* ser tão bom.

Com *Halloween*, nós tínhamos dado, sem saber, o pontapé inicial do fenômeno do cinema slasher, o que gerou milhares de imitações, *Sexta-Feira 13* sendo o melhor exemplo. Aquilo virou uma corrida armamentista de violência, tripas e sangue. O mercado era completamente diferente quando *Halloween II* estava pra acontecer. Na visão de John, o gênero havia mudado e ele sentiu a pressão para acompanhá-lo. Então, ele entrou naquela corrida armamentista. Minha lembrança mais vívida do roteiro de *Halloween II* era a Forma atravessando a agulha de uma seringa no globo ocular de alguém. Eu odiei tanto. Parecia que estávamos nos vendendo. Digo que percebi, em entrevistas recentes, que John também achou que estava se vendendo, mas que fez o que achou que precisava fazer. E sejamos honestos, *Halloween II* foi uma aventura lucrativa tanto para ele quanto para Debra. Acho que os instintos de John provaram estar corretos, já que foi um grande sucesso financeiro. Se isso é tudo com o que você se importa, então, ele fez a escolha certa. Daí, eu dei um passo atrás e me afastei do projeto com grande receio, porque era uma oportunidade e tanto.

Você ficou surpreso então quando recebeu o convite para dirigir Halloween III?

Foi uma surpresa. Na época, eu estava em Nova York escrevendo o prólogo para *Terror em Amityville* (*The Amityville Horror*) para o Dino De Laurentiis. Debra me chamou explicando que seria uma tela em branco, completamente separada dos dois primeiros filmes. Ela me perguntou se eu teria interesse em dirigir. Eu agarrei a oportunidade por diversos motivos, um deles era reatar meus laços com ela e com John, meus velhos amigos. Isso significava muito pra mim porque com frequência em Hollywood, se você rejeita o projeto de alguém, é possível que nunca mais atendam suas chamadas de novo. É assim que a bola rola. Então foi um alívio que eles tenham me oferecido esse projeto. No final das contas, eu fui talvez a segunda ou terceira opção deles. De qualquer maneira, entrei no time.

Você sentiu pressão de fazer sua estreia como diretor em uma franquia de tanto sucesso?

Não, eu estava bem confiante. Eu fiz faculdade de cinema e sabia como dirigir um filme. Estive treinando como braço direito de John por diversos filmes a fio. Entendi o estilo dele e sua maneira de pensar como cineasta. Também achei que eu poderia imitá-lo com sucesso e talvez adicionar uma camada do meu próprio estilo. Por isso, confiança não foi um problema.

Como surgiu o roteiro?

John e Debra decidiram encomendar um roteiro com o Nigel Kneale, que era famoso por seu trabalho em *Quatermass*, um sucesso arrasador na Inglaterra. Ele trabalhou com uma premissa que Debra havia imaginado, uma ideia de uma linha: "bruxaria na era da informática". Foi o que botou a bola para rolar. Ele veio pra Califórnia, e nós conversamos diversas vezes sobre o seu roteiro. Depois que ele o entregou, o consenso geral nos bastidores era de que, sim, havia algumas ideias fascinantes nele, mas ainda estava um pouco fora do tom. O roteiro de Nigel era bem sombrio e britânico. Achei que, de uma maneira geral, aquele era um roteiro brilhante porque continha a essência do que seria o filme final. Contava a história do maligno fabricante de brinquedos que, na verdade, era um bruxo imortal destinado a reiniciar as tradições do Dia de Todos os Santos. Para tanto, ele iria sacrificar todas as crianças do mundo. Essa premissa estava lá desde o início.

Mas o roteiro de Nigel tinha seus problemas. Assim que começamos a contar nossas preocupações, ficou claro que ele não fazia ideia do que estava acontecendo na cultura pop americana. Na visão de John e Debra, *Halloween III* precisava desse sabor. Nigel então se afastou da tarefa de avançar com o roteiro. Ele havia se esgotado com alterações em outras ocasiões, e com gente decepando seu trabalho. Então, ele não iria passar por mais nada disso em *Halloween III*. No final das contas, ele retirou seu nome do projeto. John, sendo o padrinho do projeto, fez um novo tratamento. Ele escreve muito rápido. Seu tratamento ajudou, mas não era tudo aquilo que eu sentia que precisava ser. Então fiz mais um tratamento. John nunca colocou seu nome no roteiro. Meu nome acabou sendo o único nos créditos, e eu acabei levando todo o crédito como roteirista em um filme que continha 60% do trabalho de Nigel.

Nos anos desde Halloween III, Nigel Kneale nunca hesitou em criticar o projeto, embora sempre tenha te elogiado como diretor. Como era a relação com ele?

A gente se dava bem. Não passávamos muito tempo juntos, foi uma reunião em um restaurante com a esposa dele e outra para o roteiro. Fico feliz de saber que ele falava coisas boas sobre mim. Isso é novidade. Eu sabia que ele critivaca o filme, ele era um cara bem amargo, e talvez tinha razão de se sentir assim por conta de experiência anteriores. Acho que ele era muito sensível a pessoas mexendo no trabalho dele. Não deve ser segredo para você, e mesmo para os seus leitores, que os roteiristas frequentemente sofrem no esquema hollywoodiano. Diretores e produtores ficam num leva e traz com os roteiros, inclusive contratando outros roteiristas para reescrever o material. É um caso clássico nessa profissão. É ofensivo, e imagino que o Nigel tenha passado por isso muitas vezes.

Preciso dizer que não gostei de ele ter abandonado o projeto, e já falei isso antes. Achei pouco profissional, deixou um sentimento de abandono. Não estou falando de contratar outras pessoas para refazer o trabalho dele. A gente queria ele trabalhando junto. Eu e John acabamos reescrevendo de graça e, honestamente, isso acabou nos distraindo do que estávamos tentando fazer, isto é, botar o filme para rodar. Não gostei dessa situação.

O roteiro original de Nigel Kneale não continha robôs assassinos nem Stonehenge. Quem veio com essas ideias? Você ou John Carpenter?

Honestamente, eu não me lembro. John e eu éramos unha e carne naquela época. Eu poderia terminar suas frases. Então, aquilo pode ter surgido durante um cafezinho ou enquanto estávamos jogando ideias na mesa. Acho que provavelmente eu pensei nos capangas de terno, uma ideia que eu curtia muito. Foi antes dos outros filmes terem seus vilões de terno. É uma imagem muito boa, eu acho que devíamos todos ter medo da dominação mundial por grandes corporações. E ter androides assassinos vestidos de terno é um jeito simbólico de tocar no assunto. Stonehenge? Não me lembro. Debra talvez tenha algo a ver com isso também. Stonehenge foi uma ideia bem forçada, porém divertida. Engraçado que a versão de Nigel não tivesse muitas dessas coisas. Era bastante cínica. Faltava um toque de leveza, no sentido de que "estamos fazendo um filme de terror e de cultura pop para adolescentes". Precisávamos de sustos saltitantes e de todos os truques que fazem parte desse universo. Nigel não tinha essa pegada.

O roteiro original de Nigel também estava repleto de sentimento anti-Irlanda, ainda que vocês tenham conseguido amenizá-lo no filme. Fala um pouco sobre isso.

Poxa, cara, ele cagava para os irlandeses. Eram o alvo de suas piadas. Para mim, aquilo era a versão britânica de um racismo patente. Eu tremo só de pensar o que ele teria feito com aquela atitude e jeito de pensar se ele tivesse sido criado no sul dos Estados Unidos. Mas sim, ele retirou a maior parte delas. Acho que a maior vantagem de nossas revisões foi acertar o tom do vilão Conal Cochran. O personagem foi um sucesso em grande parte com a escalação de Dan O'Herlihy. Acho que ele foi triunfante. O monólogo de Conal sobre o Halloween veio basicamente de Nigel, mas nós retiramos os elementos desprezíveis do texto. No filme, Conal não se vê como um vilão. Ele está fazendo o que é imperativo para sua tribo, algo que acredita ser importante. Ele diz: "É chegada a hora". Grandes vilões não retorcem seus bigodes na frente das câmeras. Eles fazem o que acreditam ser a coisa certa, e é isso que os torna assustadores.

Quem surgiu com o subtítulo Season of the Witch?

Outra vez, pode ter sido eu ou Debra ou John. Éramos um grupo tão coeso na época... Quem vai saber? Eu com certeza conhecia a canção do Donovan. Então, pode ter sido ideia minha. Não é uma evolução muito complicada, de "espera um minuto, ele é um bruxo" até "o que poderíamos colocar no título que indicasse que *Halloween III* vai em outra direção? Hum... A estação das Bruxas!". Eu posso perfeitamente imaginar que a conversa tenha seguido mais ou menos assim.

O que fez você homenagear Vampiros de Almas em seu filme?

Se eu fosse interrogado sobre qual o meu filme de terror favorito de todos os tempos, com certeza seria *Vampiros de Almas*, de Don Siegel. Desde o início, *Halloween III* seria uma adição completamente diferente em uma franquia consolidada exclusivamente em um sociopata que manejava uma faca. Nosso *Halloween III* não era um filme sobre facas. Eu olhei com mais cuidado e disse: "Espera aí, esse é um filme de casulos, assim como *Vampiros de Almas*". Foi quando eu decidi jogar todas as referências possíveis, como chamar a cidade de Santa Mira. Nós também filmamos na Sierra Madre, a mesma locação onde muito do *Vampiros* original foi filmado.

Nosso final era uma homenagem completa a *Vampiros de Almas*. Naquele filme, o estúdio estava nervoso com o final deprimente porque, no original, ele deveria acabar com a famosa sequência em que Kevin McCarthy está na rodovia. Ele salta em um caminhão e vê os casulos lá dentro, antes de encarar a câmera e gritar: "Você é o próximo! Você é o próximo!". O filme deveria terminar ali, mas acho que o estúdio ficou nervoso e insistiu em um fechamento que tirasse a plateia da forca. Vemos Kevin McCarthy no telefone, contando o que está acontecendo ainda que tudo vá ficar bem. Cara, eu odeio esse final. Aposto que Don Siegel odiou também, mas não tenho certeza.

Quando chegou minha vez de fazer um final bem parecido, "Desliga, desliga!", eu estava certo de que era o final certo para nosso filme. E dando o devido crédito a John e Debra, eles me trataram tão bem e me deram tanto apoio. Acho que John tinha o corte final, mas ele agiu como se eu tivesse, o que acho que fez toda a diferença em minha performance como diretor. Ele me ligou depois que o filme estava pronto e o estúdio ainda não havia visto. Ele disse, "Estão nervosos com o final. Me perguntaram se eu cogitaria mudar". Então John me perguntou o que eu achava. "Farei o que você quiser que eu faça", ele disse. Ele deixou nas minhas mãos. Isso deixa claro como John enxerga o cinema de verdade. Ele acha que o diretor deve ser o rei do projeto. Eu pensei por um minuto e disse: "Vamos deixar o final como está", e ele disse: "Pronto".

É interessante comparar sua experiência em Halloween III com a de Rick Rosenthal em Halloween II. Ambos eram diretores estreantes, ainda que suas experiências fossem diferentes.
Senti pena de Rick pela posição em que ele se meteu. O problema é que ele não era da família, vamos dizer assim. Eu era da família, e eu era mais previsível. John e Debra sabiam que podiam confiar completamente em mim, que eu acertaria o caminho. Se eu tivesse dirigido *Halloween II*, ele teria tido mais a cara de um filme dirigido por John Carpenter. Isso porque eu tinha muita experiência trabalhando com ele. Eu sabia como ele pensava, e o que ele faria com uma boa precisão. Rick não teve nada disso e foi o motivo dele ter sofrido tanto. Não acho que eu esteja revelando nenhum segredo aqui, mas o corte do filme de Rick não estava à altura das expectativas de John em certas áreas. Houve questões sobre como criar um clima de muita tensão e conseguir assustar a plateia, mexendo com as expectativas do público, os macetes do negócio. Havia também alguns closes importantes e inserções necessárias para realçar a narrativa visual. Então, John foi e filmou alguns planos adicionais. Como eu disse, eu sinto muito por Rick. Ele estava em uma posição difícil, mas foi uma coisa totalmente única naquele momento, naquela situação. Eu não passei por isso em *Halloween III* porque nós somos pessoas diferentes com histórias diferentes.

Os filmes da franquia Halloween são conhecidos por ter cenas deletadas e finais alternativos, mas parece que não foi o caso de Halloween III. Existem cenas extras que nunca vimos?
Poucas, se é que existem. Há uma dinâmica em filmes de baixo orçamento em que você está lutando por cada segundo do filme. Você não pode se dar ao luxo de filmar muito material extra ou filmar demais ou ter muitas coberturas. Não se você pretende entregar dentro do prazo e do orçamento. Por isso, não tem muita coisa sobrando em *Halloween III*.

Tem uma cena do museu de brinquedos que filmamos, mas que não chegou ao corte final. Fizemos no sul de Pasadena. Eles tinham um realejo que eu achei muito estranho. Ainda que a música que ele tocava fosse comemorativa e divertida, eu senti um certo tom melancólico nela. Achei que ela serviria como uma ótima sequência para os créditos finais. Então, nós filmamos toda a música. Minha intenção era colocá-la durante os créditos, mas não combinava direito, depois que montamos a cena. Essa é a única coisa que eu me lembro de jogar fora, e não era nada importante. Apenas um pano de fundo para os créditos.

Você mencionou que você e seus colegas sabiam, no primeiro Halloween, que tinham feito um bom filme, mesmo antes da estreia. Você sentiu a mesma confiança com Halloween III, no período entre a finalização e o lançamento do filme?

Preciso confessar que não conseguia enxergar com clareza, o que acredito que aconteceu também com John, Debra e o estúdio. Isso tem a ver com o quão descuidados fomos ao lançar o filme sem explicar exatamente o que estávamos tentando fazer. Acho que não reconhecemos o interesse voraz e a lealdade ao mito Michael Myers. Certamente não acho que percebemos a necessidade de preparar o público para algo tão diferente. Acho que *Halloween III* já se provou, desde então, ser um bom filme. Está sempre de volta, ano após ano. Sem vaidades, acho que pode ser chamado de um filme cult. O problema não é o filme. O problema foi criar uma expectativa no público ao usarmos um título tão bobo como *Halloween III* quando ele não era de forma alguma uma continuação. Foi um pensamento imperfeito, e fomos tolos em lançar o filme daquele jeito.

Tendo dito isso, também acredito que a Universal não entendeu de verdade o filme. Talvez nem tenham gostado dele, ainda mais depois que eu me recusei em mudar o final. Então, talvez eles tenham deixado de se preocupar. Fizeram uma campanha de lançamento respeitável, com uma direção de arte muito bonita. Só não era a campanha certa. Quando os anúncios da première saíram, havia uma faixa pequena no canto superior direito que dizia: *Novo!* O que exatamente queriam dizer com aquilo? É o tipo de coisa que se põe em detergentes de roupa ou tênis de basquete. *Novo!* não significava nada para o público. Eles ainda apareceram esperando ver Jamie Lee e a Forma. Quando não os viram, se sentiram indignados. Acho que tinham o direito de estarem indignados.

Levou um tempo enorme para a situação se acertar. E *Halloween III: A Noite das Bruxas* sobreviveu porque ele conta uma boa história a respeito do feriado. Conversei com muitos fãs que dizem assistir novamente ao filme todo ano. Fico surpreso quando vou às convenções e vejo quão jovens são esses fãs. Não são velhos decrépitos como eu — são muito novinhos!

Deve ter sido muito frustrante na época, mas o filme envelheceu tão bem desde então. De alguma forma, foi revigorante testemunhar esse processo?

É uma ótima pergunta, e a resposta é sim. Foi muito doloroso o lançamento do filme. Eu me senti péssimo. Quando se está na posição em que eu estive, você acha que desapontou todo mundo. Senti vergonha e todo tipo de sentimentos horríveis. E sim, é ótimo encontrar redenção com o passar dos anos. As pessoas chegam em minha mesa nas convenções e dizem: "Não importa o que os outros dizem, este é meu *Halloween* favorito". E eu respondo, "Você não precisa mais defender o filme. Ele finalmente encontrou seu público. Se alguém fizer pouco caso dele, só levante a cabeça e diga: 'Não ficou sabendo? Esse é um grande filme!'".

Você acha que Halloween III teria um resultado melhor se fosse lançado fora da franquia?

Se ele fosse lançado apenas como *Season of the Witch* acho que teria encontrado seu público mais rapidamente e teria sido bem-sucedido por seus próprios méritos. Mesmo assim, ironicamente, esse é um filme que talvez nunca tivesse sido feito se não se chamasse *Halloween III*.

Você acha que o conceito de antologia teria funcionado melhor em Halloween II do que em Halloween III? Parece que Halloween II pavimentou a identidade da franquia.
Sim, faz todo o sentido. Eu concordo com isso. Se *Halloween II* na verdade tivesse sido *Season of the Witch*, poderia ter funcionado. Ainda assim precisaria de uma campanha publicitária adequada. Essa seria uma franquia que poderia estar se renovando até hoje. Poderia ter ficado ainda maior do que o rolo compressor de sequências que temos hoje. Poderíamos ter explicado que Jamie Lee e a Forma poderiam voltar, mas que também teríamos novas histórias a cada ano. E elas também poderiam gerar continuações próprias. É uma grande ideia, e eu fico perplexo de que ninguém tenha seguido adiante com ela.

Alguma vez você chegou a considerar uma continuação para Season of the Witch?
Alguém me mandou um roteiro especulativo com sua própria sequência de *Halloween III*, talvez dez ou quinze anos atrás. Fiquei bem decepcionado com o que me mandaram. Fiquei com isso na cabeça por um tempo e tentei imaginar como seria a história se eu a escrevesse, e não consegui pensar em nada que valesse a pena. Então, não, não acho que eu faria uma continuação de *Halloween III*. Não que eu seja superior a essa tarefa. Minha carreira está crivada de sequências e prólogos e remakes de um tipo ou de outro. Só não me sinto entusiasmado com a ideia de continuar essa história em particular.

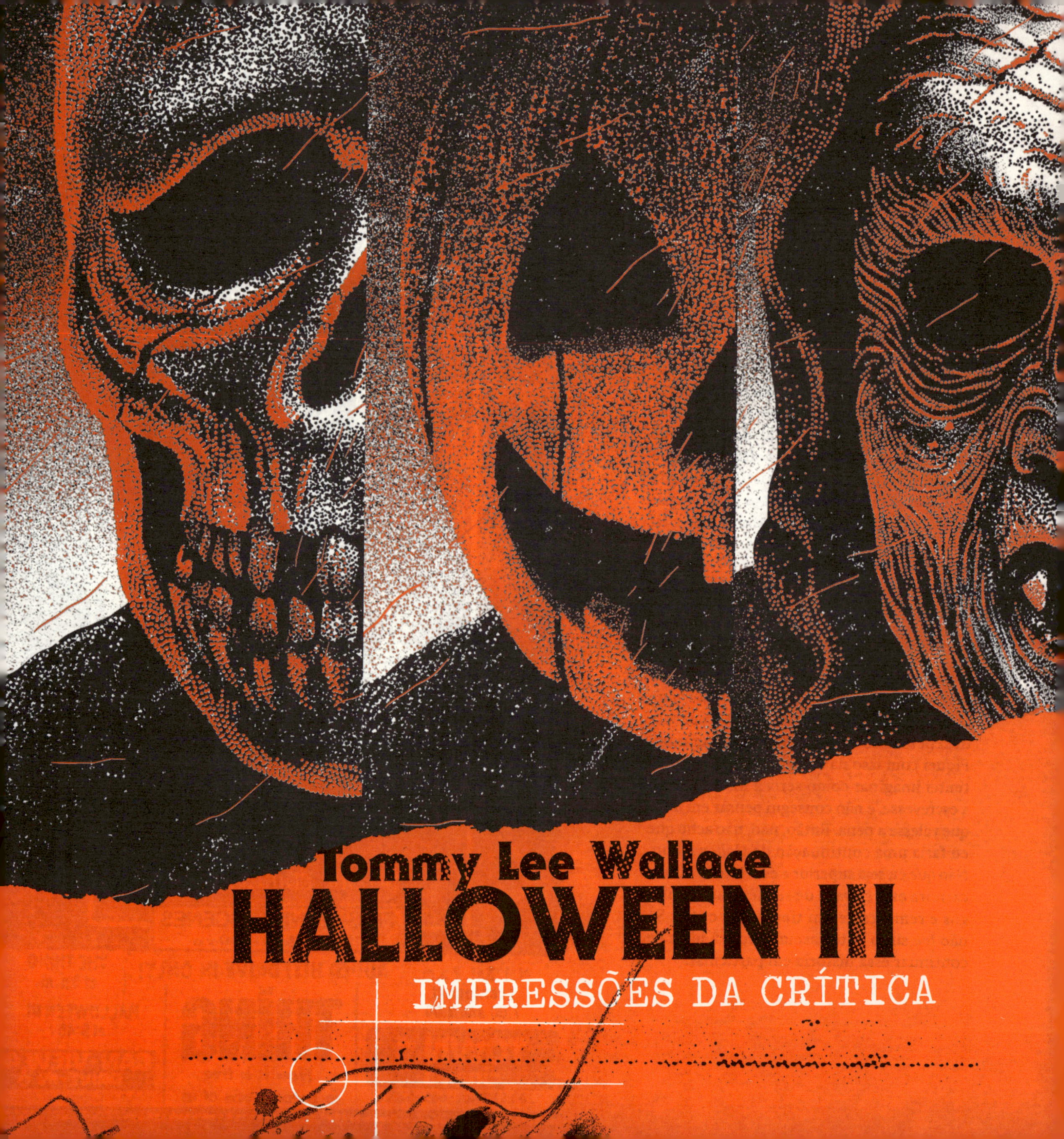
Tommy Lee Wallace
HALLOWEEN III
IMPRESSÕES DA CRÍTICA

"Não há muito o que dizer sobre Halloween III que ainda não tenha sido dito sobre qualquer um dos dois filmes da série Halloween ou de seus inúmeros imitadores. (...) O esgotado clichê do fabricante de brinquedos enlouquecido (...) furos de roteiro tão grandes que dá até para fazer um outro filme com os espaços que faltam." VARIETY

"Um suspense estranhamente classudo e viciante que nos prende com seus ganchos -- nada de facas! -- de inúmeras formas. (...) Altamente eficaz; não consigo pensar em nenhum filme de terror recente no qual a plateia seja provocada, insultada e conduzida em tantas direções. É como encontrar um monstro atrás de todas as portas. A descoberta no final da trilha de pistas vai além do limite da angústia, a conclusão satisfaz por se recusar em oferecer um final redondinho." --- PATRICK TAGGART, AUSTIN-AMERICAN STATESMAN

"Halloween III consegue a não tão fácil tarefa de ser, ao mesmo tempo, anti-crianças, anti-capitalista, anti-televisão e anti-irlandeses. (...) tenta ser engraçado, e com frequência é. As tramas (...) são inusitadamente boas. O sr. Wallace claramente tem uma queda pelos clichês de suas paródias, feitas com estilo." ---- VINCENT CANBY, THE NEW YORK TIMES

"Como pode um filme de Halloween sem Michael Myers ser qualquer coisa menos amorfa? Halloween III também consegue ser desajeitado, tolo e apenas levemente assustador. Halloween III é como uma versão homicida de Willy Wonka e a Fantástica Fábrica de Chocolate. 'Um bom mágico nunca revela seus truques.' Aparentemente, um mau diretor também não, já que Halloween III é uma confusão sem sentido, tropeçando em incertezas entre piadas ruins e sustos ainda piores. Portanto, não agrada ninguém -- nem os risonhos nem os assustados." --- ELEANOR RINGEL, THE ATLANTA CONSTITUTION

"Existem muitos problemas em Halloween III, mas o mais básico de todos é que eu nunca consegui entender o que o vilão pretendia conseguir se o seu plano funcionasse. (...) Um suspense barato desde o primeiro fotograma. (...) A única que se salva em Halloween III é Stacey Nelkin, que interpreta a heroína. Ela tem uma dessas vozes tão belas que você gostaria que ela tivesse mais a dizer em um papel melhor." --- ROGER EBERT, THE CHICAGO-SUN TIMES

O RETORNO DE M.MYERS

Dez anos atrás, ele mudou a cara do Halloween.
Esta noite, ELE ESTÁ DE VOLTA.

Dirigido por Dwight Little • História De Dhani Lipsius, Larry Ratner, Benjamin Ruffner And Alan B. Mcelroy • Roteiro De Alan B. Mcelroy

Ridicularizado pela crítica e rejeitado pelo público, *Halloween III* foi uma decepção retumbante na época de seu lançamento, em 1982. Ainda que tenha alcançado saudáveis 14 milhões de dólares contra um orçamento 2,5 milhões, sua bilheteria foi nitidamente menor que os 25,5 milhões de dólares no ano anterior. Ainda que não representem um fracasso, os números colocaram a franquia em uma evidente tendência de declínio. Considerando que *Sexta-Feira 13 — Parte III*, da Paramount, faturou mais do que o dobro de *Halloween III* no mesmo ano, a conclusão foi clara — o público queria sangue em seus filmes de terror. Consequentemente, um filme da franquia *Halloween* sem o elemento slasher não se provaria sustentável com retornos cada vez menores. É válido comentar que quando a Universal Pictures assinou o contrato de *Halloween II* e *III*, ela acreditava estar comprando uma série de filmes slasher. Em *Halloween III*, esse certamente não foi o caso. Ao final de 1982, o futuro da franquia era uma grande incógnita.

Em retrospecto, pode parecer que John Carpenter e Debra Hill abandonaram o barco depois de *Halloween III*, mas não é verdade. Nos anos seguintes, tanto Carpenter quanto Hill foram pressionados a fazer uma nova continuação, pelos detentores dos direitos, e rejeitaram cada oferta que chegava. Na real, apenas dois meses após o lançamento de *Halloween III*, Hill disse ao *Baltimore Sun*: "Não quero fazer outro filme de terror por um bom tempo. Sempre existirá público para o terror, mas o gênero se tornou comercial. As pessoas estão fazendo filmes com sangue e tripas e os chamando de terror".

O subgênero slasher haveria de florescer nos anos 1980 com franquias como *Sexta-Feira 13* e *A Hora do Pesadelo* lançando continuações ano após ano. Procurando capitalizar a moda do slasher, o Cannon Film Group ofereceu a Carpenter em 1986 um contrato de vários filmes, sob a expectativa de que entregaria uma nova sequência de *Halloween*. Frustrado com o sistema dos estúdios após uma série de fracassos, Carpenter começou a considerar seriamente um *Halloween 4*.

"Passamos quatro ou cinco anos barganhando. John Carpenter, Debra Hill, Irwin Yablans e eu não conseguíamos chegar a uma conclusão sobre o que fazer com (*Halloween 4*). Além disso tudo, eles todos tiveram outros sucessos, deixando as coisas muito mais complicadas."
— Moustapha Akkad,
HorrorFan Magazine

O ROTEIRO DE ETCHISON

Ao concordarem em desenvolver uma continuação com a Cannon Films, tanto Carpenter quanto Hill reconheceram a fraca performance do terceiro filme, o que condenou efetivamente seus planos de transformar *Halloween* em uma antologia cinematográfica. Os dois também concordaram que retornar a Haddonfield era necessário se a franquia fosse continuar. Com esse objetivo, contrataram o romancista Dennis Etchison no final de 1986. Um renomado autor por seus próprios méritos, Etchison atraiu a atenção de Carpenter com suas adaptações literárias de *Halloween II*, *Halloween III* e *A Bruma Assassina*. *Halloween 4* seria o seu primeiro roteiro de longa-metragem.

O *Halloween 4* de Etchison era tudo, menos um típico filme slasher. Etchison evitou as regras dos dois primeiros filmes ao contar uma história de fantasmas psicológica envolvendo a Forma. Essa nova fábula seguia Lindsay Wallace e Tommy Doyle, as duas crianças de quem Laurie Strode cuidou como babá naquela fatídica noite de 1978. Carpenter gostou muito desse conceito inusitado, e deu consultoria extensiva em três tratamentos do roteiro. No final, ele daria aprovação total para que aquele fosse o próximo capítulo da saga *Halloween*. O roteirista chegou até a se encontrar com Joe Dante, que seria o principal candidato a capitanear a continuação, ainda que nunca tenha oficialmente assinado um contrato. Infelizmente, o apoio de Carpenter e Hill não foi o suficiente para convencer Moustapha Akkad de que aquela seria a decisão correta para a franquia. Ele detestou o roteiro de Etchison e usou seu poder para impedir que o projeto fosse adiante. Akkad sugeriu que, ao contrário, eles se encarregassem de escrever um roteiro mais próximo do *Halloween* original. Frustrado, Carpenter lamentou que mais uma vez lhe pedissem para produzir o mesmo filme de novo.

"Esta é a natureza do showbiz nos Estados Unidos", Carpenter contou à *Fangoria*. "Os sócios me ameaçaram dizendo: 'Se você não fizer nada com esse patrimônio, nós vamos processá-lo por nos impedir de usar o que é nosso por direito'. Passei anos declarando que não queria ter mais nenhuma ligação com os filmes da série *Halloween*. Mas sempre terminava tragado no último minuto. Os sócios diziam: 'Seu nome vai aparecer no filme. Todos vão associá-lo a você. Você não quer que o filme valha a pena?'. Era como uma maldição."

Carpenter escaparia de sua maldição em 1987, ao vender sua participação na franquia junto de Debra Hill. Os direitos de produção e distribuição de *Halloween 4* logo seriam postos a leilão. Que nenhum grande estúdio tenha feito uma oferta pela franquia — nem mesmo a Universal Pictures — era uma prova de quanto *Halloween III* fora prejudicial para a imagem da marca. As ações de Carpenter e Hill acabaram indo para Akkad, que cobriu de longe as demais ofertas, incluindo uma de Irwin Yablans, de quem ele também compraria sua parte. Pela primeira vez na história da franquia, Akkad agora exercia total controle criativo sobre os novos capítulos. O produtor brigou para corrigir o que ele enxergava como erros das continuações anteriores ao retornar ao estilo do filme original. Parte disso significou assumir uma postura inflexível contra as cenas explícitas presentes em *Halloween II* e *III*.

"Foi um erro de julgamento de nossa parte", Akkad disse ao *Los Angeles Times* em fevereiro de 1988. "O que fez do *Halloween* original um sucesso tão grande foi o suspense, não o sangue e nem os monstros com dez olhos e cinco pernas."

O RETORNO DE MICHAEL MYERS

Procurando um caminho novo, o estúdio Trancas International, de Akkad, abriu uma competição de argumentos de histórias para *Halloween 4* no outono de 1987. Essa oportunidade estava aberta tanto aos roteiristas sindicalizados como aos não sindicalizados. Centenas de escritores esperançosos participaram. Akkad acertou um tratamento de roteiro dos amigos Dhani Lipsius, Larry Rattner e Benjamin Ruffner. Ele trabalhou ao lado do trio para desenvolver a trama no formato de roteiro, que seria terminado logo após o feriado de Ação de Graças. Akkad anunciou oficialmente a produção no final de 1987 com uma publicação de página inteira apresentando um bilhete escrito à mão pelo próprio assassino, que dizia: "Desculpe, mas não poderei comparecer à sua festa de Halloween. Ainda estou internado no hospital. Tenho certeza de que ano que vem estarei aí. — Michael Myers". Cabe a você decidir o que é mais estranho, que Michael responda de maneira formal ao convite de uma festa de Halloween, ou que ele tenha errado a grafia do seu próprio nome, uma gafe que aconteceria mais de uma vez com o marketing de *Halloween 4*.

Em janeiro de 1988, Akkad contratou o cineasta Dwight Little para capitanear a produção baseada no sucesso de sua recente aventura cômica *A Maldição do Rubi*. O diretor logo se comprometeu com o roteiro de Lipsius, Rattner e Ruffner e requisitou que pudesse trazer seu parceiro roteirista, Alan B. McElroy, para reescrevê-lo. Akkad permitiu, ainda que houvesse uma ameaça iminente ao projeto, já que uma greve do Sindicato dos Roteiristas estava prevista para começar em menos de duas semanas. Isso impediria que roteiristas sindicalizados trabalhassem em qualquer projeto. McElroy escreveu em um ritmo enlouquecido para completar sua versão dentro do prazo, pedindo ajuda a Dwight Little durante o processo. De forma impressionante, ele foi capaz de terminar o segundo tratamento em 7 de março, a data oficial do início da greve. Quanto do roteiro final de *Halloween 4* pertence a cada autor é uma questão discutível, dependendo a quem você pergunte. O Sindicato dos Roteiristas acabou concedendo um parecer sobre o assunto e, depois de revisar todos os tratamentos oficiais, decretou que McElroy deveria receber os créditos integrais de roteiro e dividir o crédito de autoria da história com Lipsius, Rattner e Ruffner.

Ainda que fosse fato consumado que Jamie Lee Curtis não reprisaria seu papel como Laurie Strode, a possibilidade de Donald Pleasence retornar continuava na mesa. Enquanto ouvia propostas para *Halloween 4*,

Pleasence foi informado de que Carpenter havia endossado com louvor o novo caminho, uma declaração que o cineasta negou em entrevistas. O ator não assinaria o contrato até que recebesse um roteiro. Sobre o seu retorno a *Halloween*, ele contou à *Fangoria*: "Me chamaram, eu estava disponível, a grana era boa, e seria difícil fazer aquele filme sem mim. (...) A história de Michael e Loomis continua a ser muito boa. A franquia poderia apenas ter se transformado em um exercício inútil de ganância, mas o roteiro é muito bom e o desenvolvimento dos personagens foi feito com muito cuidado. Se a história permanecesse tão boa assim, eu poderia me ver interpretando Loomis num próximo filme".

Para os roteiristas, a primeira tarefa narrativa era descobrir um jeito de trazer o dr. Loomis e Michael Myers de volta, ambos presumivelmente mortos no final explosivo de *Halloween II*. No final das contas, o melhor jeito de ressuscitar os personagens era agir como se eles nunca tivessem morrido, para começo de conversa.

Halloween 4 começa com a revelação de que Michael Myers esteve em coma desde a explosão na sequência final de *Halloween II*. Em 30 de outubro de 1988, ele seria transferido do Sanatório Federal de Ridgemont de volta para Smith's Grove. Michael acorda no trajeto e ataca a equipe médica após ouvi-los mencionar sobre a morte prematura de Laurie Strode e sobre a filha tão jovem que ela havia deixado para trás. O dr. Loomis, que também sobreviveu a *Halloween II*, investiga a cena do acidente e insiste que seu paciente está a caminho de Haddonfield. Loomis parte atrás dele, mas para num posto de gasolina afastado, onde encontra os funcionários mortos. Logo, ele fica cara a cara com seu paciente e dispara várias vezes contra ele, mas não o acerta. A Forma foge num carro-guincho roubado.

Enquanto isso, em Haddonfield, a filha órfã de Laurie — Jamie Lloyd — está vivendo com a família Carruthers. Jamie confidencia a sua irmã adotiva mais velha, Rachel, que ela tem tido pesadelos com seu tio assassino. Rachel promete levar Jamie para pedir doces naquela noite, para alegrá-la. Sua fantasia escolhida, um palhaço, é assustadoramente parecida com a do tio na noite em que ele cometeu seu primeiro assassinato, tantos anos atrás. Quando cai a noite, a Forma consegue explodir uma subestação elétrica, o que resulta em um apagão em toda a cidade. Ele sozinho massacra a maioria dos homens da força policial de Haddonfield. Loomis se alia ao novo homem da lei, Sheri Meeker, em um esforço para encontrar Jamie antes de Michael. Eles a encontram e buscam abrigo na casa de Meeker, junto de mais um delegado, a filha do xerife, Rachel e seu namorado mulherengo. Longe dali, um grupo de caipiras bêbados forma um esquadrão de vigilantes e sai à procura de Michael.

A Forma invade a casa de Meeker e mata o delegado, a filha do xerife e o namorado de Rachel. Jamie foge e encontra o dr. Loomis na rua. Juntos, eles se escondem em uma escola primária perto dali, apesar de logo serem descobertos e atacados. Jamie foge da escola com a ajuda de Rachel, deixando para trás um Loomis gravemente ferido. As garotas se juntam aos vigilantes e partem da cidade, sem perceberem que Michael pegava uma carona com eles. Subindo na caçamba, ele mata todos os caipiras. Assumindo o volante, Rachel consegue jogar Michael para fora do veículo, e ele cai em uma vala. Jamie se aproxima de seu tio, aparentemente inconsciente, e toca sua mão. Com isso, ele se levanta em um bote, mas é fuzilado por Meeker e uma equipe de patrulheiros estaduais. Baleado, Michael despenca nos destroços de uma mina abandonada.

De volta à casa dos Carruthers, Jamie e Rachel se reúnem com seus pais. É ali que o mal se apodera da garotinha. Vestindo sua máscara de palhaço, Jamie ataca sua mãe adotiva de forma brutal com uma tesoura. Loomis fica horrorizado com esse macabro déjà vu.

Com a pequena Jamie Lloyd, vivida pela atriz Danielle Harris, os roteiristas apresentaram aquela que pode ser classificada como a personagem mais trágica em toda a franquia. Fica claro desde o começo que Jamie não é como outras crianças de sua idade, despreocupadas e inocentes. Ela sabe muito bem sobre sua ascendência sangrenta e sofre de pesadelos com seu tio assassino. Jamie também enfrenta o luto e a ansiedade, sem dúvida ainda lamentando a perda recente dos seus pais. Na escola, sofre bullying de coleguinhas cruéis por ser órfã. É fácil perceber que Jamie é uma garotinha carente, que deseja fortemente ser aceita por sua família adotiva ("Você me ama, Rachel? Como uma irmã? Como uma irmã de verdade?"). Vê-la lutar contra esses assuntos e ainda assim tentar agir como uma criança normal é, ao mesmo tempo, doloroso e cativante. É fácil torcer por uma personagem como Jamie. Vale mencionar também que ela originalmente se chamaria "Britti" nos tratamentos iniciais do roteiro. O nome seria alterado mais tarde para Jamie, em homenagem a Jamie Lee Curtis.

Outro crédito importante em *Halloween 4* envolve a personagem Rachel Carruthers. Como a garota final do filme, ela evoca o espírito combativo de Laurie Strode. McElroy conecta as duas personagens com uma linha que revela que Laurie foi babá de Rachel no passado. Assim como Jamie, é fácil torcer pela personagem de Rachel, especialmente quando ela navega pelo triângulo amoroso envolvendo seu namorado babaca e a filha do xerife. Essa trama secundária poderia facilmente cair no melodrama adolescente, mas, ao contrário, é desenvolvida de forma orgânica durante o filme. Como irmã adotiva de Jamie, a função de Rachel é a de sua guardiã protetora. Ela prova ser merecedora desse desafio ao se tornar uma feroz adversária de Myers, constantemente frustrando seus ataques mesmo quando os homens que tentam protegê-la não conseguem. Ainda assim, ela quase não sobrevive, da maneira como a história foi escrita originalmente. Em uma versão anterior da reviravolta final, Jamie mata Rachel no lugar de sua mãe adotiva. Mesmo assim, é possível que Rachel recebesse uma segunda chance em *Halloween 5*, assim como Darlene Carruthers recebeu.

Halloween 4 estabelece que o xerife Brackett se aposentou em 1981 e se mudou para St. Petersburg, Flórida. Loomis logo encontraria seu sucessor direto, o xerife Ben Meeker. Apesar de ser um personagem novo, Meeker faz mais em *Halloween 4* do que Brackett fez nos dois primeiros filmes. Ele possui discernimento sobre o que aconteceu em 1978 e, portanto, leva bem a sério a ameaça do retorno de Michael. Com a maioria da força policial massacrada, Meeker se vê forçado a fechar uma aliança com Loomis para conseguir sobreviver à noite. A situação piora ainda mais quando caipiras bêbados começam a patrulhar as ruas, matando acidentalmente um homem que eles confundem com a Forma. No final, é Meeker — e não Loomis — quem chega a tempo de salvar o dia, quando Myers dá um bote surpresa em Jamie. Em um gênero repleto de homens da lei ineptos, Meeker emerge como um herói.

O roteirista Alan B. McElroy havia há muito se declarado um fã legítimo do *Halloween* original, o que se torna aparente durante seu script. Enquanto *Halloween 4* abre novos caminhos com seus jovens protagonistas, é uma história familiar para Michael e Loomis. Como no original, Michael escapa de uma audiência e se dirige a Haddonfield com seu médico-profeta-do-apocalipse a reboque. Em ambos os filmes, a Forma rouba um caminhão de reboque para seguir sua jornada de volta ao lar. Michael então persegue suas vítimas, rouba uma máscara e mata um cão. Enquanto isso, Loomis se junta ao xerife local, que duvida de suas afirmações. O xerife em questão acaba colaborando e sobrevive no final. Sua filha adolescente promíscua, entretanto, não. Uma das homenagens mais óbvias a *Halloween* envolve Jamie vestindo a mesma fantasia de palhaço que o jovem Michael usou em 1963. Mais adiante, isso pontua o final chocante do filme — Jamie matando sua mãe adotiva é um reflexo da cena em que Michael assassina sua irmã.

Se essas diversas referências melhoram a sequência ou a atrapalham, isso vai depender totalmente do valor que você dá à nostalgia. Você poderia facilmente argumentar que *Halloween 4* está para *Halloween* como *O Despertar da Força* está para *Star Wars IV: Uma Nova Esperança* (*Force Awakens* e *Star Wars IV: A New Hope*, respectivamente). De todos os cineastas que alegam estar fazendo um retorno aos valores do filme original — uma declaração que, às vezes, é risivelmente falsa —, *Halloween 4* acerta no alvo na maioria das vezes. Ainda que possa frustrar espectadores à procura de algo novo, a proposta se mostrou vencedora em 1988, após um filme sem Myers, *Halloween III*. Se o seu roteiro é demasiado derivativo, trata-se de um fato bem escondido por uma direção sólida e atuações poderosas.

Em termos de tom, *Halloween 4* funciona mais como um thriller do que o típico filme slasher. Ainda que não totalmente realista, o filme evita a maioria dos exageros do gênero. Michael não se teleporta magicamente pela cidade, nem sustenta ferimentos que deveriam matá-lo — com exceção do final, é claro. Isso se deu graças ao desejo do diretor Dwight Little de apresentar o personagem como um serial killer fugitivo e não como um bicho-papão sobrenatural como as próximas duas continuações fariam.

Little explicou sua lógica narrativa do filme para a *Starburst Magazine*: "O motivo de ele escapar da ambulância é porque precisávamos libertá-lo. O motivo de parar na oficina e matar o mecânico é roubar seu uniforme, seu macacão. O motivo de explodir o posto de gasolina é derrubar as linhas telefônicas. O motivo de ir à farmácia é para conseguir sua máscara. O motivo de jogar Bucky na linha de força é cortar a energia da cidade. Queríamos que tudo acontecesse em função de sua lenta aproximação até Haddonfield. Queríamos que tudo fosse crível. Não queríamos que fosse uma piada".

A respeito do final chocante de *Halloween 4*, Little declarou sua visão de que Michael Myers teria de fato morrido com a conclusão da sua história. Quanto a Jamie, o diretor opina nos comentários do filme que ela não é necessariamente má devido a seus laços de sangue. Então, por que ela atacou brutalmente sua mãe adotiva? Little atribui essa reviravolta inesperada ao momento em que Jamie toca a mão de seu tio moribundo. Essa conexão causou um tipo de transmissão elétrica de energia, uma impressão da fúria de Michael sobre ela. O diretor inicialmente teve dúvidas se não estaria telegrafando o fim do filme para o público ao mostrar esse toque, mas isso acabou não sendo um problema. As plateias saíam genuinamente chocadas pela inocente heroína de *Halloween 4* poder fazer algo tão terrível. E com isso, a franquia começa seu estranho flerte com o sobrenatural, que evoluiria nas duas próximas continuações.

Como o filme original, *Halloween 4* ostenta uma simplicidade narrativa que funciona a seu favor. Os cineastas tomaram cuidado em não se afastar demais da fórmula. Se fôssemos acusá-los de algo, seria por não terem previsto um caminho após o final surpreendente deste filme. Não que eles sejam responsáveis por futuras continuações, mas essa falta de antecipação provou ser uma séria desvantagem para *Halloween 5* e *6*. Sem um caminho a seguir, *Halloween 5* renegaria de imediato o futuro sugerido pelo final de *Halloween 4*. Formatar um gancho enorme sem oferecer uma resolução é criativamente irresponsável, sobretudo quando seu objetivo é manter uma franquia ativa. E, infelizmente, as duas próximas continuações seguiriam com a lamentável tradição de condenar futuros roteiristas à tarefa de resolver ganchos mal planejados.

FILMANDO SANGUE

Por se basear no filme original, *Halloween 4* pega leve na violência explícita. Isso apesar do fato de que, com o passar do tempo, a Forma deixou de cortar gargantas para, agora, arrancar membros ou empalar testas. Enquanto *Halloween 4* ostenta uma contagem superior de mortes com quinze corpos, apenas sete dessas mortes aconteceram em cena. O curto prazo de produção não permitia muito tempo para os efeitos sanguinolentos, não que o roteiro exigisse tantos. Como mérito dos cineastas, a maioria das cenas de morte foram resolvidas usando luz, sombras, som e truques de câmera.

Tendo aderido às considerações de Moustapha Akkad sobre as cenas gore, o primeiro corte de *Halloween 4* se mostrou um pouquinho conservador *demais* em deixar o sangue escorrer. Os cineastas concordaram que seriam necessárias algumas cenas sangrentas a mais para realçar os assassinatos. Um dia extra de "filmagem de sangue" foi encomendado com o expert em efeitos especiais, John Carl Buechler, para expandir as mortes de diversos personagens. Buechler e o diretor Little começaram aprimorando o primeiro assassinato do filme. Nessa cena, vemos Michael Myers na ambulância, ele parece ainda em coma, acompanhado de um casal de médicos. Ele acorda de repente e ataca o atendente, esmagando sua cabeça contra a parede antes de perfurar a testa do pobre homem com o seu polegar.

A contribuição mais asquerosa de Buechler viria perto do final do filme, quando o vigilante caipira Earl dirige para levar Jamie e Rachel a um lugar seguro. O maestro dos efeitos desenvolveu um truque elaborado que mostra a Forma rasgando o pescoço de Earl, que passa a jorrar sangue. Por mais realistas e chocantes que fossem essas cenas, há um truque que Buechler desenvolveu que nunca chegou à versão final do filme. A caminho de Haddonfield, a Forma para em um posto de gasolina e mata o mecânico para roubar suas roupas. Buechler e sua equipe desenvolveram um efeito que mostraria Michael enfiando um pé de cabra na garganta do mecânico. A cena ainda aparece no filme, mas ela é cortada segundos antes do pé de cabra penetrar a vítima. Os cineastas optaram em mostrar o resultado desse assassinato mais tarde, quando Loomis investiga o massacre do posto de gasolina.

"Não estamos falando de um prisioneiro comum. Ele é o mal sob duas pernas."

HALLOWEEN IV
(1988)

CENAS DELETADAS

Em retrospecto, *Halloween 4* permanece como um dos mais bem desenvolvidos filmes de toda a franquia. Não existem cenas alternativas para serem discutidas, e poucas cenas não chegaram às telas. Isso se deve ao fato de que o roteiro de *Halloween 4* foi escrito de forma muito precisa. O filme, entretanto, contém diversos momentos curtos que foram descartados. Além deles, podemos peneirar material alternativo nas versões anteriores do roteiro e na adaptação literária expandida.

Como originalmente filmada, a sequência de abertura em Ridgemont deveria conter um momento adicional antes de nos encontrarmos com o dr. Hoffman. O sinistro guarda de segurança deveria ter contado detalhes mórbidos dos mais notórios pacientes do hospital. Entre as histórias, havia a do homem que fez um ensopado de caroneiros, a de uma mulher que enterrou seus maridos e filhos, a de um obstetra que matava um bebê a cada nove partos, e a de um menino de dez anos que comeu sua família na ceia de Natal e depois serviu as sobras, na forma de sanduíches, para seus colegas de escola. Essas histórias enfatizavam a frase do guarda: "Jesus não tem nada a ver com este lugar".

Posteriormente, Dwight Little confirmou a existência dessa cena em uma entrevista ao site *B-Sides and Badlands:* "Inicialmente, quando os dois médicos acompanham o guarda pelo corredor, havia cenas dentro das celas acolchoadas. Você podia ver aquela gente louca, presa em camisas de força". O diretor cortaria essas digressões para poder chegar a Michael Myers mais rapidamente. "A ideia era assustar os médicos e também o público. Depois do processo de montagem, a cena ficou... legal. Mas na verdade não trazia nada que nós já não soubéssemos."

Erik Preston, que interpretou brevemente o jovem Michael, se lembra de estar presente na filmagem da cena que aparece no roteiro, mas não no filme. Após comprar a fantasia de Jamie na farmácia, Rachel e a irmã vão tomar sorvete. Depois de sair da loja, Jamie congela ao perceber o "homem do pesadelo" na esquina. Rachel vai investigar e desaparece por um instante, para o desespero da irmã. Um momento depois, ela reaparece para garantir a Jamie que o "homem do pesadelo" existe apenas em sua imaginação. Apesar de funcionar como uma ótima referência ao filme original, a cena foi cortada provavelmente por questões de ritmo.

Por fim, o final chocante de *Halloween 4* foi cortado um pouquinho antes do lançamento. Na versão que chegou aos cinemas, o filme corta do ponto de vista de Jamie um pouco antes de ela atacar sua mãe adotiva. Mas da maneira que foi filmada originalmente, a cena mostra com mais detalhes Darlene Carruthers sendo esfaqueada. Esta filmagem extirpada apareceria mais tarde nos momentos iniciais de *Halloween 5*.

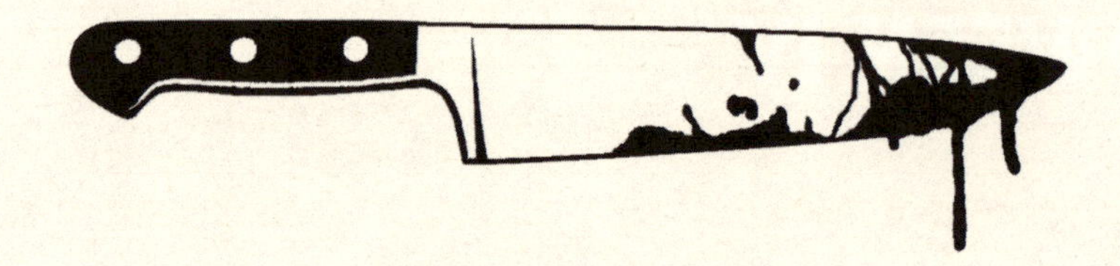

ESCRITO, MAS NÃO FILMADO

Ainda que *Halloween 4* tenha se beneficiado com o maior orçamento de todos os filmes da franquia até então, não conseguiu acomodar tudo o que estava no roteiro original. Como resultado, os cineastas foram forçados a cortar diversas cenas antes do início da filmagem. A maioria delas foi deixada de lado devido ao custo, mas outras também foram cortadas para melhorar o ritmo do filme.

A primeira dessas casualidades foi a abertura original de *Halloween 4*, que acontece não no Sanatório Federal Ridgemont, mas no Haddonfield Memorial Hospital. O filme deveria abrir com uma parede branca que logo explode em fogo e destroços. Pelos buracos na parede, vemos Michael Myers envolto em chamas no final de *Halloween II*. Também vemos o dr. Loomis gravemente queimado e ainda com partes do seu corpo em chamas. Ignorando seus ferimentos, ele se arrasta em direção ao assassino, implorando: "Deixem queimar! Deixem queimar!". Esta cena deveria terminar com uma imagem congelada de sua expressão dolorida. Devido aos custos exigidos com dublês, efeitos de maquiagem e pirotecnia, a economia em cortar esse flashback era obviamente enorme. Outro motivo para o corte da cena foi a decisão de Dwight Little em focar primariamente no *Halloween* original e não em sua primeira continuação. Em consequência disso, os acontecimentos de *Halloween II* são apenas citações passageiras em *Halloween 4*.

A próxima cena cortada deveria aparecer após Rachel e Lindsey buscarem Jamie na escola (sim, McElroy queria que a Lindsey deste filme fosse a mesma Lindsey do primeiro *Halloween*). Essa cena recria outro momento do filme original de John Carpenter. No caminho até a farmácia, o carro-guincho roubado por Myers quase bate no carro de Lindsey. Gritando pela janela, ela o chama de "babaca estúpido!". Isso faz com que ele faça

o retorno e encare as garotas a uma quadra de distância. "Ótimo", Rachel comenta. "Acho que você deixou ele puto." Após um instante de tensão, ele vai embora.

A partir daí, vários momentos curtinhos presentes no roteiro não chegariam ao filme. Jamie encontra um dos valentões da escola quando está na rua pedindo doces do Dia das Bruxas. Para sua surpresa, ele pede desculpas mais ou menos convincentes e a convida para se juntar aos seus coleguinhas. O roteiro ainda contém uma cena dos Carruthers em um jantar quando o noticiário local anuncia o toque de recolher do xerife Meeker. Preocupados, eles voltam para casa a fim de verificar suas filhas, apesar do apelo de seu patrão para que fiquem. Esse mesmo patrão menciona ter comprado a velha casa dos Myers em uma barganha, e que ele pretende reformá-la e "vender cinco vezes mais caro do que paguei". Essa reforma poderia explicar as drásticas alterações na casa que aparece em *Halloween 5* apenas um ano depois, ainda que não em tão péssimas condições.

Uma sequência que mudou de maneira considerável do roteiro até o filme pronto foi o ataque de Michael Myers à casa de Meeker. Nos cinemas, o xerife está ausente durante esta sequência, já que ele saiu para tentar impedir que o bando de caipiras acidentalmente atire em cidadãos comuns. No roteiro original, entretanto, Meeker estava em casa e encontra com a Forma em seu porão. A luta violenta deles deixa o homem da lei morto e sua casa em chamas. Isso cria uma tensão adicional para que Rachel e Jamie deixem a casa. Imagine, se puder, a angustiante perseguição no telhado do jeito como ela apareceu no filme, mas com chamas subindo por todos os lados.

Tratamentos anteriores também continham uma sequência extensa na escola primária com Jamie, Loomis e Michael. Após ferir Loomis, a Forma consegue seguir Jamie até o refeitório, onde ela se esconde sob uma mesa. Sem conseguir encontrá-la, ele começa a virar violentamente as mesas da cafeteria, enquanto Jamie engatinha entre elas para escapar. Apesar dessa cena não aparecer em *Halloween 4*, ela foi reciclada dez anos depois e utilizada em *Halloween H20*.

Por último, o final do filme terminaria um pouco diferente de como foi escrito. O encerramento nos cinemas mostra Rachel jogando Michael Myers para fora da picape antes de atirar o veículo em cima dele. Tratamentos anteriores mostravam que ela o atropelava não uma vez, mas *três vezes*. O roteirista descreve que a Forma não faz nenhuma tentativa de evitar as colisões. Na verdade, ele chega a correr em direção à picape na segunda vez. A partir daí, o final continua praticamente igual, com exceção de uma frase adicional de Jamie: "Eu te perdoo, tio Michael". Como no filme, Myers salta de volta à vida e é alvejado pela polícia e pelos caipiras. Uma última diferença é que Meeker não estaria presente no esquadrão de fuzilamento, já que a Forma o teria matado em sua casa. Um Loomis ferido, entretanto, estaria originalmente presente naquele momento, ainda que você precisasse imaginar como ele havia conseguido viajar da escola até a mina abandonada tão rapidamente.

O ROMANCE DE GRABOWSKY

Em meados de 1988, a editora Guild Press convidou o autor Nicholas Grabowsky para escrever uma adaptação literária de *Halloween 4* a ser lançada junto do filme. Grabowsky apimentou sua adaptação com inúmeros detalhes adicionais que oferecem ao leitor uma visão mais ampla do universo de *Halloween 4*. Alguns desses momentos até foram originalmente planejados para o filme, mas acabaram cortados. Em 2003, o autor lançou uma versão expandida do seu romance.

Uma das primeiras grandes diferenças do livro envolve o confronto no posto de gasolina. No romance, o dr. Loomis atira em Michael Myers e acerta todas as três balas. Ele cai atrás do balcão, conseguindo escapar em seguida. A cena se desenrola da mesma maneira do lado de fora, exceto pelo fato de que a explosão na bomba de gasolina leva a memória de Loomis ao passado. O atormentado doutor se lembra do cheiro de sua própria pele queimando e de implorar à equipe de primeiros socorros que não salvem Michael. É uma cena altamente evocativa da abertura original de *Halloween 4*, que retomava diretamente do final de *Halloween II*.

O livro ainda contém um momento extra com o dr. Hoffman. Sentado em seu escritório em Ridgemont, Hoffman tenta ligar para o departamento de polícia de Haddonfield, mas não consegue pois a linha telefônica está sem sinal. Sabendo que não se trata de uma mera coincidência, ele resmunga para si mesmo: "Droga, Loomis. Por que você tinha que estar certo?".

Grabowsky adiciona tensão na cena em que Jamie veste sua fantasia ao colocar Michael invadindo a casa dos Carruthers por uma janela do segundo andar. Ele se esconde no armário de Jamie e a observa se preparando para o Dia das Bruxas. Quando ela sai com Rachel, a Forma é descoberta por Sunday, o cachorro da família. Em uma cena bastante cruel, ele mata o bichinho de estimação para evitar ser descoberto. Então, ele examina uma caixa com fotos da família que incluem retratos de Laurie Strode, do pai de Jamie e do jovem Michael ao lado de Judith na fatídica noite, tantos anos atrás.

Em um aceno a *Halloween II*, descobrimos que Brady relembra vividamente daquela noite de Halloween, dez anos antes. Um menino na época, ele viu o pandemônio se desenrolar depois que os corpos das primeiras vítimas de Michael foram descobertos dentro da casa de Wallace (Grabowsky erroneamente escreve que Brady viu ambulâncias em volta da residência dos Strode, mas a ação em *Halloween* se restringiu aos lares de Doyle e Wallace).

Falando em Laurie Strode, ela ganhou muito mais presença no romance de Grabowsky do que na versão cinematográfica. Sua menção final acontece quando Jamie tenta freneticamente reviver uma Rachel inconsciente após cair do telhado. Sozinha e assustada, Jamie alucina e tem uma visão de sua mãe morta. "Jamie. Eu quero que você viva. Você não vai desistir e deixar que ele te pegue. Levante já daí. Você precisa levantar e correr. Vamos, corra!" Em transe, a garotinha responde perguntando se ela está no céu. A aparição some abruptamente quando Jamie percebe Michael de pé quase em cima dela. Ela depois irá mencionar sua visão ao dr. Loomis, que faz pouco caso. "Você estava em choque. Ninguém deveria passar pelo que você está passando hoje à noite. Você viu o que queria ver."

A última grande diferença no romance de Grabowsky envolve o reverendo Jack Sayer, que apareceu apenas uma vez em *Halloween 4*, dando uma carona para Loomis até Haddonfield ("Não se pode matar a maldição, senhor"). Sayer desfruta de um papel expandido no romance, aparecendo de forma periódica durante a história. Depois de se separar de Loomis, Sayer quer saber mais sobre os apuros de seu passageiro e vai até a estação de polícia procurar por ele. Sayer encontra Myers na saída, após ser enxotado por um delegado. "Aqui, bem na sua frente, estava o rosto do Apocalipse." Myers arranca os olhos do reverendo antes de massacrar a força policial da cidade. Loomis e Meeker encontram Sayer cego e ensanguentado. O velho dá um aviso ameaçador, que canaliza o Crazy Ralph de *Sexta-Feira 13:* "Vocês estão todos condenados à morte. Não há como escapar! Vocês estão todos mortos. Vocês e quem quer que se coloque em seu caminho!".

Entrevista:

LARRY RATTNER

Autor (Argumento) — Halloween 4

Entrevistado por Dustin McNeill

Como você se envolveu com Halloween 4?
Minha história é interessante e não muito comum no mercado. Tinha uma amiga que trabalhava na distribuidora do Moustapha Akkad. Ela me disse que estavam trabalhando em *Halloween 4* e que iriam voltar com a trama de Michael Myers. Akkad decidiu que não iria contratar um roteirista por meio de agentes. Na verdade, eles queriam receber ideias, provavelmente com o objetivo de contratar um roteirista não sindicalizado, mas posso estar errado a esse respeito. Isso significava que qualquer um que quisesse, poderia mandar uma sinopse. Minha amiga disse que faltavam poucos dias para o envio das ideias. Então, eu me juntei ao Dhani Lipsius e Benjamin Ruffner, e foi assim que fizemos.

Você ou seus amigos eram fãs de terror?
Não acho que nenhum de nós era um grande fã de terror. Eu nem sequer havia assistido a *Halloween*. Nós imediatamente fomos na locadora de vídeo e alugamos os três filmes em VHS. Vimos todos eles algumas vezes, tentando entender os personagens e as temáticas. Queríamos estudar o que John Carpenter fizera, para que pudéssemos aderir às regras dos dois primeiros filmes. Não prestamos muita atenção em *Halloween III*. Então, criamos nossa história e a enviamos. Daí, recebemos uma ligação, talvez uma semana ou duas depois, dizendo que eles haviam escolhido três finalistas. Perguntaram se poderíamos tentar melhorar nosso argumento. Pelo que entendi, aquele que enviasse o melhor argumento seria escolhido para escrever o roteiro.

Então reescrevemos o nosso e eles chegaram a dois finalistas. Disseram: "Vocês foram os melhores. Vamos pagar vocês para escreverem um primeiro tratamento do roteiro". Eu lembro que era o Dia de Ação de Graças de 1987. Trabalhamos duro durante dias para escrever nosso roteiro. No final das contas, escolheram o nosso roteiro, e continuaram trabalhando nele com o Moustapha. Não acredito que havia um diretor atrelado ao projeto ainda, mas eles acabaram contratando Dwight Little, que trouxe o roteirista oficial creditado no filme — Alan B. McElroy.

Vocês conheciam ou trabalharam com Alan B. McElroy?
Não, ele era um amigo do diretor que foi trazido para melhorar o roteiro. Ele fez alguns ajustes. Também deixou o filme um pouco mais violento, mas os principais elementos continuaram sendo todos do nosso tratamento. Os personagens e as principais reviravoltas foram ideias nossas. Na verdade, Alan fez

pouquíssimas mudanças em nosso roteiro, incluindo novos nomes de personagens e diálogos, mas não voltamos a participar após sua contratação. Trabalhamos apenas com o Moustapha Akkad e, às vezes, com o diretor de produção. Também não nos convidaram para a noite de estreia. Apenas fomos a um cinema normal e assistimos ao filme, o que foi muito legal, na verdade. *Halloween 4* foi o filme de maior bilheteria nas duas primeiras semanas após o lançamento. Foi uma experiência e tanto. A franquia se tornou cada vez mais importante a partir daí. É ótimo fazer parte dessa história.

Vocês não foram convidados para a première do filme? Isso parece errado, não?
Éramos jovens e aquilo tudo era novidade pra nós. Você aprende a não levar as coisas de forma muito pessoal no mundo do entretenimento. Acho que eles provavelmente estavam mais focados no diretor e nas estrelas. Para falar a verdade, nem sei se tiveram uma première. Talvez não. Só estávamos entusiasmados por saber que o filme fora lançado e que estava atraindo muita atenção. Ele foi um sucesso também. Então, estava tudo ótimo. Não ficamos chateados nem nada. Você deve lembrar que era um filme independente, não um blockbuster de um grande estúdio. Então, pode ter sido por isso.

Não foi frustrante que você e seus amigos tenham escrito um roteiro completo, mas o diretor tenha trazido um roteirista extra mesmo assim?
Não, não foi. É preciso ser cauteloso nesse mercado. Você pode ficar muito apegado ao material, o que acaba te deixando sensível demais. Você sempre quer fazer o melhor filme possível, mas ao mesmo tempo é um negócio. Um investimento. É por isso que é melhor não se apegar muito. Existem motivos pelos quais as pessoas tomam decisões que podem não estar relacionadas com a parte criativa, no fim das contas.

Foi ideia de vocês apresentar a filha de Laurie Strode ou isso foi uma ordem?
Foi um palpite nosso. Podíamos perguntar sobre alguns parâmetros da história. Então, o Moustapha pode ter dito que Jamie Lee Curtis não estaria de volta. Ela estava fazendo filmes maiores naquela ocasião. Moustapha provavelmente nos contou que Donald Pleasence estaria de volta, mas não Jamie Lee. Na verdade, ele deve ter nos contado, porque sabíamos que poderíamos usar o dr. Loomis, mas Laurie Strode, não.

Quando você revê Halloween 4, existem alguns momentos ou detalhes do qual você se sente especialmente orgulhoso de ter contribuído com a história?
Adoro principalmente a reviravolta final. Aquilo foi um conceito totalmente nosso. Eu achava que precisávamos terminar com algo diferente e único. Aquilo parecia ser algo que surpreenderia de verdade as pessoas, algo que elas jamais conseguiriam prever. Tentamos fazer cenas de terror e suspense, assim como John Carpenter fez no primeiro filme. Também queríamos algo com um apelo mais hitchcockiano, por isso nosso roteiro não tinha muita violência explícita.

Na conclusão de Halloween 4, parecia que Michael Myers finalmente estava morto e que a jovem Jamie assumiria o seu papel. Na sua interpretação, era realmente o final de Myers?
Quisemos deixar ambíguo para que o próximo filme pudesse fazer o que quisesse com a história. Mas também quisemos terminar com um gancho que deixaria você querendo assistir a *Halloween 5* para descobrir o que viria a seguir. Porque Michael Myers não pode morrer de verdade, certo? Sabíamos que era possível que ele fosse ressuscitado e trazido de volta. Talvez ele vivesse por meio de Jamie ou eles viessem a trabalhar juntos. Existem diversas possibilidades a se considerar.

Você viu Halloween 5?

Não, não vi. Na verdade, eu nunca assisti a nenhuma das continuações subsequentes de *Halloween*. Eu fui trabalhar com outras coisas depois disso. Novamente, nunca fui de fato um fã de terror. Essa é a grande ironia. Minhas influências ao escrever *Halloween 4* foram mais de suspenses do que outros filmes slasher.

Você tem consciência da reputação de Halloween 4 como uma das continuações preferidas?

Não sabia, mas não me surpreende. Às vezes, quando conheço gente nova, elas pesquisam meu nome e ficam entusiasmadas quando veem *Halloween 4* no meu currículo. Nós honestamente achamos que fizemos um bom trabalho. Os personagens se tornaram ícones. A franquia inteira é assim. Eu definitivamente tenho orgulho de estar associado com ela. Tivemos sorte. Nesse ramo, a maioria dos filmes não recebe muita atenção e, mesmo quando recebe, é esquecida após pouco tempo. Então participar de algo que se mantém popular trinta anos depois é incrivelmente raro. É ótimo ser reconhecido.

Vocês enxergavam Michael Myers como um simples homem ou mais como um super-humano?

Acho que havia definitivamente um elemento sobrenatural nele. É um cara que sempre estaria de volta, não importa o que fizessem com ele. Acho que o personagem de Donald Pleasence percebeu isso, mesmo que mais ninguém percebesse. Talvez a personagem da Jamie Lee, também. É por isso que tinham tanto medo dele. Era o fato deles saberem essa verdade, que as outras pessoas se recusavam a ver, que trazia tanta tensão à história. É como eu vejo.

Você trabalhou em diversos filmes de serial killers depois de Halloween 4, não foi?

Sim, eu produzi *Dahmer* e *Gacy*, mas são filmes que vieram de lugares totalmente diferentes de *Halloween*. Sempre me considerei mais um produtor do que um roteirista. Em *Dahmer*, um cineasta que eu conheço chamado David Jacobson se aproximou dizendo que queria fazer um filme baseado em um livro que o pai de Jeffrey Dahmer escreveu sobre seu filho. É tudo baseado em fatos, é bastante realístico. O filme explora os temas da solidão e do isolamento. É muito mais um filme de arte do que um filme de terror, ainda que existam momentos terríveis. Então fizemos o filme, e ele se saiu muito bem. Foi indicado ao Spirit Awards. Também foi um dos primeiros filmes protagonizados por Jeremy Renner e que lhe ajudou a trilhar o caminho ao estrelato. Foi lançado pela DEG, que era uma divisão da Blockbuster. Foi tão bem-sucedido que eles nos convidaram para fazer outro filme baseado em um serial killer real, e foi assim que fizemos *Gacy*.

Algum fã de Halloween ou jornalistas de cinema procuraram você antes?

Não, eu nunca fui procurado por causa disso. Acho que posso dizer o mesmo sobre Dhani e Ben. Anos e anos se passaram sem que ninguém mencionasse o filme comigo. E então este ano, você e o Octavio Lopez Sanjuan (autor de *Noches de Halloween: La saga de Michael Myers*) me procuraram. A entrevista com Octavio foi para um livro publicado apenas em espanhol. Então, esta é minha primeira entrevista em inglês sobre o filme.

Entrevista:

NICHOLAS GRABOWSKY

Autor — Adaptação Literária de Halloween 4

Entrevistado por Dustin McNeill

Você era fã de terror desde pequeno? Se sim, quais seus filmes favoritos?

Eu sou fã de terror desde quando consigo me lembrar, antes mesmo do jardim de infância. Minhas memórias mais antigas são de assistir *A Festa do Monstro Maluco* (*Mad Monster Party?*) na televisão. Isso deve ter sido no final dos anos 1960. Aquele filme teve um grande impacto em mim. Sim, era uma animação, mas me apresentou a todos os monstros clássicos de uma só vez. Tinha Drácula, Frankenstein, o Lobisomem, o Monstro da Lagoa Negra — todo mundo. Então, comecei a ver os filmes originais desses monstros da Universal. Depois, passei a curtir filmes mais modernos de terror, como *A Bolha Assassina* (*The Blob*) e *Nasce um Monstro* (*It's Alive*). Esses dois em particular me deram pesadelos recorrentes.

Infelizmente, meus pais ficaram muito religiosos quando eu ainda era muito novo, o que teve um grande impacto em mim. Estava no primeiro ano do ensino médio quando *Halloween* foi lançado e, por ironia do destino, falei muito mal dele. Eu dizia para as pessoas: "Esse filme é do diabo!". *(risos)* Meus amigos foram ver o filme, e eu me lembro de dizer para eles: "Estou orando por sua alma. Esses filmes são diabólicos! Vocês não deviam assistir!". *(risos)* Felizmente, esses dias ficaram para trás. Quem diria que um dia eu escreveria livros como *Halloween 4*? Muito doido.

Como surgiu a oportunidade de escrever a adaptação literária de Halloween 4?

O terror sempre permaneceu na minha cabeça, mesmo nos meus dias de adolescente cristão. Era impossível não ficar fascinado com o gênero. Eu também gostava de escrever. Então, comecei um projeto no segundo ano que se transformou no meu primeiro romance, chamado *Pray, Serpent's Prey* [Reze, presa da serpente]. Tive a ideia depois de uma viagem que fiz com o coral da minha igreja. Fomos até Montana e passamos a noite bem pertinho da casa do (dublê e motociclista) Evel Knievel. Então baseei minha história nisso. Era tipo misturar *A Hora do Vampiro* (*Salem's Lot*, de Stephen King) com *Footloose*. Tinha um pastor que vivia nessa cidade do interior. Chegam uns vampiros que tentam destruir todo mundo, mas o pastor se junta a um grupo jovem local para expulsar os vampiros e todos vivem felizes para sempre. Era uma alegoria cristã em forma de romance de terror. À medida que ia escrevendo, a história foi se tornando mais e mais sinistra.

Também me envolvi com teatro depois do ensino médio, e meu professor de atuação foi Walter Koenig, que interpretava Chekov na série *Star Trek* original. Sua irmã era editora. Então, perguntei se podia enviar meu livro, e eles disseram: "Claro". Três meses depois, recebi um telefonema do Gary Brodsky da editora Critics Choice Paperbacks, de Nova York, dizendo:

"Li seu livro, *Pray, Serpent's Prey*, e gostei muito dele. Quero publicá-lo em uma tiragem popular." Fiquei muito animado. Como muitos escritores que têm seu primeiro livro publicado, eu imediatamente larguei meu emprego e comecei a escrever sob encomenda. Fiz vários romances açucarados e livros de autoajuda usando pseudônimos.

Então um dia eu recebi uma chamada assim: "Ei, estão fazendo outro filme de *Halloween*. Michael Myers está de volta. Nós estamos com o roteiro e temos os direitos de adaptação para livro. Você gostaria de escrevê-lo?". Eles me mandaram o roteiro e me deram um mês para escrever. Me disseram que eu poderia tomar liberdades, se quisesse. A coisa é: eles nunca me mandaram um contrato. Fiquei esperando, esperando... Acabei decidindo mandar meu manuscrito de qualquer jeito. Eles decidiram relançar *Pray, Serpent's Prey* junto da minha versão de *Halloween 4* em outubro, quando o filme chegou aos cinemas. Ainda não tinha um contrato, e eles não me pagaram um único centavo, mas os dois livros estavam em todos os supermercados. Meus livros estavam ao lado dos livros de Stephen King e Dean Koontz. Foi muito legal de ver.

Então você nunca foi pago para escrever a versão em livro de Halloween 4? Que absurdo, especialmente agora que esses livros estão valendo uns 150 dólares no eBay. Eu ficaria um pouco mais chateado com isso, pessoalmente.

Claro, eu sabia que tinha alguma coisa errada com a editora, só não tinha certeza o que era. Tive de arrumar um emprego normal já que não estava sendo pago pelos meus textos. Quando *Halloween 4* saiu, eu estava trabalhando na locadora Video Giant, que ficava no mesmo shopping center que o supermercado Albertson. As pessoas iam ao Albertson comprar *Halloween 4*, e depois iam até a Video Giant pedir meu autógrafo, enquanto eu arrumava as prateleiras e tudo mais. Não era bem a vida que eu esperava para alguém que acabara de ter um livro publicado. Eu nunca assinei um contrato. As últimas palavras da editora antes que eles falissem foram: "Colocamos seu nome na página de copyright. O livro é seu. Você pode fazer o que quiser".

Então o meu livro de *Halloween 4* é uma bênção disfarçada. Claro, seria ótimo receber pelo meu trabalho, mas eu sou muito agradecido pela oportunidade de ter escrito uma adaptação. Ela realmente ajudou a lançar minha carreira. Também posso dizer oficialmente que faço parte de uma das maiores franquias de terror do mundo. O fandom de *Halloween* é simplesmente incrível e está no mundo todo. É uma franquia de alto nível, bem mais do que *Sexta-Feira 13* ou *A Hora do Pesadelo*. Conheci os fãs nas diversas convenções, incluindo a de 25º Aniversário em Pasadena, e foi muito divertido.

Como o lançamento do seu romance de Halloween 4 ajudou a impulsionar a carreira?

O livro trouxe uma certa notoriedade. *(risos)* Isso me faz lembrar de uma história. Eu me lembro de estar em um bar certa noite, quando ainda era jovem. Ouvi duas pessoas conversando sobre um cara que escreveu um livro sobre *Halloween*, e que vivia em uma mansão na cidade vizinha. Comecei a prestar mais atenção e percebi que estavam falando sobre mim. Então eu me meti na conversa e eles estavam falando sobre Nicholas Grabowsky, mas não acreditaram que era eu. Precisei mostrar minha carteira de motorista para provar a eles. Também contei que não morava em uma mansão. Se eu tivesse um centavo para cada vez que alguém me perguntou "Por que você não é rico?". Cara, não funciona desse jeito. Mesmo que eu recebesse pelo meu trabalho em *Halloween 4*, as coisas não funcionam assim.

Os fãs adoram encontrar todas as diferenças entre os livros e os filmes. Existem muitas diferenças entre o filme e o roteiro original ou sua adaptação?

Bem, lembre-se de que existem duas versões do livro: o lançamento original e a edição especial. O livro original seguiu o roteiro quase que ao pé da letra. Eu adicionei uma coisa ou outra, como o nome de um amigo aqui e ali, não mais do que isso. Quando voltei para fazer a reedição, anos depois, eu fui um pouco além, adicionando novas cenas que sempre quis ver. Meu objetivo foi incrementar a história como se aquelas fossem cenas deletadas. Por exemplo, gostei mesmo do personagem do reverendo Sayer. Eu quis desenvolvê-lo. Então, aquele material é todo meu. Fiz com que ele voltasse em várias cenas, até ser cegado por Michael.

As cenas novas com o reverendo Sayer são adições interessantes, mas o mais interessante para mim foi que você achou um jeito de trazer Laurie Strode de volta, de certa forma.

Sim, tentei pensar no que os fãs queriam ver porque eu mesmo sou um fã. Foi quando eu percebi que o que os fãs realmente queriam ver era a personagem de Jamie Lee Curtis de volta. O único jeito plausível que eu consegui imaginar foi trazê-la de volta em um sonho. Então foi o que eu fiz. Ela aparece para Jamie perto do final. Foi divertido ter esse tipo de liberdade com uma história que todos conheciam. Acho que os fãs curtiram bastante essas ceninhas extras também. Não conheci ninguém que não curtisse.

Você chegou a pensar em escrever outras adaptações de Halloween depois de Halloween 4?

Me perguntam isso o tempo todo. Considerei a possibilidade depois do lançamento da edição especial. Consegui uma cópia do roteiro de *Halloween 5*, e Daniel Farrands me mandou sua cópia original do roteiro de *Halloween 6*. Eu estava meio que decidido a fazer as adaptações naquela época, mas havia uma estranha desconexão entre as cenas. Não era fácil trabalhar com a Trancas Films. Não que existisse algum tipo de inimizade, mas percebi uma certa indiferença da parte deles. Notei que eu tinha muitos projetos meus que precisava tocar e decidi seguir adiante.

Halloween 4 termina com Jamie se tornando malvada como seu tio, apesar de Halloween 5 logo retroceder nesse sentido. Você acha que a Jamie realmente ia virar má?

Acho que foi o que todo mundo pensou que seria como a história seguiria, depois de *Halloween 4*. Jamie claramente seria malvada no próximo filme, certo? Mas *Halloween 5* não seguiu nessa direção e, até onde eu sei, o filme foi um fiasco. Existem alguns bons momentos, mas de uma maneira geral ele errou feio. Achei que Jamie viraria má. Não teria sido o máximo? Seria difícil para os fãs digerirem, mas você precisaria trazer Michael de volta também. Ele é a cara de *Halloween*, mas Jamie também deveria estar demente. Foi esse o caminho que eles deixaram preparado. Não que ela devesse segurar a mão de Michael e dizer: "Ok, vamos matar juntinhos!". Mas seria ótimo ver os heróis agora terem que lidar com dois assassinos em vez de um. E talvez, também, Jamie e Michael quisessem matar um ao outro. Havia tantas possibilidades que eles sequer se preocuparam em explorar.

Uma coisa que a franquia Halloween vem lutando com o passar dos anos é se Michael Myers é ou não humano. Em alguns filmes, ele parece ser indestrutível, quase como um super-homem. Em outros, ele tem as limitações de um homem normal. Como você se posiciona a esse respeito?

Acho que é melhor deixar ambíguo. Como ele consegue surgir das sombras, isso tudo é parte do enigma daquele personagem. Não acho que precisamos explicar, não é importante. Daniel Farrands tentou fazer isso em *Halloween 6* ao dar a Michael essa enorme história pregressa. Foi divertido, claro, mas meu instinto é que você não precisa ter uma explicação para ele. Ele se torna mais assustador quando não há explicação. Ele pode até ser sobrenatural, mas não precisamos afirmar isso.

Você chegou a assistir aos novos filmes de Halloween? Se sim, o que você achou?
Sim, é claro. Lembre-se que eu também sou fã. Eu gostei de verdade do que eles fizeram no filme mais recente. É assim que se faz um revival bem-sucedido. Acho que a franquia precisava desse fôlego novo. Adorei ver que eles voltaram até às raízes do primeiro filme. Minha única queixa é que eu queria que eles fizessem de uma maneira que não excluísse todas as continuações.

Vou dizer que não gostei do que Rob Zombie fez nos filmes dele. Ele atraiu minha atenção com seu primeiro *Halloween*, mas por que ele precisou transformar todo mundo em caipiras branquelos? Parece que ele não consegue dirigir um filme com pessoas normais. Para mim, seria muito melhor se a família dele *não* fosse assim. Houve bons momentos, mas não muitos.

De acordo com rumores da internet, você estava empenhado em escrever uma versão de Halloween 9. Se for mesmo verdade, o que você pode contar?
Sim, é verdade, mas não há muito mais o que contar. Eu estava tentando contatar o Malek Akkad para discutirmos a respeito. Trocamos alguns e-mails, mas nunca marcamos uma reunião. Tudo o que eu pensei foi apenas um esboço. Minha ideia principal se chamava *Beyond Halloween* [Além de Halloween], que essencialmente levava Michael Myers de volta à escola. Eu manteria a história em Haddonfield e, se tudo desse certo, deixaria o filme superassustador sem precisar de tanto sangue. Minha história também não seria sobre Michael Myers voltando pro lar e descobrindo um bando de gente com câmeras de vídeo correndo em volta da casa, gravando um episódio para internet. *(risos)*

Na minha história, já havia se passado muitos anos sem ele, e agora Michael era apenas uma lenda. As pessoas precisariam ir aos arquivos históricos só para se lembrarem de que aquelas mortes de fato aconteceram. Ele chega a voltar na história, mas não me lembro exatamente como. Isso, de certa maneira, não é tão original quanto eu gostaria que fosse. Era ainda um esboço. Mas então eu soube que Rob Zombie foi anunciado para dirigir o próximo filme, então eu desisti.

HALLOWEEN IV | 1988

DWIGHT H. LITTLE

"Halloween 4 é basicamente uma cópia barata de seu protótipo, sem ser, nem de longe, tão visceral. (...) O roteiro parece ter sido escrito por telégrafo." RICHARD HARRINGTON, THE WASHINGTON POST

"Halloween 4 parece ser o último estágio de um curioso padrão evolutivo; as espécies slasher continuam proliferando e ao mesmo tempo ficando mais fracas. (...) Por um curto período, as habilidades fantasmagóricas (da Forma) (...) prometiam manter o público desprevenido. Mas em pouco tempo, Halloween 4 se transforma em uma série de efeitos especiais, incluindo a explosão de um posto de gasolina e uma eletrocussão. Será que Michael Myers precisa mesmo dessa ajuda tecnológica? Não é suficiente ser apenas um maníaco homicida? No filme, o suspense e o terror psicológico deram lugar à força sobre-humana e à resiliência. (...) A única cena efetivamente orquestrada é a última, que promete uma sequência com um toque feminino. Uma slasher feminista provavelmente não é o que as pioneiras do movimento tinham em mente. Mas pelo menos será diferente." CARYN JAMES, THE NEW YORK TIMES

"Um filme direto e bem realizado." VARIETY

"O desanimado Halloween 4 traz de volta o psicótico Michael Myers só para fazer dele uma imitação pobre e desajeitada de Jason de Sexta-Feira 13 (ele anda como um monstro de Frankenstein com prisão de ventre) e um chato de galochas comparado ao Freddy de A Hora do Pesadelo. (...) Todos os pré-requisitos estão lá: os adolescentes (embora dessa vez não sejam saltitantes), os figurantes caipiras com suas espingardas, as mortes ordinárias, um pouquinho de sangue e definitivamente uns poucos sustos. É tão divertido quando ganhar barra de cereal no Dia das Bruxas." BETSY SHERMAN, THE BOSTON GLOBE

"O filme oferece cerca de noventa minutos de entretenimento sincero no gênero slasher -- nada profundo ou glorioso, mas com doses suficientes de golpes, sustos e diversão cafona para valer a pena alugar o filme na locadora, sobretudo agora que a estação das bruxas se aproxima." JAMES BERARDINELLI, REEL VIEWS

"Este suspense tem seus momentos previsíveis e imprevisíveis. Enquanto os assassinatos aleatórios vão e vêm, Halloween 4 faz um esforço digno de crédito para estruturar sua farra terrível, apenas para que algo inesperado aconteça." JANIS FROELICH, TAMPA BAY TIMES

A VINGANÇA DE M.MYERS

Michael vive. E desta vez eles estão prontos!

Dirigido por Dominique Othenin-Girard • Escrito por Michael Jacobs, Dominique Othenin-Girard e Shem Bitterman

Para a distribuidora Trancas International Films, de Moustapha Akkad, *Halloween 4* foi um retumbante sucesso, estreando entre as maiores bilheterias e permanecendo na lista por duas semanas. O filme renderia no total 17,7 milhões de dólares nos Estados Unidos, apenas poucos milhões a mais que *Halloween III* durante os seis anos anteriores. Ainda que esse número pudesse não significar muito para a Universal Pictures, foi um feito impressionante para uma empresa independente como a Trancas. Reconhecidamente inebriado com seu sucesso, Akkad apressou a produção de *Halloween 5* para que fosse lançado no próximo outubro. Sua esperança era que o time criativo de *Halloween 4* voltasse a liderar o próximo capítulo.

"Fui convidado a voltar em *Halloween 5*", contou Dwight Little ao *The Daily Dead*. "Eles me chamaram algumas vezes. Minha percepção era de que o final do nosso filme havia sido quase perfeito, de tal maneira que eu realmente não sabia o que fazer depois daquilo. E eu sabia que eles teriam que fazer uma continuação porque nosso filme rendeu muito dinheiro. Então, era óbvio que deveriam fazer uma sequência. Mas eu pensei: 'Ok, eu fiz o melhor que pude e estou bastante feliz com o resultado', e estava com medo de cometer um erro. Fiquei muito feliz com o que Alan e eu fomos capazes de trazer para a franquia. O fato de que estava seguindo adiante significava que devíamos ter feito alguma coisa certa."

Com a saída de Dwight Little e McElroy, Akkad precisava de novos talentos. O produtor Ramsey Thomas, assumindo o papel que em *Halloween 4* foi de Paul Freeman, sugeriu a Akkad o roteirista Shem Bitterman, que havia previamente submetido um tratamento não utilizado de *Halloween 4*. O roteiro de Bitterman, com o título de *Halloween 5: The Killer Inside Me* [Halloween 5:

O assassino dentro de mim], focava na agora malvada Jamie Lloyd, que seguia os passos de seu tio. O roteirista recapitulou seus esforços ao *Los Angeles Times* em 1990: "Eu entreguei *Halloween 4* em uma semana. Então eles me chamaram para escrever *Halloween 5*. Fiz o roteiro em três dias. Foi como escrever uma história em quadrinhos, mas pagou as contas".

Akkad então se reuniu com o diretor franco-suíço Dominique Othenin-Girard, que veio recomendado pela roteirista e produtora original de *Halloween*, Debra Hill, pela força de seus trabalhos anteriores. Em uma passagem que se tornaria famosa, Othenin-Girard escandalizou Akkad no primeiro encontro deles, ao literalmente jogar no lixo o roteiro de Bitterman. Ele então apresentou sua visão alternativa para *Halloween 5* com a ajuda do roteirista Robert Harders. A história deles tomava emprestado muitas ideias do *Frankenstein* de Mary Shelley, e envolvia reanimar o falecido Michael Myers com um raio de tempestade. Após sua ressurreição, Michael deixa de ser um vilão totalmente maligno, e passa a ser um monstro incompreendido, como a criatura de Frankenstein original. Ainda que não satisfeito com essa apresentação, Akkad gostou dos dois cineastas, o suficiente para lhes oferecer o trabalho. Ele contratou Othenin-Girard para a posição de diretor e deu a Harders a tarefa de reescrever o tratamento existente de Bitterman. Othenin-Girard aceitou, mas Harders declinou.

Ainda insatisfeito com o roteiro de Bitterman, Othenin-Girard trouxe o amigo Michael Jacobs para escrever um novo roteiro. Sua segunda apresentação foi uma volta à estrutura, mantendo Jamie Lloyd como a heroína traumatizada, Loomis como o médico vingativo e Michael Myers como o malvado bicho-papão. Akkad daria sua aprovação total a essa nova direção. Virtualmente, nada do tratamento de Bitterman chegaria a nova versão da história, ainda que ele tenha recebido crédito por seu trabalho. Quanto a Jacobs e Othenin-Girard, a dupla teve apenas seis semanas para preparar um roteiro antes que as câmeras estivessem prontas para rodar (compare isso ao desenvolvimento de um ano para o filme *Halloween 2018*).

O novo filme foi divulgado com um subtítulo — *A Vingança de Michael Myers* — ainda que ele não apareça em nenhum lugar no filme. Na cartela de abertura apenas está escrito *Halloween 5*. O título provisório era um pouco maior: *Halloween 5... and Things That Go Bump in the Night*. Tratava-se de uma referência a uma frase de diálogo omitida, quando um policial diz a Jamie: "Cuidado com as coisas que saltam durante a noite!".

DE VOLTA COM SANGUE NOS OLHOS

Halloween 5 começa de onde seu predecessor terminara, com Michael Myers gravemente ferido caindo em uma mina abandonada. À beira da morte, ele rasteja até um rio próximo, e é arrastado pela correnteza, indo parar na cabana de um ermitão. O gentil senhor lhe oferece atenção e abrigo. O filme então corta para um ano depois, em 30 de outubro de 1989. Após o ataque quase fatal em sua mãe adotiva, Jamie Lloyd foi internada na Clínica Infantil de Haddonfield. Atormentada por pesadelos e incapaz de falar, Jamie teme que a carnificina do ano anterior se repita. Os Carruthers, enquanto isso, saíram de férias no aniversário de um ano da noite terrível, mas Rachel decide ficar na cidade, solidária com a pequena Jamie. O dr. Loomis também permanece com Jamie, apesar de suspeitar que ela esteja escondendo tudo o que sabe. Ele alerta ao xerife Meeker que Michael pode voltar mais uma vez. Enquanto isso, um desconhecido todo vestido de preto chega na cidade, sua identidade é desconhecida.

Tendo aparentemente coexistido de forma pacífica com o ermitão durante o ano inteiro, o ímpeto assassino de Myers desperta novamente e ele mata seu anfitrião. Jamie agora está psiquicamente conectada com seu tio, e ela vivencia de maneira dolorosa os assassinatos dele no momento em que ocorrem. A Forma volta a Haddonfield e mata Rachel na casa dela. Suas amigas, Tina e Samantha, notam a ausência repentina da amiga, mas imaginam que ela tenha apenas viajado com os pais. Percebendo a solidão de Jamie, Tina tenta animar a menina na clínica, sem sucesso. Temendo a aproximação de seu tio, Jamie pede que Tina não vá à noite na festa da fazenda Tower. Além de Loomis, o único que acredita nos alertas de Jamie é um garotinho chamado Billy. Ela e Billy fogem da clínica na esperança de salvarem Tina e seus amigos na fazenda Tower, mas chegam tarde demais. Michael Myers mata Tina, Samantha e seus respectivos namorados. A polícia vai até a festa, mas não consegue capturar o bandido mais procurado de Haddonfield.

Ao perceber que o assassino realmente retornou, Meeker concorda com um plano insensato do dr. Loomis. Eles preparam uma armadilha na casa dos Myers, usando Jamie como isca. Michael desvia a polícia de lá, antes de entrar e encontrar seu antigo médico. Loomis tenta argumentar com seu ex-paciente, mas acaba sendo cortado com uma faca na altura do peito. Depois de quase alcançar Jamie, Michael é aprisionado em uma grande rede de metal que cai do teto. Loomis tranquiliza o feroz brutamontes antes de deixá-lo inconsciente com uma tábua de madeira. O doutor então desaba sobre o assassino, após o que aparenta ser um enfarte fatal. Michael é levado para a prisão. Mais tarde, naquela mesma noite, o Homem de Preto entra na delegacia carregando uma metralhadora. Ele abate dezenas de policiais antes de escapar com a Forma. Jamie descobre a cela vazia de seu tio e começa a soluçar.

Quaisquer que fossem suas expectativas para *Halloween 5*, ficou claro que o objetivo de Dominique Othenin-Girard era lhe entregar algo muito diferente. Tanto os fãs como os membros do elenco presumiram que a nova história continuaria na direção do chocante final de *Halloween 4*, em que Jamie seria agora uma assassina. Othenin-Girard logo se afasta dessa trajetória. Não apenas Jamie não é má, mas fica revelado que sua mãe adotiva sobreviveu ao ataque da tesoura. Pelo contrário, o diretor muda o contexto do acontecimento, agora como um ato de insanidade temporária, um efeito colateral do contato que a criança teve com o mal. Ainda assim, ele não parece contente em deixá-la em paz tão facilmente. O diretor argumenta que Jamie deve sofrer como uma forma de pagar por seus atos. Todo perdão virá com um preço. *Halloween 5* apresenta a jovem heroína internada com sua saúde mental debilitada. Essa abordagem radicalmente diferente da personagem aumenta drasticamente os riscos que ela corre. Não só ela deve perseverar contra o seu tio assassino, mas também contra seus demônios pessoais que lhe afetam de maneira tão profunda. Nada menos do que uma batalha por sua alma, sua sanidade e sua vida. Mesmo assim, nem todos na produção curtiram esse reajuste tão audacioso.

Além de Loomis, *Halloween 5* trouxe de volta Rachel Carruthers, outra personagem favorita dos fãs, que permaneceu leal à Jamie apesar do que aconteceu no ano anterior. Os pais de Rachel deixaram a cidade durante o Halloween para evitar as dolorosas memórias que a data sem dúvida iria evocar. Ela deseja se unir a eles, mas sente pena em deixar Jamie sozinha em um aniversário tão traumático. Loomis a encoraja a viajar, muito provavelmente para que ele possa interrogar Jamie a sós. Em uma reviravolta chocante, *Halloween 5* mata Rachel aos vinte minutos de história. Ninguém parece estranhar seu desaparecimento, já que todos supõem que ela escolheu acompanhar os pais.

A morte súbita de uma personagem tão querida foi apenas uma das muitas formas com que Othenin-Girard planejou surpreender o público. A morte de Rachel não abalou apenas os fãs, mas também a atriz que a interpretou. Ellie Cornell ficou bastante desapontada com o destino de sua personagem, ainda mais pela forma como ela seria assassinada. Originalmente, Michael enfiaria uma tesoura na boca dela, empurrando-a até a garganta. Para tê-la de volta, Cornell exigiu um aumento de cachê e que a cena fosse reescrita, para que Rachel tivesse uma despedida menos horrorosa. Na cena final, Michael apenas apunhala o peito de Rachel com a tesoura, em um espetáculo menos sanguinolento. Othenin-Girard havia citado *Psicose*, de Alfred Hitchcock, como uma inspiração para matar Rachel tão cedo na trama. *Psicose* igualmente matou a personagem de Janet Leigh, Marion Crane, na primeira metade do filme, atordoando as plateias que acreditavam que ela era a protagonista.

Amiga de Rachel, Tina Williams assume o seu lugar como irmã substituta de Jamie. Para o desgosto dos fãs, Tina é exageradamente irritante, rindo o tempo todo em situações desconfortáveis enquanto permanece desatenta à... bem, à trama do filme. Somos inicialmente levados a acreditar que Tina se transformará na nova garota final, mas ela acaba morrendo. A decisão de focar em Tina e em Samantha em vez de Rachel subverte a expectativa do público ao destruir o protótipo de Laurie Strode para seguir as façanhas das substitutas de Annie e Lynda. É preciso reconhecer que o diretor foi de fato surpreendente.

O foco em uma protagonista nada modesta pode ter se originado com o corroteirista Michael Jacobs, que alega que no começo a ideia era manter Rachel viva na maior parte do filme — ainda que um tanto mais rebelde do que em sua caracterização anterior (essa ideia seria realizada de maneira mais completa na apresentação de

Laurie Strode no filme *Halloween II* de Rob Zombie). De qualquer forma, ainda que o comportamento de Tina contraste totalmente com o de Rachel, ela também traz uma sensação de carinho aos que estão a sua volta. Ela mantém uma relação próxima com Jamie, apesar de não entender de verdade os perigos que a menina está correndo. Na visão da maioria dos fãs, o maior vacilo cometido por Tina é quando ela deixa Jamie chorando para ir a uma festa. Em sua defesa, Tina não tem nenhuma obrigação real em relação a Jamie — e não esqueçamos que Rachel também estava planejando abandonar a menina no feriado. Apesar de todos os seus problemas, Tina se redime quando realmente importa. Após quase ser atropelada, uma Jamie machucada tenta se salvar rastejando de seu tio, a poucos passos de distância. Tina corre para impedir o ataque, sacrificando a própria vida já que Michael enterra uma faca no seu coração. A morte dela é incômoda, mas possivelmente esteja entre as mais dramáticas da franquia antes da morte de Annie, no segundo *Halloween* de Rob Zombie. Apesar de seus malditos "lalalás", Tina merece mais crédito do que recebe.

Halloween 5 também tenta um caminho mais ousado com Loomis. Essa visão do personagem não se resume meramente em implorar para que a polícia aja, como nos anos anteriores. Não, este é Loomis em sua versão mais sombria e desesperada, em uma espiral ensandecida. Ele repetidamente aborda uma aterrorizada Jamie, sacudindo com violência e berrando com a menina: "Nós dois sabemos que ele está vivo, mas você sabe onde ele está! Por quê? Por que você está protegendo ele?". Loomis desconfia da menina mesmo quando ele implora pela ajuda dela para encontrar Michael. Ao final do filme, não há nada que ele não fará para deter seu antigo paciente. É chocante assistir ao herói da franquia usando uma criança assustada como isca humana a fim de atrair o assassino até uma armadilha. Não se engane, ele se tornou monstruoso ao perseguir um monstro. O ajustado Loomis do *Halloween* de John Carpenter há muito abandonou o barco. Veja a seguir o interessante (embora descartado) diálogo entre Loomis e uma Jamie bastante assustada na clínica infantil.

> "Você não se lembra do ano passado! Você apunhalou ela. Você pôs a máscara daquela coisa e apunhalou ela! Eu te vi no topo da escada. Nós dois sabemos que não era você. Era uma parte da noite, a parte maligna dela. Estou implorando para que você me ajude, Jamie. Você é minha única chance. Ótimo, continue assustada, vivendo uma vida de pavor. Você deixou ele vencer. SEM NEM LUTAR! (...) Há algo de especial entre você e o Michael. É mais do que apenas sangue, mais um pressentimento. Eu acredito que você consegue alcançá-lo de maneiras que eu nunca conseguiria. Quando ele tocou em você, ele te deu algo — alguma chave para sua alma — para o amor perdido que existe dentro dele. Traga Michael até mim. Me ajude a curá-lo ou matá-lo de vez."

Dentro do contexto de *Halloween 5*, Loomis paga um preço alto por trilhar um caminho tão sombrio. Após dopar Michael, o doutor bate nele sem dó até deixá-lo inconsciente, usando uma tábua de madeira arrancada da própria casa dos Myers. Gravemente ferido, Loomis sofre um enfarte devido ao estresse e desaba sobre seu paciente, ficando cara a cara com ele por uma última vez. Esse confronto brutal deveria ser a última aparição do personagem na franquia, um spoiler sobre o qual os produtores não fizeram segredo algum durante a campanha de promoção do filme. Pleasence confessou em entrevistas que ele havia desenvolvido um sentimento pelo personagem e que sentiria falta de interpretá-lo. O ator também indicou que estaria aberto para retornar à franquia se os futuros roteiristas encontrassem uma maneira de trazê-lo de volta.

"Este é, muito possivelmente, o último filme com Loomis. (...) Até onde sei, ele morre no final." — Dominique Othenin-Girard, *Fangoria*

O ÓDIO DE MICHAEL MYERS

Se já houve uma fábula com lição de moral sobre os riscos de apressar um filme durante seu desenvolvimento, ela se chamaria *Halloween 5*. Os alicerces do filme estão repletos de problemas que poderiam ter sido evitados se os cineastas tivessem recebido um prazo adequado para planejar o filme. Não é segredo que o roteiro mudou várias vezes durante as filmagens, com reclamações de que ele não estaria sequer completo quando elas começaram. De qualquer maneira, o roteiro pinta uma imagem mais completa da história do que o filme. Isso quer dizer que nem tudo que estava nas páginas chegou às telas. O diretor Othenin-Girard inicialmente encontrou resistência por parte dos diretores com o ritmo da sua história, como disse à revista *Gorezone*: "Eles olharam o roteiro e imediatamente começaram a me atacar por eu ter feito um primeiro ato da história muito lento. Eu lhes disse: 'O roteiro não está lento. É assim que se constrói um suspense'".

Revendo hoje em dia, o tom de *Halloween 5* é estranho. Apesar de se aprofundar nas psiques doloridas de Jamie, Loomis e Michael, também existem momentos de gosto duvidoso no filme. Entre eles estão adolescentes de espírito livre (Tina, Spitz), crianças deficientes ("Mu-mu-mulher biscoito!") e uma força policial inepta (delegados Nick e Tom). Othenin-Girard continua fiel às suas escolhas até hoje, ainda que ele lamente uma possível abundância de comédia com os "policiais patetas".

Em seus piores momentos, *Halloween 5* sofre de furos de roteiro e erros de continuidade — a maioria deles, se não todos, devido ao desenvolvimento apressado. Um erro inicial é se referir a Jamie repetidamente como meia-irmã de Rachel. Se fosse verdade, o que não é, então o sr. Carruthers seria o pai biológico de Jamie, o que ele não é. Uma gafe mais vexatória envolve a Forma, que deveria ainda aparecer com graves queimaduras após

Halloween II. Essas marcas estavam bastante evidentes em *Halloween 4*, mas nunca aparecem durante o quinto filme, *apesar de constarem no roteiro*. Em certo momento, *Halloween 5* apresenta o rosto de Michael sem a máscara. Não apenas ele não está queimado, como a pele aparenta estar saudável e imaculada... ao contrário do dr. Loomis, que ainda carrega cicatrizes medonhas de queimadura resultantes da mesmíssima explosão. A decisão de rejuvenescer a pele de Michael foi aparentemente uma escolha proposital dos cineastas. O supervisor de efeitos de maquiagem, Greg Nicotero, comentou sobre a situação à *Fangoria*, durante as filmagens: "Não nos disseram se o rosto do Michael vai estar medonho ou não. Estamos esperando, prontos para improvisar uma maquiagem quando eles finalmente decidirem".

Isso é apenas a ponta do iceberg. O filme abre com Michael sendo baleado por um pelotão de fuzilamento, sem nenhuma explicação sobre como ele sobrevive (claro, ele já foi baleado antes, mas um pelotão inteiro!?). Ele então rasteja até a cabana do ermitão onde irá se esconder pelo próximo ano. Devemos assumir que eles se tornaram colegas de quarto improváveis, como na comédia *Um Estranho Casal* (*The Odd Couple*)? Nós também nunca chegamos a ter uma noção clara das habilidades psíquicas de Jamie. Ela não vivencia cada morte, ainda que ela sinta a de Rachel e, mesmo assim, ainda age surpresa ao encontrar o cadáver dela na casa dos Myers — o roteiro explica que ela estava sedada no momento, mas isso não fica claro no filme. Como exatamente Michael sabia quando e onde buscar Tina para irem à fazenda Tower, disfarçado de namorado dela? Em um determinado momento, Jamie pressente que Billy corre perigo, ainda que nunca nos contem se ele está entre os mortos na clínica. E por que a polícia de Haddonfield permite que Michael use sua máscara na prisão? Ele estava inconsciente quando foi levado sob custódia. Ninguém pensou em removê-la?

Analisar *Halloween 5* como parte da franquia *Halloween* é uma perda de tempo. Mas se pensarmos em *Halloween 5* como uma versão do subgênero do cinema italiano *giallo*, ele até que funciona muito bem. Esta não deve ter sido a intenção de Dominique Othenin-Girard, já que ele não é italiano, mas seu filme contém numerosos elementos estilísticos associados com o *giallo*. *Halloween 5* tem mulheres bonitas em perigo (Rachel, Tina, Samantha), um assassino mascarado (a Forma), um misterioso homem sem rosto de chapéu fedora (o Homem de Preto), uma figura autoritária comandado por pensamentos paranoicos (Loomis), uma criança amaldiçoada com habilidades telepáticas (Jamie), loucura psicológica (escolha à vontade), um elemento de erotismo (os desafortunados jovens amantes), um elemento de paródia (os policiais), um cenário luxuoso (a nova casa dos Myers) e ênfase maior no visual do que na história (acenos generosos em todo o filme). Como tantos filmes do estilo *giallo*, *Halloween 5* é um mix superficial de terror psicológico e sobrenatural sem uma estrutura narrativa aparente. Como parte da franquia *Halloween*, é um pouco constrangedor. Visto como um *giallo*, é terrivelmente divertido.

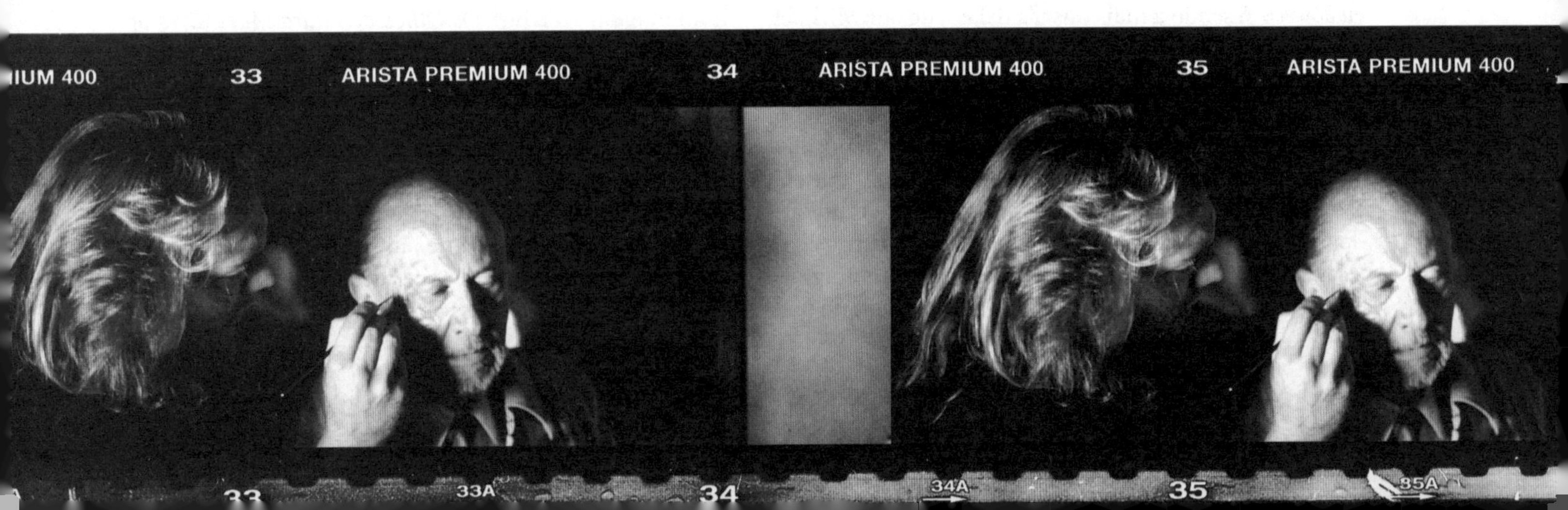

QUEBRANDO AS REGRAS

Uma das fontes de tensão em *Halloween 5* envolveu a falta de consideração de Dominique Othenin-Girard pelo que havia funcionado bem nos filmes anteriores da franquia. Ainda que ele claramente apreciasse o *Halloween* original de John Carpenter, sua opinião sobre o que fez do filme um sucesso era, às vezes, bem diferente dos outros integrantes do projeto. Citando a essência pouco explícita do primeiro filme, Moustapha Akkad continuou a defender o mínimo de sangue. O que estava em desacordo com a visão um tanto mais sanguinária que o diretor Othenin-Girard tinha para o filme (no final, inúmeras mortes acabariam no chão da sala de montagem). O mais bem documentado confronto com Othenin-Girard parece ter sido com o astro da franquia, Donald Pleasence, que não hesitou em compartilhar suas frustrações com jornalistas no próprio set de filmagens, nos *intervalos entre uma cena e outra*.

"Esse diretor tem muita imaginação e é muito esperto", Pleasence contou à *Fangoria*: "Mas eu não acho que ele entenda que está fazendo o quinto filme de uma franquia, e não uma ideia pessoal do que esse filme deveria ser. Não havia concordado com muitas das coisas que ele fez com este filme. Então, nós conversamos e chegamos a um acordo. Ele gostaria que eu interpretasse Loomis como um cara durão, sisudo. Honestamente, não consigo imaginar me afastando do jeito que interpretei Loomis nos três filmes anteriores".

Othenin-Girard injetou diversas novas ideias em *Halloween 5*, sendo a mais ousada delas a de que Michael não perdeu totalmente sua humanidade. De acordo com ele, a Forma ainda contém uma alma. Isso, é claro, contradiz os filmes anteriores. O conceito é subexplorado no roteiro e ainda mais no corte final. No filme, Loomis diz a Michael que Jamie pode curar o ódio dele, ainda que ele esteja simultaneamente enganando Michael ao conduzi-lo para longe de sua sobrinha e em direção à armadilha. "Ela não está aqui em cima. Ela está lá embaixo, em algum lugar desta velha casa." Existe alguma sinceridade no que Loomis está dizendo? E como exatamente Jamie curaria o ódio? Perguntas sem respostas. Pelo roteiro, Loomis explica que Michael deu a Jamie uma chave psíquica para o amor perdido dentro da alma dele quando eles tocaram as mãos em *Halloween 4*. Loomis argumenta que ela agora tem o poder de curar o ódio que existe dentro de Michael.

Nenhuma outra cena demonstra mais a humanidade recém-descoberta no assassino do que aquela em que observamos seu breve porém delicado encontro com Jamie, perto do fim do filme. Presa no sótão da casa dos Myers, ela se refere a ele tanto como "tio" quanto "bicho-papão", interrompendo o seu ataque. Ele abaixa a faca, depois a cabeça. "Me deixa ver", ela diz, se aproximando dele para remover a máscara. Ele permite. "Você é assim como eu." Uma lágrima solitária desce pelo rosto de Michael. Infelizmente, ele volta ao estado de fúria quando ela se aproxima para secar a lágrima.

Halloween 5 não apenas humaniza a Forma, mas também empurra o personagem cada vez mais para o domínio do sobrenatural. Enquanto os capítulos anteriores apenas sugeriam essa possibilidade, este filme deixa qualquer dúvida de lado. *Halloween 5* estabelece um laço telepático evidente entre Michael e Jamie, algo que no roteiro é referido como "vínculo". Essa conexão é ativada pela raiva, e permite a Jamie enxergar pela perspectiva de seu tio enquanto ele persegue e assassina suas vítimas. Isso tem sido citado como uma homenagem ao filme *Os Olhos de Laura Mars* (*Eyes of Laura Mars*), de John Carpenter, uma ideia que Debra Hill aparentemente aprovou. Qualquer que seja o caso, para uma franquia relativamente fincada na realidade, a inclusão de mortes-telepáticas à mitologia é estranha. Nada nos filmes anteriores sugere que esse "vínculo" estivesse entre as habilidades de Michael Myers. No final das contas, essa conexão sobrenatural pode ter ido longe demais, já que os futuros cineastas agiriam como se ela jamais tivesse acontecido.

O HOMEM DE PRETO

Halloween 5 teve sua produção apressada com um roteiro que estava subdesenvolvido e sem refinamento. Em algum ponto dessa confusão, Moustapha Akkad percebeu que o filme precisava de um gancho para trazer o público de volta em *Halloween 6*, que ele esperava filmar no ano seguinte. Com esse objetivo, Othenin-Girard criou o misterioso Homem de Preto, um não personagem cuja única razão de existir era para criar um gancho no final do filme. O Homem de Preto é visto apenas de passagem em *Halloween 5*, vestindo um chapéu de caubói, um sobretudo preto e botas com biqueira de aço. Ele não tem um papel ativo na história até os momentos finais do filme, em que ele chacina todo o turno da noite do Departamento de Polícia de Haddonfield, libertando Michael Myers de sua cela no processo.

Não há melhor exemplo das fraquezas narrativas de *Halloween 5* do que o Homem de Preto, um personagem coringa cuja função e identidade eram obscuras tanto para as plateias quanto para os próprios cineastas. Inúmeros membros do elenco e da equipe comentaram que foi uma inclusão de última hora, e alguns alegam que ele teria sido inspirado por um visitante frequente do set de filmagens que aparecia sempre de preto dos pés à cabeça. Outros acusam que ele estava totalmente ausente do roteiro de filmagem, o que é tecnicamente verdade. O papel não aparece nos tratamentos anteriores de *Halloween 5*, ainda que um personagem chamado "O Estranho" de fato aparecesse desde o segundo tratamento. Da maneira que foi originalmente escrito, o Homem de Preto foi imaginado vestindo um terno de corte italiano muito mais sofisticado, que posteriormente evoluiu para o mais conhecido sobretudo de caubói.

"Criei o personagem sem saber sua exata origem", Othenin-Girard disse ao site *Halloween Movies*. "Eu o considerei como um irmão de alma de Michael que vem de longe para estar com ele. Fui consciente o bastante para dar liberdade de interpretação ao próximo time de criadores a respeito de quem ele realmente seja. Fiquei atento em não engessá-los em uma posição muito rígida, de forma que poderiam fazer o que quisessem com o personagem. No set de filmagens, eu tive a ideia da 'marca' do Espinho que o conectava com Michael. Eu desenhei a runa nos atores e na parede."

Ainda que a aparição do Homem de Preto no filme tenha sido, ao menos em parte, roteirizada anteriormente, sua tatuagem de Espinho não foi. Tampouco o desenho coincidente no punho de Myers. Tanto a aparição do personagem como as tatuagens idênticas levantaram muitas questões que os cineastas de *Halloween 5* não estavam preparados para responder. O fardo de atribuir significado a esses elementos arbitrários da trama cairiam sobre *Halloween 6*, essencialmente engessando o roteiro daquele filme antes mesmo de ele ser escrito. Essa clara falta de planejamento em relação ao andamento da história foi no mínimo problemática. Que nenhum outro *Halloween* tenha tentado semelhante tática narrativa diz muito sobre seu mérito.

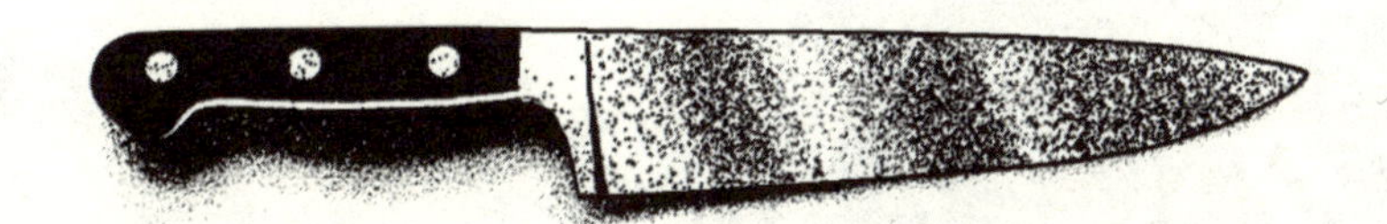

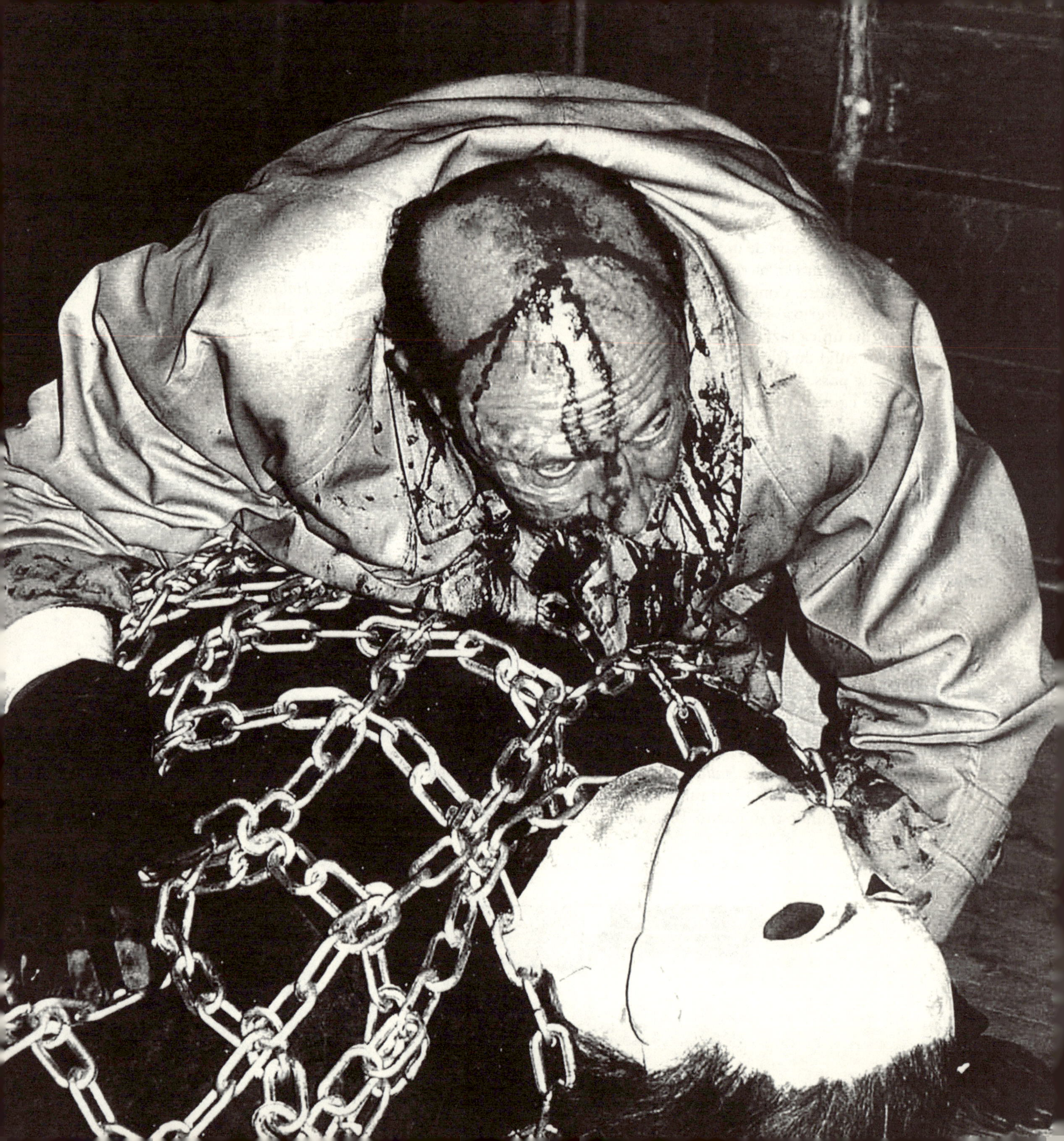

"Ele nunca vai morrer."

HALLOWEEN V
1989

CORTES MORTAIS

Enquanto *Halloween 4* teve que se conter para não ser explícito demais, Dominique Othenin-Girard deixou a torneira vermelha aberta em *Halloween 5*. Ao final do filme, tanto Loomis quanto Jamie estão empapados de sangue. Após uma primeira exibição, a Motion Picture Association of America (MPAA) premiou o filme com a temida classificação X — necessitando a remoção de material explícito demais para assegurar uma classificação R. (A associação concede a classificação etária aos filmes. X significa proibido para menores de dezoito anos. R, ou restrito, significa que menores de dezessete anos podem ver desde que acompanhados por um responsável.) Isso não era incomum na época. À luz da crescente popularidade do gênero, a MPAA frequentemente reprimia o cinema de terror na metade final dos anos 1980. Às vezes, as demandas pareciam arbitrárias — o que era aceitável num drama intelectual de Jodie Foster seria considerado inaceitável em uma película de gênero menos nobre.

Se desconsiderada, a classificação X — igualada à pornografia — poderia se provar um empecilho ao marketing e à distribuição nos cinemas. O filme *A Hora do Pesadelo 4: O Mestre dos Sonhos* (*A Nightmare on Elm Street 4: The Dream Master*), de 1988, conseguiu contornar as demandas da MPAA com uma tática engenhosa: filmando cenas com violência adicional que nunca fariam parte do corte final. Ao aderirem às exigências da MPAA de remover o excesso de cenas grotescas, os cineastas foram capazes de garantir uma classificação R e conseguiram manter o filme como eles imaginaram.

Outros filmes não tiveram a mesma sorte. *Sexta-Feira 13 — Parte 7: A Matança Continua* (*Friday the 13th Part VII: The New Blood*), de 1988, teve sua trama mutilada ao atender a tais demandas. Se *Halloween 5* foi feliz a este respeito, é debatível. Para garantir sua classificação R, os cineastas removeram um pouco do material violento antes do lançamento, aparando as mortes de Mikey e do delegado Eddy; este visivelmente apresentando estilhaços de vidro em sua pele. Tais cortes não foram *muito* prejudiciais às cenas, mas são notáveis a ponto de gerar possíveis críticas aos montadores — ou quiçá elogios por uma abordagem extravagante.

O principal problema da MPAA com *Halloween 5* era a respeito do nível de violência usada contra crianças, o que é uma preocupação bastante razoável. Os pequenos Tommy Doyle e Lindsey Wallace do *Halloween* original não passaram de forma alguma pela brutalidade que Jamie e Billy sofrem em *Halloween 5*. O momento em que o Camaro acerta a perna de Billy foi retirado da cena da perseguição de carro na fazenda Tower — o mesmo acontece quando Jamie é apunhalada por seu tio no duto da lavanderia. Em favor de *Halloween 5*, a sequência no duto da lavanderia configura uma das cenas mais tensas em toda a franquia — e a imagem de Jamie sendo esfaqueada não é particularmente necessária. Graças ao grito dela, fica óbvio quando o golpe acontece. A cena continua como se ela recebesse a facada, mesmo que nós não vejamos acontecendo. Perceba que sua perna direita sangra abundantemente quando ela sai do duto.

DR. MORTE E A ABERTURA ORIGINAL

Para muitos, a abertura de *Halloween 5* se situa entre as mais confusas de toda a franquia. Vemos Michael Myers ferido, desmaiando na cabana da floresta de um velho ermitão. O filme então corta para um ano depois, onde o encontramos cochilando em uma tábua na mesma cabana, com uma tatuagem de Espinho em seu pulso. Michael se senta, pega sua máscara e mata o velho homem. O que exatamente aconteceu nos últimos doze meses? Não recebemos pista nenhuma. À primeira vista, tudo isso faz muito pouco sentido. Examinando mais de perto, faz menos sentido ainda. Mas nem sempre foi assim.

A abertura original do filme mostrava Michael cambaleando até a cabana vodu do dr. Morte, um homem "magérrimo com o cabelo embaraçado". Esta cabana seria bastante diferente daquela habitada por nosso conhecido ermitão. O lar do dr. Morte foi descrito como tendo inúmeras velas e uma enorme cruz de frente para um púlpito cerimonial. Michael o encontraria rezando para um esqueleto em uma língua ancestral. Como na abertura que chegou aos cinemas, ele desmaiaria enquanto tentava estrangular o dr. Morte. Encantado com seu hóspede surpresa, o estranho homem remove a máscara de Michael e o admira com fascínio. Entram os créditos iniciais.

Retornando um ano depois, nesta versão encontramos o dr. Morte rezando sobre o cadáver de Michael dentro de um caixão, no que se trata claramente de uma cerimônia de ressurreição. Pelo roteiro, fica aparente que Michael de fato morreu durante os acontecimentos de *Halloween 4*. O dr. Morte primeiro aplica uma tatuagem de Espinho no pulso de Michael, o que faz muito mais sentido do que Michael ter tido uma tattoo secreta todos esses anos da qual nunca soubemos. Ele então corta a garganta de um porco guinchante e derrama o sangue em um cálice, que ele usa para beber. "Sol escuro. Maré vermelha. O sangue do profeta há de ser o sinal de seu retorno. Sim, eu sou o profeta." Uma tempestade assola lá fora enquanto os dedos da Forma começam a se "contorcer de volta à vida". Eles logo estarão fechados em volta da traqueia do dr. Morte. Erguendo-o no ar, Michael esmaga seu ressuscitador no altar antes de acertar seu tórax com uma pedra afiada. Jamie sente esse assassinato na clínica assim como na versão que chegou aos cinemas.

As cenas do dr. Morte foram filmadas no começo da produção com o ator Theron Read, mas posteriormente foram cortadas por razões desconhecidas. Há boatos de que Moustapha Akkad não gostou da sequência de abertura tão violenta, enquanto Othenin-Girard declarou que Akkad não achava que a plateia iria sentir empatia pelo personagem e sua morte. Uns poucos takes dessa abertura permaneceram e foram utilizados na montagem do material do ermitão, para aqueles espectadores mais sagazes descobrirem.

Longe de ser perfeita, essa abertura original levanta algumas poucas questões. Uma questão persistente, entretanto, é como o Doutor Morte conseguiu preservar o corpo de Michael por um ano inteiro. Mesmo com um embalsamento apropriado, o corpo do assassino deveria ter experimentado coisas como inchaço, coágulos e decomposição. Isso produziria um fedor terrível que alertaria as próximas vítimas de Michael de sua presença a um quilômetro de distância. Ainda assim, o corpo e as roupas dele aparentam estar inexplicavelmente limpos. Sem falar nas manchas que acompanhariam a putrefação, onde estão os buracos de balas do final de *Halloween 4*? Mais uma vez, continuidade não é o ponto forte desse filme.

CENAS DELETADAS

Quando os fãs de *Halloween* pensam em filmagens deletadas, eles tendem a pensar no sexto filme da franquia. Mas *Halloween 5* também teve um punhado de cenas excluídas. Nada disso mudou muito a história, mas elas ofereciam um insight adicional sobre os personagens. Por exemplo, o namorado de Samantha, Spitz, estaria originalmente no grupo de resgate. Em um momento mais dramático, o xerife Meeker segura uma foto de sua filha assassinada para provar a Loomis que ele não se esqueceu dos horrores do último Halloween.

"Aquela cena era um bom exemplo do detalhamento dos personagens que eu tento trazer no meu trabalho", Othenin-Girard contou ao *Gorezone*. "Ao incluir o momento em que Meeker pega sua carteira e mostra a Loomis a foto de sua filha morta, eu dei ao personagem um toque sentimental. Fazer a parte 5 de uma franquia de sucesso não me impediu de incluir matizes àqueles personagens. Eu respeito a estrutura e a fórmula de *Halloween*. Uma vez que a estrutura de formato de *Halloween* foi estabelecida, ficou fácil construir os personagens e fazer deles pessoas com quem você se importa." É um momento minúsculo, com certeza. Mas o roteiro de *Halloween 5* é repleto dessas nuances que poderiam ter contribuído para um filme mais bem acabado.

No filme, Loomis e Meeker conversam na delegacia, onde eles seguem a velha rotina "Ele voltou", "Não, não voltou". Durando um breve minuto, esta cena era uma versão condensada do seu encontro original que deveria se desdobrar na mina abandonada do final de *Halloween 4*. Meeker deveria ter levado seus homens para inspecionarem a coluna de concreto maciço que desabara sobre a entrada da mina depois do último filme. Ao não encontrar evidências de adulteração, ele se mantém convencido de que Michael Myers segue apodrecendo debaixo dela. Meeker então recebe um telefonema sobre o caixão de uma menina de nove anos, que foi desenterrado no cemitério local. Ele e Loomis visitam o túmulo exumado de forma grosseira, e encontram o corpo da criança deitado em posição de dormir — "Deve ter jogado o corpo na hora. Dá pra imaginar os pais encontrando a menina assim?". Em uma imagem fúnebre, o filme cortaria daí para uma cena de Jamie deitada exatamente na mesma posição. No filme, Loomis apenas se refere de passagem, enquanto grita com Jamie, sobre o caixão da menina que havia sido roubado. Mais tarde nós vemos esse desagradável objeto de cena dentro do sótão da casa dos Myers.

Outra cena filmada que foi excluída mostra Tina e Samantha caminhando do lado de fora da clínica. Antes da chegada do namorado de Tina, as duas estariam dando estrelinhas e cambalhotas no gramado da frente. Sem que soubessem, a Forma está observando as duas atrás de uma árvore ali perto. Esta cena poderia oferecer um momento de tensão: assim que Tina termina de fazer uma estrelinha, ela para ao lado da árvore. A Forma ergue uma espátula de jardinagem, pronta para atacar. Naquele exato momento, o namorado de Tina, Mikey, deveria chegar com seu Camaro, distraindo Tina e frustrando o assassinato. É incrivelmente fácil apontar onde essa cena deveria se encaixar no filme, dado a edição precipitada e o áudio remanescente de Tina, em que ela claramente chama por "Michael"!

Um personagem que mudou consideravelmente na pré-produção foi o pequeno Billy Hill. No filme, Billy é um paciente amiguinho de Jamie na clínica infantil. Na primeira versão do roteiro, ele era um ex-coleguinha de escola que foi visitá-la. A gagueira, marca registrada do personagem, estava lá desde o começo. Billy também foi originalmente concebido como um ciclista, e ele deveria pedalar uma BMX constantemente em suas cenas. A produção chegou a trazer o ator mirim Jeffrey Landman para uma sessão de pedalada como preparação para capturar essas cenas. No final das contas, crianças e dublês ciclistas não foram uma boa combinação. Após penarem para filmar a primeira cena com o dublê, os produtores exigiram que todas as cenas remanescentes com a BMX fossem cortadas do roteiro. A única tentativa foi uma cena alternativa em que Tina e Rachel deixam a clínica. Billy deveria se juntar a elas em sua bicicleta, assustando-as sem querer. Ele perguntaria sobre os pesadelos de Jamie, que Rachel minimizaria antes de sugerir que Billy fizesse uma visita para alegrar sua amiguinha.

Outro papel que poderia ter sido beneficiado com maior caracterização era o de Tina, que funcionou como uma substituta bastante polêmica de Rachel. Ela continua evitando ser sensata o máximo que pode, porém foi escrita de um modo um pouco mais cativante originalmente. Um tratamento inicial revela seus planos de se mudar para Nova York e tentar uma carreira no mundo da moda. Por falar em moda, o traje de Halloween de Tina mudou diversas vezes durante a filmagem. Ela originalmente seria a "Rainha do Espaço Sideral", com uma fantasia ousada que era, em sua essência, apenas um biquíni com estampa de pirâmide. Depois, isso foi mudado para uma fantasia de diabinha, que os produtores consideraram uma escolha chinfrim para a heroína do filme. No final das contas, Tina foi à festa da fazenda Tower como uma camareira francesa. Por último, a morte da personagem seria um pouco mais nobre da maneira como foi originalmente concebida, em comparação ao filme que chegou aos cinemas, assunto que abordaremos mais adiante.

Assim como Tina, a morte de Samantha no roteiro era diferente da apresentada no filme. Nos cinemas, Sam e seu namorado, Spitz, aproveitam uma rapidinha no velho celeiro. Michael Myers se aproxima por trás deles e encrava um ancinho nas costas de Spitz. Após se desvencilhar do namorado, Sam deveria participar de uma perseguição tipo gato e rato pelo celeiro, antes de receber um golpe de foice em sua testa. Os cineastas originalmente planejaram mostrar um plano com Myers cortando o rosto dela, mas a ideia foi reprovada antes da filmagem a pedidos de Moustapha Akkad. Sua morte foi então consumada com um balanço da foice em direção à câmera e sangue respingando em diversos fardos de feno. Para compensar os pedacinhos que faltavam, Sam teve a oportunidade de revidar, atacando seu agressor com o ancinho.

Apesar de Dominique Othenin-Girard reverenciar o *Halloween* original, ele raramente faz referências ao filme em sua continuação, ao menos não da maneira como *Halloween 4* fez (apesar de existir uma boa alusão quando Myers se faz passar por Mikey na frente de Tina, o que evoca sua imitação do Bob com fantasia de fantasma no filme de 1978). Othenin-Girard originalmente escreveu outra homenagem a *Halloween* em seu roteiro, ainda que ela não tenha chegado ao corte final. Ela aconteceria quando Loomis vasculhava a casa dos Myers durante o dia. Ao bisbilhotar, ele escuta diversas crianças reunidas do lado de fora, que começam a jogar garrafas no portão da frente. Loomis acha um gato morto dentro da casa e joga o bicho nas crianças por uma janela aberta. As crianças começam a correr como se o próprio Michael estivesse aparecido. Loomis sorri ao vê-las correndo para bem longe.

CENA DELETADA: A FUGA DA CLÍNICA E O ENCONTRO COM MYERS

No final do filme, Jamie permanece convencida de que Tina está em perigo apesar do aparente falso alarme no posto de gasolina (claro que nós sabemos que não foi um falso alarme, mas as autoridades não sabem). Apesar da presença da polícia, Jamie consegue escapar da clínica com o objetivo de avisar Tina sobre o bicho-papão. Ela esbarra em Billy enquanto foge, e ele revela que sabe onde Tina foi festejar esta noite. Eles vão até a fazenda Tower juntos e chegam a tempo de ver a Forma perseguindo Tina, de dentro do Camaro de Mikey. As crianças atraem a atenção do assassino, que se esquece momentaneamente de Tina. Billy é ferido de alguma forma no embate (não fica claro como) depois que Michael Myers se prepara para enfim matar sua sobrinha. Mas ela é salva no último instante por Tina, que acaba morta por sua interferência.

A fuga da clínica em *Halloween 5* e a perseguição de carro mudaram consideravelmente do roteiro até as telas. Originalmente, Jamie só conseguia escapar da clínica ao se disfarçar de médica para conseguir passar por uma blitz da polícia. É ali que um guarda de vigia lhe diz para "tomar cuidado com as coisas que saltam durante a noite". Loomis imediatamente percebe o desaparecimento da menina e entra em pânico. Ele invade a clínica, rasgando as máscaras das crianças na tentativa de encontrá-la, assustando a todos no processo. A ideia de que Jamie pudesse escapar dessa maneira é um tanto forçada, mesmo para *Halloween 5.* Deixando de lado a sua altura, não é exatamente um procedimento normal entre os profissionais de saúde sair ou mesmo ficar vagando com traje cirúrgico. Ainda que esta cena deletada não tenha sido encontrada até hoje, existem registros no set de filmagem do diretor Othenin-Girard instruindo Danielle Harris sobre como descartar o uniforme cirúrgico fora do prédio.

No filme, Jamie encontra Billy fora da clínica, e eles andam juntos até a fazenda Tower (Tina precisou de uma carona da polícia mais cedo naquela noite. Então, quão longe fica a fazenda?). Isso se desenrola de uma maneira diferente no roteiro original, já que Jamie não encontraria Billy até mais tarde. Incerta sobre o paradeiro de Tina, ela prefere correr até sua velha vizinhança, sem saber que a Forma lhe persegue no Camaro. Ao perceber isso, ela entra em pânico e corre, batendo de cara com uma árvore. Michael sai do carro esporte para matá-la, mas é impedido por Billy, que o derruba de joelhos com sua bicicleta BMX: "Myers se contorce, agindo como uma rampa para Billy, que pedala sobre as costas dele e salta em pleno ar". Despencando ao chão, Myers acidentalmente cai sobre sua própria faca, produzindo "um ruído nauseante". Billy se vira para outro ataque, desta vez passando o pneu da bicicleta no rosto do assassino. Jamie pula no guidão de Billy, e eles saem em disparada.

A perseguição de carro na fazenda Tower acontece mais ou menos da mesma maneira, só que Jamie e Billy fogem na bicicleta do garoto e não a pé. Myers ainda dirige atrás deles, esmagando a bicicleta e mandando as crianças pelos ares. Ele sai do carro para matar Jamie como no filme, e outra vez é parado por Tina, que é esfaqueada por causa de sua investida. Da maneira que foi escrita, a cena continha um detalhe adicional que deixa um pouquinho mais nobre a morte da personagem. No filme, Tina corre até Myers e é morta imediatamente. Mas no roteiro, a Forma já se encontra descendo sua lâmina para acertar Jamie quando Tina se joga na frente. Quando Michael vai retirar a lâmina do peito dela, Tina agarra a mão dele, forçando a entrada mais profunda da faca no seu próprio corpo. Tina então grita para que Jamie fuja enquanto tenta impedir o avanço do assassino. Essa tática funciona e permite que Jamie escape.

CENA DELETADA: O MASSACRE DA SWAT E O ASSALTO À CASA DOS MYERS

Halloween 5 é basicamente uma história em que o bem e o mal tentam superar um ao outro. Loomis e a Forma participam de uma espécie de xadrez de vida ou morte. Michael quer matar Jamie enquanto Loomis quer matar Michael. Quando a polícia deixa a fazenda Tower, Loomis espera para conversar com seu antigo paciente, que ele percebe estar se escondendo na floresta escura: "Michael, vá para casa. Vá para sua casa, eu estarei lá esperando por você. Ela também estará esperando por você". Loomis deixa de mencionar que um pequeno esquadrão dos melhores homens de Haddonfield também estará esperando, mas Michael sabe disso. Para ele, poucos policiais não representam um obstáculo de verdade. No entanto, mais de uma dúzia de homens da lei bem armados já significa certo problema. Para conseguir chegar até Jamie, ele precisará reduzir a proteção em volta dela.

Com esse objetivo, a Forma encena uma distração sangrenta na clínica que irá afastar a polícia de sua casa. Esta distração incluiu esfaquear um punhado de policiais e funcionários da clínica. A versão cinematográfica de *Halloween 5* deixa essa parte da história meio truncada, o que pode ser confuso para alguns espectadores. Othenin-Girard dedica uma única tomada com os corpos sendo retirados em macas para comunicar essa virada na trama. Quem Michael matou e como? Parecem detalhes sem importância, mas nem sempre foi assim. Os cineastas originalmente filmaram uma sequência em que Michael chacina um esquadrão inteiro da SWAT do lado de fora da clínica.

Essa cena em particular não aparece no roteiro e, de acordo com o intérprete de Michael Myers, o ator Don Shanks, foi realizada pela segunda equipe de filmagem, dirigida pelo coordenador de dublês, Don Pike.

Da maneira como foi filmada, Michael se aproxima de um oficial à paisana do lado de fora da clínica. Michael chega por trás e torce a cabeça do oficial, empurra ele para o chão e pisa em seu crânio. Os membros da SWAT e da polícia respondem, mas Michael desmembra um a um em uma variedade de formas bastante explícitas, incluindo esmigalhar a cabeça de um oficial desafortunado com um rifle M16. Essa cena foi, presumivelmente, outra das casualidades da batalha que o filme teve para alcançar a classificação R. Seja como for, esta cena teria explicado por que Meeker e seus oficiais abandonam a casa dos Myers e partem para a clínica — e também por que o assassino dirige até sua velha casa numa viatura policial roubada. Com uma presença menor da polícia protegendo Jamie, Michael está livre para ir pra casa.

No filme, Meeker deixa um único oficial de guarda do lado de fora da casa, enquanto todos os demais respondem à distração provocada por Michael Myers. No roteiro, Meeker deixa vários oficiais de guarda no número 45 da Lampkin Lane, incluindo dois atiradores de elite no telhado — todos seriam mortos pela Forma em uma sequência muito maior e mais sangrenta. A polícia também prepara armadilhas na casa dos Myers, como uma grotesca cama de espinhos que cairá do teto para empalar qualquer um que entre pela porta da frente. No roteiro, Michael vai até um sniper escondido em uma árvore. Pelo áudio do walkie-talkie do delegado Charlie, ouvimos o primeiro atirador cair no chão com um baque. Michael então usa o corpo como escudo para se proteger do fogo dos atiradores. As balas atravessam o corpo do policial morto e atingem Michael, fazendo com que ele caia. Achando que ele está morto, um atirador se aproxima a pé, apenas para descobrir que seu alvo estava fingindo. Michael dá um bote e mata o atirador antes de usar o corpo dele para ativar a armadilha da porta da frente. O atirador morto é empalado pelos espinhos, e uma barra de metal fecha a porta por trás de ambos, deixando todos presos lá dentro. Usando a baioneta do atirador, Michael mata mais dois oficiais no salão e na cozinha da casa dos Myers. Ao contrário do já mencionado massacre na clínica, essa ação espetacular nunca chegou a ser filmada. A produção optou por limitar o número de mortos aos delegados Charlie e Eddy.

A sequência então continua igual à do filme, com Loomis implorando para que Michael se renda. Michael responde com um corte de faca e, então, vai atrás de sua sobrinha. Inicialmente, a aparição arrepiante da Forma no sótão seria ainda mais macabra do que a vista no filme. Os roteiristas imaginaram ter o corpo de Rachel afixado em uma cruz gigante que Michael roubara de uma igreja local — este roubo profano teria sido pré-anunciado anteriormente, com uma rápida cena de um padre descobrindo o desaparecimento da relíquia. Do lado oposto à Rachel, estaria o corpo de Mikey, vestido em um manto preto e segurando uma foice — uma recriação da morte em si. A diferença final desta sequência envolve a captura da Forma. No filme, Loomis derruba uma enorme corrente entrelaçada sobre Michael, e lhe acerta com dardos tranquilizantes — tudo antes de lhe tirar a consciência, dando nele uma surra com uma tábua de madeira. No roteiro, Loomis havia escondido uma jaula de metal gigantesca debaixo da escadaria, que havia sido enfraquecida estruturalmente em certos degraus.

O FINAL ORIGINAL

O final de *Halloween 5* também foi um tanto diferente daquele previsto no roteiro. No filme, vemos um Michael Myers ainda de máscara, mas estranhamente calmo, mexendo em suas correntes em uma cela escurecida. O roteiro imaginou esse momento de outra forma: "Michael se enfurece, jogando-se com tanta força contra as grades, que a porta de metal se dobra, amassada. Dois guardas com espingardas demonstram estar nervosos".

O xerife Meeker originalmente era um personagem-chave nesse final. Sentado em seu escritório, um exausto Meeker deveria escutar o tiroteio do Homem de Preto e se apressar para investigar com sua arma em punho. Encontrando apenas o resultado sangrento, era originalmente Meeker — e não Jamie — quem descobria a cela vazia de Michael. Na verdade, Jamie sequer estava na delegacia no primeiro roteiro. Na filmagem original, Meeker foi uma das vítimas do assalto do Homem de Preto, o que seria exibido com muitos detalhes, mas a cena foi deletada durante a pós-produção. (Uma foto da morte dramática de Meeker apareceu na *Fangoria*.)

LEMBRANÇAS DE HALLOWEEN 5

pelo roteirista **Michael Jacobs**

O texto a seguir apareceu pela primeira vez no livro *Noches de Halloween: La Saga de Michael Myers,* do autor Octavio López Sanjuán, da editora Applehead Team. O texto é reproduzido aqui com permissão.

Tem sido interessante ler as reações dos fãs sobre *Halloween 5* com o passar dos anos. Começou como um dos mais polêmicos filmes da série. Não é difícil entender o motivo. O filme deu início a um novo caminho para a franquia, alterando a mitologia da Forma — o bicho-papão do clássico de John Carpenter. Em vez de uma figura sombria que você pode ter percebido com a visão periférica, ele se tornou — com a introdução do Estranho em *Halloween 5* — um serial killer de algum culto esquisito que depois seria inventado em *Halloween 6*.

Ironicamente, isso foi contrário à virtualmente tudo o que o diretor Dominique Othenin-Girard e eu pretendíamos com o filme. Como a reação dos fãs tem suavizado consideravelmente com o passar dos anos, as coisas mudaram. A maneira como o filme divergiu de nossas intenções originais é uma história interessante. Não posso fingir que sei a verdade completa. Tudo o que posso dizer é aquilo de que me lembro, e já faz muito tempo.

Na manhã em que recebi o telefonema de Dom, eu estava em uma reunião com a Orion Pictures, uma distribuidora há muito extinta. Eles estavam entusiasmados com um thriller de ação original escrito por mim e, durante a reunião, fizeram alguns comentários e me pediram permissão para encaminhar o projeto a alguns profissionais talentosos. Os produtores e eu dissemos "sim", é claro. Os comentários foram bem tranquilos. E fui para casa com um tremendo bom humor. O telefone tocou, era Dominique.

Dom me contou sobre seu encontro com a produtora Debra Hill, de como ela o recomendara para dirigir *Halloween 5*, e que o trabalho era dele. Ele explicou que aquela era uma situação inusitada, já que *Halloween 4* tinha sido um sucesso tão grande que os donos das salas de cinema estavam desesperados e que estavam se comprometendo com o novo filme. Já que os produtores também distribuíram o filme para os cinemas, tudo o que eles precisavam fazer era garantir a tradicional estreia no outono para obterem lucro. O único problema era que eles estavam trabalhando com um roteiro por quase um ano, e Dom conseguiu o trabalho ao entrar no escritório do produtor executivo Moustapha Akkad e jogar teatralmente o roteiro na lata de lixo.

Dom e eu éramos amigos e, durante nosso papo, ele me contou honestamente que eu não fora sua primeira escolha. Bob Harders havia apresentado o que parecia ser um caminho realmente brilhante para o projeto, mas, como recentemente escreveu on-line, percebeu que os produtores não estavam interessados em fazer do jeito que ele queria. Então ele saiu. Isso quer dizer que havia menos do que cinco semanas e meia antes das filmagens começarem. *Literalmente não havia roteiro.* Tudo o que Dom gostava dos tratamentos anteriores era uma sequência no celeiro. Isso dava talvez cinco ou seis minutos. E havia algumas outras questões menores também, mas ele me contaria em particular se eu quisesse ir até lá para assistir a *Halloween 4*.

Nenhum debate sobre *Halloween 5* pode ignorar a sombra de *Halloween 4*. Como muitos de vocês, leitores, sabem, Dwight Little fez a franquia renascer com um toque especial dos anos 1980, que claramente trazia Michael Myers à era da contagem de corpos, tão eficientemente explorada por *Sexta-Feira 13*. Havia suspense de qualidade no filme. Mas foi o final, no qual a sobrinha de Michael Myers, Jamie, fica no alto das escadas segurando uma faca ensanguentada após apunhalar sua mãe, o que fez com que os fãs saíssem em polvorosa dos cinemas, debatendo abertamente se, de alguma maneira, Michael havia transferido sua maldade a uma nova geração ou transformado Jamie em uma menina má de algum jeito. Nossos pedidos em andamento, vindos de Akkad e de milhares de donos de salas que pagariam pelo filme, não eram claros: Jamie precisa voltar — e ela não pode ser má. Só para deixar claro, uma menina que nós vimos com uma faca ensanguentada no alto da escada após apunhalar a mãe *não* podia ser má.

Bem-vindos ao mundo real da indústria cinematográfica! Mas nós nos comprometemos a levar o problema para casa e tínhamos até a manhã seguinte para pensar em uma solução que deixaria o produtor executivo contente. Dom astutamente pensou que seria melhor distinguir a franquia de seus primos slashers ao dar um passo atrás e seguir um caminho mais próximo do filme original, algo que provocasse a plateia, que brincasse com suas expectativas e que se debruçasse mais sobre o suspense do que sobre uma violência explícita.

Vocês me perguntam por que a franquia é duradoura, e acho que em grande parte esse é o motivo. A Forma era o bicho-papão que as pessoas imaginaram em lugares sombrios desde que elas andaram por florestas ou se amontoaram nos recantos mais longínquos de uma caverna. Pode vir da exposição a fortes sinais eletromagnéticos, ou dos medos mais profundos, ou de nossa imaginação coletiva, mas eu não me surpreenderia se houvesse alguma variante da Forma desde antes da aparição de uma linguagem humana formal. Acho que John Carpenter atualizou de maneira inteligente esse arquétipo ao associá-lo ao temor dos assassinos aleatórios, que eram uma obsessão nos tabloides do final dos anos 1970. Decodificar esses assassinos insensíveis, operando em sua lógica interna pessoal, tem nos fascinado desde sempre. Veja *O Silêncio dos Inocentes* (*The Silence of the Lambs*) e as incontáveis séries de televisão. Mas a pitada extra sobrenatural de um assassino que não morre elevou *Halloween*.

Encontrei Dom no escritório de Akkad na manhã seguinte. Enquanto conversávamos, Ramsey Thomas, o produtor do filme, chegou. Dom o cumprimentou e bateram papo. Depois de alguns momentos, Ramsey perguntou: "Cadê o Bob?". Dom literalmente não havia dito aos produtores que Bob Harders pedira as contas. Mas no melhor estilo dos diretores de cinema, ele aproveitou a deixa e me apresentou. Ramsey educadamente apertou minha mão e se virou para Dom. "O Akkad sabe disso?" Dom sorriu e deu de ombros, explicando: "Não tive tempo...". Então eles foram ao escritório de Akkad. Os poucos minutos seguintes foram hilários. Eu estava sentado na antessala com a recepcionista, enquanto as vozes que vinham do escritório do Akkad, ainda que ininteligíveis, foram claramente ficando mais altas. Depois de uns dez minutos, houve um silêncio e fui convocado ao escritório para participar da discussão. Akkad, sejamos justos, foi extremamente bem-educado e ouviu meus comentários que ainda não chegavam a ser uma apresentação bem formulada. Após uma longa pausa para pensar, apertando seu cachimbo, ele se virou pra mim e disse: "Não leia o outro roteiro. Vocês dois saiam daqui e criem uma história. Depois voltem para me apresentá-la".

Assim, Dominique e eu começamos a dar uma série de caminhadas em minha vizinhança para tentarmos elaborar uma história, e na manhã seguinte tínhamos o bastante para obter a aprovação e ir adiante. As caminhadas noturnas continuaram. Discutíamos, e eu voltava e ficava acordado até às 3h da manhã colocando as ideias no papel. Então, Dom e eu nos encontrávamos no dia seguinte para revisar e incluir as ideias que tivéssemos. Muito rapidamente desenvolvemos duas grandes sequências. Uma delas era a única remanescente do roteiro original de Bitterman — a sequência no celeiro, na qual adolescentes felizes e sensuais eram perseguidos e empalados com ancinhos ou sabe-se lá quais outras maneiras eles poderiam ser mortos.

A outra foi uma grande sequência na qual nós — a plateia — achamos que Jamie está sendo perseguida em uma clínica, entrecortada com o que temos certeza de ser o ponto de vista do assassino, que assumimos ser algo que ela esteja vendo — a conexão sugerida no final de *Halloween 4*. Nós vemos a subjetiva se aproximar de onde ela está se escondendo, e quando a porta é aberta — nós havíamos enganado a plateia — revelamos que é apenas alguém da equipe médica que a encontra. Ela estava vendo o ponto de vista do assassino? Ela estava imaginando? Isso gerou uma questão central.

Quando Dom sugeriu essa sequência, eu lhe contei sobre *Os Olhos de Laura Mars*, que um de nossos produtores executivos, John Carpenter, havia escrito. Fiquei surpreso que ele nunca havia assistido. Não sei se ele chegou a tentar assistir. Mas quando Debra Hill soube que iríamos fazer uma referência àquele filme, vendo sob a perspectiva do assassino como uma resposta ao que os fãs estariam especulando sobre o elo entre Jamie e Michael Myers, ela apoiou a ideia com todas as forças.

Chegamos a um final matador. Como no final de *Halloween 4* que dá início ao nosso filme, um pequeno pelotão de policiais chega fortemente armado. Jamie está entre eles e Michael. Eles a mandam se deitar, mas desta vez ela para. Ele congela. Ele poderia matá-la — ou por tê-la deixado ver seu rosto momentos antes — ou talvez houvesse ali um novo relacionamento. Jamie escuta as armas sendo engatilhadas, e ele se vira para encarar os policiais. Ela se surpreende um instante depois, quando os policiais parecem confusos. Quando ela se vira, a Forma, como nós tínhamos voltado a chamar Michael, sumiu. Eu adorava o final pois ele criava uma nova pergunta para a plateia. Jamie poderia domar a besta furiosa que havia dentro da Forma? A ideia claramente se encaixava nas linhas da mitologia de *Halloween*.

Por motivos que nunca me disseram, decidiram que Donald Pleasence, com seus 75 anos, jogaria as correntes sobre o bicho-papão (que não havia morrido em quatro filmes) e daria uma surra nele com uma tábua de madeira e depois teria um estranho misterioso libertando ele da prisão com um tiroteio seria um final melhor. Nós queríamos voltar à Forma e ao mistério e, se possível, reverter a transição de Michael Myers que levou a franquia ao território da contagem de corpos. Em certo grau, nós conseguimos, mas, de uma maneira geral, falhamos.

Imagino que muito disso foi resultado da morte de Rachel. No tratamento original que entregamos em duas semanas, Rachel ficava viva durante a maior parte do filme. Mas era uma Rachel diferente. Eu não era um grande fã das meninas virginais do colegial, e não entendia por que eram elas que sobreviviam nesses filmes, enquanto as garotas "más", quer dizer, aquelas garotas que tinham uma vida sexual saudável, faziam parte da metáfora desses filmes puritanos: comida para os assassinos. Também imaginei que efeito ser perseguida no telhado por um bicho-papão maníaco poderia ter sobre uma pessoa. Pensei que ela talvez começasse a viver um pouco mais intensamente porque, sejamos francos — era certo que a Forma retornaria a Haddonfield em algum Halloween. Reforcei essa ideia após um comentário

que Debra Hill fez: que ela se arrependia de como o *Halloween* original tinha contribuído para essa conexão de que sexo-é-igual-a-morte. Então Rachel no quinto filme estava mudada. Ela namorava um bad boy. Ela não se importava tanto com o que os outros pensavam e fazia parte de uma minoria em Haddonfield ao permanecer do lado de Jamie, que muitos consideravam não passar de uma assassina.

Por motivos que desconheço, em uma reunião na qual não estive presente, uma nova ideia emergiu. Rachel seria morta logo no começo, o que chocaria a plateia, e uma nova personagem, Tina, tomaria seu lugar como protetora de Jamie. De certa forma, Tina era a nova Rachel, só que um pouco além. E você só precisa ler as mensagens dos fãs para ver como eles reagiram. Acho que eles teriam sido mais generosos com a Rachel — entenderiam os motivos de sua mudança. Já Tina, uma novata, era, na visão do público, apenas diferente. Pergunte a qualquer garoto do interior dos Estados Unidos como é ser diferente no ensino médio. Provavelmente, nem os outros garotos diferentes gostam de você.

Desse ponto em diante, com a pressão de uma cronograma apertado de pré-produção, o processo se tornou uma competição de pontos de vista conflitantes. O começo e o fim foram alterados. Acho que foi numa visita ao set de filmagens que incluímos as quatro ou cinco cenas que apresentavam o estranho misterioso. Não havia história pregressa ou justificativa para o Homem de Preto em *Halloween 5*. Ele foi o enigma derradeiro.

No final, como outros já disseram, o filme foi bastante apressado. Mas engatinhamos com um pouco do que queríamos alcançar, como trazer de volta a estranheza mais sutil e a tensão do primeiro filme. Sobretudo durante o início. Se tivéssemos incrementado o humor mórbido — como no momento em que Michael chega na cozinha durante a festa e dá de cara com uma prateleira cheia de facas de chef e é momentaneamente forçado a parar —, o filme poderia ter sido muito melhor. Se tivéssemos apenas filmado algo mais próximo do tratamento original do roteiro, ele talvez seria um filme melhor. Mas os roteiristas sempre dizem coisas. No final, existem alguns momentos bem intensos no filme. Na noite de estreia, eu me lembro de ver um homem adulto literalmente se escondendo atrás de sua pipoca durante a perseguição dentro da casa. E tem sido fascinante ver como, com o passar dos anos, um público cada vez maior passou a apreciar o quanto algumas das sequências do filme são assustadoras. Talvez porque, comparado com a escalada do terror de Freddy e Jason em *torture porn*, alguns dos tabus que nós quebramos sejam pitorescos.

Entrevista:

DOMINIQUE OTHENIN-GIRARD

Diretor — Halloween 5

Entrevistado por Travis Mullin

Em off, antes de começarmos: você é um fã do gênero? Você tem seus filmes favoritos?

Ah, certamente. Mas eu sou um cineasta. Sou um contador de histórias. Não sou um espectador imponente que assiste a vários filmes. Eu assisto, mas sou um contador de histórias construindo histórias. O gênero do terror me deu a oportunidade de contar histórias que são proibidas, fora do comum, extraordinárias... onde personagens como Drácula e Frankenstein são *muito* maiores do que a vida real. Ele dá possibilidades de enganar o público, de brincar com o público... criando tensão e medo... e capturando o público não apenas com o racional, mas com os deuses e o coração. As emoções. *Esse* é o gênero do terror no cinema, você sabe.

Os Olhos de Laura Mars, por exemplo, é muito bom. Ou o primeiro *A Profecia* (*The Omen*)... o primeiro *Halloween*... ou os filmes da Hammer de que eu gostava de verdade em Londres, nos anos 1960. Então esses foram os filmes que eu achava extraordinários. Mas nunca pensei que seria capaz de contar uma história de terror.

Você buscava outros interesses?

Sim, suspenses psicológicos. Filmes de drama e ação. Meu primeiro filme foi um suspense psicológico (*After Darkness*). Uma história bem degenerada entre dois irmãos, com John Hurt e Julian Sands. O segundo foi um filme de ação (*Cop Trap*). Fui de um suspense psicológico para um thriller mais de ação. E então um sobrenatural — *Anjo da Noite* (*Night Angel*). E isso me levou até *Halloween*.

Você poderia relatar os eventos que o levaram até a cadeira de diretor em Halloween 5?

Conheci Debra Hill no Sundance Film Festival. Em uma palestra noturna ou coisa parecida, houve uma conferência e nós conversamos. Eu estava sentado perto dela e continuamos trocando figurinhas. E então ela viu o segundo longa-metragem que eu fiz na Suíça, chamado *Cop Trap* — um tipo de suspense noir de ação que mexeu com ela. E ela me apresentou ao Moustapha (Akkad) porque sabia que ele estava procurando um diretor. Foi simples assim.

Um dia, meu agente recebeu um telefonema do Moustapha perguntando: "Você tem interesse? Eu tenho um roteiro. Nós podemos nos encontrar na segunda-feira". Eu disse: "Sim, claro". Li o roteiro, mas não entendi nada da história, para ser sincero (*risos*). Daí, fui à Blockbuster alugar os filmes das três maiores franquias de terror da época — *A Hora do Pesadelo, Sexta-Feira 13* e *Halloween* — e comecei a assistir durante o fim de semana. Vi aqueles três clássicos da época e fui à reunião. Fui ao escritório. Primeiro, liguei para Robert Harders na noite de domingo — meu amigo, um grande roteirista — e disse: "Você viria se eu te ligasse amanhã para a reunião do filme *Halloween 5*? Você pode ler o roteiro?". E ele disse: "Claro". Ele leu o roteiro e não gostou. Eu disse: "Tá ok, sem problema".

Fui à reunião, e à minha direita estavam os três personagens. Lá estavam o (roteirista) Shem Bitterman, o criador da história, e (o produtor) Ramsey Thomas... e na minha frente estava o Moustapha Akkad. Moustapha me pergunta: "Você leu o roteiro?". Eu disse que sim. "O que você achou?" Eu olhei para ele e para as pessoas à minha direita. Eu disse: "Posso fazer uma pergunta?". Ele disse que sim. Perguntei: "Você gostaria de fazer *Halloween 6* um dia?". E ele socou a mesa e disse: "Como você faz uma pergunta dessas? Quem diabos você pensa que é para fazer uma pergunta dessas?". *(risos)* Eu perguntei: "Posso?". Ele disse que sim. E eu peguei o roteiro gentilmente com minhas duas mãos. E eu dei a volta na mesa e joguei ele na lata de lixo.

E voltei pro meu lugar. Agora, à minha direita, eu sinto esse calor — intenso, sou odiado pelos três personagens à minha direita. Moustapha pergunta: "Então?". Eu disse: "Bem, no mercado você tem três franquias de terror que não estão indo muito bem de bilheteria. Você tem *Halloween* — um suspense típico de Hitchcock que tem um pouco de sangue, mas do qual você gosta dos personagens. São poucos personagens — e você os mata porque eles se tornam cientes de seus poderes sexuais. Você tem *A Hora do Pesadelo*, no qual a matança acontece dentro do sonho — dentro do universo do desconhecido onde Freddy chega com sua garra —, e aí você tem *Sexta-Feira 13*, que é simplesmente a contagem de corpos e de como você mata e de como pode deixar o gore mais criativo."

"Moustapha, eu perguntei se você queria fazer *Halloween 6* porque você tem que manter seu mercado. Não dá para misturar os três — e o roteiro que você me deu mistura os três. Você tem um ônibus lotado de pessoas sendo mortas. Você tem Jamie matando pessoas por meio dos sonhos delas. Você tem mais de 57 mortes. Isso é quase uma morte por minuto. Você não constrói o personagem. Você não constrói o suspense. É por isso que você não pode filmar este roteiro." E ele diz: "Ok. Você tem mais alguma coisa a dizer?". Eu digo: "Sim, posso?". E eu vou até a porta — chamo Bob —, Moustapha diz: "O que diabos você está fazendo aqui?" *(risos)* Bob diz: "Bem, ele me chamou". Eu sento com Bob e falo com ele — e agora eu dei as costas aos três caras que estavam à minha direita —, digo: "Bob, nós temos essa criança que aparentemente se tornou má. Ela está lá na banheira tentando matar a própria mãe. O que fazemos depois disso? Para onde vamos com isso?". E por dez minutos, Moustapha nos ouve falando, em uma espécie de brainstorming. Ele diz: "Ok, agora todo mundo pra fora. O produtor precisa tomar decisões sozinho, às vezes".

Então, duas horas depois, meu agente me liga e me diz: "Você conseguiu, Dominique. Ele quer te ver amanhã de manhã". E de tarde Bob diz: "Nem pensar, não vou aceitar migalhas para fazer um filme comercial", porque a grana que eles ofereceram era ridícula. Continua assim, eu imagino. No dia seguinte, Moustapha diz: "Ok, você vai trabalhar com Shem Bitterman. Você vai explicar suas ideias para ele". Shem estava lá, e eu disse: "Nem pensar". Ele diz: "O quê?". Eu digo: "Desculpe", e eu fui até a porta abrir caminho para que o Michael Jacobs pudesse entrar.

E o Moustapha fica furioso — muito furioso — por eu ter me preparado melhor com o Michael do que eu tinha feito com Bob. Michael e eu improvisamos na frente de Moustapha e logo sugerimos a ideia de que a garotinha estava conectada com Michael Myers de um jeito telepático. Que ela conseguia ver quando ele estava exaltado — quando está furioso, prestes a matar —, ela conseguia ver tudo o que ele via. E era uma das premissas que conversamos com Debra. Ela conhece o gênero e foi nossa mentora, de certa maneira. Tivemos duas conversas vespertinas sobre o roteiro com ela, onde apresentamos nossas ideias, e ela foi tão generosa em nos guiar pelo rumo certo, limpando o caminho onde achava que não funcionaria e tudo mais. Também foi cuidadosa em não entrar demais no sobrenatural. Ela foi ótima. E foi assim que começamos a escrever com Michael Jacobs.

Você se lembra de alguma das ideias do Robert Harders para o filme?

Não, pra falar a verdade, não me lembro. Lembro que eram muito exageradas, na opinião da Debra e do Moustapha. Não sei se ele estava mesmo apresentando ideias quando estivemos juntos. Ele é um cara legal e um roteirista fantástico — sempre amadurece suas histórias; vai além. Bob é ótimo nisso. Eu queria dirigir um roteiro dele chamado *Burnt Hills* [Colinas queimadas] há muitos anos. Tentamos produzi-lo. Eu mesmo tentei de novo, três anos atrás, ambientando o filme na China. Há censura na China. Você não consegue distribuir. O conteúdo não passa pela censura, e não me liguei nisso quando tentei fazer o filme.

Você hesitou em participar da quinta parte de uma franquia em andamento?

Claro. *(risos)* É claro, hesitei. Eu disse ao meu agente: "Quero trabalhar". Ele disse, "Sim, mas espere um segundo, essa é uma continuação *(risos)*. É o número cinco". Eu disse: "Ok, ok, tudo bem. É um filme a ser feito, não é?". Eu estava com *fome*. Queria trabalhar. Queria entrar na cultura americana. Tinha feito *Anjo da Noite*, um filme de terror de baixíssimo orçamento. Foi uma grande experiência fazer *Anjo da Noite* com aquela jovem equipe de produtores. Tive muita liberdade. Eu me dei muito bem com o roteirista Joe Augustyn e realmente tentamos coisas que não faziam parte do mercado — como sensualidade, sedução um pouco antes de matar. Sexualidade e coisa e tal.

Em *Halloween 5* eu quis trabalhar. Eu era jovem, tinha uns 27 anos. Concordei em enfrentar o desafio — encarar a disciplina de entregar um filme escrito em seis semanas com seis semanas de pré-produção e seis semanas de edição. Era o desafio de fazer um filme, de contar uma história — e me entendi com o Moustapha Akkad. Com a atitude que eu tive em seu escritório... Ele curtiu. Viu que eu não estava com medo de perder o filme — que eu tinha culhão e que era transparente —, minhas ações eram respaldadas por meu pensamento.

Por que ousei jogar o roteiro na lata de lixo? Eu queria ser demitido? Eu queria ser expulso da sala imediatamente? Foi um risco que tomei. Ele meu ouviu, entendeu minha interpretação do mercado. Então fiz uma escolha para ele porque eu queria que ele dissesse: "Sim, eu quero fazer *Halloween 6*". E se você quer fazer um *Halloween 6*, você precisa manter os bons alicerces criados por John Carpenter para o *Halloween* original. Aquela era a minha referência. O suspense — o suspense no estilo de Hitchcock — e os jovens que estão se amando pela primeira vez. Desejos inocentes, porém sexuais. E então o sentimento de culpa que se tem, e quando se sente culpado, você morre. É punido. A Forma está vindo atrás de você. Isso é a Samantha no celeiro. É por isso que mantive aquela cena (do tratamento original do Shem Bitterman). É uma cena clássica onde você age de jeito sexy e acaba morto. Isso é *Halloween*. Essa é a premissa.

Quais eram seus pensamentos sobre fazer a continuação de Halloween 4?

Você não vai querer ouvir.

Ah, por favor, me diga. Eu gosto de Halloween 4, mas também consigo entender como ele pode ser repetitivo em certos aspectos. Ele certamente joga para a torcida.

(risos) Você sabe, eu achei *Halloween 4* fraco. Acho que ele seguiu o original, mas a direção não foi muito competente. Achei que ele era previsível e me deixou entediado. Não me assustou. Eu disse pra mim mesmo: "Você precisa assustar o público, Dominique". Esse foi meu objetivo. A premissa de *Halloween 4* — você tem Michael sendo baleado. Você tem ela — Jamie — se tornando má. O que eu faço? O público vai suspeitar que ela se tornou má. Não quero que a menininha se transforme em uma assassina. Não está de acordo com esse tipo de franquia.

O que é o assassino? O que é a Forma? O que é o bicho-papão? O bicho-papão é o perigo no escuro. Quando você está no escuro, não vê nada. Você ouve pequenos suspiros. E você tem medo porque ele está ali. Há um pequeno vulto — uma sombra — que se aproxima. E ela é o símbolo do susto, da maldade. Trabalhei mais tarde em A *Profecia IV* com uma menininha sendo o diabo — apesar de eu não ter terminado o filme. Não montei o filme. *Halloween 5* não era a fábula correta para essa ideia. Quis ir contra todas as expectativas do público. E a expectativa do público seria: "Ah, a menininha agora vai ser malvada". Não, eu não quero fazer isso. Faço ela ser inocente. Faço ela ser a vítima, basicamente. Aquela que será o alvo outra vez.

Desestabilizar o público era uma das regras que apliquei no conceito da criação do filme. Se ela enxerga pelos olhos de Michael, ela conseguiria se tornar má como Michael? Ou por que ela o protege? Por que Loomis fica louco achando que ela está protegendo o Michael? Ela não está. Não sabemos por um bom tempo o que está acontecendo com Jamie — onde ela está. Como ela lida com isso? Quanto mais ela cresce no filme, mais ela percebe que suas visões são aquelas que Michael tem quando está prestes a matar — quando está pronto para matar —, e agora ela pode ajudar a encontrá-lo. É por isso que Loomis a usa como isca de sua armadilha, no final.

O Moustapha deu ordens sobre o que você poderia ou não fazer com o filme?

Na verdade, não. Ele chegou atrasado com as ordens. Ele tinha duas imposições que chegaram *depois* do roteiro. Mas durante o processo de redação, eu preciso dizer que ele nos deu bastante liberdade. Ele sabia que Debra meio que estava supervisionando o que os caras novinhos e ignorantes estavam fazendo *(risos)*. Então ele confiou na revisão dela. Ele nos deu muita liberdade e nos viu trabalhando. Não me lembro de nenhuma ordem específica do Moustapha. Acho que ele meio que tinha uma grande confiança em mim pela forma como nos conhecemos e como sentiu que eu estava tentando criar a história para ele — como eu estava respeitando os valores iniciais e a fórmula de *Halloween*.

Como foi o processo de escrita para você e o Michael Jacobs?

Foi maravilhoso. Eu vim de fora. Sou um estrangeiro nos Estados Unidos. Só estava lá há um ano e meio mais ou menos antes de *Halloween 5*, e Michael Jacobs é a essência da América. Contei com ele para escrever todos os diálogos dos jovens e as preparações e coisa e tal. Ele botava meus pés no chão. Eu viajava com pensamentos provocativos, ideias e malabarismos, e ele me acalmava e me trazia à realidade. Foi uma colaboração muito boa. Nós nos entendemos bem de verdade. Ainda somos amigos até hoje.

Esculpimos cada cena juntos. Mudamos e evoluímos. Virou um trabalho colaborativo. No set de filmagens, eu adaptava muitas coisas — e de tempos em tempos, ligava para ele e dizia: "Ei, preciso de um novo diálogo para tal cena porque agora quero ir pra outro caminho". E ele ia, sem hesitar, para o caminho que eu estava apontando porque sabia que eu estava sentindo as contrações de um bebê que carregava na barriga e que estava prestes a sair, entende? Eu era como uma mãe grávida, gestando. Eu estava imerso na história, no filme, e tudo mais. Então, ele me acompanhou. Mas antes, durante a redação do roteiro, nós realmente conversamos muito. Estávamos confiando nos talentos um do outro.

Parece que a Forma está mais humanizada nesse filme, desenvolvendo uma conexão com sua sobrinha e até mesmo derramando uma lágrima. Fale um pouco sobre isso.

Eu quis humanizá-lo. Eu quis mostrar o rosto dele — e Moustapha concordou. Achei que Michael deveria matar o dr. Loomis — e ele concordou também, na época. Na verdade, Donald Pleasence não queria mais continuar na franquia. Ele estava cansado daquilo. Estava esgotado. Então ele diz: "Sim, estou muito feliz que este seja o último". E ele negociou um bom valor com Moustapha e isso foi tudo. Eu estava vendo todos esses ingredientes e pensei: "Ok, eu gostaria de nunca contar quem é Michael Myers, ou a Forma, ou o bicho-papão, mas queria deixá-lo mais humano". Então, com Greg Nicotero e sua equipe, fizemos uma máscara fantástica que não tinha nada a ver com a máscara do *Halloween 4*. A nossa foi desenhada com mais detalhes, defeitos e falhas dentro da máscara para deixá-lo mais humano.

É quase demoníaca. De certa maneira, a máscara parece mais raivosa.

Exatamente. Mais assustadora. Mais humana, também. E não apenas uma máscara branca de plástico, sem empatia. Aqui está — você tem empatia devido ao seu medo — porque agora pode ver que ele está furioso. Em todos os aspectos, eu trabalhei bastante com Don Shanks em seus movimentos corporais; no ritmo lento de sua atuação, no não movimento de seus ombros... no equilíbrio. Eu não queria um robô, mas também não queria o aspecto humano. Queria uma grande surpresa quando ele está em frente à Jamie. Está gritando para contar a ela que está pronto para ser absolvido por seus crimes. Essa era a minha ideia. Que fosse como uma confissão na igreja, ou algo parecido. Porque ela está ali. Está no caixão dele. Ela deveria morrer, você sabe. Tudo isso me guiou para deixá-lo mais humano. Aproximá-lo da gente. Às vezes, eu achava que vivia como Michael Myers, e podia sentir como ele era e tudo mais.

Você mencionou o dr. Loomis. Nesse filme, ele está muito mais obcecado, quase ao ponto de se tornar um vilão secundário. Halloween 5 foi meu primeiro Halloween. Então, fiquei apavorado com ele. Eu pensava: "Por que esse homem mantém essa garotinha presa na frente de Michael?". Quais são suas opiniões sobre a atuação dele?

Eu queria que você ficasse apavorado, é isso *(risos)*! Claro. Você disse. Você já tem a resposta na sua pergunta. Eu queria que ele estivesse chegado ao limite. Qualquer coisa — qualquer coisa para alcançar o seu objetivo — que é capturar, aniquilar, matar — parar Michael Myers. Ele já esteve confuso tantas vezes antes de *Halloween 5*, e eu quis aumentar os riscos. É um jeito simples de contar a história. Fiz com que ele não fosse gentil no começo do filme, na clínica. Ele é duro com a pobre garota.

Duro? Ele é completamente assustador. E Donald Pleasence representa tão bem.

Ele gostou. Ele gostou de verdade. Estava cansado do doutor bonzinho dizendo: "La, la, la, cadê o Michael, cadê o Michael?" durante três filmes! Qualé? *(risos)* Donald Pleasence não foi fácil comigo. Para dizer a verdade, ele me assustou no início. Nós nos encontramos um pouco antes das filmagens, e nossa primeira reunião foi um pouco esquisita, já que ele estava doente. Eu me lembro de ele estar de mau humor e me dizendo que conhecia o personagem melhor do que eu. Eu disse: "Sim, claro, tenho certeza que sim". Precisei dar um passo atrás com ele, mas tinha uma trajetória desenhada para o personagem. Por eu ser um jovem diretor e ele um cavalheiro mais velho, levou um tempo antes de ele entrar no meu universo — na minha maneira de ver o personagem e o filme. O monólogo na floresta, onde ele está chamando o Michael, foi uma das cenas-chave onde entramos em sintonia, como num clique, e dissemos um ao outro: "Isso aí, estamos juntos".

As cenas que filmamos antes — dentro da delegacia com o Beau Starr — foram estranhas por causa da maquiagem dele. Ele não queria. Achou exagerada. Ele preferia tirar um pouco da maquiagem, e nós — KNB e Greg Nicotero — queríamos mostrar a dor do personagem nua e crua. Eu queria que ele mantivesse esse mau humor e fosse duro com a garotinha. Essas são coisas desagradáveis para um ator interpretar. Um ator quer ser amado. De certa forma, ele fez isso, passo a passo, mas sem nunca me agradecer. É como se nunca nos tornássemos amigos. Éramos dois touros em um campo, subjugando e observando um ao outro. Por fim, quando fez a cena da floresta, ele sentiu: "Não! Eu não vou gritar esse texto para o Michael". Eu disse: "Mas ele não vai ouvir se você sussurrar ou falar baixinho". Tivemos um pequeno entrave ali. Mas ele tentou duas vezes, e ficou tão bom. Foi fantástico. Ele sabia que eu tinha gostado e me levou às lágrimas. E tivemos um clique. No resto do filme, foi moleza. A morte de Michael no finalzinho? Éramos apenas colegas — nunca *amigos*. Apenas um pouco distantes. Você sabe, a distância britânica *(risos)*.

Para deixar o caminho instável — como quando você está numa habitação durante um terremoto, e não sabe se o seu próximo passo é para cima ou para baixo. Como em uma escada que se move. Queria que essa fosse a sensação em *Halloween 5.* Para fazer o chão tremer para o público que conhece a franquia tão bem e seus códigos, eu disse: "Ok, deixem-me brincar com os códigos. Deixe-me fazer o filme em três movimentos!". O primeiro movimento é a introdução e o nascimento da maldade. Então, é durante o dia. E suas cores pastéis. Seu suave contraste. É como as garotas, a clínica, a casa. É simples, bonito, com alguns poucos sustos. Apenas *tick, tick, tick,* sustinhos. Nada muito grande. Sustos que fazem você rir. Coisas que arrepiam seus cabelos.

Você não deveria sentir medo de Loomis, mas ele está sacudindo a menina na cama dela. Ele a agarra pelo pé, na cama! Você não esperava por essa. Ou a cena da lavanderia, quando Jamie acredita que está sendo perseguida por Michael porque ela teve uma visão dele no jardim — e nós sabemos que Michael está no jardim da clínica. Então, ela desce as escadas, vê a Forma se aproximando através do vidro da porta que dá para rua, desce até a lavanderia onde ele está esperando — para terminar na sala do aquecedor, certo? Essas cenas... estou escrevendo elas à medida que sigo adiante. Entendo que é importante dar falsos sustos na plateia porque é um filme de entretenimento. Desci no prédio e vi uns lençóis no varal. Eu disse: "Ah, nós precisamos fazer uma cena aqui!". Criei essas cenas enquanto andava para aproveitar a luz do dia. Contrastes suaves, cores bonitas. Não cores florescentes, cores pastéis, que virariam preto ou dourado. Contrastes gritantes — no final do filme.

É uma tomada bonita.

Esse foi o conceito desde o comecinho. Aumentar os riscos à medida que o filme avança e aumentar o contraste e eliminar todas as cores; ficar apenas com dourado e preto.

Quase as cores do Halloween.

Sim, são os créditos! *(risos)* Moustapha disse: "Dominique, como você quer fazer a abertura?". E eu disse: "Quero uma faca que corta. Muito rapidamente. Snip, snip, snip". E ele diz: "Ah, é? Como? Por quê?".

“Vamos revelar que ela está cortando uma abóbora, mas no começo, nós não sabemos.” São como golpes sinistros no escuro que vêm de um pequeno objeto prateado e reluzente. E eles refletem a tensão que eu queria criar no filme como um todo, mas concentrado na cartela de abertura. Eu queria assustar de verdade o público. É uma montanha-russa, certo? Queria que o público estivesse exausto no final do passeio. “Ooh! Ah!” Você transpirou. Sua adrenalina foi bombeada. Seu corpo está com um cheiro diferente. E aí você pode ficar feliz, porque passou por medos e risos e alegrias e medos outra vez. E agora o mundo pode ficar em paz. Essa era a ideia. Mas eu queria mesmo dar ao público essa sensação de medo.

A morte precoce da Rachel é talvez um dos aspectos mais chocantes do filme. Verdade seja dita, muitos fãs lamentaram essa decisão. O que o fez insistir nela?
Você sabe, estávamos em meados dos anos 1990. Eu achava que a Rachel era maravilhosa. Filé com fritas. Ela pertencia aos anos 1980. Ela era a garota mais doce e meiga. Porém era linear. Previsível. E muito legal. Eu queria que a personagem que nos guiasse pelo filme fosse mais apimentada, mais imprevisível. Que tivesse cabelos pretos. Não a princesinha loura que os Estados Unidos estão acostumados a ter como sua figura mítica. Algo com uma pitada mais ácida... alguém com um sabor diferente. Se fôssemos comparar as duas personagens com comidas, Rachel é banana, filé com fritas. Suave, doce, gentil, uma comida sem graça. Tina é ácida. Apimentada, crocante, uma mistura agridoce. É claro, eu entendo meu público. É decepcionante ver Rachel morrendo tão cedo, porque ela é a garota a quem estamos acostumados. Nós a amamos. Eu quis me livrar dela. Eu quis chocar. Eu quis dizer ao meu público: “Aqui vamos nós. Galera, esse é o novo *Halloween*. Cuidado. Apertem seus cintos porque vamos dar uma volta”. Até a morte da Rachel, fomos bem gentis com o público. Com cores bem suaves, com exceção da cartela de abertura. Eu só quis dizer: “Ei, isso aqui vai ser um pouco diferente. Cuidado”. É por isso que eu quis que a Rachel morresse. Achei que era muito importante. Até aquele momento, ela esteve maravilhosa. Ela sorria. Ela era a garota inocente. Então, tivemos que matá-la.

Como muitos outros, eu amo a Rachel. Mas acho que a morte precoce dela funciona no contexto da história. Ainda que, como substituta, Tina seja uma escolha bastante polêmica. Alguns a amam, outros a odeiam. No que você pensou sobre essa personagem e sua jornada?
Tina não é tão facilmente adorável. Você precisa se acostumar a ela — vê-la em diferentes situações. Observá-la, senti-la, escutá-la. Isso leva um tempo. Rachel é mais fácil porque ela é linear. Tina é mais surpreendente. Desagradável, bastante agradável, charmosa. Nós não sabemos. À medida que o filme desenvolve seu personagem, somos bastante tocados por ela. Ela não faz o tipo de menina inocente. É mais esperta, já transou, é uma garota experiente, livre. Acredito que quando a Tina morre nas mãos de Michael, o espectador fica triste e sente carinho por ela. Ela é tão rápida no começo que nós — o público — temos dificuldade em entendê-la. Pensamos: “Humm, ela é a menina má”. Achamos que a maldade dela possa tomar conta — mas não. Ela não é má. É apenas uma garota livre e diz que é livre. No filme, esse é provavelmente meu lado feminista que vem à tona — eu digo: “A mulher é livre. As mulheres têm o direito de se declarar”. Eu quis dar poder às mulheres. Essa é a verdade sobre Tina.

Na real, a personagem da Tina cresceu com a (atriz) Wendy Kaplan. Quando a conheci, pensei: “Meu Deus. Essa é uma jovem mulher maluca que está pronta para dar tudo de si. É uma grande oportunidade para eu observar e aprender”. Não sou uma mulher. Mulheres são um mistério para mim. Meu amor e respeito por elas fazem de mim um ouvinte atencioso. É por ouvir Wendy que fui capaz de moldar a personagem, dar vida a ela e lhe dar a liberdade que sua personagem possui agora. Ela foi maravilhosa. Era uma atriz aspirante cheia de energia e generosidade. Também foi capaz de baixar o tom. Com frequência, eu me perguntava se estava deixando a personagem muito extrovertida — se a estava levando longe demais. Mas eu gostei. Achei que estava certo. Achei que sua espontaneidade, seus gritinhos e sua alegria foram um patrimônio do filme, diferente dos outros filmes — diferente da personagem de Jamie Lee Curtis. Eu queria que fosse assim. Às vezes, os diretores precisam seguir seus instintos.

Você mencionou o Donald e a Wendy — como foi trabalhar com os outros atores?
Adorei trabalhar com o Beau Starr. Ele foi muito maravilhoso e generoso. Escutava, prestava atenção e sugeria ideias. Foi realmente muito bom. E a Danielle Harris foi uma surpresa para mim. Não estava totalmente convencido de sua performance em *Halloween 4*. De algum jeito, eu disse: "Ok, tá... ela estava lá. Ela fez o filme. Ela possuía carisma, não tinha?". Estava pensando e tentando sentir qual era a dela. E, na verdade, ela não prestou atenção a este estrangeiro esquisitão. Para ela, eu era uma entidade de Marte. Nós brincamos. Corremos feito loucos para que ela ficasse sem fôlego nas suas cenas. Eu a lembrava onde sua personagem estava, suas motivações, suas intenções. Foi uma diversão. Porque ela respondia. Estava presente.

Você sabe, ela teve que representar muitas vezes de frente para a câmera — quer dizer, nem sempre com outro personagem na frente dela. Basicamente, eu não mostrava muito da Forma quando ele estava perto dela. Eu a mostrava reagindo para a câmera. Era um tanto abstrato para uma criança. Eu me lembro de que na casa mal-assombrada ela teve que ficar totalmente apavorada e disparar pelo corredor sabendo que a Forma estava chegando. Eu meio que corri com ela para deixá-la sem fôlego e disse: "Vai!". Às vezes, meu "Vai!" era vigoroso... dando a ela energia e injetando um pouco de força. Ela se inspirava. Respondia aos estímulos. Lágrimas caíam de seus olhos. Parecia um pequeno passarinho no ninho que ainda não tinha voado, olhando pra baixo, do topo da árvore, para o imenso precipício ali embaixo dos galhos, dizendo: "Minhas asas vão aguentar ou não?". E calmamente a mãe diz: "Vai! Saia deste ninho! Vá com segurança! Se jogue! Você verá que suas asas se abrirão. Você vai conseguir. Suas asas vão abrir antes de você cair no chão". E foi o que a Danielle teve coragem de fazer. Ela saltou, se arriscou, e suas asas se abriram. E isso me dá arrepios. E algumas vezes, ela arrancou lágrimas dos meus olhos. Obrigado, Danielle.

Tive a sorte e a felicidade de conhecer Tamara Glynn nos testes de elenco. Não pude acreditar que um ser humano assim pudesse existir na Terra. Tão leve, tão linda, tão inocente. Um sorriso de quebrar corações. Eu disse: "Certo! Ela é meu terceiro elemento!", no sentido de que tínhamos Rachel, Tina e Samantha. Inocente, mas ousada. Corajosa e disposta. A garota que está planejando sua noite e sua primeira vez. Ela atuou muito bem naquelas cenas. Preciso dizer que Matthew (Walker) foi uma alegria também. Inacreditável, eu sei. Só falo coisas positivas sobre os meus atores, mas, você sabe, eu tendo a amar todos eles, a ouvi-los, a torcer por eles para poder dirigi-los. Matthew era o pateta alternativo. Um rapaz inocente que está querendo descobrir o mundo e, como um cachorro, é um vira-latas, batendo nos muros e encontrando seu caminho. Esse tipo de personagem. O cara que está procurando seu objetivo enquanto segue andando sem saber pra onde está indo.

Uma das sequências mais memoráveis do filme deve ser a perseguição de carro na fazenda Tower. É o tipo de cena que você pensa que seria a última porque ela é muito intensa — mas você ainda tem a sequência na casa dos Myers.
Adoro aquela perseguição de carro na floresta. Uma loucura. Tão difícil de fazer. O Don Shanks ainda reclama de mim por não cortar a câmera mais cedo. Ele fez o acidente e quis dirigir entre os pinheiros e pelo campo — e bateu a 50 km/h naquela árvore. Estava dirigindo com equipamento de segurança. Tudo estava equipado. Mas é extremamente violento fazer um objeto em movimento acertar uma árvore. E eu não disse "corta" imediatamente. Esperei dez segundos pelo menos porque eu

precisava do efeito real dessa fumaça incrível que estava saindo dos faróis do carro — e aquela paz. Eu queria que a personagem Jamie olhasse para o acidente — *olhe pra ele* — e se segurasse. Porque eu sabia que refazer a cena com chamas falsas e fumaça falsa nunca ficaria tão autenticamente lindo como daquela vez. Então esperei dez segundos após a batida antes de dizer "corta". E Don disse: "Dominique! Foram os dez segundos mais longos da minha vida!". *(risos)*

A casa foi muito importante pra mim. Foi o desejo de voltar ao preto e ao dourado e ao contraste gritante. Eu queria ter o suspense. Não sou um seguidor. Sou um guia. E não vou seguir tudo o que foi feito antes de mim na franquia *Halloween.* Vi o filme do John Carpenter só uma vez. Não vi *Halloween II* ou *Halloween III* porque me disseram que eram de um gênero diferente. Eu vi *Halloween 4* e então segui em frente. Segui minha imaginação. Muitos fãs ficam intrigados que a casa do Michael Myers não se parece com a do filme original *(risos).* Porque eu fiz uma escolha. Fiz uma escolha para *Halloween 5.* Para alguém que não necessariamente tenha visto a franquia completa... na época, não demos uma visão retrospectiva do início da franquia e daí por diante.

Nós, os fãs, costumamos ser obsessivos.

Exatamente. Não fomos guiados pelo que os fãs nos diziam. Mas hoje, Malek Akkad escuta apenas os fãs. Quer dizer, é a escolha dele. Mas na época, nós pudemos criar algo. Então, não filmamos aquela casinha onde Michael nasceu para criarmos *Halloween 5.* Eu precisava de espaço, de um duto de lavanderia — taí outra cena em que alonguei a ação prevista no roteiro porque era a locação perfeita de suspense para assustar o público. Temos a claustrofobia, a queda, a verticalidade, a faca perfurando o duto. "Ah, meu Deus, isso é fantástico!". E o Moustapha viu a cena e gostou.

Expliquei a ele sobre a lavanderia do hospital no início. Ele disse: "Ok! Pode filmar! Você tem mais três horas, Dominique!". Ele demonstrou ter uma mente bem aberta. Foi um grande companheiro. Não estava no set de filmagens, mas eu o via a cada dois dias. Ele chegava e perguntava: "Como vai você?" e coisas do tipo e me deixava seguir adiante. Então ele colocava o Rick Nathanson para verificar comigo o orçamento, porque tinha uma regra bem rigorosa sobre não extrapolar. Moustapha simplesmente amava que Rick e eu brigássemos. Ele dizia: "Ambos querem o melhor. Um quer o melhor para o meu bolso, e o outro quer o melhor para o filme. Isso é fantástico. Eles vão brigar". *(risos).* Rick não tinha nada ou muito pouco a dizer sobre o roteiro. Preciso dizer que ele se tornou um produtor mais tarde. Lá, ele era uma espécie de produtor de set. Era o que ele fazia. Apenas checava o orçamento.

Do que você se lembra sobre o produtor Ramsey Thomas?

Ah, maravilhoso. Maravilhoso. Em muitas ocasiões ele era o cérebro do Moustapha Akkad. Era esperto. Entendia de cinema e narrativa. Dos três caras que me odiaram naquela primeira reunião, ele foi o primeiro que mudou de lado e gostou de mim. Foi o primeiro a ser capaz de mudar de opinião e gostar do que eu estava fazendo. Foi o cara que me acompanhou. Também era um "Sim, senhor" para o Moustapha Akkad, mas era um homem inteligente e muito criativo. Eu gostava muito dele. Ele fez uma coisa, e nós todos sabotamos ele *(risos).* Pobre Ramsey Thomas.

Eu ouvi que foi Ramsey Thomas quem filmou a nova abertura, substituindo a cena do dr. Morte. Você se lembra de algum detalhe específico?

Sabe, eu recebi sinal verde para filmar o começo do filme. Como eu lhe disse antes, meu desejo era desnortear o público — ir contra as regras — ir contra as expectativas. Michael Myers cai na armadilha, escapa por uma pequena gruta e depois pelo rio. E lá é ajudado — ele entra em uma casa onde encontra um ermitão. E o ermitão é esse cara de 1,80 metro e pesando quarenta quilos. Magro como um arame. Era um personagem *estranho.* Uma criatura *fantástica,* devotado ao ocultismo. Sua casa estava cheia de corujas, objetos, símbolos, coisas inacreditáveis... ele era um mago. Sozinho, marginal, vivendo na floresta. E ele manteve Michael lá durante um ano. E na véspera de Todos os Santos, a noite em que tudo acontece — os espíritos despertam e tudo mais —, ele está realizando um tipo de performance mágica em Michael. Michael se levanta e o mata de um jeito incrível, na verdade. Era uma cena e tanto, se me permite. Era surpreendente. Era violenta. Era curta. Era um êxtase. O cara tinha quase um orgasmo antes de morrer. E então ele tinha seu sofrimento interrompido pela morte. Quer dizer, uma morte em êxtase. E o Moustapha pensou: "Quê? Dominique?" *(risos)* "Epa!". Ele adorou. Mas quer saber? Ele viu e mandou Ramsey filmar uma cena alternativa no mesmo cenário e mudando alguns planos. Todos os planos onde o jovem rapaz aparecia, Ramsey refilmou com um velho e simplificou os planos.

Mas a equipe, sabendo disso, foi e retirou do cenário todos os elementos fantásticos porque eles estavam irados que isso pudesse acontecer. E Don Shanks não estava na refilmagem. Apenas o velho. E eu disse: "Qual é, Ramsey, não faz isso comigo. Por favor, recuse-se a fazer isso. Você conhece muito bem meus sentimentos". Mas Ramsey é pago pelo Moustapha. Então ele vai dizer sim ao Moustapha no final, e foi o que fez. Daí perdemos nossa cena, basicamente, exceto pelos planos com o Michael Myers. Esses poucos planos onde ele contrai as mãos são da filmagem original.

A que você atribui esse corte?

O Moustapha estava envelhecendo e dizia: "Eu preciso que o público se solidarize com a primeira vítima da Forma. O público precisa sentir pena, e Dominique, meu jovem, o público não vai sentir pena dele porque ele é muito esquisito". E foi por isso que mudamos para um homem velho.

Você acha que a abertura inicial era muito sobrenatural?

Acho que não. Não era sobrenatural. O personagem tinha uma tonalidade sobrenatural, mas era bastante realista. Não havia nenhum tipo de magia, feitiçaria, cerimônias além de pequenos toques. Não era sobrenatural. Sou aquariano e estou à frente do meu tempo em muitas situações. Vi isso em muitos dos meus filmes. Eles são apreciados, tempos depois, porque contêm algum tipo de valor. Mas na época, aquilo foi um pouco de novidade demais para o Moustapha aceitar. Mas não acho que isso teria diminuído o sucesso de bilheteria. Não acho que o público tivesse rejeitado o filme por causa daquela cena. Tenho certeza disso. Acho que se o filme, hoje, tivesse aquela cena, teria agregado valor.

Não havia um aspecto demoníaco naquela cena ou dentro daquela cena. Aquele jovem — o personagem — era bastante simpático. Ele tinha um rosto inocente. Tinha um rosto doce, de certa maneira. Ele não era um personagem malvado, demoníaco. Ele só estava cuidando de Michael durante o ano em que seus ferimentos foram curados. E criou a cerimônia para despertá-lo naquela noite, e foi quando Jamie está no hospital e há uma tempestade e tudo mais. Mas não havia um aspecto demoníaco naquela cena ou naquele personagem. Não foi um feitiço demorado, mas havia definitivamente uma admiração — não sei ao certo se você pode dizer que o personagem sabia que Michael Myers era mau. Mas ele sabia que tinha superpoderes porque ele o havia curado no período de um ano.

A nova abertura — o velho, feita por Ramsey — foi pessimamente filmada. Quando vi, eu chorei. Você precisava ver como a cena funcionava bem. Era muito boa. Tínhamos planos abertos em que Michael e o rapaz apareciam, e eles foram deletados. Então, você tinha pedaços da história que foram apagados porque Ramsey incluiu closes do velho. Nós não fizemos o plano e contraplano.

O roteiro original continha uma cena em que o xerife Meeker e o dr. Loomis visitam um cemitério à procura de um caixão desaparecido, o mesmo caixão que aparece no sótão da casa dos Myers. Essa cena foi filmada?

Não, acho que não. Eu me lembraria de uma cena no cemitério. Ela foi deletada antes de ser filmada. Eu fiz algumas poucas mudanças enquanto estava no set. Fiz aquela cena com a Rachel dentro da casa ficar mais longa para aumentar o suspense. Dobrei o tempo da Jamie no hospital — quando ela desce correndo as escadas e tudo mais. Aquelas eram as cenas de suspense em que eu pensei: "Preciso de mais tempo". E você sabe, havia uma imposição. "Precisamos ter noventa minutos. E nada além."

Tivemos umas cenas extras. Houve uma outra cena em que filmamos as garotas dando estrelinhas e contando histórias picantes no parque. Ela foi cortada porque era muito parecida com a cena em que a Samantha fala de suas expectativas sobre sua primeira vez no Halloween e tudo mais. Ela não fazia a trama avançar. Por isso nós a cortamos. Mas ela foi filmada.

Jeffrey Landman revelou que Billy deveria ser um ciclista. Ao menos uma cena foi filmada com Billy e sua BMX. Você se lembra por que ela não chegou ao corte final?

É verdade. Nós descartamos a bicicleta. Não podíamos (filmar Jamie e Billy com a BMX na fazenda Tower, como planejado originalmente). Jeffrey não era muito talentoso com a bicicleta e menos ainda com alguém na sua garupa (*risos*). Então nós optamos pela corrida, para deixar mais simples. Acho que seria impossível filmar aquela noite e não ter que falsear tudo.

Outra notória sequência deletada recebera o título de "o massacre do esquadrão da SWAT" — uma cena em que a Forma supera diversos oficiais da SWAT, estacionados fora da clínica, chegando a torcer a cabeça de um oficial. O que você pode me dizer a respeito disso?

Sim, uma cena bem curta. Quatro ou cinco policiais foram mortos de maneiras diferentes. A ideia era aumentar os riscos. Transformá-lo em uma máquina assassina ininterrupta e que agora está indo atrás de Jamie. Eu queria fazer uma montagem rápida dele dentro da clínica antes de perceber — "Ah! Ela não está na clínica. Vou voltar para a casa." Mas no final, achamos que seria mais intrigante ouvir pela rádio da polícia os gritos dos agentes sendo mortos. Nós só temos uma — pela janela do carro —, e ela simbolizava a brutalidade do personagem. Rob Zombie copiou essa.

Ah, é mesmo?

Ah, meu deus. Me disseram para assistir um dos filmes do Rob e eu reconheci meu filme em cerca de 80% das cenas. Eram tão parecidas. Eu disse: "Que porra é essa?" (*risos*). Eu esqueci. Acho que o primeiro, talvez o segundo, não sei. Eu vi as semelhanças no roteiro. Ele roubou muito do roteiro — e do jeito que ele filmou. Inacreditável!

Pelo menos o Rob Zombie é um fã de Halloween 5.
Sim, exatamente! *(risos)* Ele não se inspirou. Fez uma cópia carbono porque gostou do filme.

Eu também percebi semelhanças. Você acha que foi a versão dele de Halloween II? A conexão entre Jamie e Michael espelhando a de Laurie e Michael?
Ah, eu não sei tanto assim. Fui mais pragmático — vendo as cenas, não a trama. Mas é provável. Isso foi alguns anos atrás. Então, me lembro mais das cenas específicas... como elas seguiam umas às outras... como ele montou a história... como as garotas eram leves e divertidas no começo... como a história muda e como ele faz as matanças e por aí vai.

A respeito do "massacre do esquadrão da SWAT", o produtor Rick Nathanson descreveu a cena como um ponto de discórdia entre você e o Moustapha Akkad, em particular sobre o quão incrivelmente sanguinolenta ela era. Qual a atitude do Moustapha a respeito da violência e do gore em Halloween 5?
Moustapha queria que fosse breve e discreto — e eu concordo com ele. Não queria que fosse sangrenta, mas estava chegando ao final do filme e precisava aumentar os riscos e deixar tudo mais forte, mais perigoso e com mais ossos quebrados. E esqueci se tivemos uma briga por causa daquela cena. Não lembro dos tempos difíceis, eu me lembro dos bons momentos *(risos)*.

No final do filme, tanto Jamie quanto o dr. Loomis estão encharcados de sangue. Visualmente, é um tanto bonito. Você deixou a torneira vermelha aberta nesse filme.
(risos) Sim, sim, sim, eu deixei. Mas você sabe, é uma loucura da porra, aquela cena em que Loomis acerta Michael com uma tábua e eles estão lutando. É lírica. Eu quis dar um final que tivesse lirismo. E um morre em cima do outro, trocando olhares. Aquilo foi minha ideia. Não acho que estivesse no roteiro. Tínhamos outra jaula, ou algo parecido, eu esqueci. Foi divertido de filmar. Moustapha me permitiu destruir aquela casa. Pedimos às pessoas para mudarem de casa. O brilhante diretor de arte Brent Swift colocou teias de aranha por todo lado e fodeu com o assoalho.

Rob Draper, o diretor de fotografia, era um cara fantástico. Depois da primeira semana de filmagens, eu estava extremamente irritado com os comentários dele. "Ah, esse foi mais um plano de aluno de cinema". Olhei pra ele e disse: "Que caralho ele está dizendo?". Ele trouxe Ted Churchill, que era um dos representantes da Steadicam nos Estados Unidos. Ele escreveu livros e se tornou um grande professor de Steadicam. Havia também o receio do meu uso da Steadicam, e comecei a ficar muito chateado porque via aqueles dois espreitando e rindo e tudo mais. E fiquei pensando: "Que diabos está acontecendo?".

Eu disse pro Moustapha: "Meu diretor de fotografia está me dando dor de cabeça. Não sei como falar com o sujeito. Ele não está comigo quando preciso". Moustapha disse: "Vamos chamar outra pessoa amanhã de Los Angeles". Eu disse: "Ah, é mesmo? Podemos? Quer dizer... humm... você acha que sim?". "Sim, sim, sim, é claro, Dominique. Você tem que trabalhar com liberdade." Então, Rick disse para o Rob: "Terminamos por aqui. Muito obrigado. Não precisa voltar amanhã. Seus serviços já foram entregues. Adeus". Às 22h, eu vou até o Rob — ele levou sua família com ele, seus dois filhos viviam em Salt Lake City com sua esposa — e comecei a conversar com ele porque não tivemos tempo de verdade para conversar durante a filmagem. Eu estava ocupado com o copião e organizando o próximo dia e tudo mais. Nós conversamos por duas horas. Eu disse: "Ok, você fica. Vamos começar amanhã".

E a partir desse dia, depois dessa longa e difícil conversa, ele se tornou o melhor parceiro do mundo. E o mal-entendido a respeito de suas piadinhas sobre mim, era como se ele estivesse surpreso com tantas ideias e com tanto desejo que eu tinha em capturar os fotogramas, sendo tão específico quando eu conto uma história por meio da câmara. "Eu quero que esse fotograma conte esse momento da cena e esse movimento", e assim por diante. Ele fez um trabalho incrível. Ele me ofereceu, naquela casa, a liberdade de girar a câmera em 360 graus sem vermos a iluminação. Porque ele escondeu as luzes atrás das janelas. De cada janela, havia três luzes que ele ligava e desligava dependendo de onde a câmara estivesse. Sempre tínhamos um pouco de luz de fundo. Foi fantástico. Ele trabalhou como um gênio. Eu o adorei de verdade.

Um dos momentos mais interessantes do filme é o Homem de Preto, e a tatuagem de runa que o conecta à Forma. Como esse personagem se tornou real?
Aquilo foi durante a filmagem. Fizemos um terço das filmagens e foi uma ideia do Moustapha Akkad. Ele diz: "Olha, quero um novo personagem no filme. Faça alguma coisa, Dominique. Coloque ele no filme". Eu disse: "Humm, ok. Tenho essas cenas para fazer. Posso colocá-lo nelas. Posso fazer alguma coisa aqui e ali, mas não tem como filmar uma cena de introdução. Precisamos apresentá-lo. Porque não tenho uma locação pra ele". Ramsey filmou a cena do ônibus chegando na cidade, dos passos saindo do ônibus e do chute no cachorro. Eu escrevi a cena, mas achei que parecia uma ceninha de TV, não de um longa-metragem.

Mas nunca amadurecemos completamente a trajetória do Homem de Preto, sua conexão com Michael ou seus objetivos. Apenas sabíamos que a grande coisa que ele fez com nosso filme foi criar um enigma e criar um gancho forte porque o enigma liberta Michael da cadeia. Então, era uma continuação promissora para o próximo episódio. Para além disso, Moustapha não tinha ideia de quem ele era. Fiz dele o outro irmão de Michael — tanto uma família real ou falsa, você sabe o tipo de irmãos, camaradas, esse tipo de coisa — ao dar a eles a tatuagem de runa. É uma runa. É uma força. A tatuagem — essa linha com o triângulo — é chamada de Espinho. É uma runa que nos protege do mal, basicamente. Eu nasci sob esta runa e a dei a ambos para que pudéssemos fazer a conexão de alguma forma.

Você chegou a assistir a Halloween 6 e a interpretação/resolução dessa trama?
Eu não assisti a *Halloween 6.* Estava extremamente ocupado fazendo outros filmes. Não foi falta de interesse, apenas fiquei ocupado e não prestei atenção. Eu provavelmente estava em outros países, não nos Estados Unidos. Não sei como a história evoluiu e nem como eu teria feito o personagem evoluir. Tínhamos um plano. Michael fazia parte. Quebramos a cabeça e tentamos achar maneiras de criar o personagem. Você sabe, quando está no meio da filmagem e um ingrediente desse tamanho cai no seu colo — uma ordem, uma imposição, de certa forma —, é difícil englobar todas as possibilidades desse novo elemento. Meu trabalho era incorporar a ideia tão bem quanto possível dentro do filme *Halloween 5.*

Este outubro (2019) marca o trigésimo aniversário de Halloween 5. Alguns fãs o chamam de favorito, outros o consideram um filme polêmico. Como você reage a essa recepção entre os fãs?
Como um contador de histórias, esse é um lugar privilegiado para se estar — seja como favorito ou como polêmico — porque significa que o filme e sua história afetaram o público. Ele provocou sentimentos e reações. Para mim, isso é o que interessa. Não o resultado. Não o fato de ser um favorito ou um odiado pelo público. Consigo entender por que é controverso para o público mais conservador — aqueles que querem se sentir confortáveis com o que receberam, e querem receber a mesma qualidade e o mesmo produto. Se você vai a uma padaria e compra um pãozinho e na próxima semana o pão é diferente... vai receber a mesma reação. Nosso *Halloween 5* é diferente. Algumas pessoas vão gostar dele. Outras não. Mas como um contador de histórias, eu me sinto realmente privilegiado de ter recebido tais reações. O aniversário de trinta anos, apesar da vaidade no bom sentido, não tem nada a ver comigo. É parte da vida. É inevitável — essas coisas envelhecem. O fato de que alguns ainda se lembrem do filme é um privilégio e sinto-me muito orgulhoso e feliz por isso.

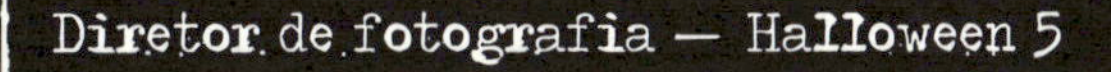

Entrevista:

ROB DRAPPER

Diretor de fotografia — Halloween 5

Entrevistado por Dustin McNeill

Você já fez um punhado de projetos de terror em sua carreira. Você se considera um fã?
Na verdade, não gosto muito de filmes de terror! *(risos)* Não entrei no mercado querendo fazer terror. Mas sim, eu fiz um ou dois desses projetos. Minha primeira filmagem de ficção aqui nos Estados Unidos foi na série *Tales from the Darkside,* que me levou a *Contos da Escuridão: O Filme,* que me levou a *Contos da Cripta* (*Tales From the Crypt*). Mas não sou um grande fã. Mesmo assim, acabei de filmar a série *Creepshow* para o serviço de streaming Shudder e me diverti bastante. Fizemos doze histórias de meia-hora, e todas foram fantásticas. Decapitamos corpos e arrancamos braços — uma festa!

Como você foi trabalhar em Halloween 5?
Eu tinha um agente em Nova York chamado Robbie Lantz, que era um dos agentes top de linha. Era um agente literário, a princípio, mas também representava gente como Paul McCartney e Michael Jackson. Foi o cara que trouxe Marlene Dietrich aos Estados Unidos. Também representava Dominique Othenin-Girard e foi ele que nos reuniu. Foi assim que aconteceu.

Sei que alguns cineastas fogem de continuações, especialmente quando o número após o título vai crescendo. Você hesitou de alguma forma em fazer o quinto capítulo?
Nem pensei nisso, para ser honesto. Foi meu primeiro filme em Hollywood. Quando Robbie Lantz me chamou, essas foram exatamente suas palavras. Ele disse: "Rob, prepare-se. É seu primeiro filme em Hollywood". E, pra ser honesto, eu tinha recusado *Halloween 5* da primeira vez que me chamaram. Meu primeiro filho nasceu em 1985, enquanto estive fora por três meses fazendo um documentário no Oriente Médio. Não cheguei a vê-lo antes de ele fazer três meses. Ele nasceu em Sidney, enquanto eu estava na Turquia. Prometi à minha esposa que nunca mais faria isso de novo.

Nosso próximo filho estaria prestes a nascer no meio das filmagens de *Halloween 5.* Então, eu recusei. Precisava manter a promessa para minha esposa de que não me afastaria de novo. Mas então o Moustapha Akkad me chamou e disse: "Vou te dizer o que vamos fazer. Vamos trazer sua mulher e seu filho de avião para Salt Lake City. Vamos colocar vocês em um ótimo apartamento. Vamos trazer os melhores doutores que pudermos achar para ter certeza de que ela está sendo bem cuidada. E ela vai estar com você durante toda a filmagem". Eu comentei com a minha esposa, que disse: "Ok, vamos nessa!". Então meu filho caçula nasceu em Salt Lake City por causa de *Halloween 5*.

Nossa. É um gesto e tanto.

Moustapha era um cara muito família. Também era muito gentil e atencioso. Até pagou a passagem da minha mãe da Austrália para o aniversário do meu filho. Você não vai encontrar muitos produtores por aí que fariam esse tipo de coisa. Tirei o dia de folga quando meu filho nasceu, e um grande amigo meu, Ted Churchill, me substituiu nas filmagens daquele dia. Moustapha mandou flores ao hospital e brinquedos para meu filho de cinco anos. A propósito, meu filho de cinco anos se tornou o segurança de Danielle no set de filmagem. Ele realmente tinha uma quedinha por ela.

Você e Dominique se deram bem? Foi fácil trabalhar com ele?

Nós nos demos muito bem. É engraçado, porque Dominique está na China agora. Ele recentemente leu uma entrevista que fiz cinco anos atrás e me ligou pra comentar. Ele disse: "Rob, desculpe. Não percebi o quão difícil eu tornei as filmagens de *Halloween 5* para você". Mas nos entendemos bem e somos bons amigos. Convivemos bastante após aquele filme. Dominique era fácil de trabalhar porque sabia exatamente como queria contar a história, visualmente falando.

O que Dominique queria dizer? Como ele dificultou sua vida com Halloween 5?

Ele queria filmar *Halloween 5* usando umas lentes grande-angulares. Toda vez que preparávamos a câmera, nós a montávamos no canto da sala, no chão. Com uma lente de 8mm apontada para a sala inteira, não há onde colocar as luzes. Você não quer iluminar tudo de frente. Então, foi um pesadelo tentar iluminar a maioria daquelas cenas. Mas também me obrigou a desenvolver uma abordagem que funcionou para o filme e com o ritmo acelerado com que precisávamos filmar.

O Dominique citou outros filmes como inspiração para o visual de Halloween 5?

Provavelmente sim, mas eu não me lembro agora que filmes seriam esses. Eu me lembro basicamente de ele dizendo que não queria que *Halloween 5* se parecesse com nenhum dos *Halloween* anteriores. Então saímos da frente e buscamos uma direção o mais diferente possível. Uma das coisas que fizemos foi usar as lentes grande-angulares que mencionei, com frequência em closes muito fechados. É claro, eu tinha assistido ao *Halloween* original, mas nunca tinha visto nenhuma das continuações. Precisei assistir a *Halloween 4*, entretanto, porque nosso filme precisava se conectar com o final dele.

Para ser bem honesto, o que tentei fazer com Loomis dentro da casa dos Myers foi iluminar do jeito que as cenas do Marlon Brando em *Apocalypse Now* foram iluminadas. Havia basicamente uma luz, e ele se movia pra dentro e pra fora dela. Às vezes, ele estava iluminado, às vezes, não. Então foi isso que tentei fazer na casa dos Myers e, de certa maneira, é o que eu *precisava* fazer. Não havia onde colocar as luzes além daquelas que vinham das janelas. Aquilo era um problema porque eu não queria que parecesse que lá fora era dia, quando deveria ser de noite. Acho que funcionou muito bem. Ainda tenho bastante orgulho da luz em *Halloween 5*. Com certeza não foi fácil devido às escolhas que Dominique tomou na direção, mas tenho orgulho.

Eu me lembro do Dominique contando ao Donald Pleasence sobre minhas ideias de iluminação, que ele precisaria mudar sua performance dependendo de onde havia ou não havia luz. Ele adorou isso. Achou que era fantástico e realmente entrou no clima, indo e vindo na escuridão. Donald era muito acessível e fácil de trabalhar. Ele se deu bem com todos da equipe. Sempre se sentava com a gente na hora do almoço e conversava. Me lembro de ele nunca ir até o seu trailer, a menos que precisasse falar ao telefone. Não importava que horas eram do dia ou da noite, ele era um verdadeiro profissional.

A semelhança com Apocalypse Now nunca havia me ocorrido antes, mas agora eu vejo. Falando na casa dos Myers, como foi filmar ali? Ela estava tão acabada quanto parece no filme?
Na verdade, a casa estava em ótimas condições quando chegamos lá. Ela foi preparada para atender nossas necessidades no filme. Ela possuía uma escadaria espetacular em mogno. Eles tinham acabado de reformá-la, pelo que eu me lembro, e lá fomos nós com toneladas de teias de aranha e poeira. Colocamos lixo na entrada e arrancamos a grama e o portão. Era uma ótima casa em uma ótima rua. Todos os vizinhos acharam o máximo. Armavam cadeiras de praia do outro lado da rua e ficavam nos vendo filmar noite adentro. A vantagem em usar aquela casa era que ela era muito grande. Aquilo deu espaço para nos movimentarmos lá dentro. As casas nos outros *Halloween* não teriam funcionado para o que precisávamos. Pelo que me lembro, elas eram muito menores. Também construímos cenários como a parede com o duto da lavanderia em que Jamie engatinha.

Quanto do filme foi filmado em cenários e não em locações?
Muito pouco. Fizemos o cenário da casa do ermitão no início do filme. Foi montado perto do riacho que usamos na mesma abertura. Houve apenas uns pedaços e cantos de cenários no restante do filme. A sequência do duto da lavanderia foi um cenário, mas, fora isso, tudo mais foi feito em locações.

Revendo Halloween 5, a sequência do duto da lavanderia se destaca como sendo particularmente tensa. Quais foram os desafios de encenar num espaço tão pequeno?
Foi um grande desafio. A coisa que não queríamos era fazer como se vê na maioria dos filmes em que o duto do ar-condicionado é grande o bastante para caber diversos adultos lá dentro. Queríamos que parecesse pequeno e claustrofóbico. Dominique fez o storyboard com todos os detalhes daquela sequência, e nosso diretor de arte, um cara incrível de verdade, chamado Brent Swift, construiu aquele duto de acordo com os desenhos. Ele levou três semanas para preparar todas as peças do cenário de que precisaríamos para a filmagem. Filmamos muito rápido, talvez em uma noite e meia. Colamos os storyboards em uma parede e os comparamos com as diferentes peças do duto que Brent havia construído. Sabíamos que conseguiríamos montar a cena direitinho, baseada apenas nos storyboards do Dominique.

Falando em storyboards, o quanto do filme foi planejado por Dominique? Ou ele gostava de improvisar quando chegava ao set?
Ele planejava com antecedência, mas também gostava de testar coisas novas na hora. Sempre estava aberto a ouvir minhas sugestões em determinadas cenas. Às vezes, seguia as sugestões, às vezes, não, mas ele sempre as ouvia. Tem uma cena em que Danielle acha que está sendo perseguida por Michael Myers. Ela está na clínica e desce as escadas correndo até o varal da lavanderia. Quando filmamos aquela cena, era só uma sala vazia. A ideia era que ela corresse até a sala vazia e tentasse encontrar um esconderijo. Como a sala estava vazia, ela imediatamente corria até a sala do aquecedor para se esconder. Fizemos uma tomada, e eu disse pro Dominique: "Acho que tem um jeito de deixar isso mais interessante e criar tensão antes dela chegar à sala do aquecedor". Eu disse: "E se fizermos tudo com a câmera na mão? Podemos fazer a perseguição inteira com dois pontos de vista, o dela e o dele". Pra ser honesto, todo mundo se borrou quando eu disse que faríamos isso. Lembro do Moustapha Akkad me puxando pra um canto e perguntando: "Isso vai funcionar?". E eu garanti a ele que sim. E ele disse: "É bom que funcione!". Felizmente, tudo deu certo naquela sequência. Ela ficou redondinha na montagem.

Halloween 5 é conhecido por tirar a máscara da Forma pela primeira vez desde o filme original, ainda que ele esteja cuidadosamente escondido nas sombras. Quão difícil foi planejar aquele momento?
Foi uma colaboração entre o Moustapha e o Dominique comigo. A única coisa que o Moustapha não queria era que o rosto do Michael ficasse claramente visível. Então

eu precisei iluminar de tal forma que, se você o visse, seria apenas um vislumbre rápido. O Moustapha fez questão de estar no set durante as filmagens daquele dia. Ele não interferiu conosco, mas queria ter certeza de que seus desejos seriam atendidos. Essa também foi uma ideia do Dominique.

Alguém tinha alguma ideia de quem o Homem de Preto se tornaria?

Para ser bem honesto, ninguém fazia ideia. Todos nós sempre perguntávamos: "Quem, diabos, é esse cara de preto? Qual é a dele?". E sempre ouvíamos a mesma resposta: "Não se preocupe. Será revelado depois". Eu gostaria pelo menos de saber por que ele estava fazendo aquilo tudo. Ele desce do ônibus e chuta um cachorro. Por que chuta o cachorro? Por que faz qualquer coisa no filme? Acho que nem o Dominique sabia.

Eu queria perguntar sobre o que você se lembra a respeito de diversas cenas deletadas que ficaram fora do filme. Você se lembra da abertura original com o dr. Morte?

Por que aquela abertura original não foi usada eu não sei. Mas a filmamos no cenário que foi montado na margem de um riacho. Não era nem mesmo um riacho, pra falar a verdade. Era mais uma galeria de água no canto da estrada. Acho que só filmamos uma noite naquela cabana, mas filmamos muitas coisas que tinham a ver com aquela cena. A maioria delas envolvia o processo de cura do Michael Myers, de como o cara vodu lentamente o trouxe de volta à vida. Para mim, era bem legal e cheia de clima. Achei que era um jeito decente de entrar na nova história, mas como um diretor de fotografia, você não dá palpites no andamento desses processos.

E quanto àquela cena em que Michael chacina o esquadrão da SWAT na clínica?

Eu tinha me esquecido dela até você me mandar o artigo. Pensando nela, filmamos uma cena gigantesca na clínica que deveria ser entrecortada com os policiais do lado de fora da casa dos Myers. Eles teriam ouvido, em seus walkie-talkies, as pessoas sendo massacradas na clínica. Aquela cena teve muitos efeitos visuais também. Greg Nicotero, da KNB, era o encarregado dos efeitos. Ele sentia muito orgulho do que era capaz de fazer com o Michael torcendo a cabeça das pessoas e tudo mais. No final, eles comunicaram a cena inteira apenas com o áudio do walkie-talkie. Não sei se ela deixaria o filme melhor ou não, mas foi uma sequência espetacular, a que filmamos.

A outra grande cena faltando é a do tiroteio da polícia com o Homem de Preto. É quando o xerife Meeker deveria morrer, o que parece ser um grande momento para deixar de lado, certo?

Mais uma vez, filmamos bastante. Nenhuma dessas cenas deletadas que estamos comentando era pequena. Eram pedaços elaborados do filme a que dedicamos muito tempo e esforço para serem capturadas. Eu me lembro de que fizemos um grande tiroteio naquele corredor comprido da delegacia. Rodamos duas vezes. A primeira foi quando o tiroteio estava se desenrolando. Então, houve muita ação. A segunda vez acontece logo após o tiroteio, onde há corpos mortos e destroços por todos os lados. No filme pronto, você vê apenas um pedacinho da segunda tomada, de forma a mostrar o resultado do que acabou de acontecer. Aquela parece ser a menos interessante das duas tomadas, porque na primeira passagem por aquele corredor é que o tiroteio estava rolando.

E nunca entendi ou soube por que essas coisas não entraram no filme. Sei que algumas coisas foram cortadas porque foram consideradas muito violentas. Você se lembra da cena em que Michael Myers pega o ancinho e acerta a cabeça do cara com ele? Filmamos a cena com uma cabeça falsa que o Greg construiu. Eu estava operando a câmera na hora. Nunca vou esquecer o quão realista ela ficou quando aquela ferramenta perfurou a cabeça do cara. As pessoas da equipe quase enjoaram só de ver. Mostraram a versão completa para uma plateia-teste e aparentemente eles não aguentaram a cena. Então, ela foi picotada em grande parte. Talvez tenha sido o caso das sequências da clínica e da delegacia de polícia.

HALLOWEEN V | 1989
DOMINIQUE OTHENIN-GIRARD

"Nem assustador, nem eletrizante, nem um bom filme grotesco tampouco involuntariamente engraçado, Halloween 5 abandona qualquer possível espectador interessado, incluindo aqueles fãs malucos de filmes de estripadores. É um Sexta-Feira 13 sem o Jason, mas com um assassino em massa mais brando — ou seja, menos criativo. (...) Halloween 5 contém um mérito, ainda que não o suficiente para salvar o filme. A pequena Harris atua brilhantemente. Claro, em um filme sobre um cara que ARRANCA corações, é um esforço inútil. Não jogue seu dinheiro fora." —— MIKE CIDONI, GANNETT NEWS SERVICE

"Aqui, Michael precisa competir com um bando de adolescentes risonhos e estúpidos (que, entretanto, sabem fazer sexo seguro) e uma força policial inepta que nitidamente não é páreo para o sujeito. (...) O que eu não entendo é como um susto entorpecente pode suceder outro susto entorpecente sem transformar a próxima cena em um anticlímax. (...) Personagens mais bem construídos e trama mais plausível não atrapalhariam o filme. Os cenários e a fotografia são apropriadamente assustadores, e a trilha cafona do Alan Howarth nunca incomoda. Ele não morre nunca , Jamie diz a seu tio quando ele é finalmente levado sob custódia. Nem a pau, Juvenal. Há dinheiro a ser ganho." — MICHAEL WINKS, THE PITTSBURGH PRESS

"Dominique Othenin-Girard faz do quinto capítulo do ciclo Halloween o mais misterioso desde o original de John Carpenter. O diretor-roteirista tira proveito do maior patrimônio da franquia, Donald Pleasence e seu olhar esquisito, que transforma o médico de Michael em uma presença ainda mais assustadora do que o assassino de máscara de borracha. (...) Pleasence apresenta uma performance obsessiva e enlouquecida, e Danielle Harris, como a menina de nove anos Jamie, treme, sacode e grita com uma intensidade que deixa qualquer um preocupado com a sua sanidade." — MALCOLM L. JOHNSON, THE HARTFORD COURANT

"A franquia virou uma telenovela, tentando manter o interesse do público com clichês dramáticos baratos saídos de folhetins vespertinos. Após o desfecho, um homem no cinema expressou sua decepção ao gritar, retoricamente: Ah, não fode! . Eu não poderia ter dito melhor." ---- GARY THOMPSON, THE PHILADELPHIA DAILY NEWS

A ÚLTIMA VINGANÇA 5

O Terror nunca descansa em paz.

Dirigido por Joe Chapelle • Escrito por Daniel Farrands

Por quase todos os critérios, *Halloween 5* foi pessimamente recebido, mesmo entre a comunidade de fãs do gênero. A revista *Fear Magazine* não mediu palavras ao sugerir que a continuação "cuspiu no túmulo da obra-prima original de John Carpenter". A revista *Fangoria* publicou diversas cartas de seus leitores desapontados. Uma delas dizia: "Se Moustapha Akkad espera que os fãs desembolsem mais dinheiro para ver uma continuação estúpida sem final, ele está redondamente enganado". Mesmo hoje em dia, o filme pontua com apenas 13% entre as críticas do site *Rotten Tomatoes*.

Aquelas resenhas depreciativas doeriam menos se o filme não tivesse desapontado também na bilheteria. *Halloween 5* se tornaria o menor faturamento em toda a franquia, com 11,6 milhões de dólares, uma distinção que permanece até hoje, mesmo quando corrigida pela inflação. Esse faturamento não chegou a fazer do filme um fracasso, mas foi uma performance pífia à luz do potencial de *Halloween*. Essa fria recepção fez com que Moustapha Akkad pisasse no freio da franquia. Ele reconheceu abertamente que *Halloween 5* fora prejudicialmente apressado em todas as etapas da produção. Um erro que ele não tinha interesse de repetir em *Halloween 6*.

"Antes de começar a filmar, você precisa de um roteiro que faça sentido, com o qual todos estejam felizes. O roteiro é tudo."
– John Carpenter, *Fangoria*

UMA NOVA DIMENSÃO

O desenvolvimento do novo *Halloween* foi interrompido rapidamente em 1990, quando Moustapha Akkad encontrou um sério problema legal. Resumindo, ele não possuía mais os direitos, que haviam expirado. Akkad logo entrou numa guerra de lances de leilão com John Carpenter, que reivindicava o controle da franquia. Ambos receberam apoio de distribuidoras esperançosas em adquirir o próximo filme a ser lançado. Akkad se aliou à Miramax Films, de Bob e Harvey Weinstein, enquanto Carpenter se juntou à New Line Cinema, de Robert Shaye. Segundo rumores, a proposta de Carpenter para *Halloween 6* envolvia filmar Michael Myers no espaço, o que pode ou não ter sido uma piada (pelo sim, pelo não, Akkad insistiu que Carpenter não estava brincando, o que foi registrado no site oficial *Halloween Movies).* Ambas as partes submeteram seus lances em envelopes selados para a compra dos direitos da franquia e, no final das contas, Akkad e a Miramax prevaleceram. Eles lançariam o sexto *Halloween* pela Dimension Films, o selo do gênero da Miramax (Akkad mais tarde tiraria sarro da premissa de John Carpenter, com uma cena em que um ouvinte de um programa de rádio afirma que Michael Myers teria sido lançado ao espaço. Essa piada é exclusiva na versão do produtor de *Halloween 6*).

Moustapha Akkad havia produzido anteriormente o quarto e o quinto filmes da franquia com total autonomia criativa. Ele tinha poder — e de fato o exerceu — até mesmo sobre seus diretores nas questões relacionadas às produções. Em outras palavras, ele era o chefão. Isso iria mudar, agora que um estúdio estava envolvido. Os Weinstein não seriam sócios silenciosos. Ao contrário, eles exerceram considerável influência sobre todos os aspectos de *Halloween 6*. Essa nova dinâmica de forças abriu as portas para diversos desentendimentos na produção. Do lado de Akkad, Moustapha trouxe de volta o produtor de *Halloween 4*, Paul Freeman, na mesma função. Ele também pediu a ajuda de seu filho, Malek Akkad, como produtor associado. Esse seria o primeiro de muitos créditos de Malek como produtor.

A produção de *Halloween 6* estava prevista inicialmente para começar em novembro de 1993, com o diretor Gary Fleder no comando. Foi Fleder quem trouxe o roteirista Philip Rosenberg, que escreveu um script intitulado *Halloween 666: The Origin* [Halloween 666: A origem]. Fleder logo deixou o projeto por diferenças criativas irreconciliáveis. Essa versão de *Halloween 6* era notavelmente diferente do filme que conhecemos hoje. A única similaridade era o retorno do jovem Tommy Doyle, personagem do *Halloween* original. Rosenberg imaginou Michael como um morador de rua e Loomis hospitalizado como um paciente em Smith's Grove. A pedido da Miramax, ele também incluiu na trama um equipamento de realidade virtual. No entanto, nem todo mundo gostou desse caminho. Há rumores de que Akkad arremessou o tratamento de Rosenberg pela sala, após uma primeira leitura. O irmão do roteirista, Scott Rosenberg, foi chamado posteriormente para refinar o roteiro, ainda que a sua versão também tenha falhado em satisfazer os produtores. Por isso, a data inicial de novembro de 1993 foi adiada para a primavera de 1994.

Em março de 1994, a Miramax ofereceu a Quentin Tarantino a chance de escrever *Halloween 6*, uma oportunidade que ele declinou. O vice-presidente executivo Richard Gladstein então pediu a Tarantino e seu parceiro Lawrence Bender que considerassem serem produtores executivos do filme. Enquanto ponderavam a respeito, eles sugeriram que o cineasta Scott Spiegel dirigisse o projeto, ele que era então mais conhecido por ter coescrito *Evil Dead II – Uma Noite Alucinante*, com Sam Raimi. Bob Weinstein seguiu a sugestão em abril, após assistir ao único filme em que Spiegel fora creditado como diretor, *Violência e Terror* (*Intruder*), de 1989. Weinstein gostou do filme. Então ele se encontrou com Spiegel e lhe deu o aval para que chefiasse o projeto. O candidato a diretor se reuniu com Moustapha Akkad, que não estava tão impressionado. O produtor lhe ofereceu uma chance de reescrever o roteiro do Rosenberg. Se isso corresse bem, ele poderia ter uma chance de dirigir a sequência. Spiegel logo leu um tratamento do *Halloween 666* e considerou o material sem salvação, mesmo se fosse reescrito por completo. E dessa forma, ele deixou o projeto.

Ainda descontentes com o roteiro, os produtores deram aos roteiristas Irving Belateche e Larry Guterman uma chance de reescreverem o tratamento de Rosenberg em maio de 1994. Nesse mesmo mês, os Weinstein contrataram o cineasta Matthew Patrick para dirigir *Halloween 6*, e este trouxe o diretor de fotografia Billy Dickson. Patrick lutou para levar o filme para um caminho diferente que, mais uma vez, trazia de volta o jovem Tommy Doyle. Agora um adulto paranoico ao extremo, Tommy se esconde numa sala antipânico feita sob medida, devido ao seu medo constante de que Michael Myers possa retornar um dia. Com a data das filmagens se aproximando, Patrick começou a buscar locações e a selecionar o elenco. Infelizmente, desentendimentos entre os Weinstein e os Akkad mataram essa versão do filme apenas duas semanas antes das câmeras estarem prontas para rodar. Patrick deixou o projeto, ainda que Dickson tenha permanecido.

A produção foi novamente adiada, dessa vez até outubro de 1994, para que os produtores tivessem tempo suficiente para encontrar um novo roteiro. Foi quando Akkad se lembrou de um jovem fã que ele conhecera quatro anos antes, recomendado pelo produtor de *Halloween 5*, Ramsey Thomas. Em 1990, com apenas vinte anos, o roteirista aspirante Daniel Farrands havia apresentado sua concepção única de *Halloween 6*. Ele apresentou a Akkad uma exaustiva bíblia da franquia, repleta de detalhes intrincados da história, estudos de árvore genealógicas e mitologias. Ainda que impressionado pela atenção do jovem escritor aos detalhes, Akkad recusou. Farrands lançaria sua carreira de roteirista escrevendo o longa-metragem *Rave, Dancing to a Different Beat* [Rave, dançando num ritmo diferente], de 1993.

Akkad mais tarde revelaria ter guardado a bíblia de *Halloween* escrita por Farrands, e que a consultava regularmente durante muitos anos. Em junho de 1994, após anos batalhando para encontrar o roteiro certo, o produtor chamou Farrands de volta para apresentar mais uma vez sua ideia para *Halloween 6*. Desta vez, ele ganhou o emprego. Recebeu poucas e simples instruções. *Halloween 6* tinha que trazer Michael Myers, deveria acontecer em Haddonfield, ser assustador e, de uma certa maneira, resolver as pontas soltas deixadas por *Halloween 5*. Preocupado com essa última exigência, Farrands já havia feito o dever de casa. A extensiva pesquisa do roteirista, tanto a respeito do Samhain (a celebração ancestral que deu origem ao Halloween) quanto ao Espinho (a marca do pulso de Michael em *Halloween 5*), permitiu a ele incorporar esses elementos na mitologia em andamento.

A história de Farrands afirmava que os cidadãos de Haddonfield eram membros de uma seita secreta, presidida pelo misterioso Homem de Preto de *Halloween 5*. De tantas em tantas gerações, a seita escolhia uma família para carregar a maldição da marca do Espinho, um espírito demoníaco que oferecia sacrifícios humanos no Samhain. Os seguidores acreditavam que ao amaldiçoar apenas uma linhagem de sangue, todos os demais seriam poupados da fome, da doença e da morte. Por 32 anos, Michael Myers carregou a marca do Espinho e agora, no Halloween de 1995, é hora de outro tomar o seu lugar. Ainda que Akkad tenha gostado dessa direção inovadora, ele achava que envolver toda a cidade era um escopo muito amplo para um filme. Farrands acabaria reduzindo a conspiração da seita apenas à equipe do sanatório Smith's Grove, e não à cidade inteira.

Imperativo entre os objetivos do roteirista era conectar espiritualmente *Halloween 6* ao primeiro filme, tanto quanto fosse possível. Isso levou Farrands a introduzir dois personagens há muito esquecidos do original de John Carpenter. O protagonista da continuação seria Tommy Doyle, a quem Laurie Strode cuidou como babá naquela noite fatídica de 1978. Agora um adulto, a vida de Tommy é consumida por uma obsessão com Michael Myers. O novo vilão do filme traria de volta um personagem de pequena importância: o dr. Terrance Wynn, que teve apenas uma breve cena no filme de Carpenter

("Sam, Haddonfield está a 240 quilômetros daqui. Pelo amor de Deus, ele não sabe dirigir um carro!"). Na verdade, o papel de Wynn em *Halloween* era tão minúsculo que você só o conheceria pelo nome se lesse os créditos finais. Mas Farrands viu um grande potencial no personagem e o contratou para ser a identidade secreta do Homem de Preto. Outras conexões com o filme original incluem a apresentação de um novo ramo da família Strode, o retorno à casa dos Myers e a reintrodução do Smith's Grove.

Ao resolver o gancho do final de *Halloween 5*, *Halloween 6* precisava abordar o destino do dr. Loomis, que havia sido dado como morto no final do último capítulo. Farrands escreveu que Loomis não havia morrido na conclusão daquele filme, mas sofrera um derrame. "Eu achava que nunca mais interpretaria Loomis", disse Donald Pleasence à *Fangoria*. "De certa maneira, eu estava aliviado, porque achei que *Halloween 5* havia dado uma guinada absurda e que perdera muito do que os filmes anteriores de *Halloween* lutaram tanto para criar, que era um sentido real de terror e suspense. Mas aí eu recebi a notícia, uns seis meses atrás, de que eles iam fazer mais um, e eu fiquei animado. O roteiro é bom. Então, lá vamos nós de novo. (...) Estou gostando de ser o Loomis outra vez. E eu certamente voltarei no próximo *Halloween*, se eles me quiserem."

Ao contrário de seus predecessores, Farrands era um fã de verdade da franquia, e espalhou em seu roteiro homenagens a *Halloween* e aos seus criadores. Os personagens John e Debra Strode foram batizados em tributo a John Carpenter e Debra Hill. O drinque "enche bucho" (*stomach pounder*, no original), mencionado no início da história, é um aceno ao filme de Carpenter, *A Bruma Assassina*. Minnie Blankenship é uma referência a *Halloween III*, quando o pai de Ellie Grimbridge está agendado para encontrar com um personagem de mesmo nome antes de sua morte prematura. Por falar em *Halloween III*, Farrands também escreveu que o filme da franquia sem Michael Myers seria exibido na televisão durante *Halloween 6*. Não muito diferente de como o filme original de Carpenter é visto na televisão durante *Halloween III*. Infelizmente, os produtores cortaram essa homenagem para evitar o licenciamento de clipes do filme com a Universal Pictures. Eles preferiram usar a versão muda de *O Fantasma da Ópera* (*Phantom of the Opera*), de 1925, que é de domínio público.

Moustapha Akkad pode ter descoberto o roteirista de *Halloween 6*, mas foi o produtor Paul Freeman quem encontrou o diretor. Assim como Farrands, Joe Chappelle era um astro em ascensão que tinha apenas um crédito de longa-metragem em seu nome, *Thieves Quartet* [Quarteto de Ladrões], de 1994, um filme de assalto bem recebido que a revista *Variety* considerou "uma ótima demonstração das habilidades de Chappelle como diretor". Enquanto Chappelle se entendeu bem com os Akkads durante *Halloween 6*, sua lealdade se consolidou com os Weinstein, que gostaram muito dele. Eles o contratariam novamente para dirigir *Fantasmas* (*Phantoms*), em 1998 e *Caçada Virtual* (*Takedown*), em 2000, ambos pela Dimension Films. "O lado bom é que as expectativas para esse filme não serão muito altas", Chappelle contou à *Fangoria*. "As pessoas vão esperando o pior. Depois de *Halloween 5*, só pode melhorar. Eu acho que vamos surpreender muitas pessoas, porque elas não estão esperando nada além do que o título sugere".

Não é segredo que *Halloween 6* sofreu terrivelmente devido às diferenças criativas entre os cineastas. Não havia nada sequer remotamente concluído a respeito do tratamento final de Farrands. Seu roteiro era constantemente alterado, frequentemente sem a sua participação. Páginas inteiras foram reescritas, jogadas fora ou substituídas pelo diretor e pelos produtores. Pior ainda, esses indivíduos tinham ideias consideravelmente distintas de como o filme deveria ser, apesar de não conhecerem tão profundamente a franquia quanto Farrands. Como resultado, os arcos dos personagens ficaram inacabados, perguntas foram deixadas sem respostas, e conflitos acabaram sem solução. O roteiro de filmagem de *Halloween 6* era um servo de muitos mestres, e que se dane a coesão narrativa. Se

há uma lição aqui, é a de que roteiros devem ser escritos por roteiristas. Dando eco à sabedoria de John Carpenter: "O roteiro é tudo".

A produção logo se dividiu em dois campos de batalhas — o dos Weinstein e o dos Akkad. O corte inicial do filme, agora amplamente conhecido como a versão do produtor, basicamente seguiu o roteiro de filmagem e foi supervisionado pelos Akkad. Os Weinstein realmente detestaram essa versão de *Halloween 6* e tomaram controle do projeto à força para que a versão deles saísse vitoriosa. Eles iriam reeditar e refilmar muitas partes do filme no que hoje conhecemos como a versão cinematográfica. O objetivo deles era produzir uma versão melhorada de *Halloween 6*, embora o sucesso ou não de sua empreitada permaneça sendo assunto de muitos debates. Infelizmente, nenhuma das versões do filme reflete a visão original de Farrands para o projeto. Contudo, a do produtor se afasta menos do que sua contrapartida cinematográfica. No final das contas, o roteirista foi obrigado a escrever não menos do que dez tratamentos diferentes, sem contar as revisões do corte cinematográfico.

"Foi como assistir ao meu sonho de infância se transformar num pesadelo real. Eu não tinha controle. Fui forçado a resistir enquanto os produtores colocaram suas mãos no roteiro e cortaram tudo o que era assustador ou misterioso."
– Daniel Farrands, *73 Miles to Haddonfield*

A VERSÃO DO PRODUTOR

Os momentos de abertura da versão do produtor revelam que o Homem de Preto raptou tanto Michael Myers quanto Jamie Lloyd no final de *Halloween 5*. Desde então, Jamie permaneceu aprisionada por uma seita de inspiração druida, que idolatra Michael como a uma divindade. No presente, Jamie acaba de dar à luz um filho, que a seita deseja oferecer como sacrifício humano. A mãe e o recém-nascido conseguem escapar de sua masmorra cerimonial com a ajuda de uma enfermeira rebelde, que Michael matará por traição. Jamie para na garagem da rodoviária de Haddonfield, mas a encontra abandonada. Ela escuta um programa de rádio sobre Michael Myers e telefona na esperança de que o dr. Loomis possa escutar seu pedido de socorro. Percebendo que fora seguida, Jamie esconde seu bebê no terminal rodoviário e foge até um celeiro próximo. Num encontro final com a Forma, ela é esfaqueada e deixada para morrer.

Como quis o destino, a chamada de Jamie foi ouvida por ambos sobreviventes do *Halloween* original, Tommy Doyle e dr. Loomis, que estava no meio de uma visita a um velho colega do Smith's Grove, o dr. Terrance Wynn. Temendo uma nova chacina, Loomis implora que Wynn o ajude a deter seu antigo paciente. Logo, chegam notícias de que Jamie fora encontrada à beira da morte e estava hospitalizada. Tommy rastreia a chamada de Jamie até a rodoviária, onde ele descobre o bebê dela. Ele leva a criança até o Haddonfield Memorial, onde encontra o dr. Loomis, que foi verificar o estado de Jamie. Tommy revela que o bebê é dela e que uma nova família se mudou para a casa dos Myers. Ele então leva a criança até o quarto que aluga na pensão da velha sra. Blankenship, que fica em frente ao número 45 da Lampkin Lane.

A casa dos Myers está agora ocupada por um ramo da família Strode. A turma inclui a universitária Kara e seu filho pequeno, Danny; o irmão dela, Tim; a mãe

Debra e o patriarca abusivo, John, que sabia da mórbida história do novo lar da família, mas decidiu mantê-la em segredo. Danny tem sofrido com visões perturbadoras de um homem de preto que o incita a matar. Loomis visita Debra para alertá-la sobre o perigo inerente em viver no antigo lar de Michael. Assustada, ela tenta fugir, mas é morta pela Forma. De maneira similar, Tommy confronta Kara e compartilha suas teorias a respeito do poder de Michael se originar de uma antiga maldição conhecida como Espinho. A sra. Blankenship revela que foi a babá de Michael na noite em que ele matou a irmã, e que ele ouviu vozes lhe mandando fazer isso — vozes como as que Danny escuta. Longe dali, o Homem de Preto mata uma Jamie inconsciente em sua cama de hospital. Quando cai a noite, as festividades começam. Entre elas, há uma transmissão ao vivo do mesmo DJ sensacionalista do programa de rádio para quem Jamie ligou na abertura do filme. Michael mata o apresentador da rádio no festival, além de John Strode, Tim Strode e sua namorada na velha casa dos Myers.

Tommy se reconecta com o dr. Loomis, e eles vão até a casa da sra. Blankenship na esperança de encontrarem Kara, Danny e o bebê. Eles se assustam por também encontrarem o Homem de Preto, que era na verdade o dr. Wynn disfarçado. Os membros da seita sequestram Kara e as crianças após doparem Tommy e Loomis. Quando acordam, os dois vão até Smith's Grove e encontram o caminho até a masmorra cerimonial da sequência de abertura. Loomis confronta Wynn, que lhe conta sobre o seu papel como um protetor guardião de Michael, um emprego que ele espera que seu colega assuma a partir de agora. Indignado, Loomis tenta atirar em Wynn, mas é nocauteado. A seita, então, encena uma cerimônia para comemorar a mudança de poder. Michael deve matar o bebê — o último de sua linhagem de sangue — como seu sacrifício final. A maldição do Espinho será transferida para Danny, e o garoto deverá matar sua mãe como seu primeiro sacrifício. Tommy resgata Kara, Danny e o bebê usando runas (pequenas pedras com símbolos antigos) de proteção e luz para combater o Espinho, o que imobiliza por completo a Forma. Eles escapam do Smith's Grove, embora Loomis permaneça para acertar contas pendentes. Lá dentro, Loomis encontra Wynn inconsciente, vestido como a Forma. Seu colega enlouquecido insiste que Loomis é agora o protetor de Michael. Loomis grita em agonia quando a marca do Espinho aparece em seu pulso. Longe dali, Michael escapa disfarçado de Homem de Preto.

De certa maneira, esta versão de *Halloween 6* estava amaldiçoada desde o início. A intenção de sua premissa — finalmente revelar a maldade sombria por trás de Michael Myers — jamais funcionaria muito bem. Algumas questões não devem ser respondidas. Por que Michael mata sua família? Por que ele mata apenas em determinados anos? Como ele sobreviveu por tanto tempo? Apesar das boas intenções, *Halloween 6* sacrifica muito da mística envolvendo a Forma ao responder essas questões. Assim, o filme ignora o que fez o primeiro *Halloween* ser tão especial, para início de conversa.

De acordo com as anotações internas do estúdio, os produtores exigiram que a Forma fosse "humanizada" em *Halloween 6*, de forma a "desenvolver um sentido de afinidade" por parte do público. Afinal, seguindo a história desse filme, Michael está tecnicamente à mercê de uma seita. Em retrospectiva, é extremamente fácil culpar os cineastas pelo resultado, mas em sua defesa, as regras da franquia não estavam tão nitidamente estabelecidas na época — não como elas estão hoje em dia. Outras franquias de sucesso, como *Sexta-Feira 13* ou *A Hora do Pesadelo*, estavam constantemente se reinventando (embora com resultados inconsistentes). Para manter as coisas renovadas, é totalmente possível que os produtores de *Halloween* considerassem razoável fazer o mesmo. Criticar agora é fácil.

De uma certa forma, você só aprende certas regras narrativas depois que você as quebra. Em grande parte, o segundo e o quarto *Halloweens* evitaram tais discrepâncias ao se alinharem com o filme original. *Halloween 5*, por outro lado, teve questões muito maiores do que simplesmente colocar Michael derramando uma lágrima. Ninguém em 1989 contava com a crítica apaixonada dos fãs para ditar as ações da Forma ou se ele deveria ou não ser apresentado como um simples humano. Existe um argumento sobre *Halloween 6* — e seus acontecimentos altamente explicativos — ser um exercício que precisava acontecer para que realmente pudéssemos apreciar a simplicidade do original.

Dito isso, o filme erra ao arrastar a franquia para o campo do sobrenatural, ainda mais profundamente do que seu antecessor. A mitologia de *Halloween*, que já fora baseada na realidade, agora incluía telepatia, feitiços malignos, magia obscura e inúmeros seres superpoderosos. E aqueles membros do Espinho tampouco eram malucos. Excêntricos, sim, mas não malucos. Esses elementos mágicos existem, na verdade, dentro da realidade da história. Levando tudo em conta, é um degrau na direção errada. Ainda assim, não queremos sugerir que não exista nada para ser apreciado em *Halloween 6*. Apesar de sua premissa equivocada, existem momentos incrivelmente sutis no roteiro e no filme.

No mínimo, *Halloween 6* contém uma variedade de personagens bem desenvolvidos, alguns dos melhores de toda a franquia. Tommy Doyle funciona muito bem no papel de um jovem Van Helsing, na tradição do dr. Loomis. É claro que ele nunca se recuperou de seu encontro com a Forma na infância, uma experiência que o define, agora já adulto. A inclusão de Tommy no filme ajuda a consolidar uma estranha conexão com o original de Carpenter. A franquia tinha, até então, uma falta considerável de protagonistas jovens masculinos amigáveis. Eles ou eram doidões alienados (Bob, Jimmy, Budd), irritantes (Mikey), ou completos babacas (Brady, Spitz). Com Tommy, nós finalmente temos um jovem herói masculino digno de nossa torcida. Assim como Loomis, Tommy está consumido por sua obsessão sombria.

Falando sobre Loomis, *Halloween 6* se beneficia enormemente com a presença coadjuvante do bom doutor. Nos anos que se passaram desde *Halloween 5*, ele se submeteu a uma cirurgia plástica para reparar as queimaduras que sofreu em *Halloween II* (um jeito esperto de poupar Donald Pleasence das árduas horas na cadeira de maquiagem) e começou a trabalhar num manuscrito intitulado *Mal Encarnado: Um Estudo dos Crimes e da Patologia de Michael Myers*. Com Loomis, Farrands apresenta uma nova visão de um velho personagem. *Halloween 6* encontra o "respeitável Rasputin do Smith's Grove" aposentado e levando uma vida solitária. Ele ainda luta com o fato de ter sido incapaz de evitar que o Halloween de 1989 se tornasse o mais sangrento de todos, até então. Pior ainda, ele foi incapaz de evitar que Michael desaparecesse noite adentro e levasse Jamie Lloyd com ele.

Loomis está apavorado com a possibilidade de outra chacina. Incapaz de impedi-la, ele novamente será forçado a testemunhar o sangue de inocentes sendo derramado. Loomis faz um apelo desesperado pela ajuda de Wynn: "Como meu colega, meu amigo, por favor. Não me deixe passar por isso novamente. Não sozinho. Eu preciso de sua ajuda para detê-lo". Essas cenas são ao mesmo tempo cativantes e dolorosas, dado a maneira como as coisas se desenrolam. Se *Halloween 6* erra em algum momento com o personagem é pelo fato de que ele nunca chega a ficar cara a cara com seu antigo paciente durante o filme, uma decepção inédita na franquia.

Com o sinistro dr. Wynn, Farrands dá a *Halloween* algo que ele realmente nunca teve: um vilão secundário. Como administrador chefe do Smith's Grove, Wynn deveria proteger a sociedade de Michael Myers — ainda que ele e seus colegas tenham feito exatamente o oposto. Isso nos leva a questionar tudo o que sabíamos. Por exemplo, será que Michael realmente fugiu em 1978, ou será que ele foi liberado? Loomis perdeu décadas tentando matar ou reconduzir seu paciente a Smith's Grove. A ironia inacreditável é que, de acordo com *Halloween 6*, Michael esteve lá durante anos — apenas não oficialmente. Como um colega de medicina, Wynn providencia um maravilhoso contrapeso a Loomis. Sua revelação como o Homem de Preto constitui uma profunda traição ao seu velho amigo. Loomis seria bem sucedido em deter Michael décadas atrás, se Wynn não sabotasse seus esforços em segredo.

Outra inclusão de peso na história é a nova heroína, Kara Strode, que seria tecnicamente prima de primeiro grau de Laurie Strode (adotada, é claro). Como a garota final do filme, Kara quebra com o molde ao qual nos acostumamos na franquia. Uma babysitter adolescente e virginal é o que ela não é. Ao contrário, Kara é uma mãe solteira universitária, estudante de psicologia. Como o restante de sua família de forasteiros naquela cidade, ela ignora o fato de que seu pai abusivo fez com que eles se mudassem para a velha casa dos Myers. Além de ser cretina, a mudança deixa todos eles em perigo, incluindo Danny, o filho pequeno de Kara que está na mira da seita para substituir Michael. Curiosamente, *Halloween 6* não foi a única sequência de filme slasher a abandonar o protótipo de garota final naquela época. *Jason Vai para o Inferno* (*Jason Goes to Hell*), de 1993 e *O Novo Pesadelo* (*New Nightmare*), de 1994, também apresentam mães em perigo protegendo suas crias.

Farrands oferece um insight sobre a infância de Michael na forma de um novo personagem, a idosa Minnie Blankenship. Lembre-se de como o *Halloween* original de Carpenter abriu com um jovem Michael atravessando a rua para voltar para casa e matar sua irmã mais velha. O que ele estava fazendo do outro lado da rua? De acordo com Farrands, ele estava sob os cuidados da sra. Blankenship. Diferente das típicas babás, ela era um membro secreto da seita druida há muito tempo, e ajudou a preparar o jovem Michael para se tornar um instrumento do Espinho. Em *Halloween 6*, a sra. Blankenship faz uma conexão ameaçadora entre o pequeno Danny e Michael: "Ele ouve a voz, você sabe. Assim como o outro menino que viveu naquela casa. (...) A voz mandou ele matar a família".

O tom de *Halloween 6* está entre os mais sombrios da franquia, o que é uma mudança bem-vinda. O foco em personagens de vinte e poucos anos em vez de adolescentes secundaristas leva a uma experiência bem menos juvenil do que em *Halloween 5*. Os cineastas também mantiveram o humor num nível mínimo, a maior parte envolvendo o DJ sensacionalista, Barry Simms. A trama da seita injeta no filme uma grande dose de intriga e mistério, apesar de jamais esclarecer a mitologia em volta do grupo. Mesmo com todos os seus pontos fortes, a versão do produtor de *Halloween 6* não consegue escapar do seu roteiro desastroso, que nós já havíamos estabelecido ser o resultado de uma extensiva intromissão por parte do diretor e do produtor. Será que a visão original de Daniel Farrands produziria a melhor de todas as continuações de *Halloween*? Só podemos especular, já que ele nunca foi capaz de expressar sua visão sem a interferência daqueles que achavam que sabiam mais. Só que inocentar o roteirista de toda a culpa por todos os tropeços do filme seria muita generosidade. Algumas das falhas da história certamente se devem às escolhas dele, mas desatar tantos nós acumulados seria impossível.

As intromissões no roteiro anteriormente mencionadas não resultaram numa base narrativa particularmente sólida para o filme. A versão do produtor é abundante em furos na trama e em ambiguidades. Considere o quanto Wynn tomou conta de Michael durante todos esses anos, um trabalho que ele espera passar adiante para Loomis. "Eu protegi Michael, cuidei dele. E agora é a vez de outra pessoa. Agora é a sua vez, dr. Loomis." Mas a maldição do Espinho não deveria se transferir ao pequeno Danny Strode? O bebê de Jamie deveria ser o assassinato final de Michael, portanto, por que Loomis precisaria proteger Michael? Não seria Danny quem agora precisaria de um guardião? Um mistério ainda maior é o motivo de Wynn passar o bastão de um trabalho tão intenso a alguém muito mais velho do que ele. Sejamos sinceros, um sobrevivente geriátrico de um derrame e dependente de bengala é uma escolha improvável para ser a babá de um dos mais brutais assassinos em massa da história. Talvez Wynn devesse considerar alguém um pouco mais jovem para o serviço. Executivos do estúdio também levaram em conta a possibilidade de Loomis — e não o bebê de Jamie — servir como o sacrifício final de Michael.

Anotações do Estúdio de 18/9/94

"Ideia: Talvez Loomis seja trazido ao filme porque a seita o escolheria para ser o último dos sacrifícios de Michael, o que ele depois se tornaria (de boa vontade). Combina com a ideia de que no começo Loomis está aposentado, seus "ferimentos curados". Ele na verdade está esperando a morte bater na sua porta, o que ela faz, na pele de Wynn. No final, ele é celebrado como o "escolhido".

Outro furo de roteiro demonstra o que acontece quando os cineastas priorizam sequências de matança e não a lógica da história. A Forma aparece no festival da cidade — mas por quê? Com que propósito? Um tratamento inicial do roteiro fazia o assassino seguir Kara e Danny até e celebração, o que faria sentido. Eles depois seriam retirados da sequência, embora Michael permanecesse. A ausência de Kara e Danny retira totalmente sua motivação para estar lá. E a motivação não seria matar Barry Simms, já que Michael não teria como saber que Barry entraria sem querer no furgão errado. O roteirista do filme já chegou a confessar que ninguém na produção tinha uma explicação para Michael aparecer no festival.

Um dos principais tropeços da continuação não é um furo na trama, mas o espantoso desenvolvimento do papel de Jamie Lloyd. Antes a jovem e corajosa heroína de *Halloween 4 e 5*, Jamie é jogada de lado neste filme sem nenhuma consideração com o arco da personagem. Suas poucas falas não são o suficiente para compor um tuíte completo nas redes sociais. Pior ainda é como ela morre. Tendo sido aprisionada por seis anos, a sala do hospital representa a primeira experiência de liberdade que ela sentiu em muito tempo. Em poucas horas após dar entrada, ela é morta com um tiro na cabeça enquanto dorme. É difícil imaginar um final mais ignóbil para uma personagem tão querida pelos fãs, não que sua irmã adotiva tenha se saído muito melhor. Tanto Daniel Farrands quanto Malek Akkad desde então confessaram sua decepção com o destino de Jamie em *Halloween 6*, colocando a culpa sistematicamente nos Weinstein por quererem minimizar todas as conexões com *Halloween 5*.

Isso nos leva ao que é certamente a pior decisão criativa em toda a franquia *Halloween*. De acordo com a versão do produtor, Michael é estabelecido como o pai do bebê de Jamie. Reafirmando o óbvio, Jamie tem dezesseis anos e também é sua sobrinha. Isso significa que os cineastas de *Halloween 6* tomaram a decisão consciente de fazer de Michael Myers um estuprador pedófilo — além de já ser um cruel serial killer. O que levanta a questão: essa sempre teria sido a intenção de Michael ao perseguir sua sobrinha adolescente? Para engravidá-la? Ninguém da produção chegou a levar crédito pela decisão. Farrands comenta que os tratamentos iniciais lidam com a paternidade do bebê de Jamie de maneiras diferentes. Talvez a única coisa mais vergonhosa do que a reviravolta em si é como o ator que representou a Forma, George Wilbur, contou em primeira mão à *Fangoria*, com a sutileza de um tijolaço na cara: "Eu serei papai dessa vez, ainda que eu use a máscara durante a cena romântica".

Humm... não tenho certeza de que chamaria o estupro exibicionista de sua sobrinha menor de idade, aprisionada sobre um altar cerimonial, de "cena romântica", George. Pelo amor de Deus.

Revendo a trilogia *O Retorno/A Vingança/A Última Vingança*, fica claro que Jamie sofreu uma das mais imperdoáveis jornadas de qualquer personagem de filme terror de todos os tempos. Nós desafiamos você a encontrar alguém pior. Órfã em tenra idade, ela é caçada por seu tio serial killer, é brevemente possuída por ele quando ataca sua mãe adotiva. Jamie é então internada e perde a capacidade de falar. No ano seguinte, ela se encontra sofrendo de pesadelos debilitantes e ataques de pânico. Seu tio reaparece para matar seu cachorro e sua irmã adotiva. Jamie é então raptada e mantida em cativeiro por seis anos, durante os quais ela é estuprada por seu tio. Nove meses depois, ela dá à luz numa prisão subterrânea da qual consegue escapar. Seu tio vai atrás dela e dá uma facada em sua barriga. Ela consegue sobreviver apenas para levar um tiro na cabeça do Homem de Preto enquanto dormia. *Isso* sim é que é uma vida desoladora, desprovida de alegria e de felicidade.

Outro problema com a versão do diretor é o seu final, decepcionante na melhor das hipóteses. Essa conclusão desbotada foi uma costura de retalhos tirados de diferentes tratamentos. Nele, Tommy ordena as runas num círculo e murmura: "Samhain," o que de alguma maneira deixa Michael paralisado — diferentemente de *Uma Noite Alucinante 3* (*Army of Darkness*), esse encanto ainda funciona mesmo se você o pronunciar de forma errada, como faz Tommy. Paralisando Michael, Tommy então escapa do hospital. Isso mesmo, quando finalmente agraciado com uma oportunidade perfeita para matar seu algoz vitalício, *Tommy foge*. Michael estava literalmente parado na frente dele! Se isso não fosse um anticlímax grande o suficiente, a Forma é pouco mais do que um acessório no terceiro ato. Ele persegue os heróis por noventa segundos e não mata ninguém durante todo o encerramento em Smith's Grove (uma breve perseguição e nenhuma morte, que franquia é essa mesmo?). Farrands não gosta do final da versão do diretor e se refere às runas, brincando, como sendo as "castanhas mágicas do Tommy".

Halloween 6 esteve sujeito a um verdadeiro ataque de sugestões do estúdio durante sua turbulenta produção. Algumas dessas sugestões eram genuinamente interessantes, enquanto outras seriam dignas de chacota. Antes da criação da personagem da sra. Blankenship, uma anotação do estúdio sugeria que Tommy visitasse a mãe doente de Michael numa casa de repouso. Agora inválida, ela repassaria pistas sobre a conexão entre Michael e o Espinho, deixando o público acreditar que ela poderia fazer parte da seita. Tais suspeitas logo seriam confirmadas, quando ela tenta esfaquear Tommy. Outras sugestões incluíam ver a casa dos Myers pegar fogo no fim do filme.

Comentário mal orientado do Estúdio de 2/7/94

"Desenvolver um senso de empatia com Michael no Terceiro Ato. Já que este supostamente será o fim do seu reinado de terror — ele tem sido um peão esse tempo todo —, nós poderíamos vê-lo sob mercê da seita durante o final. Eles o estão maltratando, feito um animal enjaulado. Ele se defende, levando a gente ao clímax, quando Michael e o bebê terão desaparecido."

"Michael vai voltar em breve para matar novamente. Mas desta vez estarei pronto."

HALLOWEEN VI
(1995)

PROBLEMA EM HADDONFIELD

Em 2 de fevereiro de 1995, o ator Donald Pleasence infelizmente viria a falecer de forma inesperada, devido a complicações após uma cirurgia cardíaca. Ele tinha 75 anos. O astro da franquia, que de brincadeira disse ter aparecido em 22 filmes de *Halloween*, faria sua aparição final após apenas cinco. Os cineastas dedicariam esse novo episódio à memória de Pleasence com um quadro antes dos créditos de encerramento. As palavras finais do personagem: "Acabou, Michael. Acabou". Dificilmente, dr. Loomis. Dificilmente.

Segundo contam, os cineastas começaram uma montagem inicial de *Halloween 6* na primavera de 1995. Os Weinstein então organizaram uma projeção-teste em Nova York para avaliar a aceitação do público ao filme. Ao que tudo indica, a pesquisa foi uma bomba. A plateia odiou o filme, particularmente a trama da seita, e o final por completo. (Há rumores de que faltava diversidade na amostragem do grupo, já que seria composto em sua grande maioria por garotos adolescentes.) Os Weinstein usariam o resultado da pesquisa como justificativa para tomar o controle do projeto e alterar dramaticamente o filme, como eles achassem melhor. Eles instruiriam Joe Chappelle para minimizar o papel da seita na história e refilmar por completo o ato final. Novas cenas seriam capturadas durante quatro dias adicionais, marcados para julho de 1995. A produção filmaria no Queen of Angels Hospital, em Los Angeles, em vez de voltar a Salt Lake City.

Com menos de três meses para o lançamento do filme em setembro, os cineastas estavam sob uma enorme pressão para entregar uma versão melhorada de *Halloween 6*. Perder a data de lançamento em outubro arriscaria adiar o filme por um ano (historicamente, apenas um *Halloween* estreou fora da janela de agosto a outubro, *Halloween: Ressurreição* (*Halloween: Resurrection*) saiu em julho de 2002). Completar a continuação em tempo era claramente uma prioridade para os Weinstein. Colaborar, ao que parece, não era. Os magnatas da Miramax impediriam que diversos colegas tivessem maiores envolvimentos com o projeto. Entre os excluídos estavam o produtor Paul Freeman, o produtor associado Malek Akkad, o produtor executivo Moustapha Akkad e o diretor de fotografia Billy Dickson. Supostamente descontente com sua performance, Chappelle também substitui o ator George Wilbur pelo dublê Michael Lerner no papel da Forma. Perdendo o controle de sua própria produção, Moustapha Akkad imediatamente processou os Weinstein, mas logo retirou o processo para evitar afetar negativamente o lançamento do filme.

No final das contas, *Halloween* não era a única franquia que os Weinstein estavam sabotando por volta de 1994, 1995. Eles também meteram a mão em *Hellraiser 4: A Herança Maldita* (*Hellraiser: Bloodline*), o quarto episódio da série de filmes de Clive Barker. Assim como *Halloween*, *Hellraiser* era uma franquia estabelecida que a Dimension adquiriu para novas sequências. Os Weinstein contrataram o famoso diretor de efeitos especiais Kevin Yagher para dirigir um roteiro de Peter Atkins, veterano de *Hellraiser.* Yagher entregou seu corte inicial de *A Herança Maldita* dentro do orçamento e do prazo em janeiro de 1995. Os Weinstein detestaram o que viram e exigiram inúmeras mudanças que incluíam maior presença do Pinhead, mais violência e a reestruturação da linha de tempo narrativa do filme. Refilmagens substanciais foram feitas para que as mudanças pudessem ser entregues.

Nem Yagher nem Atkins voltaram a trabalhar nas refilmagens de *A Herança Maldita,* programadas para abril e maio daquele ano. Os Weinstein, ao contrário, chamaram o roteirista Rand Ravich de *Candyman 2: A Vingança* (*Candyman: Farewell to the Flesh*), *Enigma do Espaço* (*The Astronaut's Wife*), e o diretor Joe Chappelle, que acabara de entregar a pós-produção de *Halloween 6.* Por que exatamente os Weinstein contariam com o diretor de uma produção problemática com o objetivo de "consertar" outra talvez permaneça para sempre como um dos maiores mistérios da vida. Após assistir ao corte final de *Hellraiser 4: A Herança Maldita,* Yagher exigiu que seu nome fosse retirado do filme e substituído por "Alan Smithee", um pseudônimo da indústria usado quando um cineasta quer esconder sua participação num projeto. Tendo apenas comandado as refilmagens, Chappelle estava inelegível para o crédito de diretor e apenas recebeu um agradecimento especial no final do filme. Sua versão de *A Herança Maldita* estrearia no ano seguinte, sob péssimos resultados de bilheteria e de crítica. Isso condenaria os próximos filmes de *Hellraiser* a lançamentos diretos para o mercado de VHS, um declínio do qual a franquia até hoje não foi capaz de escapar.

Chappelle entregaria as filmagens adicionais de *Hellraiser 4* em junho de 1995 e voltaria ao trabalho em *Halloween 6* no mês seguinte. Apesar de Daniel Farrands ter escrito um novo material para as refilmagens, suas páginas foram rejeitadas e substituídas por aquelas escritas por Rand Ravich, de *Hellraiser 4.* O próprio Chappelle se esforçou em escrever um novo final, que em parte envolvia Kara Strode ceifando a vida de membros da seita com uma metralhadora. Farrands conseguiu vetar essa ideia, além de muitas outras, ainda que ele logo fosse alertado por um assistente de direção de que estava muito perto de ser banido do set de filmagens devido aos seus protestos frequentes.

Quem merece a culpa pelos infortúnios de *Halloween 6*? Isso depende de para quem você pergunta. Os Weinstein são certamente um alvo fácil. Para um veterano anônimo, alguma culpa recai sob o produtor Paul Freeman: "Ele deixou a equipe em casa quando cenas cruciais precisaram ser refilmadas. Apagou cenas indiscriminadamente, sem se importar com o ritmo, o suspense ou a lógica da história. Ele se encarregou pessoalmente de dirigir planos da segunda unidade de filmagem, que mais pareciam experiências de uma criança com sua primeira câmera de Super-8. Ele reescreveu diálogos e sequências de ação, transformando-as em gargalhadas não intencionais. Supervisionou a fase de pós-produção do corte original e fez uma série de erros tão vergonhosos que resultaram na Dimension assumindo o controle e ordenando refilmagens, transformando *Halloween 6* no desastre ainda maior que foi lançado nos cinemas."

Farrands ficou tão frustrado com Freeman em *Halloween 6* que ele deu uma alfinetada sutil no produtor ao escrever o roteiro final, que acabaria incluída no filme. Lembre-se da cena em que Barry Simms discute com o produtor do seu próprio show (também chamado Paul), enquanto tentava encontrar o furgão da WKNB. "Vou levar esse show até a verdadeira casa dos Myers, de onde deveríamos ter feito desde o começo!" Essa era uma referência à recusa de Freeman em usar a locação original dos Myers em Pasadena, como o roteirista defendia repetidamente. Farrands era um crítico assumido no set de filmagens de *Halloween 6,* reclamando de tudo, da máscara da Forma até a escalação do elenco. Algumas batalhas foram vencidas, ainda que muitas outras foram perdidas.

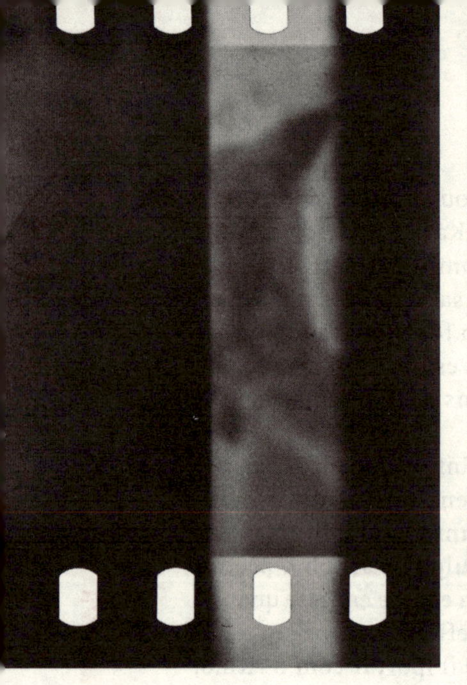

A VERSÃO CINEMATOGRÁFICA

A versão cinematográfica de *Halloween 6* — supervisionada pelos Weinstein — é uma criatura estranha. Essa apresentação do filme é uma experiência profundamente diferente da versão do produtor em muitas maneiras. Sob certos aspectos, é uma versão melhorada. Sob outros, é muito pior. Às vezes, não é nem melhor nem pior, apenas diferente. Essa é a versão que seria lançada nos cinemas e depois em VHS. Para milhões de espectadores, ela permanece sendo a versão definitiva do filme. As mudanças que Joe Chappelle e que os Weinstein fizeram foram numerosas e muito abrangentes. A diferença mais notável envolve o terceiro ato, que foi totalmente refilmado. As duas versões tomam rumos diferentes após Wynn sequestrar Kara e as crianças, e nunca voltam a se encontrar.

Nesse novo corte, Tommy e Loomis acordam após serem dopados pela seita. Loomis suspeita, corretamente, que Wynn tenha voltado a Smith's Grove, e os dois vão até lá. Tommy procura a ala psiquiátrica do hospital enquanto Loomis confronta o seu colega. Wynn provoca dizendo que o bebê de Jamie fora geneticamente modificado para continuar a maldade de Michael e convida seu velho amigo para que se junte a ele. Indignado, Loomis tenta atirar em Wynn, mas é nocauteado. Tommy encontra e liberta Kara, e eles mal conseguem escapar da Forma. Eles esbarram em Wynn e seus asseclas, que preparam um procedimento cirúrgico misterioso envolvendo Danny e o bebê de Jamie. Eles logo são interrompidos — e assassinados — por um Michael Myers furioso. Tommy, Kara e as crianças fogem até um laboratório de genética, onde Kara injeta uma substância verde desconhecida em Michael. Tommy derruba o assassino desorientado com um cano, e o deixa inconsciente. Na saída, eles encontram Loomis, que prefere permanecer ali para resolver assuntos inacabados. O filme acaba com um plano da máscara de Michael caída no lugar onde ele esteve anteriormente, seguido pelos gritos de terror de Loomis.

O novo final de Ravich aparenta ser feito sob medida para criticar o final anterior. Esse final apresenta uma perseguição muito maior, chega de fato a eliminar a Forma e chacina a maior parte da seita antes que qualquer tipo de cerimônia possa acontecer. Um tanto enlouquecedor, esse final ainda tem Tommy fugindo da Forma, imobilizada, sem matá-la, sabendo que Michael com certeza viveria para tirar mais vidas inocentes (por que, Tommy!? *Por quê?!*). Ainda assim, questões frustrantes abundam. O que era aquela coisa verde na seringa e por que ela escorre da máscara de Michael quando Tommy o acerta? E do que se tratavam aqueles fetos todos?

Essa nova versão parece insegura sobre o que fazer com o bebê da Jamie. Na versão do diretor, o bebê estava claramente destinado ao sacrifício final de Michael, mas aqui, não. Tommy ainda teoriza a respeito, mas ele é aparentemente desmentido por Wynn no material refilmado. Nessa versão, o bebê foi de alguma maneira geneticamente modificado para ser o sucessor de Michael. Esqueça que a sra. Blankenship ainda sugere que Danny será o sucessor de Michael, já que ele escuta a mesma voz ordenando que ele mate. Então, hum, quem deveria se tornar a nova Forma? Nunca ficamos sabendo. Por que a seita sequestra Kara? Não sabemos. E a que tipo de cirurgia Danny e o bebê deveriam ser submetidos? Não sabemos. Chamar esse novo material de mal concebido seria muita sutileza. O filme não consegue dar ao público a mais rudimentar explicação do que está acontecendo na tela.

Na verdade, boa parte da equipe ficou tão confusa com o novo final quanto o público — incluindo, mas não se limitando a, o próprio roteirista de *Halloween 6*. Desabafando ao blog *73 Miles from Haddonfield*, Farrands disse: "As pessoas me perguntam o tempo todo: 'O que significa aquele final quando eles entram no laboratório?'. Não faço ideia. Eu me lembro de estar no set de filmagem e perguntar: 'O que está rolando?'. Me disseram 'tudo vai fazer sentido quando você assistir'. Ok, claro. Tudo foi uma mistureba da cabeça dos chefes do estúdio e do diretor e dos outros roteiristas que jogaram merda na parede e imaginaram que alguma coisa ficaria grudada. (...) Eu só consigo imaginar pelo que eu vi no filme, talvez estejam tentando cultivar uma fonte genética do mal e usem os embriões para criá-la?".

Se a batalha final de Tommy com a Forma, que é menos uma batalha e mais parecida a uma surra, termina de forma abrupta, é porque a cena nunca foi completamente reescrita. Os cineastas estavam atrasados na última noite de refilmagens e descartaram várias páginas do material ali mesmo. Lembre-se das correntes farfalhantes daquela cena, ao estilo de *Hellraiser*. Elas deveriam aparecer de forma proeminente no novo final, com Tommy erguendo o corpo espancado da Forma no ar. Num esforço para economizar custos de hora extra, os cineastas simplesmente jogaram a máscara no chão, fizeram um enquadramento plongée de maneira apressada e encerraram os trabalhos. E ponto final.

A julgar pelas muitas alterações feitas em *Halloween 6*, é fácil de entender do que Joe Chappelle e os Weinstein não gostaram na versão inicial do produtor. Eles lutaram para apagar por completo ou pelo menos reduzir todas as conexões com *Halloween 5*, o que talvez explique por que o quadro de abertura abandona o numeral (na versão original em inglês) para simplesmente mostrar *Halloween: The Curse of Michael Myers* (A maldição de Michael Myers, em tradução literal). Esse sentimento também os levou a remover o flashback com o final de *Halloween 5*. Indo além, os cineastas retalharam o já minúsculo papel de Jamie na história ao matá-la no celeiro em vez de matá-la posteriormente no hospital. Provavelmente não ajudou a situação da personagem a recusa da atriz original, Danielle Harris, em repetir seu papel devido a uma disputa contratual com o estúdio. Como Jamie já não aparece mais no hospital, ela não tem o flashback de seu tio violentando-a. Nós também somos poupados da frase de Kara sobre o bebê pertencer a Michael, significando que — na versão cinematográfica — a paternidade do bebê de Jamie permanece desconhecida. Graças a Deus!

Fica também aparente que alguém, supostamente Chappelle, não se importava muito com o falecido Donald Pleasence, o que explicaria seu tempo de tela drasticamente reduzido nessa versão. Apesar de receber um destaque proeminente antes dos créditos de abertura, o tempo total de Loomis em cena soma escassos sete minutos. O personagem tampouco faz a narração de abertura, que agora é provida por Tommy Doyle. Isso apesar do fato de que Farrands escrevera a locução como uma citação tirada do diário do doutor. Diversos momentos de Loomis foram removidos por completo, enquanto os remanescentes foram aparados ao mínimo necessário. Na versão do produtor, a visita de Loomis e Wynn ao celeiro dura pouco mais de um minuto. Na versão cinematográfica, a mesma cena acontece em meros dezesseis segundos. A inclusão do personagem no final refilmado se tornou bastante complicada devido à morte do ator. Não que Loomis tivesse muito protagonismo na versão do produtor, para início de conversa. Ao reescrever a conversa dele com Wynn no escritório deste, os cineastas foram forçados a manter o diálogo original de Pleasence enquanto mudaram as respostas do ator Mitch Ryan. O resultado é um desconexo pingue-pongue em que nenhum dos dois parece responder ao outro.

Outro motivo aparente da versão cinematográfica era tirar a ênfase na seita tanto quanto fosse possível. Ainda que não declarado diretamente, essa versão sugere que Wynn e seus colegas do Smith's Grove possam estar usando a seita como uma frente para perseguir experiências médicas antiéticas ("Ok, ok, ok. Você pode tirar isso agora. O Halloween acabou."). Isso muda drasticamente a caracterização de Wynn, de líder de uma seita sobrenatural para um cientista maluco manipulador. No cinema, o filme não termina mais com uma cerimônia, e sim com um procedimento cirúrgico misterioso que nunca chega a acontecer.

Michael chacinando os amigos cirurgiões de Wynn entra em total sintonia com uma mudança central no tema do filme. A versão do produtor sugere que *é possível controlar o mal supremo com a magia certa*. Tanto Tommy quanto Wynn manipulam Michael com sucesso, usando poderes ancestrais. Na segunda versão, os cineastas sugerem o oposto, que você *não consegue controlar o mal*. Na verdade, eles chegam a declarar isso com a nova locução de Tommy: "Se tem algo que eu sei, é que não se pode controlar o mal", e mais uma vez durante uma chamada telefônica no programa de rádio de Barry Simms. O melhor exemplo disso acontece na matança da sala de cirurgia. Na versão do produtor, Michael é pouco mais do que um capanga para a seita. Na versão cinematográfica, ele é uma força incontrolável que não escolhe lados. Ele simplesmente mata.

Na filmagem original, *Halloween 6* pegava leve na violência e no gore devido ao antigo desejo do Moustapha Akkad em limitar o derramamento de sangue. Ele preferia, ao contrário, manter o foco dos filmes de *Halloween* no suspense. Ao que parece, nem Chappelle nem os Weinstein compartilhavam dessa preferência, já que eles usaram as refilmagens de julho para tornar o filme muito mais sangrento. Originalmente esfaqueada fora de cena, Jamie Lloyd agora é empalada com uma ferramenta de fazenda, que a Forma usa para perfurar seus órgãos internos. John Strode ainda morre eletrocutado, só que a sua cabeça agora explode, inexplicavelmente. Beth ainda é esfaqueada pelas costas, mas a velocidade da cena é reduzida dramaticamente para acentuar a violência. Na versão do produtor, a Forma não mata ninguém durante o final em Smith's Grove. Na nova versão cinematográfica, ele embarca numa carnificina sangrenta nas instalações do sanatório. Essas mortes adicionais incluem forçar o rosto de um cirurgião contra barras de metal, esfaquear uma paciente mental no abdome, além do já mencionado banho de sangue na sala de cirurgia.

Talvez a perspectiva mais interessante de tudo isso seja aquela que nunca tivemos: a do diretor Joe Chappelle. O cineasta evitou a franquia nos anos após o lançamento do filme. Ele recusou diversos pedidos de entrevistas para revistas, livros e documentários. Ele também declinou participar em exibições de aniversário, reuniões em convenções e materiais complementares em lançamentos em vídeo, envolvendo *Halloween 6* em mistério.

DESENVOLVIMENTO DE ROTEIRO

Classificar os muitos tratamentos alternativos de *Halloween 6* escritos por Daniel Farrand é um exercício garantido de frustração. Aquelas páginas estão repletas de detalhes e diálogos que poderiam ter esclarecido e melhorado a mitologia um tanto obscura do filme. Elas também contêm algumas das melhores ideias de Farrand, muitas que nunca chegaram à telona. Considere sua apresentação original da casa dos Myers. Nos cinemas, nós temos um plano de abertura monótono. Mas de acordo com o roteiro, *Halloween 6* deveria recriar o icônico plano-sequência que inicia o *Halloween* de John Carpenter, usando o pequeno Danny Strode no lugar de Michael Myers. A sequência terminava com Danny esfaqueando sua mãe no quarto dela, no segundo andar. Ainda que fosse apenas um pesadelo, a cena seria um presságio sinistro do destino sombrio do menino mais adiante no filme.

Na concepção original, Tommy Doyle teria uma caracterização completamente diferente do que a do filme. Farrands concebeu Tommy como o apresentador de um programa da rádio universitária, junto com sua namorada e também sobrevivente do primeiro *Halloween*, Lindsey Wallace. Procurando explorar o passado deles, Tommy quer fazer um programa sobre Michael Myers, o que Lindsey desaprova. Essa versão inicial da sequência terminava com Tommy e Loomis escapando por pouco da explosão de uma bomba que destrói a estação de rádio e sua torre de transmissão.

Com o desenvolvimento da trama, Tommy se tornou um antissocial paranoico que vive sozinho numa pensão, e o papel de Lindsey foi totalmente cortado. Alguns elementos do programa de rádio de Tommy serviram de base para o DJ sensacionalista, Barry Simms. Farrands criou Simms inspirado no apresentador de talk show Howard Stern, que ele esperava que interpretasse o papel. Após a recusa de Stern, Farrands sugeriu o comediante Mike Myers, apesar dos produtores se recusarem a levar a sugestão a sério. (Detalhe engraçado: Jamie Lee Curtis fez campanha para que Myers fizesse uma rápida figuração sem falas em *Halloween H20*. O comediante recusou o convite.)

Farrands originalmente usou a personagem da sra. Blankenship para revelar que a linhagem de sangue de Michael fora amaldiçoada pelo Espinho há inúmeras gerações. Esse ponto da trama tinha forte conexão com a história pregressa encontrada na adaptação literária do *Halloween* original escrita por Richard Curtis, da qual Farrands é um fã confesso. Tratamentos iniciais de roteiro mostravam a sra. Blankenship contando que o bisavô de Michael também ouvia vozes ordenando que ele matasse. Na noite de Halloween de 1895, ele obedeceu a essas vozes ao assassinar sua família inteira na casa dos Myers. "Então os moradores da cidade o queimaram vivo. Nossa mãe sempre nos dizia, quando éramos crianças: 'Não chegue perto da casa dos Myers'. Nós nunca chegamos."

Os métodos de assassinato da Forma também mudaram durante a pré-produção. A preparação da morte de John Strode era originalmente muito mais demorada. Da maneira como foi concebida inicialmente, o patriarca bêbado chegaria em casa e encontraria *Halloween III* passando na televisão. Após um comentário sarcástico ("Que porra é essa?"), ele muda para o canal de notícias e vai até a cozinha. Quando volta, John encontra a TV novamente sintonizada em *Halloween III*. Imaginando que Danny está por trás da pegadinha, ele procura o neto pela casa, sem saber que está sendo perseguido pela Forma. John originalmente seria morto de uma maneira similar à de Bob no primeiro *Halloween*, embora uma máquina de lavar sanguinária logo entrasse em cena, assim como a cabeça explosiva. Barry Simms também sofreria um destino diferente de acordo com o primeiro roteiro. Em ambas as versões do filme, o DJ sensacionalista é esfaqueado e enforcado numa árvore. Em tratamentos anteriores, a Forma embrulhava seu corpo mutilado numa grande pinhata de abóbora, que as crianças abririam a pauladas no festival da cidade. O resultado? Um batismo de sangue nas inocentes crianças.

Numa quebra de tradição, falta a *Halloween 6* um personagem policial, ao estilo Brackett ou Meeker. Os primeiros tratamentos, entretanto, incluíam um homem da lei chamado xerife Holdt. Esse novo personagem não era nem de longe tão cooperativo como seus antecessores. Apesar de Holdt originalmente aparecer em inúmeras cenas, seu papel se limitou a uma única aparição na versão do produtor. Ele repreende Loomis e Wynn por aparecerem na cena do crime onde o corpo de Jamie é descoberto, afirmando que Myers certamente irá segui-los aonde quer que eles forem. Loomis responde furiosamente que Michael já havia retornado, como o assassinato de Jamie deixou claro. Ao cortar o tempo de tela de Donald Pleasence na versão cinematográfica, os cineastas cortariam o papel do xerife de uma vez por todas.

Uma das intenções originais do roteirista era concluir a trama de Jamie Lloyd de uma maneira satisfatória. Apesar disso, ambas versões de *Halloween 6* bagunçaram totalmente essa premissa. Farrands originalmente escreveu que Jamie sobreviveria à cena de abertura e seria hospitalizada para se recuperar. Em um aceno a *Halloween II*, a Forma a seguiria até o hospital — apenas para descobrir que ela havia escapado e encoberto sua cama com travesseiros. Jamie depois apareceria em Smith's Grove para se vingar da seita no ato final. Gravemente ferida, ela teria confrontado a Forma e permitido que Tommy, Kara e as crianças fugissem. (Pense no peso dramático dessa opção por um momento. Jamie se sacrificaria para que completos estranhos pudessem salvar seu recém-nascido. *Pesado*.) Ainda que no final das contas ela morra pela lâmina de seu tio, Jamie luta contra o mal que lhe atormentou por toda a vida. Isso é bem mais heroico do que, digamos, levar um tiro no rosto enquanto dormia ou ser empalada por uma ferramenta de fazenda.

Tratamentos iniciais também lidaram com a paternidade do bebê de Jamie de maneira diferente. Na versão cinematográfica, os cineastas nunca tocam no assunto, ainda que a versão do produtor aponte Michael como sendo o pai. Farrands originalmente imaginou Wynn como o pai, o que não chega a ser surpreendente, devido a sua já sinistra caracterização. Como na versão do produtor, Jamie teria lembranças terríveis do estupro que sofreu no hospital. A principal diferença é a de que Michael estaria encarcerado ali perto e seria forçado a assistir a esse ato hediondo. Furioso com as ações de Wynn, ele se debateria nas grades de metal de sua cela como forma de protesto. Nessa versão alternativa da gravidez de Jamie se aproxima bem mais de *O Bebê de Rosemary*, como era a intenção original.

Enquanto Farrands sempre teve a intenção de desmascarar Wynn como o Homem de Preto, ele originalmente criaria mais suspense levando mais tempo para preparar essa revelação. Numa subtrama deletada, o roteirista apresentava o prefeito de Haddonfield como um falso suspeito. Esse personagem seria abertamente anti-Halloween e contrário à celebração na cidade. Visualmente, o prefeito apareceria totalmente de branco, para contrastar com o Homem de Preto. Farrands escreveu que em sua história pregressa ele havia perdido alguém por culpa de Michael Myers, muitos anos atrás. Como imaginado inicialmente, tanto o prefeito quanto a celebração teriam um quê de *Tubarão*, de Steven Spielberg. Tremendo outra chacina, o prefeito ordena que as forças da lei patrulhem a cidade à noite. O que inclui o uso de um helicóptero para monitorar qualquer atividade da Forma durante as festividades (à luz dos massacres de policiais em 1988 e 1989, essa parecia ser uma precaução apropriada).

Em ambas as versões de *Halloween 6*, os cineastas enganam momentaneamente a plateia, fazendo parecer que o Homem de Preto estivesse no festival da cidade. Mas, na verdade, trata-se apenas de Barry Simms nu, coberto por um sobretudo e um chapéu. No roteiro original, o verdadeiro Homem de Preto estaria no festival e seria descoberto por Tommy, que o perseguiria com a arma sacada (como Tommy saberia a respeito do Homem de Preto não fica claro). Tommy é rapidamente apreendido pelo xerife Holdt, que a contragosto lhe entrega a

Loomis. Nessa versão dos acontecimentos, o doutor é bastante desconfiado a respeito de Tommy, e o mantém sob a mira de uma arma. (Loomis diz a Tommy: "Já sei o suficiente. Apenas cale a boca e me leve até o bebê".) A descoberta do corpo mutilado de Barry Simms permite que Tommy escape, embora ele seja sequestrado e levado até Smith's Grove.

Tratamentos iniciais do roteiro de *Halloween 6* descreviam o dr. Wynn como sendo bem mais maligno do que a maneira como aparece em ambas as versões do filme. Parte de sua caraterização sombria acontece durante sua conversa explanatória com Loomis em Smith's Grove, que originalmente seria muito mais longa. Farrands escreveu que Wynn não apenas controlava a Forma, mas que também estava psiquicamente conectado a ele. Wynn diz a Loomis: "Ele se mexe quando eu digo pra se mexer. Ele age seguindo meus impulsos. Sente o que eu sinto". Wynn demonstra essa conexão ao cortar sua própria mão, o que também machuca a mão da Forma. Ele então demonstra seu controle absoluto ao jogar *sua própria secretária na cela de Michael* e ordenar que ele a mate, o que ele faz. Loomis fica, é claro, horrorizado.

Outra sequência que mudou durante a produção foi a cerimônia climática da seita, que foi excluída da versão cinematográfica. Na versão do produtor, fica claro o que deveria estar acontecendo aqui. Wynn quer que Michael mate o bebê para encerrar sua maldição. Wynn então quer que Danny mate sua mãe para que a maldição dele possa começar. Os cineastas consideraram diversas variações, incluindo uma em que Danny deveria matar o bebê no lugar de sua mãe. Na melhor delas, a cerimônia da seita era uma batalha pela alma de Danny, com Wynn exigindo que ele mate e Kara implorando para que ele suprima o desejo. O resultado dessa luta mudou diversas vezes. Em um tratamento, Danny chega a sucumbir sob influência de Wynn, ainda que em outros ele consiga resistir com a ajuda de sua mãe. Nunca vemos a escolha de Danny na versão do produtor, já que Tommy interrompe a cerimônia fantasiado de membro da seita.

Ao abandonar a cerimônia, a versão cinematográfica perde o sentido dos reais propósitos das ações da seita em Smith's Grove. Na versão do produtor, o bebê de Jamie é apenas um sacrifício oferecido para encerrar a maldição de Michael. A versão cinematográfica sugere um destino alternativo ao bebê. Wynn diz, num monólogo deletado: "Jamie era o presente... o sangue do Espinho correndo em suas veias. Com a mãe de Michael também. Por seis anos eu mantive Jamie incubada, preparada para esta noite. Michael serviu o seu propósito. E logo nós teremos uma nova progênie". Isso tudo faz tão pouco sentido que é algo que o próprio roteiro parece perceber. Numa fala deletada subsequente, Wynn implica com o fato de Loomis estar tão confuso em entender o que a seita está tentando alcançar. "Lá vem você de novo tentando fazer sentido." Estamos no mesmo barco, doutor.

Na versão do produtor, Tommy foge com Kara e as crianças. Uma versão anterior do roteiro mostrava ele fugindo com Loomis, e acidentalmente incendiando a câmara. Num esforço para salvar os demais, Loomis oferece sua própria vida como uma distração: "Vamos acabar com isso, Michael. Me pegue. Deixe-me ser seu sacrifício final". Ele é esfaqueado no tórax e jogado por uma janela, seu destino final desconhecido. Tommy e Kara escapam da sala em chamas com o bebê de Jamie — perseguidos pela Forma que *literalmente está pegando fogo* e não parece se importar muito com isso. "A Forma desliza com firmeza pelos túneis. Uma coluna de fogo ambulante. Destemida. Incontrolável. Nascida dos infernos."

FINAIS ALTERNATIVOS

Um dos maiores mistérios durante a produção era sobre como tudo terminaria. Não seria surpresa afirmar que os cineastas estavam divididos. Moustapha Akkad defendia com firmeza deixar um gancho para o próximo filme. Sobre *Halloween 7*, o ator Mitch Ryan contou à *Fangoria*: "Eles já falaram sobre me trazer de volta para o próximo. Seria ótimo. Mas o próximo filme provavelmente não será feito em menos de dois anos. Quem sabe? Eu posso estar morto até lá".

Em ambas as versões do filme, Tommy, Kara e as crianças escapam do hospital. Na versão do produtor. Michael também escapa e Loomis, apavorado, se transforma em seu guardião. A versão cinematográfica apresenta Loomis voltando sozinho para o hospital — apenas para encontrar com a Forma sem máscara fora de cena. Nós provavelmente deveríamos interpretar seus gritos como evidências de seu triste falecimento. Além desses dois finais, pelo menos três outros foram considerados.

O primeiro final alternativo apresentava Wynn deixando Smith's Grove num helicóptero que teria sido mostrado anteriormente no filme. Farrands planejou que Wynn fugisse com o que ele achava ser o bebê de Jamie embrulhadinho, mas que seria na verdade uma bomba que Tommy havia furtado de seu escritório. O helicóptero explode numa gigantesca bola de fogo logo após a decolagem, enquanto Tommy, Kara e as crianças escapam das instalações. Tendo sido atacado pela Forma, o destino de Loomis seria deixado em aberto até o próximo filme. Limitações de orçamento forçariam os cineastas a abandonarem este final, entretanto não antes de Malek Akkad supostamente ter comprado uma miniatura de helicóptero para o efeito da explosão.

(Num comentário correlato, Farrands inicialmente escreveu que Loomis e Wynn chegariam na cena do crime no celeiro via o já mencionado helicóptero. Sua chegada aérea revelaria um gigantesco símbolo da seita do Espinho cortado num campo próximo, como se fosse um círculo de colheita. Abrir mão do helicóptero significava abrir mão do círculo de colheita. A cena foi reescrita para que ambos encontrassem o símbolo queimado num monte de feno dentro do celeiro, o que é ligeiramente menos épico.)

O segundo final alternativo é uma variação do primeiro. Nessa conclusão, Wynn escapa do Smith's Grove no helicóptero com Danny sob sua custódia. Tommy e Kara resgatam o bebê de Jamie e roubam um furgão do hospital para conseguirem seguir o helicóptero. Nas linhas finais deste roteiro, lê-se: "no fundo do furgão, podemos ver a máscara branca da Forma. Brilhando no escuto. Emergindo. Kara e Tommy dirigem, sem suspeitarem de nada. E é assim, por enquanto, que nós os deixamos".

O terceiro final alternativo — e o favorito do roteirista — teria espelhado assustadoramente a abertura do filme. Tommy, Kara e as crianças escapam do Smith's Grove e chegam no mesmo terminal rodoviário onde Jamie esteve na noite anterior. Seu salão novamente aparentaria estar deserto, sem ninguém à vista. Kara leva as crianças ao banheiro, enquanto Tommy procura ajuda. Ouvindo um grito de gelar o sangue, ele desce as escadas correndo e encontra Kara morta por uma facada, um símbolo gigantesco do Espinho pintado sobre ela com sangue fresco. No roteiro, lê-se: "Danny está de pé, olhando sua mãe caída com os olhos mais sombrios que poderíamos ver... os olhos do diabo. Suas mãos estão cobertas de sangue! Uma rajada de vento frio vem da janela aberta. O bebê se foi".

A série de imagens de locações diferentes que encerra o filme originalmente mostraria o Homem de Preto se aproximando da casa dos Myers, apenas sua silhueta sombria respirando pesadamente atrás de uma máscara de borracha. Ele desaparece noite adentro "como um delírio de nossa imaginação".

200
200
E
23
200
200

Entrevista:

DANIEL FARRANDS

Roteirista — Halloween 6.

Entrevistado por Dustin McNeill

Você foi apresentado a Moustapha Akkad pelo produtor de Halloween 5, Ramsey Thomas. Como o conheceu?

Eu conheci Ramsey bem à moda antiga, enviando uma carta pra ele pelo correio. Era uma típica carta de apresentação dizendo como eu era um fã da franquia e que havia escrito outros roteiros de terror. Alguém do escritório dele me chamou e me pediu para enviar uma amostra do meu trabalho. Não levei muita fé, mas me senti orgulhoso por ter sido convidado. Algumas semanas depois, recebi uma ligação do próprio Ramsey, que disse: "Eu li seu roteiro. Acho que ele é bom de verdade, e que você é um bom roteirista. Estamos começando a procurar roteiristas para apresentarem ideias para *Halloween 6*, que faremos este ano e lançaremos em 1991. Você estaria interessado?". E então lá fui eu. Devem ter se passado três semanas entre o telefonema e meu encontro com Moustapha Akkad. Obviamente, eles não fizeram o filme naquele ano.

Ramsey permaneceu próximo de mim após aquela reunião. Mantivemos contato regularmente por anos. Ele era uma pessoa bem direta e não digo isso de uma forma pejorativa. Ele dizia exatamente o que estava pensando no momento, se gostasse de alguma coisa ou se não gostasse. Mesmo que ele não tenha sido chamado no final das contas para produzir *Halloween 6*, ele ficou animado ao saber que eu consegui o trabalho, anos depois. Ele continuou sendo uma boa caixa de ressonância para mim enquanto eu desenvolvia o roteiro. Lembro dele lendo meu tratamento inicial e curtindo, especialmente da abertura com o programa de rádio que amarrava todas as histórias. Ele me deu muitos feedbacks importantes, apesar de não ser oficialmente o produtor do filme. Eu me sentia obrigado a estar conectado a ele, já que ele me apresentou ao Moustapha. Não tenho nada além de gratidão por ter levado aquele garoto até a sala do Moustapha Akkad.

Qual era a ideia que você apresentou originalmente para Halloween 6 em 1990?

Você está me fazendo voltar lá longe com essa pergunta, então me deixe pensar um pouco. Eu era muito jovem naquela primeira reunião, e muito intimidado. A ligação mais próxima que eu conseguia fazer era ser chamado até a diretoria da escola. Queria estar muito bem preparado, então eu criei meio que uma bíblia da história, cobrindo a franquia como um todo até aquele momento, menos o terceiro filme. Eu estava tão preocupado em ter as respostas certas para qualquer pergunta que eles pudessem fazer que me esforcei bastante.

Fui até a livraria Bodhi Tree, um lugar bem new age em Los Angeles, tentando descobrir que runa era aquela em *Halloween 5*, o símbolo do Espinho. Queria descobrir se ela era real ou não, e alguém me apresentou um livro chamado *Rune Magic* [Magia das runas], de Donald Tyson. Foi dali que a inspiração para a minha história surgiu de verdade. Então minha bíblia continha informações sobre o símbolo da runa, a árvore genealógica onde todos os personagens se conectavam, e ideias sobre os caminhos que a história poderia tomar a partir dali. Não acho que foi uma apresentação com muita sustância, mas com ideias gerais que poderiam ser exploradas. Eu apresentei como *Halloween 666*, com ângulos satânicos e de magia obscura. Mal sabia eu, depois daqueles anos todos, que eu seria chamado para apresentar de novo. Curiosamente, a mesma encadernação da bíblia que eu fiz em 1990 estava sobre a mesa do Moustapha quando eu voltei. Eles tinham se mudado para um novo escritório e levaram a encadernação com eles. Eu me lembro dele me dizendo que era muito agradecido, porque eles a consultavam o tempo todo.

O cineasta Fred Walton estava inicialmente atrelado para dirigir sua versão de Halloween 6. Você e ele chegaram a ter alguma discussão? No final das contas, por que ele não dirigiu o filme?

As únicas pessoas que estavam na sala quando eu apresentei *Halloween 6* novamente em 1994 eram o Moustapha, o Malek e o Paul Freeman. Não havia ninguém do estúdio, nenhum diretor, ninguém mais. No final da reunião, Paul mencionou que eles estavam tentando colocar Fred Walton no projeto. Eu acho que o acordo nunca chegou a ser feito, mas ele era o foco deles no momento. Eles estavam confiantes de que ele iria dirigir o filme, o que me deixou entusiasmado, já que eu adoro *Quando um Estranho Chama* (*When a Stranger Calls*). Fiquei com isso na cabeça enquanto escrevia meu primeiro tratamento de *Halloween 6*. Tentei deixá-lo com mais suspense, porque pensei que ele iria dirigir. Você se lembra da cena onde a garota está ao telefone perto da janela e o Michael aparece por trás dela? Ela foi diretamente inspirada em *Quando um Estranho Chama*. Eu esperava que ele apreciasse esse aceno, mas acabou não rolando.

Eu cheguei a almoçar com o Fred Walton na Jerry's Deli, no Studio City, em Los Angeles. Ele foi muito gentil ao autografar minha cópia de *Quando um Estranho Chama* em laserdisc. Eu me lembro de lhe perguntar sobre *Halloween 6*. Ele me disse: "Não era bem o tipo de filme que eu queria fazer. Eu não tive nenhum problema com o seu roteiro nem nada. Eu só não queria fazer um filme sobre um cara com uma faca matando gente". Ele então me apresentou suas ideias para o filme, que incluíam Jamie Lloyd morando numa clínica de recuperação para pessoas que sobreviveram a experiências traumáticas. Ele queria focar a história nisso. Eu achei que era muito parecido com *Sexta-Feira 13 — Parte 5: Um Novo Começo* (*Friday the 13th Part v: A New Beginning*). A ideia dele era abrir o filme com a Jamie em cima de uma mesa, estourando os miolos com uma arma. Eu me lembro de pensar: "Uau. Isso... não é bom. Já é ruim o bastante que nós tivemos que matá-la em nosso filme, mas fazer com que ela se suicidasse não era legal". Então posso dizer que criativamente Fred e eu não estávamos em sintonia.

Então você foi contratado para escrever a nova continuação de um dos seus filmes favoritos de todos os tempos... só para ter o seu roteiro picotado. Num nível pessoal, como se sentiu?

Eu era jovem e estava tão inacreditavelmente feliz com a oportunidade. Não que não tenha trabalhado para conseguir, porque fiz um spec script* e botei meu pé na porta. Cheguei com muita alegria e paixão e entusiasmo. Eu me senti como uma criança que recebe as chaves da oficina do Papai Noel. Não acreditava que fosse real. Os astros deviam estar alinhados. Ficava me beliscando o tempo todo no set de filmagens, especialmente quando via o Donald Pleasence lendo minhas frases.

* Spec script é o roteiro especulativo, uma trabalho feito por conta própria e não sob encomenda, prática comum no mercado norte-americano para que um roteirista sem experiência consiga apresentar seu talento. [NT]

Por outro lado, ficou aparente para mim logo de cara que tinham marinheiros no barco que não estavam tão preocupados em fazer de *Halloween 6* um bom filme. Eu achava que aquele seria um episódio para conectar todas as pontas soltas entre os filmes e retornar ao espírito do original. Eles não estavam nem aí pra isso. Trabalhar no filme se tornou muito difícil, uma vez que os retornos começaram a chegar de gente como os executivos do estúdio, os produtores e outros que apenas enxergavam o filme como um produto a ser vendido. Eles não estavam comprometidos com a qualidade, mas apenas em entregar o filme. Aquilo foi muito frustrante. Fui bem corajoso e franco sobre minhas discordâncias com algumas daquelas pessoas e suas decisões. O único objetivo delas era fazer o filme rápido e barato.

Mas quer saber? Ainda sou agradecido. *Halloween 6* me deu uma carreira nesse mercado imediatamente. Logo eu tinha um agente e um advogado. Abriram-se portas para mim que, do contrário, poderiam nunca ter sido abertas. De repente, eu estava na Paramount, na Disney, na Universal e na Fox. Eu tive reuniões com todos os estúdios da cidade, sem mencionar diversos contratos de desenvolvimento e apresentações de ideias que chegaram a ser vendidas. Minha carreira já dura mais de vinte anos nesse mercado.

Eu realmente admiro o quão diplomático e profissional você é a esse respeito. Não sei se eu teria agido da mesma forma. Você caminhou a passos largos após o que aconteceu com Halloween 6.

Obrigado, mas não foi assim naquela época. Seja pessoalmente ou profissionalmente, nós amadurecemos, seguimos em frente. Eles sempre dizem que projetos criativos nunca terminam, são apenas abandonados. Em algum nível, *Halloween 6* foi abandonado. Eu me senti péssimo porque o filme merecia mais. Ajudou bastante ter tanta gente bacana trabalhando comigo. Especialmente o Malek Akkad, que o Moustapha estava preparando para que o substituísse um dia. Como tínhamos a mesma idade, ele e eu nos conectamos em nossos vinte e poucos anos. Ele partilhava das minhas frustrações enquanto fazia o filme. Se eu não estivesse no set, o Malek me ligava e dizia: "Ai, meu Deus, eles cortaram aquela cena. Eu não acredito que cortaram ela!". Aquelas decisões eram feitas por gente velha que pensava que sabia mais do que a gente. Nós éramos os meninos que achavam que sabiam como o filme deveria ser. Ficou claro pra gente que os velhos não queriam fazer um filme maneiro, então nós nos uníamos para trazer soluções.

Houve uma noite de filmagem num parque onde eles iam rodar o festival da cidade. Os velhotes da produção não queriam pagar pela permissão para acender fogueiras, mas a cena toda era sobre aquelas fogueiras! Ela deveria ser entrecortada com a sra. Blankenship explicando sobre os antigos Halloweens e de como eles acendiam aquelas fogueiras imensas. É uma justaposição daquele velho festival de Samhain com esse festival moderno. Como você faz isso sem o fogo? Disseram pra gente: "Não, vocês não vão ter o fogo. Não vai rolar". E eu fiquei, tipo: "Fodeu. Malek, o que a gente vai fazer?". E ele, tipo: "Não se preocupa. Deixa comigo". E ele foi com uns assistentes e acendeu as fogueiras por conta própria. E disse: "Que se fodam essas permissões e que se fodam essas pessoas". E é por isso que as fogueiras estão naquela cena. Ele se empenhou em tentar fazer bonito.

Marianne Hagan, que era tão bacana, também se comprometeu em fazer bonito. Acho que chegou a chorar quando soube que algumas cenas foram cortadas de forma tão arbitrária. A única razão era que não queriam gastar dinheiro. Ela ouviu em algum lugar que a Jamie Lee Curtis tinha ido até a JC Penny comprar roupas para Laurie Strode no *Halloween* original. Já que a Kara supostamente era prima da Laurie, a Marianne decidiu fazer o mesmo e fez. Ela foi com a figurinista escolher o guarda-roupa da sua personagem. O público nunca fica sabendo de nada disso, mas graças a ela, a mim e a outros jovens rebeldes no set, esse tipo de coisa deixou o ambiente divertido. Fizemos o melhor em *Halloween 6*, apesar da resistência que sofríamos dos adultos acima de nós. Éramos um time de renegados que incluía eu, o Malek, o Paul Rudd, a Marianne, o Keith Bogart e a J.C. Brandy. Então eu sempre ficava feliz quando pequenos momentos como aquelas fogueiras entravam no filme, apesar dos velhotes fazendo cara feia pra gente.

Pelo que sei, algumas das suas ideias originais para Halloween 6 foram cortadas do filme e guardadas para um possível Halloween 7. Fale sobre isso.

Isso surgiu do argumento original que escrevi para *Halloween 6*. Entregar aquele argumento ao Moustapha foi um verdadeiro momento ou-vai-ou-racha pra mim. Estava preocupado que se não o encantasse, nunca conseguiria o trabalho. Então coloquei tudo e mais um pouco no meu projeto. Era uma história doida, provavelmente um filme de 20 milhões de dólares na época. O Moustapha me ligou no dia seguinte e disse: "Daniel, isso tudo é lindo e incrível, mas é demais. Aqui nós temos *Halloween 6* e o começo do *Halloween 7*. Adoro o caminho, mas quero focar em transformar a primeira parte do seu argumento em *Halloween 6*". Então foi assim que o filme foi concebido. Nunca cheguei a escrever um roteiro para *Halloween 7* porque *Halloween 6* não ficou do jeito que nenhum de nós achou ou esperou que ficasse. Eu não achava que eles seguiriam adiante com a minha visão. Mas, durante um curto momento, a segunda parte do meu argumento viria a ser o *Halloween 7*.

Eu me lembro de que o Moustapha realmente gostava da minha ideia para o *Halloween 7*. Se tivéssemos feito aquele filme, ele terminaria com toda a cidade de Haddonfield fazendo parte da seita. Era muito inspirado no conto "A Loteria" ("The Lottery"), de Shirley Jackson. Eu não enxergava como uma seita, e sim como uma sociedade secreta que achava que um sacrifício precisava ser feito para um bem maior. Eles estão tão arraigados nessa tradição de assassinatos que acham que era a coisa certa a se fazer. O final era muito parecido com o de *O Homem de Palha* (*The Wicker Man*). Moustapha adorava a ideia, mas ainda insistia que fizéssemos *Halloween 6* menor e focássemos num pequeno grupo de pessoas. Teríamos tornado maior em *Halloween 7*.

Havia uma reviravolta em meu *Halloween 7*, na qual Laurie Strode apareceria no final para salvar a vida de Jamie Lloyd. Isso estava no meu argumento original antes que tivéssemos de matar Jamie. Imaginei Laurie assistindo a tudo o que aconteceu no filme, mas escondida nas sombras, como o Estranho de *Halloween 5*. Então ela surgiria para salvar a vida da filha no último instante. Mas o Moustapha me disse: "Jamie Lee é uma grande estrela agora. Ela nunca vai fazer um filme desses de novo". As famosas últimas palavras, certo?

Então você não escreveu um roteiro completo para Halloween 7, mas fez uma apresentação para Halloween 8 que se tornaria uma história em quadrinhos do saudoso Phil Nutman, correto? O quão fiel a história em quadrinhos ficou em relação à sua ideia original?

Os quadrinhos não ficaram exatamente iguais ao meu argumento, mas a grosso modo contavam a mesma história. Eu queria que meu *Halloween 8* fosse parecido com o que *Halloween II* foi para *Halloween*, e continuar a história que começou em *Halloween 6*. Ela começaria com o que eu escrevi originalmente como o final de *Halloween 6*, com Tommy, Kara e as crianças no mesmo terminal da sequência de abertura do filme. Tommy está buscando ajuda quando ouve um grito do banheiro. Então ele encontra Kara sangrando no chão, e as crianças sumiram. A polícia se envolve, e Tommy se torna um fugitivo. Meu *Halloween 8* se tornaria um road movie no qual Michael ainda está matando, mas é Tommy quem leva a culpa. E, no ato final, revelamos que a cidade inteira de Haddonfield estava envolvida. Eu achava que essa história seria uma ótima maneira de continuar a nossa história, e não deixá-la morrer na praia, como aconteceu com os filmes. Não que eu os culpe por abandoná-la em *Halloween H20*. Eu entendo os motivos deles.

A adaptação em quadrinhos do seu Halloween 8 termina com Laurie enlouquecida assumindo o papel do seu falecido irmão mais velho, chegando até a vestir a máscara e a fantasia dele. Essa ideia era sua?
Sim, era minha. Adoro que o saudoso Phil Nutman, que era um grande amigo, a tenha incluído em sua adaptação. Eu me lembro do Moustapha dizendo que tinham conseguido que Jamie fizesse uma cena em *Halloween 8*. Eu disse: "Se você só tem uma cena com ela, faça dessa a melhor cena do filme. Coloque ela no final e não diga às pessoas que ela está no filme". Essa é a história que apresentei a eles no lugar de *Halloween: Ressurreição.* Eu disse: "Vocês terminaram *H20* com ela respirando que nem a Forma. Aquele foi o momento final do filme. Então faça ela pirar e se tornar a assassina dessa vez". Mas ninguém quis fazer assim, e fizeram *Ressurreição* como se fosse uma ideia melhor.

Muito do material refilmado em Halloween 6 foi escrito por Rand Ravich. Você chegou a trabalhar ou conversar com Rand sobre as contribuições dele?
Taí um nome que não ouço faz muito tempo. Não, eu nunca tive nenhum tipo de interação com ele. Só sei que, como um favor para Bob Weinstein, ele escreveu as páginas das refilmagens. Eu estava escrevendo páginas também, mas eles queriam um conceito novo. Lembro-me de um executivo da Dimension me entregando as páginas dele e dizendo: "Aqui tem umas ideias que você pode querer usar". Eu as li e imediatamente pensei: "É tudo tão bobo". Tinham cenas da Kara, do Tommy e das crianças fugindo naqueles longos corredores, perseguidos pela voz de um deus druida. A voz dele era tão alta que causava terremotos. Achei patético e de forma alguma baseada no conceito daqueles filmes. Também acho que Rand foi de onde surgiu a ideia do laboratório de bebês, que chegou até à telona. Felizmente, não havia pressão para que eu usasse as páginas dele. Eles só diziam: "Aqui tem umas ideias. Use-as se quiser. Se gostar delas, ótimo. Se não, vamos em frente".

Se você puder, me ajude a entender uma história. Na versão do produtor, o Michael precisa matar o bebê de Jamie para encerrar sua maldição. Já o Danny precisa matar a Kara para que sua maldição possa começar. Mas na versão cinematográfica, tanto Danny quanto o bebê de Jamie supostamente são sucessores do Michael. Não é conflitante? Como é que essa história pode fazer sentido?
Não acho que ninguém no filme sabia o que estava acontecendo com a história. Todos eles vieram de lugares bem obscuros durante a produção de *Halloween 6*, o que se tornou lendário hoje em dia nos círculos de fãs. Posso confirmar que é tudo verdade. Ainda me lembro do dia em que o Moustapha, o Malek e o Paul Freeman saíram andando como se estivessem em greve. Fiquei lá no corredor com o Joe Chappelle. Disseram pra gente que a Miramax estava assumindo o controle do filme e que os Akkads estavam fora. Então começou o processo daquelas filmagens inacreditáveis. Acho que Joe ficou porque tinha de ficar. Ainda não sei se ele apoiava o que estava acontecendo. Acho que ele provavelmente só estava tentando cumprir o seu contrato. Ele também tinha muitos amigos na Dimension e estava tentando ficar de bem com eles. Não o culpo por isso.

Mas ninguém sabia como terminar o filme. Virei uma noite tentando gerar páginas, fazendo brainstorm com a Marianne e o Paul Rudd. Era esse o nível da zona que estava rolando. Tudo isso ficou mais complicado quando Donald Pleasence faleceu. Eu tinha esperança de que as refilmagens pudessem melhorar o que já tínhamos filmado, mas não substituir. Poderíamos deixar o filme melhor ao adicionar o que tinha sido cortado. Mal sabia eu que iríamos criar esse final bizarro tipo *Arquivo x*, que não fazia sentido algum. Eles deceparam completamente nosso conceito original, que já havia sido adulterado, pra início de conversa.

Teve um dia que o Bob Weinstein ligou para saber das refilmagens. Eu podia ouvir os gritos dele no telefone. "Joga fora essas merdas desses mantos de bruxos!". Então, de repente, não tinha mais seita e nem bruxos. Do nada, eram todos médicos num corredor. Por quê?

Não sei. Eu reportava tudo que via para o Malek, que não estava envolvido. Eu era como um espião, honestamente, mas tinha muita lealdade àqueles caras. Todos nós sentimos que estavam cortando as entranhas do nosso filme. O Paul Rudd achava a mesma coisa. Estávamos todos confusos, e o moral estava caindo.

Qual foi a sua reação inicial ao novo final da versão cinematográfica?

Achei que só podia ser uma piada. No roteiro, Tommy Doyle deveria acorrentar Michael Myers e suspendê-lo, deixá-lo pendurado. No filme, dá pra ver as correntes balançando. Mas a última noite de filmagens foi prorrogada até três da manhã. Então eles disseram: "Não temos tempo pra filmar isso. É isso o que vamos fazer. Vamos colocar a máscara no chão e uma agulha de seringa do lado dela e é assim que vamos terminar o filme". E eu me levantei e disse: "Vocês não podem terminar o filme assim". E eles responderam: "É exatamente assim que vamos terminar o filme". Fiquei maluco. Eu estava tão chateado porque sabia que seria um desastre. Passei pelos meus próprios estágios de luto, mas finalmente aceitei.

Hoje em dia, eu me recordo principalmente das coisas boas de *Halloween 6*. Lembro de ser jovem e de me divertir à beça com o elenco. Fizemos o que pudemos. No final das contas, escrevi um filme de *Halloween*. Quantas pessoas podem dizer o mesmo? Claro, teve seus momentos frustrantes, mas fiz parte de uma das franquias de terror mais maneiras já feitas. Também acho que algumas coisas em *Halloween 6* são melhores do que as outras sequências. Recebo e-mails todas as semanas de gente que ainda gosta do filme. Muitos fãs me contam que *Halloween 6* foi o primeiro *Halloween* deles, aquele que os deixou fascinados com a franquia. Para mim, isso é uma vitória. Sinto muito orgulho disso.

Mais uma vez, é ótimo que você olhe pra trás com tanto carinho porque certamente existem fãs de Halloween por aí que gostam e que continuam a disseminar o evangelho de Halloween 6. Acho que os fãs curtiram muito que finalmente a versão do produtor se encontre oficialmente disponível.

E é demais que as pessoas ainda se conectem ao filme de diversas maneiras. Se ele inspira alguém a se tornar um cineasta ou simplesmente a gravar um filme de fã, então fiz algo bacana. O fato de o filme estar vivo me deixa muito orgulhoso. Sei que falo por todo o elenco quando digo que estávamos todos no mundo da lua só por fazermos parte. Não era como ser contratado para fazer *Leprechaun 8*. Era *Halloween*. Odeio as palavras "icônico" ou "clássico" porque elas são usadas em demasia, mas *Halloween* é um clássico de verdade. Não se trata de um clássico cult. É um clássico de verdade. Fazer parte do legado desse filme é o melhor. E ter trabalhado junto do Donald Pleasence, o velho sábio da franquia — estávamos todos maravilhados com ele. Apesar de suas falhas, considero *Halloween 6* como sendo o último *Halloween* de verdade, porque Donald estava nele. É o que fez nosso filme um pouquinho mais especial do que aqueles que vieram depois.

Vi o Paul Rudd tempos atrás num voo de Los Angeles para Nova York, e ele ficou de queixo caído ao me ver. Ele se virou para sua esposa e disse: "Esse é o Danny! Ele escreveu meu primeiro filme!". Ele não poderia ter sido mais legal e mais atencioso, mesmo sendo uma grande estrela hoje em dia.

Seria legal se Joe Chappelle olhasse para Halloween 6 com o mesmo carinho que você. O cara parece ter se distanciado de verdade da franquia.

Joe apanhou muito por causa de *Halloween 6*, o que é injusto. Posso afirmar que ele entrou nessa pra ganhar, especialmente no começo. Joe chegou com grandes expectativas, como todos nós. Ele queria fazer algo realmente bom e realmente assustador. Infelizmente, acho que suas mãos estiveram atadas durante muito tempo. Acho que ele cometeu erros como diretor. Não criativamente, mas por não brigar por aquilo que precisava brigar. Não acho que ele estivesse pronto emocionalmente para questionar o Bob Weinstein ou o Paul Freeman.

Mas olho pra ele hoje em dia, e ele tem uma carreira de sucesso na televisão. Joe e eu sempre nos demos bem. Nunca o odiei, ou quis que ele fosse demitido. Eu só queria dizer pra ele: "Joe, levanta daí! É o seu filme. Você é o diretor. Por que você não está lutando por cada cena que estão cortando?". Acho que ele nunca se rebelou a ponto de lutar pelo filme. A brigada dos velhacos pisou em cima dele e do filme. Se em algum momento eu me senti frustrado com Joe, foi por ele não ter se imposto.

Parece que Joe Chappelle é frequentemente culpado pelo que aconteceu com Halloween 6.

E odeio isso. Ele nunca quis foder o filme e não é uma má pessoa. Dirigi alguns filmes e aprendi que você precisa escolher suas batalhas. Joe era muito jovem e inexperiente em *Halloween 6*. Para as pessoas que o culpam, eu diria que elas não conhecem o cara. Torná-lo um vilão é uma grande injustiça. Ele tem uma carreira extensa que fala por si só. Fico preocupado que alguns fãs só queiram destruí-lo. Deus me perdoe se nosso filme tivesse sido feito na era das redes sociais. Seríamos mastigados e cuspidos antes do café da manhã. Senti pena de Joe durante meses após o lançamento do filme. As pessoas não sabiam do que estavam falando. Eu só queria dizer: "Você nem estava lá. Você nem estava lá naquele dia".

Fico triste que os fãs venham com suas tochas metafóricas. Mesmo acreditando que houve momentos em que ele poderia ter se imposto, também não acho que seja tudo culpa dele. Qualquer diretor jovem naquela posição desconfortável faria o que Joe fez ou entraria na fila do seguro-desemprego. É essa a realidade do mercado. Não acho que eu tenha melhorado muito a situação porque não calava a boca sobre as coisas que vi acontecer. Joe estava frustrado, como todos nós. Ele resmungava: "Dan, não estou tentando decepar seu roteiro. Estão me dizendo que não posso fazer a cena 22 ou qualquer outra". Não estávamos de lados diferentes da cerca. Estávamos no mesmo time. Ele merece muito mais crédito do que recebe.

HALLOWEEN VI | 1995

JOE CHAPPELLE

"Pode ser um exemplo de fazer mais do mesmo. O feijão-com-arroz. (...) As travessuras de Myers parecem mundanas. Nem mesmo a inclusão de rituais satânicos, implementos agrícolas ou de um apresentador de rádio sensacionalista estilo Howard Stern é o suficiente para dar uma demão de tinta nas armadilhas enferrujadas. (...) A morte na vida real de Donald Pleasence empresta ao personagem uma pungência não intencional, que não será percebida pelo público primordialmente adolescente. O comandante Joe Chappelle tenta alguns dos truques de Carpenter para confundir e surpreender os espectadores, mas tudo é bastante cansativo." VARIETY

"O roteirista Daniel Farrands obviamente estudou os quatro episódios anteriores do Michael. No entanto, descobrir as relações dos personagens com o Michael requer um conhecimento absoluto dos filmes anteriores que apresentavam o homem mascarado com o facão. Mas provavelmente não importa o que os parentes do Michael estejam fazendo, ou em que ordem. Os fãs estão principalmente interessados na maneira como Michael faz o seu trabalho, e sob a direção de Joe Chappelle, ele usa um machado, facas e até mesmo eletricidade." ---- MALCOLM JOHNSON, THE HARTFORD COURANT

"O que de novo, excitante ou mesmo diferente que Halloween 6: A Última Vingança tem a oferecer em relação aos seus antecessores salpicados de sangue? A resposta longa é... nada. Um festival grotesco de assassinatos com respingos e zumbidos cheios de clichês, como trovão, raios, estalidos e os fluidos obrigatórios, esse filme de terror é mais do mesmo sadismo, carnificina e muito gore -- tudo ambientado com uma trilha sonora tilintante".
--- ROHAN B. PRESTON, THE CHICAGO TRIBUNE

"Esta crítica não deve ser confundida com a usual desmoralização superficial metida à besta que costuma seguir aos lançamentos da maioria dos filmes de terror de maneira tão inevitável como são as leis de ação e reação da física. Não, isto aqui é um aviso amigável dirigido às pessoas que gostam de terror e pensam que Halloween 6: A Última Vingança parece ser divertido. Não é. O sexto episódio, de longe o pior da franquia, é fraco e tedioso. Nem mesmo a presença do saudoso e gloriosamente histriônico Donald Pleasence consegue animar as coisas." --- MICK LASALLE, THE SAN FRANCISCO CHRONICLE

O REGRESSO H20

Vinte Anos Depois.
O sangue é mais grosso que a água.

Dirigido por Steve Miner • Escrito por Robert Zappia e Matt Greenberg • História de Robert Zappia

Entrando em 1995, eram altas as expectativas de que o recentemente filmado *Halloween 6* seria capaz de revigorar a franquia narrativa e comercialmente. O futuro parecia brilhante, uma vez que a série seria novamente apoiada por uma grande distribuidora como a Dimension Films. O produtor executivo Moustapha Akkad estava confiante de que a nova história do Espinho pudesse resolver problemas recorrentes das tramas dos filmes anteriores, além de também impulsionar a franquia com múltiplas sequências. Infelizmente, nada em *Halloween 6* saiu como planejado. O projeto sofreu uma produção caótica apenas para decepcionar na bilheteria doméstica, superando *Halloween 5*, o ponto mais baixo da franquia, mas falhando em sequer igualar o faturamento modesto de *Halloween 4*. A continuação também angariou as piores críticas de qualquer *Halloween* até então. No momento em que este livro é escrito, ele permanece com assombrosos 6% no site *Rotten Tomatoes*. Em comparação, isso é inferior a qualquer episódio das franquias *A Hora do Pesadelo*, *Sexta-Feira 13* e *O Massacre da Serra Elétrica*.

Perdoando o fato de que *Halloween 6* foi prejudicado por um estúdio intrometido, ele também foi lançado no final de uma era do gênero do terror. 1995 foi um ano surpreendentemente fraco para os filmes slasher, com apenas dois deles chegando às telonas: *Halloween 6* e *Candyman 2: A Vingança* (*Candyman: Farewell to the Flesh*), nenhum deles com uma performance particularmente boa. *Pânico* (*Scream*), de Wes Craven, estrearia no ano seguinte com enorme aclamação do público e sucesso de bilheteria, faturando mais no mercado doméstico do que as cinco primeiras sequências de *Halloween* combinadas. Para a Dimension, ele se tornaria o mapa da mina cinematográfica que guiaria a direção dos futuros filmes slasher.

AS DUAS FACES DO MAL

Sem que muitos fãs de *Halloween* soubessem, a franquia por pouco não desceu ao inferno dos filmes lançados diretamente em vídeo, após *Halloween 6*. Essa decisão não foi tomada pelos Akkad, mas por executivos da Dimension Films, que começaram a desenvolver o projeto no início de 1997. Dentro do gênero do terror, esse rebaixamento está tipicamente associado a um declínio íngreme tanto em orçamento quanto em qualidade. Considerando as próprias sequências de *Hellraiser* lançadas diretamente em vídeo pela Dimension, muitas das quais começaram como roteiros independentes que posteriormente foram reescritos para encaixar o Pinhead. Poucas franquias chegaram a voltar desse destino. (Curiosidade: *Terror em Amityville* é uma exceção, tendo começado nos cinemas, depois mudado para lançamentos apenas em vídeo, depois retornado aos cinemas e agora novamente é lançado diretamente em vídeo!)

Para *Halloween 7*, o executivo Richard Potter, da Dimension, resolveu arriscar no roteirista iniciante Robert Zappia, baseado na força de um spec script intitulado *Population Zero* [População zero]. Ainda que Zappia houvesse escrito para diversos sitcoms, incluindo *Home Improvement* (no Brasil, a comédia estrelada por Tim Allen foi exibida em TV aberta e por assinatura com os títulos *Arrumando Confusão* e *Gente Pra Frente)*, ele ainda precisava ganhar seu primeiro crédito de roteirista de longa-metragem. Como um fã declarado de *Halloween*, ele agarrou a oportunidade de escrever a continuação, mesmo que ela fosse lançada diretamente em vídeo. Suas instruções foram de levar a franquia para uma nova direção, em vez de continuar a trama dos três filmes anteriores. Para Zappia, isso significava ter basicamente uma tela narrativa em branco. O primeiro tratamento de sua sequência foi datado de 11 de julho de 1997 e intitulado *Halloween 7: Two Faces of Evil* [As Duas Faces do Mal] .

Ambientado muitos dias antes do feriado de Halloween, a nova sequência começa nos subúrbios de Illinois, com o assassinato de uma babysitter adolescente. O culpado aparenta ser Michael Myers, só que ele está encarcerado numa prisão de segurança máxima pelos últimos três anos. Suspeitando de um assassino imitador, a polícia foca sua atenção num criminoso-transformado-em-mágico, obcecado com o legado de Michael. Mais tarde, naquela noite, o verdadeiro Michael morre na prisão sob circunstâncias misteriosas. Seu corpo é levado a um necrotério próximo, de onde desaparece no ínterim da morte de dois atendentes. Com os cadáveres adicionais sendo empilhados e a data do Halloween se aproximando rapidamente, a polícia se esforça em descobrir se um assassino morto voltou à vida ou se é tudo o trabalho de um fã obcecado. De ambas as formas, ainda existe um assassino a ser detido na noite de Halloween.

O roteiro de Zappia foi bem recebido por todas as partes, ainda que o desenvolvimento logo fosse interrompido, já que a produção também havia sido cancelada. Como se soube mais tarde, os executivos do estúdio já negociavam secretamente planos para outro *Halloween 7* que haveria de restaurar a franquia à sua antiga glória.

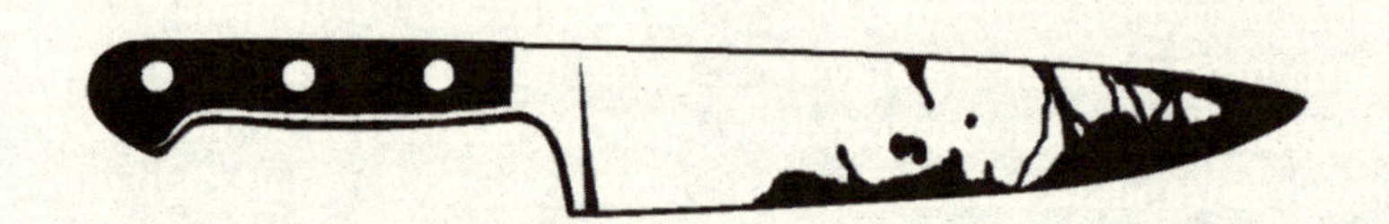

A NOITE EM QUE ELA VOLTOU PARA CASA

Sem que Robert Zappia soubesse, a estrela do *Halloween* original, Jamie Lee Curtis, estava discretamente planejando sua volta à franquia, enquanto ele trabalhava em seu *As Duas Faces do Mal*. Apesar dos Weinstein terem recebido o crédito por esse retorno triunfal, a atriz é enfática ao afirmar que a ideia fora inteiramente sua. Curtis imaginou uma sequência de aniversário de vinte anos como uma forma de agradecer tanto à base de fãs quanto ao gênero que lançou sua carreira. Sua esperança inicial era a de que os colegas John Carpenter e Debra Hill também voltassem a dirigir, produzir e coescrever o novo filme. Curtis se encontrou com os cineastas no final de 1996, e ambos se mostraram animados com a ideia de juntar a equipe para um novo *Halloween*. Isso marcaria o primeiro envolvimento oficial deles com a franquia em uma década. O agente dela então arranjou um encontro do grupo com Bob Weinstein, da Dimension.

A reunião de Weinstein com Curtis, Carpenter e Hill aconteceu um pouco antes do lançamento de *Pânico*. O magnata da Dimension gostou bastante da ideia de uma sequência de aniversário com os cineastas originais de *Halloween*. Isso certamente garantiria uma reversão do destino da franquia de filmes lançados diretamente em vídeo. Então veio o obstáculo. Sentindo que lhe deviam mais de uma década de dividendo não pagos dos lucros, Carpenter supostamente exigiu um cachê de dez milhões de dólares para dirigir, um valor que Weinstein recusou. O cineasta de *Halloween* também supostamente tentou negociar um contrato de três filmes com a Dimension, que Weinstein também teria recusado. Dessa forma, Carpenter saiu do projeto, assim como Hill.

Curtis, apesar de desapontada, manteve seu interesse na sequência de aniversário. A perda de Carpenter e Hill pode não ter matado de vez o projeto, mas reduziu drasticamente o seu vigor na chegada de 1997. A volta de Curtis à franquia, apesar de especial, não era o suficiente para impulsionar o projeto. *Halloween 7* se encontrava agora sem um roteiro ou um diretor. Se a continuação iria ficar pronta a tempo do vigésimo aniversário de *Halloween*, ela precisava começar logo. Felizmente, o gênero do terror estava prestes a levar um solavanco.

Pânico, de Wes Craven, chegou aos cinemas em 18 de dezembro de 1996, faturando mais de 100 milhões de dólares no mercado norte-americano, numa grande vitória para a Dimension Films. O sucesso de *Pânico* iria energizar o gênero e transformar o roteirista Kevin Williamson num dos talentos mais cobiçados de Hollywood, de um dia pro outro. Relembrando o quanto *Pânico* havia bebido da fonte de *Halloween*, Weinstein pediu a Williamson para escrever um tratamento de *Halloween 7*. Apesar de ser um grande fã da série de filmes, Williamson relutou em aceitar a tarefa, dado o quanto estava ocupado escrevendo e produzindo o piloto de *Dawson's Creek*, em Wilmington, na Carolina do Norte. Percebendo sua relutância, o chefe do estúdio ofereceu produzir o roteiro de Williamson para *Tentação Fatal* (*Teaching Mrs. Tingle*) pela Dimension e deixá-lo dirigir, se ele escrevesse um argumento para *Halloween 7*. Esse foi o incentivo necessário para garantir o envolvimento do roteirista de *Pânico*. Como de fato aconteceu, Curtis também estava em Wilmington na época, filmando o thriller de ficção científica *Vírus* para a Universal. Weinstein sugeriu que Williamson e Curtis se encontrassem para discutir ideias para o novo filme. Os dois se reuniram na cidade cenográfica dos estúdios Screen Gems e conversaram bastante sobre as possibilidades da sequência de aniversário.

A respeito de possíveis diretores, Williamson comentou que o piloto de *Dawson's Creek* estava sendo capitaneado pelo cineasta Steve Miner, que havia dirigido Curtis em *Eternamente Jovem* (*Forever Young*) e com quem ela tinha uma boa relação. *Halloween* não seria um território estranho para Miner, que começara em Hollywood dirigindo filmes como *Sexta-Feira 13 — Parte II*, *Sexta-Feira 13 — Parte III* e *A Casa do Espanto* (*House*). Curtis e Williamson procuraram seu amigo em comum com a proposta para dirigir *Halloween 7*. Miner hesitou inicialmente, mas acabou sucumbindo à pressão exercida por seus colegas. Apesar de Williamson não conseguir se comprometer com um roteiro completo para *Halloween 7*, ele acabou entregando um argumento com a história do filme.

Devido à indisponibilidade de Williamson, Weinstein agendou uma reunião com Robert Zappia, com um propósito duplo. Ele primeiro contou a Zappia que seu roteiro de *As Duas Faces do Mal* estava oficialmente morto, ainda que o projeto sobrevivera. Ele então revelou que Jamie Lee Curtis estaria de volta no filme, que agora estava sendo planejado como um grande lançamento cinematográfico. Weinstein então pediu a Zappia para escrever um novo roteiro centrado em Laurie Strode. Entusiasmado com o rumo dos acontecimentos, o roteirista começou a trabalhar imediatamente num novo tratamento, intitulado *Halloween: Blood Ties* [Laços de Sangue]. Era o começo do que seria conhecido como *Halloween H20*.

O ARGUMENTO DE WILLIAMSON

No final de 1997, Kevin Williamson escreveu um esboço rudimentar para *Halloween 7*, independente do trabalho de Robert Zappia. O esboço foi parcialmente baseado em suas discussões com Jamie Lee Curtis, mas também no roteiro cancelado de *As Duas Faces do Mal*. Abrangendo seis páginas, o argumento se divide em três segmentos. O primeiro ato se assemelha muito com o *Halloween H20* que acabou sendo feito, apesar do restante se aventurar por um caminho diferente. No final das contas, este *Halloween 7* tinha pouco em comum com o filme que chegou às plateias em agosto de 1998.

O argumento de Williamson começa um pouco antes do anoitecer num subúrbio de Chicago, Illinois. Rachel Loomis, aparentemente filha do saudoso dr. Loomis, chega em casa e encontra a porta da frente entreaberta. Assustada, ela recruta a ajuda do vizinho adolescente, Timmy, para investigar. (Esta abertura é quase idêntica à de *H20*, mas com Rachel no lugar de Marion Whittington.) A cena termina com Timmy e Rachel assassinados pela Forma. Antes de morrer, Rachel percebe que o escritório do pai foi saqueado e que uma pasta marcada com o nome "Keri Tate" foi esvaziada. A Forma consegue escapar por um triz quando a polícia chega.

O argumento então corta para a Tyler Prep School* em Briarcliff, Maine. Ficamos sabendo que Laurie Strode simulou sua morte após *Halloween II* e mudou seu nome para Keri Tate. Agora divorciada, ela é a reitora de uma escola preparatória para garotas, onde seu filho Mick, de

* Prep Schools são escolas de segundo grau com currículo especial, que preparam os alunos para o rigoroso processo de admissão nas universidades dos Estados Unidos. [NT]

dezesseis anos, é o único garoto no campus. Sua relação com Mick é volátil, já que ele ressente profundamente o alcoolismo e a superproteção de sua mãe. Keri fica alarmada ao ler sobre a morte de Rachel Loomis no jornal. Por ser véspera de Halloween, ela assume o pior. Sua ansiedade aumenta após um estudante apresentar um relatório oral sobre a história sinistra de Haddonfield, recapitulando os eventos dos *Halloweens 1* a *6*. Isso obriga Keri a se lembrar de como ela abandonou sua jovem e vulnerável filha Jamie Lloyd, que mais tarde morreria pela lâmina do tio.

"Originalmente, eu via Laurie num pulgueiro, atormentada e falando sozinha, vivendo nos limites da realidade. Mas finalmente fui convencida de que seria um ponto de partida muito sem graça."
Jamie Lee Curtis,
The Detroit Free Press

Keri confidencia ao professor de inglês, Jake Brannen, o medo que sente há muito tempo de que Michael Myers possa retornar um dia. Ele aproveita a oportunidade para comentar sobre o alcoolismo desenfreado dela, o que gera uma resposta agressiva: "O que você não percebe neste seu ponto de vista carinhoso e imparcial é que Keri não existe. No final das contas, cai a máscara de Halloween, e é a Laurie Strode quem precisa encontrar um jeito de dormir à noite, sem uma faca de açougueiro fatiando os seus sonhos". Quando cai a tarde, Keri começa a ver a Forma ao redor do campus, ainda que ela seja incapaz de dizer se ele é real ou imaginário. Enquanto isso, Williamson descreve uma subtrama ao estilo de *O Casamento de Muriel* (*Muriel's Wedding*) na qual uma patinha feia chamada Molly tenta uma transformação na esperança de atrair Mick como seu parceiro num baile da escola que acontecerá em breve. Sem que ela saiba, Mick já está indo com a "vaca" da Sara. Enquanto isso, Mick encontra o diário pessoal de sua mãe e descobre sobre o seu passado trágico em Haddonfield. Armado com essa nova informação, ele se veste como a Forma com a intenção de fazer um falso ataque dentro do vestiário das meninas, sendo Molly a vítima infeliz. Keri acha essa pegadinha tão perturbadora que ela o proíbe de ir ao baile da escola.

A noite de Halloween encontra as alunas se preparando para o baile, com os rapazes vindo de ônibus de uma academia próxima. A vigia do campus, Hattie, percebe um carro estranho estacionado do lado de fora do portão e vai investigar. A Forma se espreita e tira a vida dela.

Superando a rejeição de Mick, Molly arruma um parceiro de baile superprotetor. Ela e seu par deixam a festa para dar uma caminhada romântica, apenas para encontrar a Forma. Molly escapa por um triz e corre até o escritório de Keri. Apesar de Keri ordenar uma retirada completa do campus, ela logo descobre que o portão da frente foi desarmado e que as linhas telefônicas foram cortadas. Ela alcança a polícia numa linha de celular, mas eles não conseguem completar a jornada pela montanha até o campus, devido a um acidente bloqueando um túnel de acesso. A polícia então envia um helicóptero de resgate.

Jake começa a embarcar os alunos no helicóptero quando a Forma aparece de repente e corta a garganta do piloto. Desesperado, Jake tenta conduzir o helicóptero sozinho, mas imediatamente colide com a montanha, matando todos a bordo. Keri consegue abrir o portão da frente, permitindo que diversos ônibus lotados de estudantes deixem o campus. A forma volta sua atenção a Mick e Sara, que serão salvos no último momento por Molly. Apesar disso, Sara é morta um pouquinho depois, deixando que Mick e Molly se juntem a Keri.

Os três conseguem escapar do campus num ônibus vazio — sem saber que seu algoz está no teto do veículo. A Forma faz o ônibus bater dentro do túnel da montanha.

Molly morre num ataque surpresa momentos antes da polícia chegar ao local. A Forma assassina os policiais um a um quando se aproximam do ônibus capotado. Keri usa as hélices de outro helicóptero de resgate para fatiar seu irmão ao meio, cortando-o pela cintura. Keri e Mick se reúnem como mãe e filho.

Por este sumário, você pode facilmente perceber que o argumento de Williamson contava uma história bastante diferente daquela de *Halloween H20*. Além da abertura, da ambientação na escola, e do personagem Keri Tate, essa abordagem da continuação tinha muito pouco em comum com o filme produzido. Existem diversos personagens adolescentes que compartilham os nomes com aqueles em *H20*, mas seus papéis e suas personalidades são diferentes. Esse argumento retrata a Forma como um super-humano até ele se transformar virtualmente em inumano. Num determinado momento, Williamson escreve que Mick "mata a Forma", ainda que Michael inexplicavelmente se recuse a morrer e volte pronto para a próxima. A morte definitiva é também a mais finita que vimos até então — serrado ao meio pelas hélices do helicóptero. É extremamente difícil imaginar um cenário em que a Forma consiga de alguma maneira se recuperar disso. Não é como se ele conseguisse trocar de uniforme com outra pessoa antes de jogá-la tropeçando em direção às hélices em movimento. (Um comentário engraçado: esse argumento marca a primeira vez em *Halloween* que Michael Myers é superado. Jake consegue uma contagem de corpos superior, ao acidentalmente colidir com o helicóptero de resgate na montanha.)

Um momento de destaque no argumento de Williamson que ficaria muito bem no filme ocorre perto do final da história. Keri e a Forma se encaram para o que promete ser uma luta até a morte. Antes que sua batalha comece, eles escutam Mick gritando de um prédio vizinho. Depois, a Forma olha para Mick, volta-se para Keri, e finalmente marcha em direção ao filho dela. Aqui temos uma visão assustadora da mente do bicho-papão de *Halloween*. Não seria o suficiente matar Keri naquele momento. Não, a Forma vai atrás da pessoa que ela mais ama: seu único filho remanescente. Ele quer matar Mick como fez com Jamie, e quer que a Keri esteja lá para testemunhar. Por isso, não é de se estranhar que Williamson tenha batizado o ato final de seu argumento de "Fúria de Mãe".

Entre os aspectos mais polêmicos do posteriormente produzido *Halloween H20* está sua decisão de abandonar as três continuações prévias do filme, mas esse não foi sempre o caso. Como mencionado no sumário, esse argumento planejou incorporar os acontecimentos da trilogia *O Retorno/A Vingança/A Última Vingança* em vez de ignorá-los. (Comentário: apesar de Williamson gostar dessa ideia, ele nega sua autoria.) Na verdade, a decisão de fazer Laurie Strode simular sua morte foi originalmente concebida em resposta à afirmação de *Halloween 4* de que ela havia morrido num acidente de carro. Williamson também era um fã declarado da personagem Jamie Lloyd dos filmes *Halloween 4* e *5*.

Falando sobre a malfadada filha de Laurie Strode, a atriz Danielle Harris tentou, sem sucesso, uma aparição surpresa em *H20*. "Fiz meu agente ligar para a produção e perguntar se eu podia fazer uma ponta", Harris contou à *Fangoria*. "Talvez eles estivessem um pouco chateados por eu não ter feito *Halloween 6*. Não pedi a eles um dos papéis principais, isso seria estúpido. Mas mesmo uma figuração passageira ou uma cena atrás do balcão servindo refrigerante, algo simples assim. Todas as pessoas que tinham assistido aos outros *Halloweens* teriam dito: 'Ei, olha ela aí!'. Mas eles não quiseram."

O TRATAMENTO DE ZAPPIA/WILLIAMSON

Por sua própria conta, Robert Zappia escreveu o primeiro tratamento de *Halloween: Laços de Sangue* sem ter lido o esboço da história de Kevin Williamson. Isso logo mudaria, já que o segundo tratamento de Zappia bebeu bastante do argumento, o suficiente para que Williamson recebesse crédito pela história. Datado de 3 de dezembro de 1997, essa segunda passagem pela história também incorpora diversos elementos do roteiro abandonado de *As Duas Faces do Mal*. Naquele momento, o projeto vinha sendo tratado oficialmente com o título provisório *Halloween 7: The Revenge of Laurie Strode* [A Vingança de Laurie Strode].

Este primeiro tratamento de Zappia/Williamson começa assim como o argumento anterior, embora com a enfermeira Marion Whittington, dos dois primeiros filmes de *Halloween*, no lugar de Rachel Loomis (ela foi erroneamente chamada de Pamela Whittington, mas é a mesma personagem). Sua casa também viajou pelo estado, indo de Chicago à cidade de Langley. No filme produzido, a Forma ataca Marion com uma faca de cozinha, e ela se defende com um atiçador de ferro. Neste tratamento, as armas estão invertidas. A Forma acerta o nariz de Marion com o atiçador, que perfura o topo do seu crânio, matando-a instantaneamente. A polícia responde, e o detetive Toni Blake, de Langley, é designado ao caso. Assumindo ser esse um trabalho de Michael, o departamento de polícia de Haddonfield manda o detetive Richard Carter para auxiliar Blake. Esses dois serão o foco de uma subtrama de detetive que se desenvolve durante o filme. Juntos, eles desenterram a história da família Myers, bisbilhotando velhas fotografias e filmes caseiros pelo caminho. Isso é *extremamente* parecido com uma das tramas de *As Duas Faces do Mal,* escrito por Zappia.

Então, a história muda para a Academia Hillcrest, em Ferndale, Wisconsin (anteriormente a Tyler Prep School em Briarcliff, Maine), onde encontramos a administradora escolar Keri Tate e seu filho adolescente, John. Ao contrário do argumento, John não odeia sua mãe aqui, ainda que a superproteção dela permaneça sendo uma fonte de tensão na relação dos dois. Assim como no argumento, John não conhece a história de sua família. Uma vez mais, Keri está conectada romanticamente a um sujeito legal chamado Will Brennan, agora um professor de química. E ela ainda luta contra o alcoolismo, enquanto precisa lidar com velhos demônios.

Essa versão da história contém um número maior de vítimas adolescentes, na forma dos amigos de John. A antiga patinha feia Molly foi promovida à namorada de John, com matizes mais próximos de como ela aparece no filme produzido. Também estão incluídos a corajosa Linda Kang, a apagada Amy Kramer e seus respectivos namorados, Shane e Eddie. Antes do Halloween, os garotos visitam uma farmácia. Amy fica atrás para ter um tempinho à sós com seu namorado. Ao chegar em Ferndale, a Forma mata os jovens promíscuos, encravando um cutelo de carne no rosto de Eddie e empalando Amy nos cacos de vidro de uma porta quebrada. A seção de fantasias de Halloween da loja contém um manequim de Michael Myers que o Michael real imita para conseguir se aproximar sorrateiramente deles. Apesar do corpo de Amy ser descoberto imediatamente, o de Eddie não é. Dessa forma, os policiais inicialmente suspeitam que Eddie possa ser o culpado pelo assassinato de sua namorada. No entanto, isso não ameniza os temores de Keri.

A Forma vai até Hillcrest num carro roubado, que ele abandona do lado de fora do portão, como no argumento de Williamson. A vigia Hattie investiga e encontra o corpo de Eddie sentado no banco da frente. A Forma entra sorrateiramente no campus e mata Hattie em seguida.

Na manhã da véspera do Halloween, os detetives Carter e Blake descobrem que o túmulo de Laurie Strode fora roubado (o roteiro comenta que Jamie Lloyd está enterrada perto do túmulo falso de sua mãe). Vasculhando os velhos arquivos de Loomis, eles acham um número de telefone da Academia Hillcrest e deduzem que Keri Tate seja na verdade Laurie Strode. Eles a visitam em Hillcrest no dia seguinte, apesar de ela se mostrar hostil à presença deles e sem vontade de conversar. (Blake: "Alguém já lhe disse que você tem uma semelhança impressionante com a Laurie Strode?". Keri: "Nunca ouvi falar dela".)

O dia de Halloween encontra a escola se preparando para o baile do feriado no ginásio. O ginásio de Hillcrest é único, já que seu chão retrátil revela uma piscina por baixo. A Forma mata uma estudante na piscina, empurrando-a debaixo d'água com uma das mãos, enquanto a esfaqueia com a outra. Então ele cobre a piscina com o chão do ginásio para esconder o corpo dela. Chateado com a natureza superprotetora de sua mãe, John se veste de Michael Myers e entra no vestiário feminino para fingir um ataque a uma colega. Keri sente-se acometida pela pegadinha, e John tira sarro de sua cara. Daí, na verdade, ela revela ser a Laurie Strode de Haddonfield. John não recebe muito bem a notícia de seu parentesco assassino. ("Espera um minuto. Calma aí. Você está me dizendo que o Michael Myers é meu tio? Algum outro parente psicótico que eu deva saber? Jason? Freddy Krueger?")

Enquanto isso, a Forma vai eliminando a população estudantil ao cair da noite. Ele mata os amigos de Molly, asfixiando Shane com a fantasia de camisinha do garoto e cortando o rosto de Linda em fatias de seis milímetros com um fatiador elétrico de metal. Mais tarde, ele persegue Molly ao se esconder no quarto dela no dormitório. Acreditando ser seu cachorro debaixo da cama, Molly se abaixa para lhe fazer carinho. Na verdade, ela está fazendo cafuné nos cabelos da máscara de Michael Myers. Molly percebe o erro quando o cão entra no quarto e começa a rosnar para o intruso debaixo da cama. Molly é atacada e ferida gravemente, mas consegue fugir e tenta avisar a todos no baile. Infelizmente, seus gritos se perdem no barulho coletivo da festa. Molly então escala a torre do sino, que ela badala repetidamente. Isso alerta Keri de que algo está errado. Ela sai a tempo de ver a Forma atirar Molly da torre com uma corda em volta de seu pescoço, matando-a imediatamente.

De volta ao baile, um calouro brincalhão decide recolher o chão do ginásio na esperança de que os convidados caiam na piscina. O chão se abre, revelando o cadáver da nadadora flutuando numa água carmim. O pandemônio toma conta do ginásio. Keri corre até sua casa para buscar uma arma, que desapareceu. Ela, ao contrário, encontra o corpo mutilado do detetive Blake na sua cama com a lápide desaparecida de Laurie Strode apoiada na cabeceira. Após evacuar a escola, Keri tranca o portão da frente, agarra um machado de bombeiro e se dirige ao ginásio para confrontar seu irmão, que lhe ataca primeiro. John atira diversas vezes na Forma com a arma de sua mãe, derrubando o tio na piscina. Ele corre para fechar o chão do ginásio, enquanto o assassino ferido luta para sair da piscina. Desesperado, a Forma grita uma única palavra: "Laurie!" Após um momento de silêncio atordoante, ela responde: "Michael... vai pro inferno!". Keri então atravessa o coração de seu irmão com um dardo de atletismo enquanto o chão do ginásio se fecha sobre ele, aprisionando a Forma em seu túmulo aquático.

Com esse tratamento, *Halloween 7* finalmente começa a se parecer com o *Halloween H20* que conhecemos, particularmente no final. Enquanto o argumento de Williamson viu Keri atacar enquanto tentava escapar da escola, esse tratamento mostra Keri confrontando seu irmão com um machado após emperrar o portão da frente (daí *A Vingança de Laurie Strode*). Isso acerta em cheio na essência do que *H20* viria a ser. Após duas décadas vivendo com medo, a caça se torna a caçadora. Keri abandona o vitimismo e se empodera para enfrentar seu algoz de longa data. Quanto à Forma, a caracterização de Zappia é um pouco mais calcada na realidade do que nos tratamentos anteriores. O mais importante: ele já não é mais um super-humano. Seu falecimento também é um pouco menos permanente aqui do que ser fatiado em dois pelas hélices rodopiantes de um helicóptero. A única linha de diálogo do assassino no final, ainda que fosse uma escolha ousada, certamente se provaria controversa entre os fãs.

Apesar da subtrama dos detetives ser interessante, ela é definitivamente desnecessária. Os dois oficiais nunca fazem nada que justifique suas presenças na história. O detetive Blake é morto e usado como um artifício para assustar Keri, enquanto o detetive Carter falha em chegar na escola a tempo de lutar com a Forma. Keri acerta ao zombar da oferta dele em protegê-la. A única coisa que esses dois descobrem durante sua investigação é que Keri Tate é Laurie Strode, algo que o público já sabe. O fato de que nós já sabemos faz a descoberta deles ser um pouco decepcionante.

Os primeiros tratamentos de Zappia continuavam se esforçando para incorporar a trilogia *O Retorno/A Vingança/A Última Vingança* na trama. Isso foi alcançado ao expandir a cena do argumento de Williamson em que um dos alunos de Keri entrega um relatório sobre "As Mortes de Haddonfield", um livro criminal verídico escrito por Marion Whittington. Essa cena não só faz referências aos três filmes anteriores, mas, de acordo com o roteiro, também apresentaria flashbacks na sequência do relatório do aluno. Isso irrita demais Keri, que já estava tensa o bastante, e ela é vista correndo da sala de aula. Ela mal consegue chegar ao banheiro antes de vomitar seu café da manhã. (Aluno: "O livro alega haver verdade no rumor de que Laurie Strode estaria bem, vivendo sob uma nova identidade. Alega que ela entregou sua filha para adoção para proteger a menina de oito anos de seu tio psicótico. Péssima ideia. No último Halloween, o corpo mutilado de Jamie foi encontrado num celeiro nos arredores de Haddonfield".)

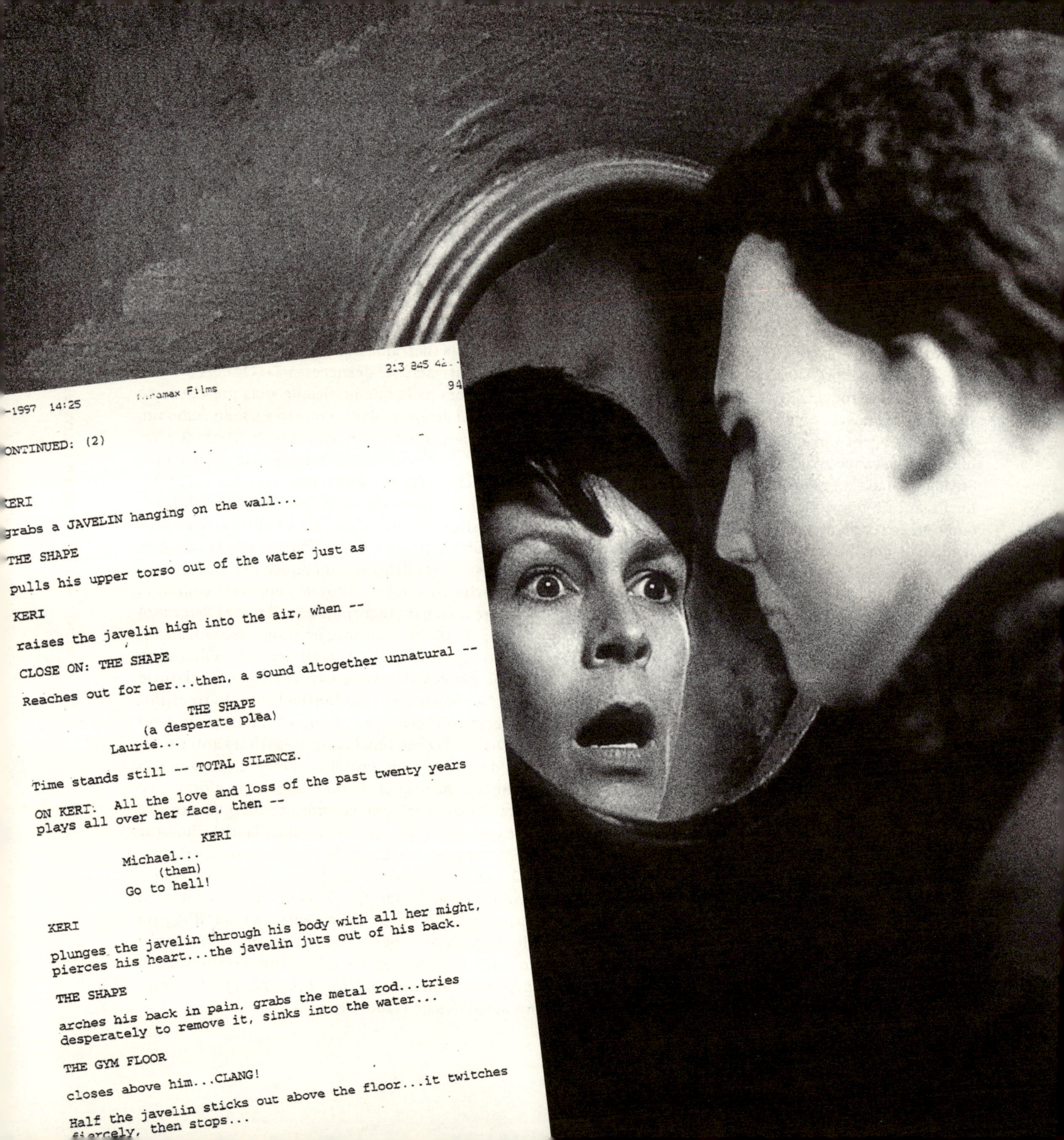

-1997 14:25 ...ramax Films 213 845 42..

94

ONTINUED: (2)

KERI

grabs a JAVELIN hanging on the wall...

THE SHAPE

pulls his upper torso out of the water just as

KERI

raises the javelin high into the air, when --

CLOSE ON: THE SHAPE

Reaches out for her...then, a sound altogether unnatural --

THE SHAPE
(a desperate plea)
Laurie...

Time stands still -- TOTAL SILENCE.

ON KERI: All the love and loss of the past twenty years plays all over her face, then --

KERI
Michael...
(then)
Go to hell!

KERI

plunges the javelin through his body with all her might, pierces his heart...the javelin juts out of his back.

THE SHAPE

arches his back in pain, grabs the metal rod...tries desperately to remove it, sinks into the water...

THE GYM FLOOR

closes above him...CLANG!

Half the javelin sticks out above the floor...it twitches fiercely, then stops...

"Não há hipótese da franquia terminar com este filme. A franquia nunca vai terminar."

MOUSTAPHA AKKAD

Entrevista para a *Fangoria*

O TRATAMENTO DE ZAPPIA/GREENBERG

No começo de 1998, o desenvolvimento de *Halloween 7* seguia avançado. Robert Zappia fez várias revisões do roteiro, cada uma delas se afastando um pouco mais do argumento de Williamson. Esses tratamentos se tornaram tão distantes do trabalho de Williamson que uma comissão do Sindicato dos Roteiristas decidiu que ele não era mais merecedor do crédito. Apesar disso, Williamson continuou como consultor de *Halloween 7*, agora intitulado *Halloween H20*, e ofereceu comentários extensivos nessa direção. Eles incluíam a reintrodução de Marion Chambers, dos dois primeiros filmes, e a mudança do vigia de segurança da escola, da idosa Hattie para o mais jovem e descolado Ronny.

Em reconhecimento às suas contribuições, agora não creditadas, os Weinstein viriam a nomear Williamson como um produtor executivo. Zappia trabalhou de perto com Moustapha Akkad em outros desenvolvimentos do roteiro, e também com os produtores Malek Akkad e Paul Freeman. O roteirista abandonaria *H20* por outro projeto muitas semanas antes da filmagem. Isso levou os produtores a contratarem o roteirista Matt Greenberg para um polimento de última hora no script. No final das contas, Greenberg e Zappia dividiram os créditos do roteiro de *H20*, com o último recebendo também crédito pela história do filme.

O tratamento final de *H20* começa com a Forma rastreando Marion Chambers, dos dois primeiros *Halloweens* (tratamentos anteriores apresentavam Marion vivendo em Langley, embora esta versão a realoque na fictícia Langdon, Illinois). Uma vez dentro da sua casa, a Forma vasculha os arquivos do saudoso dr. Loomis e descobre que Laurie Strode simulou sua morte e agora vive no norte da Califórnia como Keri Tate. Ele mata Marion e dois adolescentes locais antes de partir para o oeste. Um par de detetives na cena do crime levanta a possibilidade daquele ter sido um trabalho do Michael Myers. Um oficial menciona que, uma vez que o corpo de Michael nunca fora encontrado, ele estava tecnicamente desaparecido por vinte anos.

A história então corta para a cidade fictícia de Summer Glen, na Califórnia, onde Keri Tate é a diretora da Academia Hillcrest, uma sofisticada escola preparatória mista. Seu filho de dezessete anos, John, sente-se frustrado quando ela não permite que ele participe da viagem da escola ao Parque Nacional de Yosemite. Nessa versão da história, John descobre e é compreensivo a respeito do passado de sua mãe em Haddonfield, mas ainda assim está cansado de sua superproteção maternal. Keri cede e assina a permissão, embora John já tenha feito planos alternativos. Com a

academia abandonada devido à excursão, ele e três amigos pretendem passar a noite de Halloween festejando num campus vazio. Os planos de Keri para o evento envolvem passar a noite com seu namorado, o conselheiro da escola, Will Brennan. Num momento íntimo naquela noite, Keri revela a ele seu segredo sombrio de que ela é, na verdade, Laurie Strode, de Haddonfield.

A Forma chega a uma escola desolada após o cair da noite e mata dois dos amigos de John, Sarah e Charlie. John e a namorada Molly conseguem escapar e são salvos por Keri e Will. Isso traz Keri cara a cara com o semblante fantasmagórico de seu irmão. Enquanto tentam escapar da escola na penumbra, Will se empolga demais com o gatilho, confunde o vigia Ronny com a Forma e atira na cabeça dele. O verdadeiro Michael Myers aparece logo após e mata Will na frente de Keri. Ela foge e consegue resgatar John, machucado, e Molly. Então Keri emperra o portão da Academia Hillcrest, agarra um machado de incêndio e volta até a escola, enquanto grita pelo nome do irmão. Uma luta brutal se desenrola com Keri acertando a Forma diversas vezes e jogando ele de uma varanda, rendendo-o inconsciente. O sabe-se-lá-como-ainda-vivo Ronny aparece repentinamente e a resgata, antes que ela possa continuar com seus golpes de machado (acontece que a bala de Will pegou apenas de raspão em Ronny).

Os socorristas declaram que a Forma morreu e deixam seu cadáver ensacado dentro de um furgão do instituto médico-legal. Não convencida, Keri recupera seu machado e rouba o furgão, que ela dirige para longe do campus. O sabe-se-lá-como-ainda-vivo Michael se reanima e ataca imediatamente. Pisando fundo no freio, ela faz com que ele saia voando pelo para-brisa. Numa tentativa de atropelá-lo, Keri joga o furgão numa ribanceira, ferindo ambos gravemente. Imprensado pelo furgão, Michael estica seu braço na direção dela, parecendo quase inocente. Ela responde aproximando sua mão, mas interrompe o movimento um pouquinho antes de fazer contato... e rapidamente o decapita com um golpe de seu machado.

Esta versão final de *Halloween H20* é um truncado amálgama que afinou diversas questões dos tratamentos anteriores. Para começar, John Tate não é mais apresentado como um babaca arrogante. Ele e seus colegas de escola se tornaram, no mínimo, personagens suficientemente simpáticos. Dessa forma, ele agora está ciente do passado de sua mãe e não prega mais uma pegadinha nela se vestindo como Michael Myers. Na verdade, é o seu conhecimento sobre a situação de sua mãe que aumenta sua raiva em relação à natureza superprotetora dela. Em segundo lugar, os roteiristas fizeram bem ao trocar o baile de Halloween da escola por uma excursão noturna ao Parque Nacional de Yosemite. Isso permite que o ato final se desenrole num campus vazio, em vez de ter centenas de estudantes festeiros curtindo por aí. Um cenário em que os heróis lutam contra a Forma sem ninguém ao redor conjura o espírito do *Halloween* original. Em terceiro lugar, a subtrama dos detetives foi removida com o objetivo de se concentrar mais nos eventos da escola. De acordo com o editor Patrick Lussier, esse material foi descartado um pouquinho antes das filmagens, como sugestão de Kevin Williamson. A eliminação da subtrama foi tão em cima da hora que o ator Charles S. Dutton, de *Alien 3* e *Tempo de Matar* (*A Time to Kill*), já havia sido escalado como o detetive Carter. Tão nitidamente desnecessária, a ausência dessa subtrama fez de *H20* o menor filme da franquia *Halloween*.

"A trama original de *H20* tinha a mesma estrutura de *Halloween*, onde você via essas histórias paralelas caminhando simultaneamente", Curtis contou à *Femme Fatales Magazine*. "Você tinha a história da Laurie Strode e então tinha um policial. (...) Então, cerca de três semanas antes da filmagem, enquanto Kevin Williamson estava polindo o tratamento, Steve disse: 'Eu quero tentar um tratamento sem esse policial porque nós já vimos isso um milhão de vezes'. Foi com certeza a melhor decisão porque mantém você ligado no filme. Você não precisa desse outro personagem."

Enquanto a trama geral de *H20* fora fechada meses antes do começo das filmagens, os diálogos permaneceram no fluxo. Com a saída de Robert Zappia no

"*Halloween* é meu filme favorito de todos os tempos. Pânico foi uma carta de amor ao filme como um todo (...) e (*Halloween H20*) é uma celebração total ao filme original. Eu conectei *Halloween* com *Pânico* e com *Halloween H20*. É como um espelho olhando para outro espelho."
– Kevin Williamson,
Los Angeles Times

último minuto, tanto Matt Greenberg quanto Kevin Williamson fizeram o polimento dos diálogos, este último ainda sem receber os créditos. Entre as contribuições de Greenberg estava a cena em que mãe e filha pequena encontram a Forma numa parada de beira de estrada, um dos momentos favoritos de Zappia no filme. Jamie Lee Curtis também gostou da cena e, sem sucesso, fez campanha para que os produtores usassem a tomada escurecida de Michael espiando pela porta do cubículo do banheiro no cartaz do filme.

No que diz respeito ao título, *Halloween H20* pode ter sido mais amigável ao marketing, mas *A Vingança de Laurie Strode* seria mais apropriado. Keri está em busca de uma vingança sanguinolenta. Não apenas pelos amigos que perdeu, mas pelas peças de sua própria persona que ela nunca mais conseguiu reaver após *Halloween II*. O tempo não curou suas feridas, e sua única forma de lidar com elas vem dentro de uma garrafa. Isso contribui para aquela que pode ser a caracterização mais interessante da franquia. Curtis posteriormente revelou que essa abordagem sombria da heroína encontrou resistência do lado dos Akkad. Segundo ela, os produtores estavam preocupados que o público poderia desistir de torcer por uma protagonista tão imperfeita. Curtis argumentou que uma sobrevivente de trauma com problemas com vícios mas que ainda assim encara os seus medos era um exemplo vitorioso de heroísmo.

"Eu vi uma oportunidade de ser realista e mostrar o terror dos filmes de terror", disse Curtis durante a divulgação do filme. "Aqui temos uma oportunidade para essa garota, que é supostamente uma sobrevivente, mas, na verdade, não é uma sobrevivente — porque ela não tem alma. É isso o que foi arrancado dela. Sua capacidade de confiar. Sua capacidade de amar. Então, mesmo que ela tenha feito tudo o que uma mulher supostamente deve fazer para ficar feliz — ela foi à faculdade, conseguiu um diploma, se casou e teve um filho —, ela se sente vazia. Ela está em frangalhos, porque sua alma lhe foi roubada. (...) Ela pode escapar e continuar correndo, mas por estar correndo ela irá morrer. Porque ou ela vai estourar os miolos ou vai se envolver num acidente de carro ou seja lá o que aparecer na estrada. Mas se parar de correr e o encarar de frente, ela pode morrer, mas consegue sua alma de volta. Este é um objetivo um tanto cansativo e imponente para um filme de terror, mas se você consegue alcançá-lo, então você tem um filme digno do primeiro *Halloween*."

Em termos de tom, *H20* se assemelha muito mais a *Pânico* do que a *Halloween*, algo que incomoda muitos fãs. A ironia é que *Halloween* exerceu uma influência muito grande no suspense do Wes Craven, e serviu de referência a várias cenas daquele filme. Em vez de tomar emprestado do original de John Carpenter, *H20* emula o estilo de um slasher inspirado em *Halloween*. Olhando pra trás, não é um mistério o modo como isso aconteceu. *H20* foi desenvolvido sob a supervisão de Kevin Williamson, roteirista do *Pânico*, e lançado pelo mesmo estúdio. O sétimo *Halloween* também foi dirigido por Steve Miner, que capitaneou diversos episódios de *Dawson's Creek*, série de Williamson pioneira na dramaturgia adolescente do final dos anos 1990. Os cineastas também substituíram trechos longos da música de John Ottman por faixas da trilha sonora do *Pânico*, composta por Marco Beltrami. Até mesmo os pôsteres são parecidos. Se isso não fosse o suficiente, uma cena em *H20* apresenta dois adolescentes assistindo a *Pânico 2* na televisão. Esse meta-tributo faz ecoar o momento de *Pânico* em que adolescentes se juntam para assistir a *Halloween* numa festa. Outras referências cruzadas existem aos montes. O quanto você é capaz de aceitar uma sequência de *Halloween* parodiando o estilo de outro filme vai depender totalmente da quilometragem que você recebeu de *Pânico*. Gostando ou não, essa imitação tão aparente de fato rotula uma franquia até então original.

Com o tratamento final de filmagem de *H20*, a sequência abandona quaisquer esforços de se conectar com os episódios anteriores. Na verdade, um diálogo apresentado no começo do filme sugere que Michael Myers esteve desaparecido pelos últimos vinte anos, apagando efetivamente toda a trama de *O Retorno/A Vingança/A Última Vingança*. O novo filme, ao contrário, opera como uma continuação direta de *Halloween II*, que poderia também ser ignorado se não fosse pela questão dos laços de sangue, tão cruciais na história de *H20*. Mesmo assim, *H20* luta para manter sua própria versão simplificada de continuidade. O final de *Halloween II* mostrou a Forma perdendo a visão por disparos de uma arma e ardendo em chamas no hospital. Ainda assim, em *H20* encontramos Michael com a visão perfeita e sua pele livre de marcas de queimaduras. E não é como se os cineastas esquecessem do final de *Halloween II*, como observa John Tate: "Você mesma disse que viu ele queimar".

"A Dimension e o diretor (Steve Miner) acharam que seria melhor deixar de lado (Jamie Lloyd e as continuações de *Halloween*)."
– Robert Zappia,
HalloweenMovies.com

Fãs há tempos debatiam a guinada da primeira continuação que fez de Michael e Laurie irmãos, com parte deles argumentando que isso atrapalhava narrativamente os episódios subsequentes. A seu favor, *H20* confere dignidade à elaborada premissa. Quando Will pergunta a Laurie "Quem era ele?", ela responde enfaticamente: "Meu irmão". Não estamos mais assistindo a uma simples continuação de um slasher, mas uma mórbida exposição de disfuncionalidade familiar e, no caso de Michael, talvez de uma doença mental extrema. Esses temas desgastados ganham força perto do final quando — durante um momento de ternura fugaz — Laurie, aos prantos, estende sua mão em direção aos dedos esticados de Michael. Irmãos reunidos pela última vez. E então, um balançar do machado. Nada foi esquecido ou perdoado.

Não fosse por *Halloween II* e seu polêmico ponto de virada da trama, o final de *Halloween H20* talvez não chegasse nem perto de sua ressonância emocional (pelo menos até *Halloween Ressurreição*, é claro).

H20 é notável não apenas pelo retorno de Laurie Strode, mas também pela ausência do dr. Loomis. Essa continuação de aniversário marca o primeiro filme da franquia produzido após a morte de Donald Pleasence, em 1995. Apesar de Curtis comentar à *Fangoria* que ela sentia falta de Pleasence, ela disse não sentir falta de um substituto para Loomis, declarando: "No primeiro filme, ela nunca vê (o dr. Loomis). Ela sequer sabe que ele existe até os últimos três minutos do filme. No segundo filme, ela não o vê até os últimos três minutos do filme. Então, por todos os efeitos e propósitos, Laurie nunca realmente soube quem era aquele homem."

Ainda assim, *H20* presta homenagens ao personagem com uma sequência de créditos iniciais ambientada dentro de seu escritório. O local está entulhado de artigos e documentação de cenas de crime. Ainda que fique estabelecido que Loomis já falecera, ele ainda faz uma pontinha na abertura por meio de uma narração fantasma (a voz não pertence a Pleasence, e sim ao ator Tom Kane, mais conhecido por sua participação como Mestre Yoda na versão animada do universo de *Star Wars*). Com essa sequência de abertura, a franquia faz uma ponte entre as histórias de Loomis e de Laurie e, de certa maneira, passa a tocha narrativa adiante. Como *Halloween 6*, esse capítulo também faz uma homenagem a Pleasence no final com um crédito dedicado à sua memória.

Os cineastas de *H20* também tiraram seus chapéus ao filme *Psicose* com uma figuração da "rainha do grito" original, Janet Leigh (essa seria a segunda vez que ela e Curtis apareciam juntas em cena, após *A Bruma Assassina*, de John Carpenter). Os fãs irão se lembrar que Carpenter batizou o dr. Loomis inspirado em Sam Loomis, o namorado da personagem de Leigh em *Psicose*. Em *H20*, Leigh faz o papel da gentil secretária de Hillcrest, Norma, cujo próprio nome traz à mente Norman Bates. Norma diz a Keri Tate que "os ralos dos chuveiros do vestiário feminino estão entupidos de novo", uma clara citação ao infame assassinato de Leigh no filme de 1960. Em sua última cena, Leigh parte no mesmo carro que ela dirigiu em *Psicose*, enquanto uma variação do tema musical daquele filme toca ao fundo. Curtis viu a participação de sua mãe como uma comovente cortina final de uma longa e notável carreira. Por isso, ela esteve profundamente envolvida na criação da cena. A performance de Leigh como Norma se tornaria sua derradeira aparição nas telonas. Apropriadamente, suas últimas palavras no filme eram para desejar a sua filha um "feliz Halloween".

Para a maioria dos envolvidos, *H20* deveria concluir de fato a longa história de Michael Myers. De acordo com a lógica dos momentos finais deste episódio, a Forma é *literalmente* decapitada por Laurie Strode e, portanto, *finalmente* morre. Este foi o final preferido dos roteiristas, dos Weinstein e da própria Jamie Lee Curtis. O diretor Steve Miner chegou a contar à *Fangoria:* "Você precisa ver como o filme termina para decidir se este é ou não o final de *Halloween*. Mas não sei como poderiam seguir adiante. Nós amarramos tudo. Ninguém vai ficar desapontado com o final. Não é possível ser mais definitivo que este filme". A única resistência a este plano era, claro, Moustapha Akkad, que apostava em sua habilidade para produzir novas continuações.

Curiosamente, o roteiro de *Halloween H20* foi desenvolvido extensivamente desde o início de 1997 ao início de 1998 sem nenhum dos conflitos criativos que amaldiçoaram o filme anterior. Tendo os mesmos executivos envolvidos em ambos, o que fez com que o desenvolvimento de *Halloween 6* fosse um desastre e o de *H20*, tão tranquilo? Existem diversos fatores a se considerar. Primeiro, a história de *H20* é muito mais simples do que a de *Halloween 6*, sem reviravoltas ou elementos sobrenaturais. Os cineastas nunca tentaram explicar o que faz a Forma se coçar. *H20*, ao contrário, entrega uma história linear com os pés na realidade. Depois, *H20* desconsidera muito da continuidade existente e cria uma conclusão de fato, no lugar de outro gancho alucinante (estamos falando de vocês, *Halloweens 4*, *5* e *6*). Isso liberou os cineastas de ter que resolver pontas soltas nas tramas dos episódios anteriores. Além disso, *H20* foi agraciado com a supervisão criativa de Kevin Williamson, em quem os Weinstein confiavam implicitamente. *Halloween 6*, ao contrário, foi escrito por um roteirista iniciante que não recebia a mesma confiança. Contando apenas com o apoio dos Akkad, Daniel Farrands não teve um empurrãozinho político para defender suas escolhas criativas. Acima de tudo, *Halloween 6* foi uma lição a todos os envolvidos a respeito da importância de acertar o roteiro antes de ligar as câmeras.

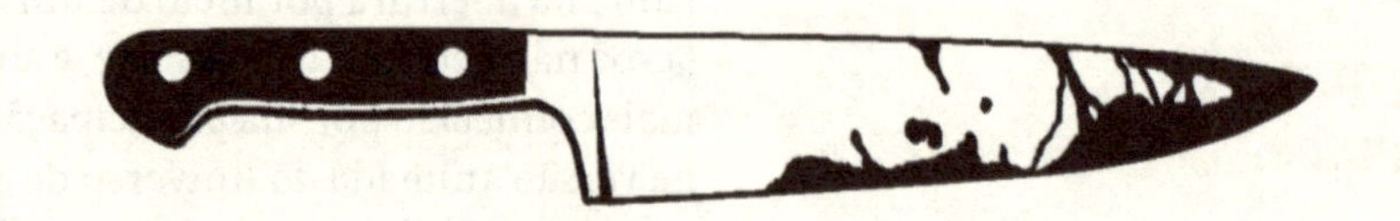

A VERSÃO TELEVISIVA

Ainda que uma "versão-monstro" de *Halloween H20* tenha vazado para a base de fãs, ela se mostrou totalmente desinteressante no que diz respeito a cenas alternativas.* Os fãs ganhariam uma versão alternativa muito mais substancial em 2003, quando *H20* estreou no canal FX. As cenas adicionais presentes nessa versão ainda não apareceram em nenhum outro lugar, nem mesmo em lançamentos de edições especiais em VHS, DVD ou Blu-Ray.

A cena de abertura acontece de forma um pouco diferente, com diversos planos extras adicionados e outros removidos. Aqui, Jimmy não rouba mais a cerveja da geladeira de Marion. Nós poderíamos concluir que Jimmy e Tony sobrevivem nessa versão, já que Marion nunca descobre seus corpos. Na versão cinematográfica, a sequência de perseguição começa quando ela tenta sair e encontra o cadáver de Tony com a maquiagem de efeitos especiais. Na versão para a TV, a perseguição começa quando Marion percebe a Forma entrando pela porta dos fundos. Existem diversos planos adicionais de Marion sendo perseguida dentro da casa de seu vizinho.

A cena da parada de beira de estrada de *H20* é um pouco mais longa, com mais foco no Buick roubado por Michael, estacionado ali em frente. Nesta versão, nós quase não conseguimos ver o assassino espiando no banheiro masculino com a aproximação da mãe e da filha. Então, a cena continua como no cinema. Outra breve inclusão no filme acontece quando Charlie e John dão uma volta na cidade durante sua escapulida do campus na hora do almoço. John rejeita os incentivos do amigo para que ele aproveite sua noite com Molly. Sem que eles saibam, a Forma passa por eles dirigindo sua recém-adquirida caminhonete Harvester Travelall.

A única cena totalmente nova mostra Keri e Will esculpindo uma abóbora na noite de Halloween. Sabendo que ela está estressada, mas sem saber o porquê, Will entra no modo de professor conselheiro e compartilha uma história pessoal sobre crescer com um pai abusivo na esperança de que ela se abra sobre seu próprio passado. Keri responde: "Família é um problema". Isso emenda na cena da versão cinematográfica, na qual ela desenterra seu próprio passado enquanto eles dão um amasso no sofá (baita corta-clima, Keri).

A morte de Charlie é levemente estendida, já que vemos a Forma se aproximar lentamente enquanto ele tenta soltar a mão do triturador de lixo. Como na cena de abertura com Marion e os vizinhos, John e Molly nunca descobrem os corpos de Sarah e Charlie. Ao contrário da abertura, entretanto, eles com certeza estão mortos. Em vez de dobrarem a esquina e encontrarem o corpo mutilado de Sarah, John e Molly veem a Forma esperando na cozinha, o que dá início à perseguição. A Forma não mais esfaqueia a perna de John, o que não faz muito sentido com o jeito de andar mancando do personagem, mais adiante.

A cena na qual Keri tenta escapar em seu SUV contém mais tomadas da Forma se aproximando, enquanto John e Molly entram em pânico. Da mesma forma, temos diversos planos extras de Keri e Michael perseguindo um ao outro antes do confronto cara a cara. A maior mudança no final, entretanto, envolve o destino de Ronny, o vigia. Nos cinemas, Ronny miraculosamente reaparece para salvar Keri quando ela está prestes a esfaquear seu irmão inconsciente. Logo ficamos sabendo que a bala de Will passou apenas de raspão e que Ronnie vai ficar bem. A versão televisiva muda tudo isso. A cena anterior é cortada de forma abrupta para Keri olhando para seu irmão caído antes de ela levantar a faca, deixando claro que Ronny nunca se jogará em cima dela. Ele também não aparece na próxima cena, na qual Keri rouba o machado de bombeiro e o furgão do instituto médico-legal. Isso posto, a única conclusão lógica é a de que o disparo de Will foi realmente fatal. Descanse em paz, Ronny.

* "Monstro" ou versão offline — ou *workprint*, no original — é uma versão para aprovação prévia da montagem ou edição, geralmente ainda inacabada em termos de mixagem de áudio, aplicação de efeitos e correção de cores, por exemplo. [NT]

Entrevista:

ROBERT ZAPPIA

Roteirista — Halloween H20

Entrevistado por Dustin McNeill

Como você faz o salto de escrever sitcoms e para escrever longas-metragens como Halloween 7?
Eu trabalhava com televisão na época escrevendo comédias. Tinha escrito *Home Improvement* e tinha terminado de escrever uma sitcom de curta duração estrelada por David Chappelle, chamada *Buddies* [Camaradas]. Durante este hiato, escrevi o spec script de um longa chamado *Population Zero* [População Zero]. Escrever longas-metragens sempre foi meu objetivo final. Então, a cada hiato eu escrevia um novo roteiro na esperança de vendê-lo. E apesar de *Population Zero* não ter sido vendido, ele chamou a atenção de um executivo da Dimension chamado Richard Potter.

Meu agente conseguiu uma entrevista com Richard. Lembro-me de sentar na recepção da Miramax/Dimension esperando a reunião começar. Esperei lá por quase 45 minutos e pensei seriamente em ir embora. Eu já tinha ido a muitas dessas reuniões gerais que nunca davam em nada além de uns poucos elogios sobre meu jeito de escrever. Rapaz, eu fico feliz por não ter levantado e saído!

Então, o Richard apareceu e se desculpou por estar atrasado, e conversamos sobre o meu roteiro e coisa e tal. Eu me conectei com o Richard no momento em que começamos a conversar. Um executivo muito bom e gente fina. Ele disse que adoraria trabalhar comigo, mas que o único trabalho que eles tinham em aberto era um lançamento direto em vídeo de *Halloween 7*, eu estaria interessado? *Se eu estaria interessado?!* Hã, sim... sim, eu estava! Eu era um grande fã do *Halloween* original, e qualquer chance de fazer parte daquela franquia seria uma ideia maravilhosa, fosse ela lançada nos cinemas ou não!

Conte sobre o próximo passo na evolução de Halloween 7, quando Kevin Williamson apareceu. O que você achou do argumento dele?
Deixa eu voltar pro começo, antes da Jamie Lee estar envolvida. Completei o primeiro tratamento de *As Duas Faces do Mal* e o entreguei. Logo depois, meu agente ligou e me disse que o Bob Weinstein estava animado com o roteiro e que ele queria se encontrar comigo. Foi nessa reunião que ele me disse que havia conversado pessoalmente com a Jamie Lee Curtis e que ela havia concordado em fazer o filme do vigésimo aniversário. Ele disse que eles adoraram a ideia da escola interna e quiseram saber o que eu achava de colocar a personagem naquela história. Sugeri que ela fosse uma professora ou a diretora da escola. O primeiro tratamento que entreguei com a Jamie se chamava *Halloween: Laços de Sangue*. Os tratamentos posteriores se chamavam *Halloween: A Vingança de Laurie Strode*. Sou um grande fã de *Star Wars* e lembrei que *O Retorno de Jedi* se chamava originalmente *A Vingança de Jedi*. Sempre preferi esse título.

Então brinquei com a ideia de *Halloween 7* ser chamado de *A Vingança de Laurie Strode*. O mais estranho é que eu não fazia ideia de que Kevin sequer havia escrito um argumento até meses após entregar o meu tratamento revisado. Eu sequer sabia o que a Dimension havia dito a Kevin a respeito do meu envolvimento ou da existência do tratamento escrito por mim. Eles podem ter sugerido a ideia da escola preparatória para ele.

Houve alguma disputa em relação aos créditos. Sei que a Dimension queria que o Kevin recebesse o crédito "história de". Os créditos foram para decisão do Sindicato dos Roteiristas, onde um comitê independente revisou todo o material anonimamente (exemplo: Roteirista A, Roteirista B, Roteirista C). Após a revisão do comitê, eles determinaram os créditos finais. Todos que tiveram um papel no jogo têm sua própria opinião sobre quem merece quais créditos, motivo pelo qual é tão importante ter um comitê independente fazendo a revisão. A apresentação original e as versões subsequentes foram criadas por mim (com sugestões de Moustapha, Paul Freeman e Malek Akkad). Depois, Kevin Williamson foi chamado para ser produtor. Falei com ele ao telefone uma vez, para anotar sugestões de um primeiro ou segundo tratamento do filme. Moustapha estava fortemente envolvido com o conceito. Ele tinha uma afinidade verdadeira com a franquia e com Michael. Era um guardião dos personagens e da franquia como um todo.

Fãs e críticos notaram influências, pro bem ou pro mal, de Pânico em H20. Qual sua opinião sobre isso? O filme realmente deve alguma coisa a Pânico?

Pânico foi um filme muito influente e definitivamente redefiniu o gênero do terror. E tendo sido lançado com enorme sucesso no mesmo ano em que eu comecei a escrever *Halloween 7*, posso ver por que a Dimension queria pegar carona no seu sucesso. Não sei dizer por Matt, mas a linha que eu tentei seguir era uma homenagem ao tom do *Halloween* original enquanto trazia um pouco do frescor de filmes como *Pânico*. Diferente de *Pânico*, eu não queria jogar para a plateia, com o sarcasmo refinado daquela franquia. Embora, mesmo assistindo ao *Halloween* original, Carpenter também tinha um estilo de diálogo fácil e sutil. Pessoalmente, eu não curto muito humor autorreferente ou paródias em filmes de terror autênticos. É tudo uma questão de opinião, mas gosto de filmes de terror de verdade! O humor dilui o susto. De certa forma, ele me tira da história e me faz lembrar de que estou apenas assistindo a um filme. Não me enrole!

O *Halloween* original era puro na sua premissa. É tão assustador pensar que aquilo poderia acontecer em qualquer lugar, a qualquer momento. Michael Myers era a representação perfeita dos nossos medos. Podíamos impor nossos próprios medos naquela máscara sem expressão, sem emoções. É uma tela em branco onde nós projetamos nossos piores pesadelos.

Como você viu inicialmente o grande retorno de Jamie Lee à franquia? E isso de alguma maneira complicou seu trabalho no roteiro? Ela trouxe ideias ou comentários?

Eu estava emocionado! O projeto literalmente foi de um modesto sétimo episódio lançado diretamente em vídeo para um enorme acontecimento cinematográfico. Isso significou mais horas labutando na frente do teclado? *Certamente*. Eu me importei? *Certamente que não*. Honestamente, eu não sei se estava mais feliz como fã ou como roteirista.

Acho que foi a própria Jamie Lee que tinha ideias precisas sobre onde sua personagem deveria estar emocionalmente após vinte anos lidando com seu passado torturante. A perspectiva da alcoólatra funcional, ainda que não totalmente original, certamente fazia sentido. Antes que fosse determinado que não haveria referências do *Halloween 4* ao *6*, eu atribuí muita da sua dor ao fato de ela achar que, ao simular sua morte, estaria protegendo sua filha, Jamie. É claro, Michael encontrou sua sobrinha e o resto era história. Mas mesmo sem essa história pregressa, ter sobrevivido ao terror daquela noite de Halloween vinte anos antes foi certamente o bastante para levá-la a beber.

Jamie Lee também era muito generosa. Quando visitei o set de filmagens um dia, ela me perguntou se eu tinha visto algum dos copiões. Quando eu disse que não, ela me convidou para assistir a alguns deles no seu bangalô. Outro momento surreal e inesquecível! Eu vi o filme completo pela primeira vez na pré-estreia em Westwood. Minha esposa e eu sentamos atrás da Jamie Lee, do Tony Curtis e da Janet Leigh! Assistir ao filme foi e ainda é um dos pontos altos da minha carreira. Eu me sentia extremamente orgulhoso do resultado final. E todo mundo naquele cinema contribuiu com o produto final!

Seu roteiro do H20 continha uma subtrama do detetive que durou até quase o começo das filmagens, quando acabou sendo cortada. Por ser o filme mais curto da franquia, você desejou que eles tivessem mantido aquele personagem no filme?
O personagem do detetive funcionava bem quando o filme ainda era um amontoado de personagens. Ele se encaixou muito bem no lugar do insubstituível Donald Pleasence. Mas, uma vez que a Jamie Lee assinou o contrato, eu sempre me encontrava querendo voltar para a trama dela. Meu pai, Marco Zappia, foi um montador vencedor do Emmy. Cresci numa moviola, vendo ele montar histórias na ilha de edição. De muitas maneiras, dou crédito a essas experiências pela minha aparente habilidade inata de escrever roteiros que são costurados com precisão e que sempre levam a história adiante. Nesse caso, as cenas do detetive pareciam estar atrapalhando ao que eu gostaria de assistir como um fã... *Laurie Strode, cacete!* Então, elas foram guilhotinadas!

Tanto em As Duas Faces do Mal quanto no seu roteiro original de H20, algumas cenas envolviam um chão retrátil da piscina do ginásio. Você teve algum incidente traumático envolvendo uma piscina assim?
(risos) Nenhum incidente traumático que eu me lembre. Pelo menos nenhum envolvendo um chão retrátil de piscina de ginásio. Na verdade, isso vem de um dos meus filmes favoritos de Natal, *A Felicidade Não se Compra* (*It's A Wonderful Life*). Eu me lembro de assistir a esse filme quando criança e pensar: "Uau! Existe esse negócio de piscina debaixo do chão do ginásio? Legal!". Então, sim, num tratamento, o chão do ginásio se abre e revela uma piscina, Michael invade o baile, e Laurie o empala com um dardo de atletismo. Ele cai na piscina enquanto o chão se fecha sobre ele. Parece loucura, não é? Mas no contexto do tratamento ficou muito divertido!

Outro final envolvia Laurie dirigindo um ônibus escolar cheio de alunos tentando escapar do Michael Myers. Ele consegue subir no ônibus, que colide e fica dependurado na beira de um penhasco. Laurie retira todos os alunos do ônibus e salta em segurança, enquanto o ônibus despenca centenas de metros com o Michael pendurado no para-choque rumo à sua morte. Sei que tivemos um final que envolvia um helicóptero decapitando o Michael Myers, uma versão da cena do ônibus no penhasco. Era nosso final ao estilo de *Missão Impossível* (*Mission: Impossible*). Caro demais para os caras da Dimension

Entrevista:

PATRICK LUSSIER

Montador — Halloween H20

Entrevistado por Travis Mullins

Antes de qualquer coisa, sei que você começou montando programas como Anjos da Lei (21 Jump Street) e MacGyver. Então, estou curioso: você caiu de paraquedas no terror ou sempre foi fã?

Sempre fui fã de terror. Terror, quando eu era moleque, era um fruto proibido. Eu era proibido de ver. Você sabe, lembro-me de ser proibido de assistir ao *A Terra que o Tempo Esqueceu* (*The Land That Time Forgot*), de Doug McClure, porque me disseram que seria muito assustador — dinossauros de borracha e tudo mais. Mas a minha irmã, que era oito anos mais velha do que eu, podia assistir a tudo, e eu entrava no quarto dela e ela me contava os filmes que tinha visto no dia anterior. Eu me lembro dela me contando *O Exorcista* em detalhes, cada coisinha que tinha acontecido. Filmes como *A Trama* (*The Parallax View*), *A Profecia*, *Fuga no Século 23* (*Logan's Run*) ou *Três Dias do Condor* (*Three Days of the Condor*) — eu fiquei fascinado. Ela era uma leitora voraz e me deu uma cópia de *A Hora do Vampiro* (*Salem's Lot*), do Stephen King, quando eu tinha uns doze ou treze anos. E isso realmente me amarrou ao gênero, algo que sempre curti.

Quando estava terminando meu trabalho como montador da série *MacGyver*, Wes Craven estava vindo até Vancouver fazer um piloto de um programa chamado *Nightmare Café* [Cafeteria Pesadelo]. Ele não estava vindo de verdade, ele estava trabalhando em *As Criaturas Atrás das Paredes* (*The People Under the Stairs*) na época, mas ele tinha escrito a série com Tom Baum, inspirado numa história do seu filho, Jonathan Craven. Phil Noyce estava dirigindo e Richard Francis-Bruce era o coeditor. Cheguei e montei o programa com Richard e tive uma experiência incrível. E voltaram para fazer mais cinco episódios, um deles que o próprio Wes ia dirigir. Mais tarde, montei o episódio do Wes, que era como uma cantiga, chamado "Aliens Ate My Lunch" [Alienígenas comeram meu almoço].

Depois disso, nos demos bem, e ele disse: "Eu adoraria que você montasse meu próximo longa-metragem", que foi dois anos depois. Mantivemos contato, e o filme foi *O Novo Pesadelo - O Retorno de Freddy Krueger* (*Wes Craven's New Nightmare*). E antes disso, quase houve *A Aldeia dos Amaldiçoados* (*Village of the Damned*), que iam fazer com a Linda Hamilton até ela desistir. Tinham uma versão bem diferente da refilmagem que o John Carpenter fez depois, em termos de roteiro. O filme foi para o John e (Wes) foi fazer *O Novo Pesadelo*. E a partir daí, *Um Vampiro no Brooklyn* (*Vampire in Brooklyn*) e *Pânico,* além de outros filmes no meio... alguns de gênero, outros não. Apesar de eu achar que *D3: Nós Somos os Campeões* (*D3: The Mighty Ducks*) seja um dos filmes mais assustadores em que trabalhei.

Esse é definitivamente um filme da minha geração.

Eu me lembro de ler alguma coisa sobre ter visto *D2: Nós Somos os Campeões* e pensar: "Ah, esse filme simplesmente... não é pra mim". E depois ver que estavam fazendo a terceira parte e pensar: "Putz, eu tenho pena de quem vai montar esse filme". E então, seis semanas depois, era eu. *(risos)* Fiquei muito agradecido de pegar o trabalho. Era um servicinho bom e, você sabe, joguei hóquei quando criança, tinha a ver, mas era... bem diferente de trabalhar com Wes.

Sem querer sair pela tangente aqui, mas como foi trabalhar com o Wes?

Fiz muitos filmes trabalhando para o Wes, em diversas funções, a maioria como montador. Tinha de tudo. Era incrivelmente educacional, maravilhosamente divertido, e você trabalhava com um mestre. Você aprende muitas coisas, de perguntas esotéricas como "De onde vieram essas ideias? Como elas funcionam?" até sempre ter uma lista de prioridades que você compartilha com todo mundo porque todo mundo precisa saber que você tem um plano para realizá-las até a noite acabar. E nós falávamos sobre tudo, o dia inteiro. Nos demos muito bem. Então foi uma relação bacana durante anos, e eu me sinto muito sortudo por ter trabalhado com ele por tanto tempo em tantos filmes importantes daquela época.

Wes era muito profissional. Ele podia ser muito engraçado. Estava interessado na natureza e na ciência e tinha todo um lance sobre os cantos dos pássaros. "*Pânico 2* foi filmado numa locação, e à noite, não seria esse tipo de pássaro que faria este tipo de som. Seria ESTE tipo de pássaro que faria este som. Então vamos garantir que teremos AQUELE pássaro." E mesmo no velório de Wes, as pessoas que discursaram — Michael Apted, Jonathan Craven e mesmo o Bob Weinstein — se reuniram com um dos seus amigos mais próximos da Ottoman Society, que de fato tocou cantos de pássaros no funeral, que eu sei que o Wes teria amado de verdade.

Todd Farmer mencionou que você meio que salvou o trabalho de Wes em Pânico. É verdade?

Eis o que aconteceu. Os copiões dos cinco primeiros dias eram a sequência da Drew Barrymore. Os Weinstein DETESTARAM os copiões. Eles mandavam pro Wes copiões de outros filmes. Eles mandavam os copiões de *O Principal Suspeito* (*Night Watch*), do Ole Bornedal, e diziam: "É ASSIM que se dirige um filme. O que você fez não é melhor do que o que um diretor de TV faria". Eles pegaram tanto no pé dele e pareciam muito desapontados. Peguei os copiões e montei tudo, mandei uma cópia telecinada para o Wes, porque era assim que se fazia na época. E então nós preparamos uma cópia em filme e a enviamos para Nova York. Eles assistiram àqueles treze minutos e disseram: "Ah, meu Deus, nós estávamos TÃO errados. Isso funciona bem demais. É maravilhoso. É melhor do que esperávamos. Do que você precisa? O que podemos te dar? E pedimos desculpas", o que, para caras assim, era uma raridade. Isso geralmente não fazia parte do *modus operandi* deles. Terminaram usando aqueles treze minutos para promover o filme em universidades e coisas assim quando decidiram lançá-lo no Natal daquele ano. E montar aqueles treze minutos foi o que me fez ter uma carreira na Miramax e na Dimension na época, com inúmeros filmes que montei para eles, e então cheguei a dirigir para eles. Isso me levou a dirigir em outros lugares. Tudo saiu daqueles treze minutos.

A montagem não estava mexendo muito na filmagem, apenas a interpretando. Isso foi em 1996. Comecei a montar para Wes em 1991. Eu sabia como o material deveria se encaixar, e acho que eles não conseguiam ver. Disseram que não tínhamos permissão de usar trilhas orquestradas nem nada do tipo. Então, eu estava literalmente pegando trilhas e montando notas isoladas de piano e criando uma paisagem sonora. Eu não sei. Apenas assisti à cena e entendi o que ele queria. Isso acontecia com frequência conosco durante os anos. Tipo algo intrínseco: "Ah, claro, eu saquei. Eu sei o que é". Não sei se aquilo mostra apenas que Wes e eu estávamos na mesma frequência e que éramos capazes de escalar a imaginação dele e ver em que direção narrativa ele estava indo, de uma forma prática, ao contrário dos executivos do estúdio e dos engravatados que não conseguiam enxergar. Eles não conseguiam decifrar o enigma da maneira certa. *(risos)*

Qual é a sua relação com a franquia Halloween?
Lembro de não me deixarem ir ao cinema quando ele foi lançado, mas depois de assistir ao filme na TV e depois em VHS e acho que tive cópias em Laserdiscs, DVDs e Blu-Rays. Tendo sido um grande fã antes mesmo de assistir, em grande parte por causa da música, e então finalmente ver o filme, e ele era tudo o que eu esperava. Passou na TV um pouquinho antes de *Halloween II* chegar aos cinemas, e foi ali que eles incluíram toda aquele papo de irmã na versão pra TV. Eu me lembro de ver e depois ir assistir a *Halloween II* e ficar viciado na época. E então, é claro, *Halloween III: A Noite das Bruxas* — o subestimado clássico sem nenhuma ligação com o Michael Myers, mas que é lindo por si só graças ao maravilhoso Tom Atkins.

Eu meio que perdi contato com a franquia entre *Halloween 4*, *5* e *6*, filmes a que eu acabei assistindo antes de ir montar *Halloween H20*, e voltei com tudo nesse ponto. Quando terminei de montar *Pânico 2*, fiz outro favor para a Dimension num filme horrível do qual nem me lembro o nome. Eles me pediram: "Não vá trabalhar com mais ninguém. Vamos te pagar mais para montar *Halloween H20*". Eu me encontrei com Steve Miner, com quem me dei muito bem. Achei que seria um filme divertido e que seria ótimo terminar um trabalho sabendo que você já tem outro na fila. Achei o fato de eles estarem trazendo a Jamie de volta uma coisa ótima e fiquei muito entusiasmado de fazer parte daquilo.

Como você reagiu à ideia de H20 criar uma linha do tempo alternativa? Você se tornou um fã de Halloween 4, 5 e 6 após tê-los assistido ou reconheceu suas inconsistências?

Naqueles filmes, achei que dava pra sentir a falta da mão de John Carpenter na mitologia. E uma vez que *H20* ressurgiu trazendo Jamie de volta, achei que a mitologia tinha sido simplificada de um jeito que voltava às origens do que a fez ser tão grandiosa. Sendo honesto, não acho que pensei muito a esse respeito. Foi mais: "Esta é a versão que estão te apresentando".

Foi uma filmagem interessante — você sabe, eles filmaram essa versão alternativa do final, que acho que aparece em *Halloween: Ressurreição*, na qual você vê o Michael Myers saindo dos portões da escola vestido com um uniforme de paramédico. Steve Miner filmou aquilo sob protesto porque quando estávamos fazendo o filme, era nossa intenção que Michael Myers fosse decapitado. Era esse o filme que estávamos fazendo. Era nesse filme que todo mundo estava atuando. Foi algo que eles insistiram; essa tomada dele escapando.

Certamente, quando testamos o filme, o momento em que Michael, que está preso debaixo do furgão, estica o braço para tocar a mão de Laurie, e ela estica o braço para tocar nele — as pessoas estavam gritando e chiando... Então ela ergue o machado e corta a cabeça dele fora. Foi como se o nosso time ganhasse o Super Bowl. As pessoas saltavam de suas poltronas. Estavam tão contentes. Era como se aquele final alternativo com ele realmente estragasse tudo... porque aquele momento foi incrivelmente satisfatório. E também o fato de que trouxemos de volta a trilha original do John Carpenter no momento final do filme.

A trilha que tínhamos — a trilha fracassada que substituímos durante o completo fiasco musical do filme — não era nenhum dos trechos em que tínhamos trabalhado. Mas tínhamos o CD do *Halloween* original. Então dissemos assim: "Bem, vamos tentar com isso". Foi tipo: "Ah, meu Deus, é fantástica. Só precisamos seguir com ela, e vai dar certo". Recebemos permissão. Foi a melhor escolha para terminar aquele filme.

Ah, claro. Bem, essa é a deixa para outra de minhas outras perguntas sobre a música e a edição dela. Já ouvi sua opinião antes, Patrick, e preciso dizer... Tenho que discordar. (risos) Eu realmente amo a trilha do John Ottman.
(*risos*) Eu preciso dizer que eu e todo mundo envolvido... O lance é que você não assistiu ao filme com a trilha do Ottman. Você não viu como ela seria apresentada originalmente. Eu me lembro do Bob Weinstein dizendo: "Não é uma música ruim. Só não é uma música para um filme de *Halloween*". Era tão exagerada. É como eu disse, se tivéssemos cinco dias a mais, teríamos cortado todas as notas.

Até mesmo o tema de abertura?
Até ele. Durante o processo musical, só tínhamos alguns rascunhos que permitiram nos mostrar. O compositor protegia em excesso a trilha antes que estivesse pronta, então, o que foi entregue não funcionou. Não funcionou pro filme. Tanto não funcionou que quando pegamos a trilha e mixamos ela pela primeira vez, os Weinstein ficaram tão petrificados quando eles ouviram que nós voltamos à mixagem temporária do preview do filme. Eles diziam: "Não dá pra exibir assim. O filme vai ser um fiasco se usarmos essa trilha".

Eu vou botar na conta dos Weinstein.
Bem, sinta-se à vontade. Adoraríamos ter uma trilha diferente para trabalhar. E o lance é que o John (Ottman) originalmente disse não. E então fomos procurar um outro compositor. Acho que ele queria mais dinheiro, ou algo assim, e então voltou e disse: "Não! Eu faço!". Na verdade, tínhamos contratado outro compositor e eles disseram: "Ah, ok". Você sabe, todo aquele lance de pressão dos agentes. Mas teve outro compositor que foi contratado.

Marco Beltrami?
Não, não, o Marco fez um favor. Tem algumas coisas do Marco no filme... que ele escreveu especialmente para o filme. Mas nós refizemos a trilha em cinco dias. Então, tem trechos de música que foram editados por um pelotão de editores só tentando fazer algo que funcionasse no filme e que o estúdio aprovasse. Com o Ottman, parecia que era alguém fazendo a trilha para um filme que ele realmente não gostasse e menosprezasse. Não sei se é verdade, mas foi como dava a entender.

Como montador, o quanto você se envolve durante o processo de filmagem?
Ah, todo santo dia. Você monta copiões todo santo dia. O objetivo é colar com a filmagem. O que eles filmam na segunda, você está montando na terça. E se você for rápido o suficiente, no finalzinho da terça, você está mandando aquela cena montada para o diretor.

Em *H20*, o Steve Miner não filmava além da conta. Nós montávamos os copiões. Mandávamos a montagem dos copiões para o Steve no dia seguinte. Então, o que ele filmava na segunda, no final da terça ele recebia de volta. Se tivesse algum comentário, ele nos avisava. Terminaram de filmar numa sexta-feira, ele chegou na segunda. Mostramos o filme para ele, que passou um dia e meio fazendo esse corte, e disse: "Uau! Este filme funciona! É isso, estou pronto, vamos mostrar para eles. Não deixem eles ferrarem com tudo". Mostramos ao estúdio dois dias depois, e o comentário deles foi: "Uau. Adoramos". Tinham uns comentários que renderam meio dia de trabalho, e então fechamos para a plateia-teste. E nunca mais mudamos o filme depois disso.

Halloween H20 sofreu mudanças influenciadas pela opinião desses testes de audiência?
Exibimos o filme, ele recebeu uma nota 88, e fizemos duas pequenas mudanças na sequência de abertura com o Joseph Gordon-Levitt. E foi só isso.

Acho que tinham umas tomadas mais longas da enfermeira Marion fugindo na casa do Jimmy e empurrando um armário para bloquear uma porta, não?
Essa cena nós já havíamos cortado antes, e tivemos que colocar de volta por causa dos lançamentos internacionais e coisas do tipo, porque o filme era muito curto.

Havia algumas cenas que cortamos antes que eram isoladas e que não traziam nenhuma consequência real para a história. Nós as tiramos do caminho. Além disso, não fizemos mais nada. O filme funcionou. Ele começava lentamente até o ponto em que os garotos estão na escola de noite, na deles, e o Michael aparece. E então, pelos próximos quarenta minutos, é o mais puro caos.

Algumas dessas cenas deletadas foram colocadas de volta na exibição televisiva pela FX. Foi você ou outra pessoa que montou aquelas cenas?
Nós as montamos na época... antes de terminar de montar o filme. Tivemos muito tempo esperando pela trilha, o filme, o som ficar pronto. Então fomos em frente e montamos aquela versão, colocando tudo de volta. Na época, você normalmente montava as versões para a TV. Eles diziam o que estavam esperando... com o que estavam preocupados... "Dá pra fazer isso?". Então, fizemos aquilo durante o processo de montagem. Foi parte do que fizemos na pós-produção. Como fechamos o filme muito rápido, tivemos tempo para fazer aquilo.

Você se lembra dessas cenas em particular?
Acho que tinha uma cena isolada com o John e o Charlie na rua — ela era completamente desnecessária. E acho que tinha uma cena com o Adam Arkin e a Jamie Lee Curtis numa cabana. Era uma boa cena. Foi cortada por causa do ritmo. A sensação de parte da equipe era de que "estamos perdendo muito tempo para chegar nas cenas das facadas, nos leve logo até as cenas das facadas". Acho que alguém chegou a dizer: "Quer saber, não quero ver a porra de um drama!". *(risos)* Um dos mandachuvas pode ter dito alguma coisa assim. É o único motivo da cena ser cortada. Ficamos felizes em colocá-la de volta para a versão televisiva.

Por ser o filme mais curto da franquia, alguns consideram H20 curto demais. O filme teria se beneficiado com a reinclusão da subtrama do detetive? Ou era apenas encheção de linguiça?
A grande vantagem da subtrama cortada era o Charles Dutton, que interpretava o detetive. Kevin Williamson prescreveu o roteiro para ficar mais parecido com *Pânico/Dawnson's Creek* — algo mais contemporâneo. Kevin era um grande fã de *Halloween*, mas acho que houve uma decisão do sindicato a respeito dos créditos. Os Weinstein estavam loucos para que o Kevin recebesse o crédito de corroteirista, mas a decisão não foi nesse sentido. Ele reescreveu os diálogos, e ele cortou o personagem do Charles Dutton e disse apenas: "Não faz falta". Também rolou uma preocupação com orçamento, prazos e coisas do tipo.

Se eu acho que o filme ficaria melhor? Creio que o que nós teríamos seria uma cena de morte mais cedo no filme. Acho que Dutton morria próximo da cena em que a Michelle Williams olha pra fora da sala de aula e vê a Forma no portão. Charles Dutton está meio que dando um rolê na escola e chega até o portão... onde a Forma estava... e ela chega por trás dele e o mata — e eu acho que o outro detetive morre um pouco depois, se não me falha a memória. Se você pensar no propósito da cena, pense na estrutura de *Pânico*. Uma cena que eles adicionaram foi a da morte do Henry Winkler. A cena com Dutton seria parecida naquele momento do filme. Infelizmente, não tenho mais o tratamento. Eu o guardei até cinco ou seis anos atrás. E então tinha tantos roteiros velhos em papel que joguei todos eles na lata do lixo.

Você tem boas memórias do set de filmagens?
Eu visitava Steve com frequência. Lembro-me de ir até os dublês com a Jamie quando eles acertam a Forma com o furgão no final — e conversar com ela sobre como tudo estava funcionando. Conversando com o Steve sobre todos os desafios com a máscara que nós tínhamos, montando as cenas com as diferentes versões da máscara que existiam no filme. E então eu tinha filmado umas pequenas cenas de inserção para o filme, como a mão de Charlie no triturador de lixo e coisas assim.

Falando da polêmica das máscaras, como elas afetaram a montagem do filme?
A primeira máscara que o Steve escolheu, os Weinstein odiaram. Ela realmente era um eco de *Pânico*, porque se você olhar a abertura de *Pânico*, vai ver três máscaras diferentes. Me fez lembrar disso, então era bem parecido. Houve um tipo de briga rolando a respeito da máscara. Eu me lembro do Steve "testando" um dos executivos do estúdio — literalmente expulsando ele das sessões diárias dos copiões e dizendo que ele não seria autorizado a entrar ali novamente. *(risos)* E eu estava sentado entre os dois, então foi incrível.

A máscara que acabou sendo usada foi criada pelo designer Stan Winston. Aquela máscara foi usada na maior parte do filme. Stan estava fazendo o crocodilo de *Pânico no Lago* (*Lake Placid*), que o Steve iria dirigir na sequência. Então ele fez a máscara como um favor pro Steve. Os Weinstein estavam tentando empurrar a máscara do *Halloween 6* para o Steve usar. E o Steve disse: "Eu odeio aquela máscara. Não vou usá-la. Você sabe, se quiser me dar a máscara original...". E eles, tipo: "Oh, não podemos. É o William Shatner". O acordo foi a máscara que o Stan havia criado, que acabou sendo usada no grosso do filme. Algumas cenas foram refilmadas com aquela máscara. A cena inteira da cafeteria no final, onde a Forma está virando as mesas — existe uma outra versão completa daquela cena com a máscara original, tipo rosto sem expressão — e as luzes estão acesas. É o mais claro que podíamos fazer com a Jamie se escondendo debaixo das mesas e tudo mais. E a cena foi refilmada para ficar mais escura com aquela outra máscara, e essa é a versão que ficou no final.

Além dela, em relação à montagem, fizemos os cortes onde conseguimos. Vivemos com as diferentes máscaras onde foi possível. Tem uma imagem digital horrível da máscara atrás de Charlie na sequência do triturador que é uma merda retumbante. E nos garantiram que ela seria incrível! A computação gráfica vai ser fantástica! "Olha onde chegamos!". E foi tipo: "Ai, meu Deus, parece um desenho de videogame vagabundo em cima da cara dele". Naquele ponto, tinham decidido que lançaríamos o filme em agosto. Então, foi tipo: "Bem, é o que temos. É o que nós vamos usar".

Entrevista:

KEVIN WILLIAMSON

Roteirista (não creditado), Produtor Executivo — Halloween H2O

Entrevistado por Dustin McNeill

Pânico é lançado e é um enorme sucesso. De repente, você se torna concorrido para múltiplos projetos. Se entendi bem, você inicialmente não tinha tempo para Halloween H20, verdade?

Eu realmente não tinha tempo para o filme. Estava ocupado desenvolvendo *Tentação Fatal* enquanto tentava fazer *Dawson's Creek* decolar. Eles já tinham um tratamento para *H20*, mas não estavam completamente satisfeitos. Fui envolvido em *H20* no comecinho, mas nem tanto. Eu me encontrei com a Jamie Lee Curtis para discutir o filme. Também conhecia o Steve Miner porque ele tinha acabado de dirigir o piloto de *Dawson's Creek*. E, é claro, Jamie e Steve eram velhos amigos porque fizeram *Eternamente Jovem* juntos com o Mel Gibson. Nós três conversamos diversas vezes a respeito de *H20*, mas eu estava ocupado demais com outras coisas. Então tentei ficar longe do projeto de verdade.

O estúdio acabou me chamando e me pediu para reescrever *H20* num estágio já bastante avançado. Eu disse: "Nem pensar. Estou ocupado demais com outras coisas". Então o Bob Weinstein ligou e me pediu de novo. "De novo, não. Muito ocupado." Então o Steve Miner ligou e pediu. "Ainda não. Não consigo encaixar." E finalmente a Jamie Lee Curtis ligou e me pediu para reescrever e eu disse sim. *(risos)* Como poderia dizer não pra ela? Ela é a "Rainha do Grito" original — minha ídola! Quando a Jamie Lee liga e pede pra você fazer alguma coisa, você sempre diz sim. Foi impossível recusar naquele momento.

Você mencionou que era uma revisão num estágio avançado. Quão avançado, exatamente?

Eles já tinham começado a filmar. Eles tinham filmado a cena de abertura, mas não tinham feito muita coisa na escola Hillcrest. Eu tive uma semana para me entender. Então reescrevi o filme inteiro em uma semana. Tenho muito orgulho que *H20* tenha um começo, um meio e um fim, mas queria ter tido mais tempo. Passei um tempão com o Steve e a Jamie Lee naquela semana. Eles já tinham escolhido todas as locações. Então Steve e eu andamos pelos cenários e discutimos novas cenas assustadoras. Daí a Jamie Lee me disse que queria colocar a mãe no filme, e descreveu uma cena grandiosa com as duas juntas. E nós a escrevemos. Trabalhei colado com ela na redação daquela cena, o que foi muito divertido e deu muito certo. Entreguei minha revisão e voltei aos meus outros projetos. Eu trabalhava neles durante o dia inteiro e visitava o set de filmagens de *H20* à noite. Foi uma época muito, muito divertida.

Eu era próximo de muitas pessoas envolvidas no *H20*. A Michelle Williams também estava em *Dawson's Creek*. Josh Hartnett estava em *Prova Final* (*The Faculty*), que eu havia escrito e que seria lançado mais tarde naquele ano. Então eu ia visitar o set de *H20* e curtir um pouco enquanto eles estavam filmando.

Aquela cena com a Janet Leigh foi uma parte especial de H20, não foi?

Escrever aquela cena foi uma das minhas melhores experiências em *H20*. Fiz questão de estar lá no dia da filmagem, também. Era muito legal ver a Jamie interagir com sua mãe no set, a dinâmica entre elas. Foi o Steve quem teve a ideia de trazer o carro original de *Psicose*. Então ligaram para todos os cantos e eles conseguiram rastrear o carro exato, o que foi inacreditável. Aquela cena também é demais porque, além de ser uma participação muito legal, é uma belíssima evocação do *Halloween* original, com aquela grande fala: "Todo mundo tem direito a um grande susto". Aqui nós tínhamos a realeza proferindo uma fala clássica do filme original. Melhor, impossível.

Sobre o que você e Jamie Lee Curtis discutiram no comecinho do projeto?

Foi minha a ideia de que a Laurie Strode estaria vivendo sob uma nova identidade. Também recomendei que esquecêssemos o quarto, o quinto e o sexto filmes e que começássemos logo após *Halloween II*. Abandonaríamos essa ideia também, mas ela começaria na mesma noite do filme original, o que meio que deu importância à história. Acho que foi a Jamie Lee Curtis que veio com o título do filme, *Halloween H20*, que significa *Halloween* vinte anos depois. Meu sonho com *H20* era reestabelecer Laurie Strode como a personagem principal da franquia ao mostrar sua nova vida como uma sobrevivente funcional de um trauma. Sim, ela sobreviveu e aparentemente seguiu em frente, mas o trauma daquela noite ainda a devora por dentro. Afeta sua vida como um todo, do seu trabalho ao seu filho e aos seus relacionamentos. Achei que era um foco bem dramático para a história, que é o que eles fizeram no novo filme também.

Eu estava imaginando se você tinha visto o filme mais recente, da Blumhouse com a Universal. Você se incomodou com tudo o que apagaram do seu filme na linha de tempo deles?

O filme foi incrível. Não, eu não me incomodo nem um pouco. Achei que era uma solução inteligente. Eu não só vi quando ele foi lançado, mas eu também cheguei a ver um corte anterior. Jason Blum é um grande amigo meu, e estou atualmente trabalhando com a Miramax em outros projetos. Sou o que se pode chamar de um amigo da família. Então eles me mostraram. Vi diversos cortes do filme. Acho que o final foi brilhante e mal posso esperar pelo próximo. Estou tão feliz que a franquia esteja vibrante novamente. Adoro tudo o que o Jason Blum faz e o quão dedicado ele é ao gênero como um todo. Tem muito amor envolvido. Até onde sei, o novo *Halloween* é a melhor continuação que já tivemos. Sou um grande fã da franquia, mas não posso dizer que todos os capítulos foram bons.

Por pouco tempo, existiu uma cena no roteiro onde um estudante fazia uma apresentação em sala recapitulando os acontecimentos dos filmes Halloweens 4 ao 6, como um jeito de incorporá-los. Você se lembra disso fazer parte de H20? Ou sempre foi o plano ignorar a trilogia O Retorno/A Vingança/A Última Vingança?

Não fazia parte da minha visão para o filme. Se esse papo chegou a acontecer, eu não participei. Pode facilmente ter sido algo discutido entre os executivos do estúdio, mas nunca chegou até mim. Até onde sei, iríamos ignorar aqueles filmes desde o início. Mas é uma ideia interessante, não é? Se essa mesma sugestão surgisse, eu poderia tê-la abraçado porque é certamente um caminho a seguir. Acho que o jeito que o Steve Miner imaginou para lidar com toda aquela história pregressa foi por meio da sequência de abertura.

Você se lembra de quem foi a ideia de trazer a lenda do rap, LL Cool J, no papel do vigia Ronny? Porque sua escolha no elenco funcionou muito bem.

Não sei quem deu a ideia, mas LL já estava no elenco quando cheguei para reescrever o roteiro. Então fui responsável por escrever todas as cenas dele. Ele estava bem no filme, não estava? Engraçado, tive uma conexão anterior com ele também, anos antes. Fui o assistente de produção num dos seus videoclipes, anos antes de *H20*. Trabalhei como assistente de produtor no clipe de "Momma Said Knock You Out", e mencionei isso pra ele no set de *H20*. Ele não podia acreditar que eu comecei trabalhando como um assistente no videoclipe dele e agora estava roteirizando algo em que ele fazia parte.

Sei que quase todo mundo envolvido em H20 queria que a Laurie Strode acabasse de uma vez por todas com a Forma, todo mundo exceto o Moustapha Akkad. Isso resultou numa batalha criativa, que você levou o crédito por ter resolvido. Fale sobre isso.

Desde o início, Jamie estava completamente convencida de que ela queria matar o Michael Myers neste filme. Ela dizia: "Por que eu vou voltar para a franquia se não for para dar uma vitória à Laurie Strode? Ou é assim ou não faz sentido". Concordei com ela. A personagem merecia uma vitória. No entanto, eu também sabia que o Moustapha Akkad não iria deixar o Michael Myers morrer. O Moustapha, e essas são suas palavras exatas, disse: "Michael Myers é o meu filho desaparecido há tempos. Eu não mataria ninguém da minha família. Então não vamos matá-lo". Eu também entendo totalmente o lado dele. No final das contas, ele é o dono do personagem.

Então viemos com a ideia de que não era o verdadeiro Michael Myers usando a máscara. Era, na verdade, o motorista da ambulância com quem ele trocou de lugar. Jamie Lee Curtis e eu arrumamos uma abóbora e a levamos para apresentar a ideia pro Moustapha sobre aquele final. Ele comprou, mas o Steve Miner precisou concordar em filmar uma sequência que seria usada no próximo filme, explicando como aquilo aconteceu. Ela foi pré-filmada junto com o final de *H20*, já que estávamos prontos na locação. Aquela foi a prova final para o Moustapha de que o Michael Myers sobreviveu, de fato, no final de *H20*.

Houve alguma expectativa ou discussão para que você trabalhasse em Halloween 8?

Não houve sequer uma sugestão, mas eu estava muito ocupado fazendo outras coisas. O lance é: eles sempre estão desenvolvendo os filmes de *Halloween*. Eu sabia que não teriam problema em achar outra pessoa. Sério, o único motivo de eu sequer fazer o *Halloween H20*, além de ser um fã, foi a possibilidade de trabalhar com o Steve e com a Jamie Lee. Foi uma delícia trabalhar com eles e escrever, mas eu estava sem tempo. Foi tudo muito apressado. Se ao menos tivesse mais uma semana, eu teria refinado o roteiro ainda mais. Mas sabia que alguém continuaria do ponto em que deixamos.

Como você vê a relação cinematográfica entre Pânico e Halloween H20?

Essa conexão é apenas parte da beleza da metalinguagem dos anos 1990, certo? Chegamos a um novo nível de metalinguagem agora, mas era novidade na época.

É também um subproduto da minha infância. Assisti a *Halloween*, que inspirou *Pânico*, que levou a *H20*. Adoro que estejam assistindo a *Halloween* no *Pânico*. E a que filme eles estão assistindo em *Halloween H20*? Estão assistindo a *Pânico 2*! Eu olho hoje e meio que reclamo, mas a gente achava que estava sendo sagaz na época.

Existem cenas em Halloween H20 que você vê e reconhece sua autoria?
Lembra quando o Josh Hartnett e a Michelle Williams estão fugindo do Michael e eles se trancam atrás de um portão? Eles deixam cair as chaves e então não conseguem abrir a porta? Isso aconteceu de verdade comigo em Nova York. Eu e um amigo fomos atacados por um assaltante no Village, e ele nos seguiu até em casa. Nosso apartamento de arenito tinha um portãozinho do lado de fora da entrada principal, igual ao do filme. Conseguimos passar pelo portão, mas deixamos cair nossas chaves e ficamos presos ali. Felizmente, nosso assaltante não era o Michael Myers. Então ele sumiu, em vez de tentar nos matar. Eu me borrei de medo com aquilo porque era tarde da noite e eu não era de jeito nenhum um garoto da cidade grande. Mencionei a ideia para o Steve Miner, e ele gostou. Ele fez com que a equipe montasse um pequeno portão na locação, e virou parte do filme. Foi uma colaboração divertida.

Aquela locação também era bem fantástica. Está em uma pá de filmes e programas de TV. Tenho certeza de que o lugar tem um currículo cinematográfico maior do que o meu. Eu voltei ali diversas vezes ao longo dos anos, em casamentos e festas. Acho que o Steve Miner fez um belo trabalho em utilizar aquele ambiente para a cena do confronto final entre a Laurie e o Michael. Deu muito certo.

Você fica repetindo a palavra diversão, mesmo você tendo que imaginar cenas poucos dias antes das câmeras começarem a rodar. Isso não me parece nem um pouco divertido. Me parece bastante estressante.
Bem, é claro que foi estressante. Filmagens são assim... Sempre é estressante. Você só precisa aprender a viver com o estresse e ainda se divertir. Eu curto o processo. No final das contas, é só um filme.

HALLOWEEN H20 | 1998

STEVE MINER

"Apressado, estúpido e, graças a Deus, curto (...) Nós só vimos isso seis vezes antes (...) O filme nunca chega a produzir o poder vertiginoso, doentio e politicamente incorreto dos Pânicos mais bombados de hoje em dia. Na verdade, ele parece mais enfadonho, na hora da matança, entregando-nos meros vislumbres de torrentes de sangue, mas sem os detalhes explícitos de evisceração, como nos lendários dias do cinema gore." STEPHEN HUNTER, THE WASHINGTON POST

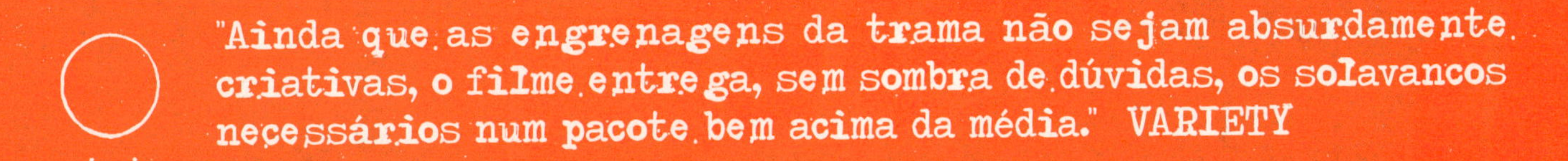

"Ainda que as engrenagens da trama não sejam absurdamente criativas, o filme entrega, sem sombra de dúvidas, os solavancos necessários num pacote bem acima da média." VARIETY

"A maior parte das continuações foi idiota, mas esse aí tem um frescor — e mesmo um tipo de esperteza — no meio de todo aquele sangue (...) Claramente o único filme sério de Halloween desde original de Carpenter, e o diretor Miner atiça sua história numa espécie de pavor brilhante." ANTHONY LANE, THE NEW YORKER

"H20 é habilmente dirigido por Steve Miner (...) e é surpreendentemente eficiente; com boa atmosfera, boa trama e bom ritmo. Curtis, de forma ágil, faz de Laurie uma amaldiçoada vítima convincente que se recupera de um pesadelo. (...) Mas ainda que Halloween H20 seja um filme legal, ele não rompe barreiras. Eu duvido que ele tenha apelo a qualquer um que não adore o primeiro Halloween, de John Carpenter — ou filmes de terror em geral — embora pelo menos este filme se encaixe nesse território (...) Halloween H20 se limita em seguir a mesma proposta que Carpenter usou de maneira tão brilhante em seu filme." MICHAEL WILMINGTON, THE CHICAGO TRIBUNE

"Desanimador (...) Um festival de sustos que segue o manual à risca, e sem ironia alguma percorre todos os estereótipos banais dos filmes de terror das duas últimas décadas." MICHAEL O SULLIVAN, THE WASHINGTON POST

RESSURREIÇÃO HALLOWEEN

O Mal encontra o caminho de casa.

Dirigido por Rick Rosenthal
Escrito por Larry Brand e Sean Hood
História de Larry Brand

Enquanto a primeira continuação da era Dimension quase condenou *Halloween* ao mercado de lançamentos-diretos-em-vídeo, a segunda produção do estúdio levou a franuia a novos patamares. *Halloween H20* faturou impresonantes 55 milhões de dólares de bilheteria no mercado orte-americano, acumulando ao mesmo tempo críticas cima da média para um filme slasher. Como franquia, *Halloween* tornou-se subitamente respeitável. O elenco apareceu em vários programas noturnos de talk show; o canal Sci-Fi transmitiu um especial de meia hora sobre a produção; e talvez uma prova ainda mais convincente, o filme ainda daria as graças na capa da revista *Entertainment Weekly*. Resumindo, a franquia estava saudável novamente. Mas seguindo adiante, havia um problema: *a Forma estava morta*.

A FORMA ESTÁ MORTA, LONGA VIDA À FORMA

Comparado ao seu antecessor, o desenvolvimento de *H20* foi relativamente tranquilo — se deixarmos de lado a breve batalha sobre finalmente matar ou não a Forma. Com exceção de Moustapha Akkad, praticamente todo mundo envolvido no filme era favorável à morte de Michael Myers. O poderoso-chefão da franquia, entretanto, lutou para continuar produzindo *Halloweens* muito além daquele episódio. Legalmente, Akkad detinha o poder de evitar que seus colegas acabassem permanentemente com o assassino. Ele apresentou à Miramax um ultimato: ou permitiriam que a Forma sobrevivesse ao final de *H20* ou o filme seria cancelado. Talvez quem mais tenha se oposto a deixar Michael Myers escapar foi Jamie Lee Curtis, que achou que isso negaria o retorno triunfante dela para encerrar a trama de Laurie Strode. Felizmente para os cineastas, o roteirista Kevin Williamson tinha a solução para o impasse.

Pelo plano de Williamson, *H20* terminaria com Laurie decapitando seu irmão, dessa maneira provendo o encerramento da trama de Laurie Strode. No entanto, esse seria um falso final. Mais tarde, seria revelado em *Halloween 8* que a Forma trocara de papel com um paramédico na escola Hillcrest, esmagando a laringe deste e o deixando inconsciente. Isso significava que Laurie teria, na verdade, decapitado um homem inocente, e não seu irmão. Essa troca também explicaria o estranho comportamento da Forma enquanto esteve imprensado pelo furgão nos momentos finais de *H20*. Lembre-se de como ele agarra sua máscara como se fosse um objeto estranho e tenta alcançar Laurie, pedindo ajuda. Este final enganoso requereria apenas uma mudança na cena escrita originalmente: a remoção de uma simples fala. Da maneira que fora concebido inicialmente, o roteiro de Robert Zappia e Matt Greenberg mostrava a Forma sussurrando o nome de Laurie enquanto tentava alcançá-la. Esse momento não mais se encaixaria se aquele fosse um paramédico aleatório debaixo da máscara e, portanto, foi omitido. O plano de Williamson significava que Curtis precisaria voltar pelo menos brevemente na próxima continuação, com o objetivo de resolver a conclusão de *H20*. A atriz relutantemente concordou em fazer uma aparição de trinta segundos em *Halloween 8* sob a rigorosa condição de que ninguém revelaria o segredo do final de *H20* até o lançamento de *Halloween 8*. Akkad também concordou com esse plano, feliz que sua franquia poderia continuar por muitos anos.

A produção de *H20* encerrou oficialmente em 20 de abril de 1998. No dia seguinte, uma equipe reduzida voltou à locação de Hillcrest para filmar tomadas da Forma vagando com um uniforme de paramédico. Apesar de *Halloween 8* não ter sequer uma premissa rudimentar nesse estágio embrionário, ele tinha um jeito de continuar a partir do aparentemente derradeiro final de *H20*.

PRIMEIRAS IDEIAS

Na sequência do lançamento de *H20*, a franquia precisava de um novo rumo. A Miramax se aproximou de Moustapha Akkad com o prospecto de fazer mais uma sequência sem Myers, no estilo *Halloween III*. Akkad se opunha firmemente à ideia, assim como em *A Noite das Bruxas*. Para sustentar sua posição, ele abriu uma pesquisa no site *HalloweenMovies.com* em junho de 1999, perguntando aos fãs se eles gostariam de ver um episódio sem o icônico assassino. Milhares votaram esmagadoramente a favor da volta de Michael Myers em *Halloween 8*. Em 7 de agosto, o produtor da franquia, Paul Freeman, anunciou oficialmente o novo filme como *Halloween H2K: Evil Never Dies* [H2000: O mal nunca morre]. Naquele momento, não havia história, roteiro e nem diretor, mas já existia um título provisório. Ele também revelou que o novo capítulo provavelmente seria filmado em Salt Lake City, assim como na trilogia *O Retorno/A Vingança/A Última Vingança*. O plano temporário era para que a Dimension Films lançasse *H2K* no outono de 2000. Akkad atualizou os fãs no mês de maio, informando que *H2K* havia parado devido a "uma baboseira jurídica" não especificada e, portanto, não havia previsão de lançamento.

Segundo seu acordo contratual, o roteirista de *H20*, Robert Zappia, tinha garantido uma primeira apresentação de premissa para *Halloween 8*. Sua ideia original mostrava a Forma capturada por autoridades e aprisionada enquanto aguardava o julgamento por seus muitos crimes ao longo dos anos. Esse julgamento apresentaria o retorno de inúmeros sobreviventes dos filmes anteriores como testemunhas da promotoria. Inevitavelmente, a Forma escaparia da custódia da polícia e recuperaria sua máscara, macacão e faca do cofre de evidências. Com todos os sobreviventes reunidos num mesmo lugar, Michael iria matar todos aqueles que o enganaram no passado, começando por John e Keri Tate (isso cumpriria as obrigações contratuais da participação da Jamie Lee Curtis).

Entre as demais apresentações de premissas para *Halloween 8* havia uma do roteirista Todd Farmer (*Jason X*) e outra do escritor de *Halloween 6*, Daniel Farrands, que planejava continuar a história de Tommy Doyle do sexto episódio. Reunido com a personagem Lindsey Wallace do primeiro *Halloween*, a dupla iria tirar a poeira dos arquivos do dr. Loomis, na esperança de descobrir algo sobre os quinze anos que Michael passou em Smith's Grove. Isso seria entrecortado com uma história no tempo presente, sugerindo que, de alguma maneira, a Forma sobrevivera ao final de *H20*. A grande reviravolta na trama era que quem estaria por trás da máscara não seria Michael Myers, mas sim uma enlouquecida Laurie Strode. A ideia de Farrands foi amplamente rejeitada pelo poder constituído.

O MAL ENCONTRA O CAMINHO DE CASA

Em agosto de 2000, Moustapha Akkad convidou o roteirista Larry Brand para apresentar sua visão para *Halloween 8*. Brand fora recomendado por Paul Freeman, após Freeman ter lido e gostado de um dos roteiros não produzidos do escritor. Na reunião, Brand compartilhou uma ideia incomum que ele tivera para um filme de terror que poderia funcionar bem como uma continuação de *Halloween*. Dado que seu primeiro trabalho no mercado fora como assistente de produção para Orson Welles, Brand tinha um carinho especial pela grandiosa obra do autor. Isso incluía sua infame transmissão de rádio de 1938, *Guerra dos Mundos* (*War of the Worlds*), na qual Welles convenceu boa parte de sua audiência que alienígenas estavam invadindo o planeta. A ideia de Brand para *Halloween 8* lutava para reverter este conceito ao encenar uma transmissão ao vivo pela internet de dentro da casa dos Myers. A Forma aparecia e começava a matar seus participantes, apesar dos internautas em casa acreditarem que aquilo tudo era parte do programa. Em vez da plateia acreditar que algo falso era real, como em *Guerra dos Mundos*, eles agora acreditavam que algo real fosse falso. Akkad gostou desse caminho e pediu a Brand que expandisse sua ideia num roteiro completo.

O roteiro original de Brand recebeu o nome de *Halloween: MichaelMyers.com*, apesar deste nunca ter sido considerado seriamente como título final. Isso se devia em parte ao fato de que nem Akkad nem a Miramax detinham o domínio MichaelMyers.com. O filme seria renomeado durante a pré-produção como *Halloween: The Homecoming* [A volta ao lar], embora esse título também seria em breve alterado em favor de outro que assegurasse ao público que Michael estava vivo e bem (isso não foi de forma alguma diferente do subtítulo intencional de *Halloween 4*, que precisava apresentar o mesmo ponto). Em 28 de fevereiro de 2002, o site *HalloweenMovies.com* anunciou oficialmente o título *Halloween: Ressurreição*. Brand desenvolveu seu roteiro em múltiplos tratamentos em colaboração com executivos da Miramax e o comando de Akkad. Os produtores trouxeram um par de olhos novos para incrementar o material, e o escritor Sean Hood foi contratado seis semanas antes do início das filmagens. (Curiosidade: No filme, a festa de Halloween está acontecendo na casa de Micki Stern. Na vida real, Micki Stern é a esposa de Hood.)

Em termos de direção, *Ressurreição* teve um início conturbado. Os produtores inicialmente divulgaram que o diretor de *Halloween 4*, Dwight Little, poderia voltar à franquia, embora ele tenha recusado o convite. Em 14 de fevereiro de 2001, tanto as publicações especializadas no setor quanto o site oficial de *Halloween* anunciaram o cineasta Whitney Ransick como diretor. Ransick seria dispensado um pouco antes do início das filmagens por desentendimentos não esclarecidos, ainda que ele insista que nunca esteve oficialmente atrelado ao filme (Larry Brand contesta isso em sua entrevista neste livro). Os produtores acabariam se voltando ao diretor de *Halloween II*, Rick Rosenthal, para liderar a sequência, marcando a primeira vez na história da franquia que um diretor volta para comandar um segundo filme. (Curiosidades: Tanto Ransick quanto Rosenthal dirigiram episódios de *Smallville* após *Ressurreição*. O diretor de *H20*, Steve Miner, também fez um episódio da série do super-herói. Um dos episódios de Rosenthal apresentava o intérprete de Michael Myers, Brad Loree, e um dos episódios de Ransick trazia o ator Dan Joffre, que viveu o vigia Willie. Ryan Merriman, de *Ressurreição*, também aparece num dos episódios da série do jovem Super-Homem.)

Ressurreição abre com a revelação chocante de que não foi Michael Myers quem Laurie Strode decapitou nos momentos finais de *Halloween H20*, mas sim um inocente pronto-socorrista. Na verdade, a Forma conseguiu dominar o paramédico, esmagar sua laringe e fazer a troca dos uniformes. Subsequentemente, Laurie sofreu um suposto surto psicológico e foi internada no sanatório Grace Andersen, onde ela se encontra pelos últimos três anos. No entanto, é tudo uma artimanha, já que ela tem se preparado silenciosamente para o eventual retorno de seu irmão. A Forma realmente aparece e invade o local, matando dois seguranças no processo. Laurie o atrai até uma armadilha no telhado do prédio, ainda que ele consiga superá-la no final. Acertando uma faca nas costas dela, Michael joga Laurie do telhado, matando-a.

A história então se volta a Haddonfield, onde os empreendedores Freddie Harris e Nora Winston estão se preparando para a nova edição de seu reality show na internet: *Dangertainment* [Perigo-Entretenimento]. Freddie e Nora escolheram seis alunos diversos da Universidade de Haddonfield para passarem a noite de Halloween trancados dentro da autêntica casa dos Myers, na esperança de que eles possam, de alguma maneira, desvendar os segredos da maldade incansável de Michael. Ao passarem a noite inteira na casa, os estudantes terão suas mensalidades pagas em adiantado. Os competidores e a casa estarão equipados com câmeras para que os internautas possam acompanhar tudo de seus lares. Entre os participantes estão a boa menina Sara; sua melhor amiga, a atrevida Jen; o aspirante a gourmet, Rudy; a estudante de ciências sociais, Donna; o roqueiro geek Jim, e o irritantemente libidinoso Bill.

Pressionada a se juntar a Jen e Rudy, Sara tem reservas sobre a transmissão via internet, que ela divide com seu colega de chat, Deckard. Na verdade, Deckard é Myles Barton, um calouro do ensino médio que acessa a transmissão da *Dangertainment* durante uma festa de Halloween naquela noite. Sem que os participantes saibam, Freddie equipou a casa com falsas evidências e acessórios relacionados à infância de Michael Myers. Ele também planeja fazer uma aparição vestido como Michael num esforço para multiplicar suas visualizações. A transmissão começa um pouco antes do pôr do sol e segue relativamente tranquila até os participantes descobrirem que estiveram sendo enganados pelos produtores da *Dangertainment*. Sua revolta logo se transforma em terror abjeto quando eles percebem que o *verdadeiro* Michael Myers voltou pra casa.

A Forma imediatamente mata Jen, Bill, Rudy, Donna, Jim e Nora — deixando Freddie e Sara trancados dentro da casa. Eles são capazes de estar um passo adiante de seu anfitrião homicida graças às mensagens de texto de Deckard, que monitora os movimentos da Forma pelas webcams. Freddie é atacado e deixado para morrer, enquanto Sara escapa por um túnel secreto debaixo da casa. Essa passagem subterrânea revela ser o local onde Michael esteve se escondendo durante as décadas passadas. Sara emerge do túnel para a garagem, mas é imediatamente descoberta pela Forma. Agarrando uma motosserra, ela o ataca, mas acidentalmente corta a fiação elétrica. Isso causa uma explosão que põe fogo no local. De alguma maneira ainda vivo, Freddie avança inferno adentro para lutar pessoalmente com a Forma. Ele vence o duelo após eletrocutar seu oponente na virilha com um fio desencapado. Atordoado, Michael Myers fica enrolado em cabos que o fritam vivo. Freddie e Sara escapam das chamas. Mais tarde, o corpo da Forma é levado ao necrotério de Haddonfield, onde seus olhos se abrem repentinamente — corta para os créditos.

É impossível discutir *Halloween: Ressurreição* sem reconhecer sua posição como um dos capítulos mais criticados da franquia, justa ou injustamente. Isso se deve à inclusão de um número de elementos extremamente polarizantes, o maior deles sendo o reality show e o elenco de figurantes. Deixando o reality show de lado, uma boa parte dos defeitos de *Ressurreição*, na verdade, não vem do roteiro original de Larry Brand. Eles foram enxertados na continuação por executivos do estúdio, produtores e por seu diretor. *Ressurreição* foi embaralhado com péssimas cartas durante seu desenvolvimento, o que contribui para mais uma grave acusação do moderno sistema de estúdio. Se você não revê *Ressurreição* faz tempo, por favor, reveja-o. É quase certo que será um pouquinho melhor do que você se lembra.

Também devemos reconhecer que *Ressurreição* estava em desvantagem por ter que carregar tanta bagagem dos filmes anteriores, mesmo não sendo culpa sua. Nem Brand nem Hood merecem a culpa por alterar retroativamente o final de *H20*. Tampouco são responsáveis pela morte de Laurie Strode nos primeiros quinze minutos. Essas decisões foram tomadas anos antes deles embarcarem no projeto. A sequência de abertura de *Ressurreição* desequilibra o filme de maneira desproporcional com um peso dramático, coroando décadas de uma trama narrativa que começou lá atrás no original de John Carpenter. Isso faz daqueles primeiros quinze minutos um ato dramático impossível de ser continuado.

"Suponho que corremos o risco de enfurecer nossos fãs. Mas nossa justificativa em fazer mais *Halloweens* é por acreditarmos que ainda há muito o que se curtir com eles. Fãs dos filmes *Halloween* ainda têm muitas perguntas, e nós acreditamos, começando com *Ressurreição*, que podemos lhes dar as respostas."
– Malek Akkad, *Fangoria*

Além do mais, *Ressurreição* é o único filme da franquia sem o dr. Loomis ou Laurie Strode no elenco principal. Naquelas alturas, todos com quem nós algum dia nos importamos na franquia ou está morto (Laurie, Loomis) ou foi retirado retroativamente da trama (Jamie, Tommy, Kara). Isso impregna *Ressurreição* com um estranho senso de distanciamento. Dado à frieza com que o filme foi recebido pela crítica, você poderia imaginar quanto tempo *Halloween* teria sobrevivido sem esses personagens icônicos. É válido também ressaltar que Michael Myers atua sem um alvo aqui, pela primeira vez desde o filme original de John Carpenter, sem se fixar em matar sua família. Ainda que essa qualidade tenha sido largamente elogiada na versão de 2018 de *Halloween*, ela foi desprezada em *Ressurreição*. Neste episódio, a Forma não é nada além de um bicho-papão que voltou ao lar e se deparou com visitantes intrometidos.

O roteiro original *MichaelMyers.com*, de Brand, estava repleto de críticas sociais que foram quase todas perdidas durante o processo de desenvolvimento do filme. Sua história inicial era uma sátira ao endeusamento de serial killers e à exploração de tragédias. (Um diálogo omitido: "Meu Deus, uma excursão transmitida ao vivo e online da casa do pior serial killer da história. O que isso tem de apelativo?".) Brand também ironiza aqueles que tentam decodificar o processo de pensamento de um personagem como Michael Myers. Os internautas são levados ao "local de nascimento da maldade", numa tentativa de entender "por que o Michael Myers ficou mau". As pistas que descobrem poderiam sugerir que ele fora abusado física e emocionalmente, só que elas são todas falsas. A casa foi decorada com acessórios falsos num esforço de mau gosto para divertir o público espectador. Brand sabe bem que não existe razão por trás dos assassinatos cometidos por Michael, o que está de acordo com o *Halloween* original.

"Na minha opinião, os motivos do Michael Myers devem sempre permanecer um mistério", diz Sean Hood. "Eu tendo a desgostar de explicações psicológicas para o seu comportamento, e achei que era importante revelar que praticamente *tudo* na casa, tirando o quarto secreto de Michael, era uma pista plantada ali pelo Freddie."

Como filme, *Ressurreição* contém um número de clichês de terror, alguns que foram claramente xerocados de *Halloween H20*. Mesmo assim, eles foram planejados pelos roteiristas, que buscaram subverter tais metáforas em vez de se apoiar nelas. Uma das ideias rejeitadas mostraria a personagem Sara, interpretada por Bianca Kajlich, sendo morta na metade do filme, revelando Jen (Katee Sackhoff) como a verdadeira protagonista. A ideia por trás disso era desconstruir a expectativa do público de que Sara, a boa menina virginal, sobreviveria ao filme, e que Jen, a perua loira, morreria. Outra sugestão foi de que Jen e Rudy transassem na casa dos Myers mas ainda assim sobrevivessem, contrariando a regra dos filmes de terror de que sexo é necessariamente igual a morte. A ideia também foi rejeitada pelo estúdio.

Ressurreição pode nunca ter sido preparado para se tornar a melhor continuação da franquia, mas sua versão cinematográfica não conseguiu entregar todo o potencial de seu script original. O roteiro de Brand essencialmente retrocedeu de uma crítica metalinguística sobre reality shows para um deboche cômico da franquia. *Ressurreição*, em alguns momentos, funciona quase como uma paródia.

O emburrecimento da visão original de Brand está bem resumido nas metáforas sobre tubarão de Jim e Freddie. No roteiro original de Brand, Jim iguala Michael Myers ao "grande tubarão branco de nosso inconsciente". Nas refilmagens, Freddie o chama de "um tubarão assassino vestindo um macacão de calças largas". Dê passagem, dr. Loomis, *Halloween* tem um novo orador. "Ele tinha aquele rosto medonho, sem emoções, branco feito uma bunda, tá ligado? E os olhos escuros pra cacete. Tô falando, mano, os olhos do diabo."

Ainda assim, a trama de *Ressurreição* funciona como uma metáfora para a completa experiência cinematográfica, mesmo que ela nunca faça nada de muito sagaz com isso. Os participantes do reality são os atores. Os membros da *Dangertainment* são a equipe. A galera da festa assistindo de casa é o público. E Harold, o paciente do asilo obcecado-por-serial-killers? Ele representa o fã hardcore, vomitando factoides e colecionando máscaras. Freddie Harris pode muito bem ser Moustapha Akkad ou Rick Rosenthal, faça sua escolha. Só imagine o seguinte discurso sendo dado à equipe de filmagem: "Os Estados Unidos precisam de um pouquinho de balbúrdia, um pouquinho de glamour, um pouquinho de emoção em suas vidas. E se é a gente que vai dar isso tudo pra eles, eu não vejo nada errado. Cês precisam me fazer um favor, beleza? Vêm comigo nessa porra. Sem vacilo, agora não. Vocês não têm ideia do esforço que eu fiz pra tudo dar certo e pra gente ganhar uma bolada quando essa merda acabar. Não sei o que vocês querem fazer com a sua parte, mas por favor não me venham foder com o que é meu. Eu quero minha grana, falou? Agora, se vocês não se importam, quero fazer esses filhos da puta se cagarem de medo".

Como a nova protagonista, Sara, interpretada por Bianca Kajlich, é lamentavelmente chata pelo simples fato de que não tem muito o que fazer além de se sentir desconfortável com tudo ao seu redor. Ela é tão esquisitona que sua conexão mais forte é com um amigo de chat com quem ela nunca se encontrou. Para uma garota final, esta caracterização é nula. Compare com Rachel Carruthers, de *Halloween 4*, que buscou ser a irmã mais velha da jovem Jamie Lloyd enquanto navegava num triângulo amoroso adolescente. Ou Kara Strode, de *Halloween 6*, mãe solo de um garoto problemático, cuja família acabara de se mudar para o lar do mais notório serial killer de Haddonfield. Comparada aos outros seis participantes, a quem Freddie corretamente chama de "um bando de metidinhos tiradores de onda", ajudaria muito imbuir Sara com um pouquinho mais de charme ou de história pregressa.

Os cineastas originalmente queriam que Sara pudesse continuar como a nova Laurie Strode. Com esse objetivo, tentativas foram feitas para conectar as duas personagens. A primeira aparição de Sara em *Ressurreição* acontece numa sala de aula onde ela se voluntaria para responder a uma pergunta da professora, assim como Laurie faz em *Halloween*. As duas garotas finais se parecem um pouco, vulneráveis mas inteligentes, tímidas, e relutantes em acompanhar os planos de seus amigos, seja falar com Ben Tramer em *Halloween* ou participar de um reality online em *Ressurreição*. As duas também possuem bonecas de pano que, segundo explica o roteirista Sean Hood, era uma conexão bem intencional. "Num nível simbólico, nós esperávamos que, ao dar as bonecas a ambas, isso serviria como uma pista de que Sara tinha um pouco do espírito indomável de Laurie. Para levar a ideia um passo adiante, Michael, o oposto desse espírito feminino, havia pego uma dessas velhas bonecas e enfiado pregos em seus olhos. Mas, principalmente, bonecas de pano são medonhas."

Um dos toques mais infelizes de *Ressurreição* envolveu a escolha de Busta Rhymes no papel de Freddie Harris. Isso foi uma tentativa descarada de recriar o que LL Cool J trouxe para *H20*, mas os talentos de Rhymes e Cool J não são iguais. A escolha de Rhymes mudou efetivamente a caracterização de Freddie. Não apenas seu papel cresceu bastante de tamanho, como ele também teve permissão de reescrever seus próprios diálogos. Isso contribuiu para um aumento considerável do número de "filhos da puta" no filme, um precursor da era Rob Zombie. A principal diferença entre o Freddie de Busta Rhymes para o Ronny de LL Cool J é que este entrega uma performance pé-no-chão de um personagem plausível. O mesmo não pode ser dito de Rhymes e seu Freddie porra-louca. *Ressurreição* destrói sua própria integridade no momento em que Freddie usa golpes de kung fu contra a Forma. É difícil de imaginar um final mais ignóbil do que aquele. Como o executivo do estúdio Jeff Katz citou no documentário *Halloween: 25 Years of Terror*: "Busta Rhymes não devia lutar caratê contra o Michael Myers. Tenho um sério problema com aquilo".

Mas Rosenthal não viu dessa maneira. Na verdade, ele considera esse momento como um dos pontos fortes de *Ressurreição*. No comentário do filme, ele disse sentir que o público compartilhava largamente de sua opinião nessa história do kung fu. "O público adora que alguém encare o Michael Myers. Pra começar, eles se importam pra valer com o personagem do Busta Rhymes. Eles torcem por ele. Mas quando ele traz de volta o kung fu que nós o vimos assistir anteriormente, aquilo funcionou como uma grande recompensa para o público. Eles realmente curtiram aquilo."

Diversas críticas, incluindo as da *Variety* e da *Entertainment Weekly*, acusaram *Ressurreição* de plagiar *A Bruxa de Blair* (*The Blair Witch Project*), mas tais comparações são, na melhor das hipóteses, superficiais. *A Bruxa de Blair* se desenrola por completo por meio de fitas de vídeo caseiras, enquanto *Ressurreição* apenas brevemente corta para gravações de microcâmeras, nunca se comprometendo demais ao conceito para ganhar um lugar no subgênero *found footage*.* Não que *Ressurreição* careça de influências. O assassinato que a Forma comete usando o tripé da câmera é um claro aceno a uma morte idêntica no filme de 1960 *A Tortura do Medo* (*Peeping Tom*). Depois, existem numerosas referências a *Halloween II*, do próprio Rosenthal, como Laurie usando travesseiros na cama para enganar seu irmão, um personagem escorregando numa poça de sangue e um bando de monitores de segurança mostrando a Forma perseguindo pelos corredores do hospital. Há também uma pontinha de Rosenthal no papel do dr. Mixter, batizado com o nome do médico de *Halloween II* que tem o olho perfurado por uma seringa.

"Às vezes, me pergunto o que teria acontecido se tivéssemos usado mais imagens das headcam",** Rosenthal disse no DVD do filme. "Quanto mais vídeo você usa, mais parecido fica com *A Bruxa de Blair*, o que não era a nossa intenção. Acho que funciona melhor quando você usa menos vídeo e o incorpora com cenas lindamente filmadas em película."

Mais de uma década depois, *Ressurreição* parece estranhamente intuitivo, tanto dolorosamente um fruto de seu tempo quanto à frente dele. A ênfase na tecnologia de câmera portátil e de live-streaming é bem mais relevante hoje em dia do que em 2002, com o advento da câmera GoPro e do Twitch. O chat de texto do Palm Top, entretanto, é terrivelmente datado. Caso *Ressurreição* não tivesse sido deturpado pelo estúdio e se transformado num filme de "terrir", ele poderia ter sobrevivido graças à esperteza de sua premissa original. Mas, do jeito como foi feito, ele fracassou. Em defesa de *Ressurreição*, a sequência rapidamente se livrou de quaisquer resquícios de *Pânico* que sobraram de *H20* para se tornar uma coisa própria.

* "Filmagens encontradas", em tradução livre. A narrativa se concentra em imagens gravadas pelos próprios personagens, geralmente em câmeras caseiras ou celulares. Alguns exemplos famosos: REC, *Atividade Paranormal*, *Cloverfield: Monstro*. [NT]

** Headcama são microcâmeras presas nas cabeças dos personagens. [NT]

A SEGUNDA MORTE DE LAURIE STRODE

Os roteiristas de *Ressurreição* tiveram a tarefa inevitável de resolver a trama da Laurie Strode nos primeiros quinze minutos do filme. Embora apenas contratada para uma aparição de trinta segundos, Jamie Lee Curtis retornou por quatro dias de filmagens, para fechar o arco de sua personagem. Apesar dela mais tarde se referir ao filme como "uma piada", ela chegou a justificar sua decisão de matar Laurie de uma vez por todas. Falando ao *TooFab.com*, Curtis indicou estar contente em finalmente ver Laurie em paz, mesmo que fosse na morte. "Sempre achei que, com a Laurie Strode, precisava ser de um jeito ou de outro. Do jeito como eu vejo, até que aquela ameaça morra, ou que você morra, você não estará livre. Não é possível viver naquele limbo. Então eu quis ter certeza de que se iríamos encerrar a história dela, precisaríamos fazer do jeito certo."

Há muito a ser destrinchado daquela abertura, que mostra Laurie internada no sanatório Grace Andersen. Apesar de voltar apenas devido a obrigações contratuais, Curtis manteve-se, como sempre, a mulher das ideias. Originalmente, ela sugeriu que os pacientes do sanatório utilizassem maquiagens elaboradas e medonhas, e também penteados ao estilo Marilyn Monroe — resultado de uma escola vizinha de estética aproveitando os pacientes como cobaias. Essa ideia foi rejeitada pelos cineastas.

Laurie fora diagnosticada com um transtorno dissociativo extremo, apesar de ser apenas um disfarce da parte dela. Sua falsa catatonia relembra assustadoramente o primeiro encarceramento de seu irmão em Smith's Grove. O quarto de hospital de Laurie contém uma foto emoldurada do filho, John. O personagem originalmente seria citado de maneira mais direta em diálogos, mas as falas foram cortadas por motivo de questionamentos sobre Josh Hartnett poder voltar em futuras continuações. Tratamentos iniciais mostravam uma enfermeira mencionando que John já havia parado de visitar sua mãe. Numa fala omitida de seu encontro final, Laurie diz à Forma: "Eu sei que você viria me procurar, cedo ou tarde, mas você nunca vai encontrar o meu filho. Tomei minhas providências".

Esse encontro no telhado é interessante pelo que ele revela sobre o frágil estado mental de Laurie. O início de *Ressurreição* conta como a Forma fez com que ela decapitasse um homem inocente no final de *Halloween H20*. Podemos ver que Laurie sente uma culpa enorme disso, embora ela tenha se transformado em alguém como seu irmão, um destino que ela rejeita. (Fala omitida: "Você tentou me transformar em você, mas falhou".). Ainda assim, a Forma é capaz de usar essa culpa ao agarrar sua própria imagem, o que conjura com as memórias do final de *H20*. Repentinamente em dúvida, Laurie morde a isca e tenta desmascará-lo ("Eu preciso ter certeza"). Nos cinemas, Michael cai da beirada e puxa Laurie com ele. Mas da maneira como a cena foi escrita originalmente, era Laurie quem voluntariamente saltava do telhado e levava Michael com ela. (Fala omitida: "Vem comigo, Michael".) Essa atuação alternativa ressoa uma abertura com suicídio que também fora considerada brevemente pela Laurie, uma ideia à qual a atriz fortemente se opunha. Tanto no roteiro como no filme, a Laurie continua a exercer o empoderamento que ela sentiu no ato final de *H20*, dizendo ao irmão que ela não tinha medo dele nem que tinha medo de morrer. É uma saída bastante ousada, se não um tanto desafortunada, para a longeva heroína.

Os produtores da continuação não estavam tão desesperados em dizer adeus à Laurie Strode quanto a atriz estava. Sem sucesso, eles tentaram convencer Jamie Lee Curtis a deixar o destino de sua personagem um mistério após a abertura. Eles até chegaram a persuadir a atriz para que Laurie voltasse no ato final de *Ressurreição* para salvar Sara da Forma, mas Curtis recusou categoricamente. Se ela fosse voltar em *Halloween 8*, seria para concluir de vez a história de Laurie.

Essas cenas de abertura eram um pouco diferentes quando escritas pela primeira vez. De acordo com o roteiro original de Larry Brand, guardas de segurança deveriam confundir um errante Michael Myers com o fugitivo Harold, um paciente obcecado por serial killers, e o acompanhariam até dentro das instalações! ("Porra, Harold, você gosta de me fazer borrar de medo. Quem você deveria ser hoje? *Humm.* Máscara branca. Acho que não conheço esse aí.") Nos cinemas, a Forma entrega sua faca ensanguentada para Harold ao sair do hospital. Rick Rosenthal teorizou que esse presente era devido ao fato de que a máscara de John Wayne Gacy usada por Harold fez Michael se lembrar de sua própria fantasia de palhaço quando criança. No roteiro de Brand, havia uma motivação diferente: a Forma estava intencionalmente tentando incriminar Harold pelos assassinatos no sanatório. Numa cena escrita, mas não filmada, as autoridades iriam interrogar Harold no dia seguinte e o encontrariam usando uma máscara de Laurie Strode. (Curiosidade: As enfermeiras da cena de abertura são chamadas Wells e Phillips, como acenos a Orson Welles e Carl Phillips, o último um personagem da obra do primeiro, a transmissão de *Guerra dos Mundos*. Elas se referem aos doutores Fine e Howard, o último com "cabelos encaracolados" ("curly hair", no original). Uma referência aos Três Patetas, Moe, Larry e Curly.

REFILMAGENS

A Miramax originalmente agendou o lançamento de *Ressurreição* nos cinemas em 21 de setembro de 2001. Mas a produção não estava prevista para encerrar as filmagens antes do início de julho, o que deixava escassas oito semanas para completar a pós-produção. Os montadores se apressaram para completar um corte inicial, que não foi especialmente bem recebido. Rolaram rumores de que o Moustapha Akkad estava tão insatisfeito que demitiu Rosenthal, uma acusação que ambas as partes negaram. Conversando com o jornalista Luke Ford na época, o diretor esclareceu: "Sempre existe fofoca. Não posso fazer um filme como esse sem ouvir rumores de que o John Carpenter esteja voltando. Que o Moustapha está triste. Moustapha nunca está feliz antes do filme ganhar muito dinheiro. (...) O filme nunca esteve ameaçado. O final inicial não fazia sentido. Não tínhamos um confronto visceral entre a heroína e o assassino. Nunca foi catártico".

Após assistir a esse primeiro corte, os executivos do estúdio recomendaram filmagens adicionais para incrementar a história. Isso fez com que a Miramax empurrasse a data de lançamento para 19 de julho de 2002. No final de 2001, fizeram várias exibições teste por todo o estado de Nova Jersey. As pesquisas expressaram insatisfação com o final e um desejo por mais cenas com Busta Rhymes, o que surpreendeu até mesmo os cineastas. Como originalmente escrito, o fundador da *Dangertainment* não chegaria vivo ao final do filme.

"Não acho que alguém tenha compreendido o que estava acontecendo", Rosenthal contou à *Fangoria.* "Todo mundo achou que ele estava formidável, mas ninguém sabia se ele seria capaz de manter a performance no nível que ele manteve. O Busta foi de 'Você viu, ele foi ótimo' para 'Ele é um astro de cinema'. Ele foi considerado, inacreditavelmente, o máximo." Em resposta a isso, a Miramax agendou quatro dias de refilmagens entre novembro e dezembro de 2001. O objetivo era inventar um novo final e aumentar o tempo de tela do rapper-transformado-em-ator onde fosse possível.

"Busta mudou o texto e improvisou muitas das suas falas", diz Sean Hood. "Dessa forma, ele realmente deu uma voz própria ao personagem. Pessoalmente achei ele bem divertido. Acho que os fãs que não gostaram dele estão respondendo ao personagem, Freddie, e não ao ator. Eles simplesmente não acham que um personagem como Freddie pertença a um filme de *Halloween.*"

O final originalmente filmado de *Ressurreição* mostrava Sara escapando para a garagem pelo do túnel secreto de Michael. Ele entra um instante depois e começa a dar golpes de faca a esmo no ambiente escurecido. Sua lâmina atinge um cabo de força, e ele é sacudido pela eletricidade. Sara atira um fio desencapado numa poça de sangue aos pés dele, causando uma explosão elétrica. Essa eletrocussão derrota o assassino, mas também põe fogo na garagem, aprisionando Sara debaixo de destroços caídos. De repente, Deckard irrompe no inferno para resgatá-la. Depois de escapar das chamas, ele revela ser o amigo de chat online, já que eles nunca se encontraram pessoalmente. Como Brand escreve: "Michael despenca numa explosão de faíscas, seu corpo é sustentado pelos cabos, numa imagem dantesca, seus braços abertos como um messias sombrio do novo milênio". Um pouco depois, os atendentes de primeiros socorros viram Freddie gravemente ferido, e ele tristemente pede desculpas à Sara. "Sinto muito por seus amigos, por tudo o que fiz você passar." O filme termina com Sara retrucando Deckard quando ele a congratula por ter matado o bicho-papão: "Não dá pra matar o bicho-papão".

Os cineastas capturariam diversos finais novos durante as refilmagens de inverno, a maioria deles se afastando da seriedade do final original e optando por um tom mais cômico. Da maneira como foi lançado, o final de *Ressurreição* mostrou Sara fugindo para a garagem pelo túnel secreto de Michael. Este chega logo a seguir e é atacado por Sara, armada com uma motosserra; ela berra um gracejo digno de pena: "Isto é pela Jen! Isto é por Rudy! Por todos eles!". Neste final, Sara acidentalmente põe fogo na garagem ao cortar cabos de força com a motosserra. A mesma explosão acontece, novamente deixando a garota debaixo de destroços. Antes que a Forma consiga matá-la, entretanto, Freddie entra, em vez de Deckard, com mais um grito constrangedor: "Doce ou travessura, filho da puta". Os dois se envolvem num combate mano a mano, sendo que Freddie leva a melhor sobre seu oponente ao espetar um cabo desencapado na virilha da Forma. Agarrando Sara, eles escapam do local em chamas enquanto Michael é eletrocutado. Freddie mais tarde dá um depoimento à imprensa e olha para o corpo carbonizado de Michael, chamando ele de um "frango frito escroto". A cena final mostra os restos da Forma sendo levados ao necrotério. Quando a médica-legista abre o saco com o cadáver, Michael abre seus olhos.

Chega a ser impressionante o quão pior é o final da versão de *Ressurreição* que chegou aos cinemas se comparada com a que foi filmada inicialmente. Para começar, o desfecho original concedia à nova garota final a honra de matar a Forma. Na nova versão, Sara não passa de uma donzela em apuros que não consegue sequer ganhar uma briga de facas usando uma motosserra. Além disso, Deckard chegando para lhe retirar do incêndio era literalmente a única conclusão que se pagava em sua subtrama, especialmente já que isso representava o primeiro encontro deles na vida real. Nos cinemas, Deckard apenas digita a mensagem "Você está viva!" e manda um toca-aqui com seus amigos na festa. O tom da cena é um tanto comemorativo demais dado que os mesmos convidados acabaram de testemunhar meia dúzia de assassinatos ao vivo pela internet. Além disso, a reaparição de Freddie é confusa, considerando que ele foi esfaqueado duas vezes no ombro, de maneira tão brutal que havia perdido a consciência. No novo final, Freddie sacode uma pá como se fosse um bastão ninja, o ferimento do ombro que se dane. Quanto aos ovos torrados da Forma, deveria haver uma regra básica em *Halloween* para deixar as joias da família de Michael em paz (sim, em *H20* há uma joelhada no saco, mas isso aqui é bem pior).

O final original de *Ressurreição* continha um pouco da tão necessária solenidade em que Busta Rhymes se concentra para que seu personagem peça desculpas à Sara. Em última análise, Freddie é de fato responsável por tudo de terrível que aconteceu naquela noite. Não, ele não matou aquelas pessoas, mas certamente foi uma péssima ideia explorar a casa de um serial killer para obter lucro financeiro.

"Te vejo
no inferno."

HALLOWEEN RESURRECTION
(2002)

FINAIS ALTERNATIVOS

No total, os cineastas rodaram três finais diferentes durante as refilmagens de inverno, todos eles exibidos em testes de plateia. O primeiro foi a já mencionada conclusão no necrotério, em que a Forma de alguma maneira salta de volta à vida antes do filme cortar para os créditos. O segundo final mostrava peritos de investigação criminal vasculhando as cinzas do incêndio na casa dos Myers (Curiosidade: O ator Brad Loree, que interpreta a Forma, aparece como um dos caras do CSI e chega a ter uma fala). Quando uma perita joga luz no túnel debaixo da casa dos Myers, a Forma salta e a agarra — corta para os créditos enquanto ela grita. O terceiro e último final expandia o momento em que Freddie e Sara olhavam o corpo carbonizado. Após ser chamado de "frango-frito escroto", Michael salta de volta à vida e começa a estrangular Freddie. Sara acerta um machado de bombeiro no rosto do assassino, aparentemente matando ele mais uma vez.

Desses novos finais, o terceiro é o mais problemático. Para início de conversa, o braço esquerdo de Freddie está enfaixado de um jeito ridículo. O torniquete está amarrado diretamente no lugar onde ele fora esfaqueado duas vezes. Tanto este quanto o final no necrotério também marcam a segunda vez em dois filmes consecutivos que os socorristas colocam um corpo não-tão-morto-assim da Forma num saco para cadáveres (pulso e respiração não são *tão* difíceis assim de se detectar). Por último, este final carece penosamente de peso dramático, tão desesperadamente necessário. Oito pessoas foram mortas dentro da casa dos Myers, e ainda assim Freddie consegue mostrar um sorriso cheio de dentes quando cumprimenta Sara por suas habilidades com o machado: "Tu é a maior cascuda, metedora de bronca!". Você podia imaginar que o Freddie abaixaria um pouco o tom, já que ele tinha amigos entre as oito pessoas que acabaram de ser assassinadas, a sua empresa está praticamente arruinada, e ele poderia se mostrar um pouco mais responsável, mas não. Existe uma cena deletada das refilmagens em que Freddie se desculpa para Sara de uma maneira parecida com a do final original. "Eu devolveria cada centavo que eu já ganhei na vida para voltar no tempo e evitar tudo isso." É um momento genuíno do qual infelizmente carece o final escolhido.

Rick Rosenthal originalmente queria mandar *Ressurreição* com todos os três finais montados. De acordo com seu plano, os cinemas receberiam aleatoriamente um final diferente, na esperança de que o público fosse assistir ao filme múltiplas vezes para experimentar todos os três finais. Não seria muito diferente de como a Paramount enviou aleatoriamente seu filme de 1985, *Os Sete Suspeitos* (Clue), com finais diferentes. (Curiosidade: *Os Sete Suspeitos* foi produzido por Debra Hill). No entanto, o estúdio rejeitou essa ideia e lançou o filme com o final no necrotério em todas as cópias.

CENAS DELETADAS

Ressurreição ostenta uma variedade de cenas deletadas, algumas delas vistas de relance em trailers, outras lançadas em vídeo, e adicionalmente, em algumas versões não finalizadas. Nos cinemas, a continuação começa no sanatório Grace Andersen. A abertura original apresentava um antigo vídeo caseiro da família Myers montada com a canção "Johnny Angel", da cantora Shelley Fabares. Vemos os pais, a jovem Judith e a bebê Laurie. Um Michael adolescente pode ser visto de lado, sinalizando que não quer ser filmado. Ele acaba se virando e encarando a câmera de uma forma sinistra. (Outra curiosidade: Michael era interpretado por Gary J. Clayton, filho de Donna Keegan, dublê de longa data de Jamie Lee Curtis.)

Nos cinemas, encontraremos Freddie e Nora pela primeira vez durante as entrevistas com os participantes no motel. Um corte anterior os apresentava durante um talk show, promovendo a *Dangertainment*. A personagem Nora aparecia em duas outras cenas cortadas, uma montando a ilha de edição dentro da garagem dos Myers, e a outra retratando seu estrangulamento cometido pela Forma. Os cineastas depois removeram a morte dela para aumentar o baque quando Sara encontra o seu cadáver perto do final do filme.

Uma das cenas deletadas mais apimentadas de *Ressurreição* revela como a Forma voltou a Haddonfield. Caminhando por uma floresta, ele encontra um casal numa barraca. Fora do acampamento, há um Pontiac Firebird 1967 vermelho estacionado, carro que Michael Myers irá roubar. O casal sai correndo da barraca ao perceber o roubo, e a garota comenta: "Meu namorado vai ficar furioso. Ele adora aquele carro!". Num detalhe engraçado, as roupas do casal ainda podem ser vistas no capô do carro enquanto a Forma acelera.

"Aquela cena foi cortada porque foi considerada muito explícita sexualmente pelo Moustapha Akkad", conta Sean Hood. "Honestamente, a cena era um pouquinho cômica demais para um *Halloween*. Como piada, Rick Rosenthal disse ao sr. Akkad que eles tinham remontado a cena para baixar o tom da sexualidade. Então, com uma expressão séria, Rick exibiu a sequência revisada, na qual ele havia inserido um pequeno clipe do filme explícito *Calígula*. O sr. Akkad quase caiu da poltrona!"

Isso deveria ser seguido por outra cena deletada, na qual Michael volta ao lar após ter assassinado Laurie. Estacionando o Firebird em frente à casa dos Myers, ele daria uma pausa para olhar ameaçadoramente para sua decadente residência. A cena permanece séria, até ouvirmos o "bip-bip" quando a Forma tranca o carro usando o controle remoto do chaveiro — estragando o que poderia ser um momento tenso ao transformá-lo em comédia. Apesar das cenas envolvendo o Firebird terem sido cortadas, ainda existe uma breve referência ao carro no final do filme. Nora diz a Freddie: "Tinha um Firebird estacionado na frente da casa. Ele ia arruinar completamente o plano de abertura do vídeo, mas eu chamei um guincho".

Nos cinemas, *Ressurreição* anda rapidamente até chegar ao início da transmissão ao vivo. Isso significa cortar alguns momentos mais curtos. Uma cena deletada seguia as participantes mulheres comprando roupas novas para usarem durante o programa. Outra apresentaria Donna, interpretada por Daisy McCrackin, um pouco mais cedo, numa homenagem a *Psicose:* "Era para ser alguém fazendo uma pegadinha em mim enquanto eu tomava um banho", a atriz contou ao site *Halloween Daily News*. "Estou me preparando para entrar no chuveiro e sendo observada pela janela. Então parece perigoso e assustador, mas acaba sendo apenas um garoto da faculdade, e não o Michael Myers, mas a cena foi cortada."

Uma das sequências deletadas mais longas incluía uma montagem de quase quatro minutos com os participantes sendo entrevistados antes da transmissão. As ceninhas serviam como efeito cômico e estabeleciam a maioria dos participantes como ração para o assassino (Sara é a única a *não* ser apresentada como uma caricatura). Ao final da montagem, Freddie está profundamente preocupado com a qualidade de seus participantes, e diz a Nora: "Isso não tá legal. Você reuniu um bando de cabeças de vento". Ela então defende suas escolhas. A sequência ainda aparece no filme, embora bastante reduzida com cortes para acertar o ritmo.

A montagem seria seguida por uma breve cena no hotel, na qual Sara se arrepende de estar envolvida com o reality show, citando um temor não específico. Uma egocêntrica Jen mal escuta a amiga, e desdenha das preocupações de Sara como sendo apenas medo de palco. Esse momento foi substituído com a refilmagem da cena em que Sara bate na porta de Freddie para anunciar sua desistência do reality.

Como já mencionado, o final original de *Ressurreição* mostrava Deckard aparecendo na casa dos Myers para resgatar Sara do incêndio na garagem. Isso exige uma resposta: como ele conseguiu chegar (e encontrar) tão rapidamente na casa dos Myers? Esse detalhe foi tratado numa cena deletada que aconteceria antes da transmissão online começar. Deckard e seu amigo pedalam juntos até a casa dos Myers e examinam a equipe da *Dangertainment* descarregando seus equipamentos.

Numa cena cortada mais adiante, Sara, Jen e Rudy descobrem um alarmante álbum de família dentro da casa dos Myers. Nele estão contidas fotos da infância de Michael — incluindo imagens perturbadoras dele acorrentado enquanto criança. Para aqueles ligados na transmissão da *Dangertainment*, elas se conectam com o gancho de Freddie em encontrar "pistas que possam explicar por que Michael Myers ficou mau". Como tudo mais naquela casa, entretanto, aquelas fotos são notoriamente falsas. Na verdade, não existe um motivo pelo qual Michael "ficou mau". Os cineastas mais tarde cortaram essa cena com receio de que ela poderia de alguma maneira humanizar a Forma, apesar de ela ser revelada posteriormente como sendo falsa. Falando sobre o filme nos comentários do DVD, o diretor Rosenthal observa: "Havia uma forte sensação de que humanizar o bicho-papão seria roubar o lado sombrio e malevolente dele, e retirar o seu poder".

ESCRITO, MAS NÃO FILMADO

Um dos primeiros conceitos visuais de Larry Brand para *Halloween: Ressurreição* se aventurava bastante na metalinguagem. Infelizmente, ele nunca chegou à telona. Enquanto partia do sanatório Grace Andersen rumo ao lar, a Forma deveria passar em frente a um outdoor com anúncio do reality da *Dangertainment*. O anúncio mostrava uma máscara branca gigantesca ao lado do texto: "Segredos da Casa dos Myers Revelados. Amanhã à Noite. Ao Vivo!". Ele para o carro embaixo do enorme cartaz publicitário, "aparentemente congelado", enquanto fazia a famosa inclinadinha de cabeça do filme original [isso lembra uma cena parecida com Jason Voorhees em *Sexta-Feira 13 — Parte 8: Jason Ataca em Nova York* (*Friday the 13th Part VIII: Jason Takes Manhattan*)]. Se a cena fosse incluída no filme, ela teria mudado a história consideravelmente. Nos cinemas, a Forma não tem conhecimento prévio de seus visitantes intrometidos até que eles invadem a casa de sua família. Da maneira como foi escrita inicialmente, ele teria antecipado a chegada deles, graças ao já mencionado outdoor. Mais tarde, Brand imaginou a Forma espionando os participantes no hotel deles, do seu Firebird roubado, na véspera do Halloween. Dos seis participantes, apenas Sara teria pressentido vagamente que eles estavam sendo observados por uma força invisível.

Se algum dia você ficou pensando por que a Sara só usa seu Palm Top para enviar um pedido de socorro ao Deckard em vez do seu celular para, digamos, chamar a polícia, havia originalmente uma explicação incluída na história. Na tentativa de evitar que os toques dos telefones "quebrassem o clima", Freddie obriga todos a deixarem seus celulares no furgão da *Dangertainment*, do lado de fora da casa dos Myers, inclusive o seu próprio aparelho. A ideia era apresentar os participantes como totalmente indefesos, trancados dentro do lar da Forma, e tendo em Deckard sua única esperança. Esse detalhe importante foi deixado de fora do filme.

Antes de escalar Busta Rhymes, o personagem Freddie Harris não deveria sobreviver no filme. Sua morte vinha com uma reviravolta na trama, na qual ele não era silenciado pela Forma. Freddie seria morto, na verdade, por Jim, que o confundia com o verdadeiro assassino e esmagava sua cabeça com um taco de beisebol. Atordoado, Jim teria pouco tempo para refletir sobre seus atos, já que o verdadeiro Michael Myers deveria aparecer no momento seguinte. De acordo com este roteiro inicial, a Forma deveria enfiar o taco na boca de Jim, começando pelo punho e atravessando até a nuca, no que certamente seria considerada a morte mais grotesca do filme.

Uma notável ausência em ambos *H20* e *Ressurreição* foi a do psiquiatra e profeta-do-apocalipse vivido por Donald Pleasence. *H20* originalmente apresentava uma subtrama de detetive para preencher o vácuo, embora ela tenha sido cortada poucas semanas antes das filmagens começarem. *Ressurreição* também continha uma subtrama de detetive originalmente, ainda que ela tenha sido retirada no processo de desenvolvimento. A história original apresentava o detetive Jeb Donaldson (batizado em homenagem a Pleasence), designado para investigar a morte suspeita de Laurie no sanatório. O suspeito óbvio aparenta ser o também paciente Harold, devido à sua inclinação para escapar e à sua obsessão com serial killers, mas Donaldson não está convencido. Ele viaja até Haddonfield, chegando na casa dos Myers durante a transmissão do reality, e ouve gritos vindos lá de dentro. Sacando sua arma de fogo, Donaldson invade a casa e fica cara a cara com a Forma, surpreendendo-o momentaneamente. Michael rapidamente agarra a mão do detetive, vira a posição da arma e atira no peito de Donaldson. Isso manda o detetive voando até bater com as costas na parede. Mais tarde, descobrimos que ele sobreviveu ao ataque graças a um colete à prova de balas.

O detetive Donaldson também apareceria no final original. Aqui, ele expressa sua preocupação pelo fato de os bombeiros ainda não terem encontrado o corpo carbonizado de Michael nos escombros. Donaldson se vira e encontra a Forma, com a lâmina levantada. Isso acaba sendo apenas um garoto com uma faca de borracha. Donaldson suspira aliviado antes de perceber outra Forma em pé, à distância. Sacando sua arma, ele percebe outra Forma. E mais uma. De acordo com o roteiro: "De repente, a Forma está em todos os cantos. Vemos Michael Myers ao nosso redor, um mar de máscaras, rostos brancos e macacões escuros na multidão, na rua. Algum deles é o real? Ele está fugindo num mar de imitadores?". Os cineastas abandonaram esse final ambíguo em favor do final-surpresa chocante no necrotério.

"Donald Pleasence adicionava seriedade e classe aos filmes de *Halloween*," diz Sean Hood. "Rick Rosenthal sugeriu que algumas filmagens perdidas de Loomis do *Halloween* original fossem incorporadas em *Ressurreição*. Acredito que as filmagens mostrassem Loomis falando sobre o Michael Myers, argumentando que o garoto deveria ser mantido atrás das grades para sempre. Infelizmente, a cena nunca encaixou apropriadamente no filme e foi deixada de fora no final das contas. Um dos motivos para cortarmos Donaldson foi que seu personagem acabou parecendo uma imitação sem graça de Loomis. Posso garantir que tanto Pleasence quanto Loomis estavam presentes em nossas mentes enquanto fazíamos *Halloween 8*."

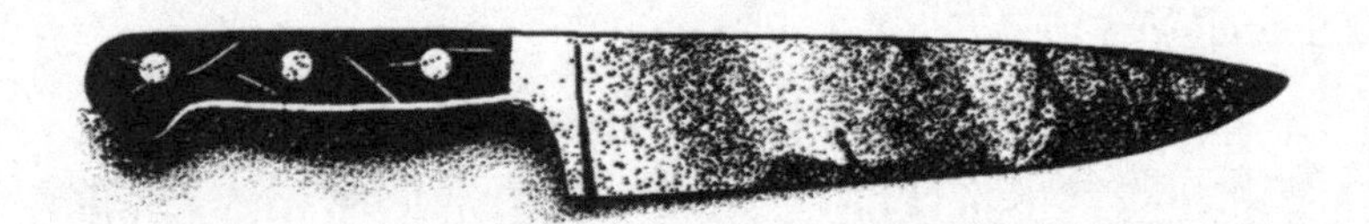

LARRY BRAND

Roteirista — Halloween: Ressurreição

Entrevistado por Dustin McNeill

Como você foi convidado a escrever Halloween: Ressurreição?

Eu tinha o mesmo agente que o Paul Freeman, que havia produzido alguns filmes de *Halloween*, começando por *Halloween 4*. Eu tinha escrito um pequeno filme de arte independente que era todo diálogo. Provavelmente um dos roteiros menos comerciais que já fiz. Meu agente o mostrou para o Paul, e ele o levou para Malek Akkad, que adorou. Malek então mostrou o roteiro para o pai dele. Não tenho certeza do quanto o Moustapha entendeu, já que o inglês é sua segunda língua e o meu roteiro era um exercício poético altamente rebuscado, mas ele me chamou para discuti-lo. Foi muito lisonjeiro. Para mim, é um exemplo de por que sempre se deve escrever sobre coisas que são importantes para você. Não tente antecipar o que vai acabar sendo feito, apenas escreva algo significativo. Eu basicamente escrevi aquele roteiro para mim, e ele acabou me levando ao maior trabalho que já fiz.

Então o Moustapha me chamou pra ver se eu tinha algumas ideias para o *Halloween 8*, e eu tinha. Estava trabalhando num conceito sobre o papel da mídia em borrar os limites entre o que é e o que não é real. Tinham esses programas tipo o *Big Brother e MTV Na Real*, onde colocavam câmeras numa casa ou num apartamento e gravavam as pessoas lá dentro. Essa é uma coisa bastante convencional. Mas e se um assassino entrasse numa dessas casas? As pessoas assistindo em casa não saberiam se os assassinatos eram reais ou não. Minha ideia era uma brincadeira com os reality shows.

Meu primeiro emprego no mercado foi como motorista do grande Orson Welles. Sempre fui um grande fã de sua transmissão de *Guerra dos Mundos*, aquele trote gigantesco que ele fez no Halloween de 1938. Ele convenceu os ouvintes de que algo falso estava acontecendo de verdade. Em *Halloween 8*, eu quis fazer o contrário. E se soubéssemos que algo era real e as pessoas pensassem que era falso? Não pensei nisso originalmente como um filme de *Halloween* ou mesmo um filme slasher. Achei que poderia ter sido um ótimo suspense. Apresentei a ideia pro Moustapha usando o Michael Myers em vez de algum matador qualquer. A partir dessa ideia, sugeri que poderíamos realizá-la dentro da casa do Michael em Haddonfield. Tudo evoluiu a partir daí. Então, originalmente a ideia não tinha nada a ver com o Michael Myers. Seria apenas sobre um assassino dentro de uma casa com câmeras.

De qualquer maneira, é um conceito bastante inteligente.

Obrigado. Isso pode soar estranho vindo de um cara que escreveu *Halloween: Ressurreição*, mas tenho critérios quando escrevo. Fazer filmes que sejam exatamente iguais a outras produções me aborrece. Outra coisa que não gosto é fazer filmes que não sejam sobre *alguma coisa*. E essa coisa não é a trama. Filmes precisam mostrar um ponto de vista sobre algo social ou cultural ou pessoal. Veja meu primeiro filme de 1987, *The Drifter* [O andarilho]. Não é sobre um cara perseguindo mulheres. Essa é a trama, claro, mas o filme fala sobre outra coisa. Na verdade, é sobre o que consideramos normal e sadio dentro das interações pessoais daquele período. A trama é só um artifício que vende o seu roteiro e coloca bundas nas poltronas mas, de certa maneira, é a parte menos interessante de um filme.

Do que *Halloween: Ressurreição* se trata, realmente? Gosto de pensar que é sobre como lidamos com a realidade que é mediada por alguma plataforma, seja a televisão ou a internet. É sobre a linha, muitas vezes tênue, entre o que é real e o que é falso. No entanto, não posso declarar grandes originalidades nessa ideia. Orson Welles fez *Verdades e Mentiras* (*F for Fake*), que precedeu *Ressurreição* em muitos desses temas. É claro, *Ressurreição* ainda precisa funcionar como um filme de terror e como um filme da franquia *Halloween*. Eu não poderia esperar que a plateia da Rua 42 fique ali sentada pensando em como nossas vidas são intermediadas pelos meios de comunicação. Ainda podem curtir um filme slasher, mas também tem algo ali para as pessoas que olharem com um pouquinho mais de atenção.

Quanto da sua visão original de Ressurreição mudou durante o desenvolvimento?

Muito. Mudou bastante. O final do filme é bem diferente do meu conceito original. Ele já tinha evoluído bastante antes de Sean Hood se envolver no projeto. Depois que ele assumiu, o final evoluiu ainda mais. Alguns dos meus fios da trama ainda estão lá, mas não são os mesmos. Minha visão original era um pouco menos "desconstrutiva". Sean chamaria de pós-moderna, mas me considero filosoficamente pós-pós-moderno. Quanta margem você tem para ser artístico num filme como *Halloween: Ressurreição*? Não muita. Acho que eu estava otimista demais ou completamente iludido para pensar que muito do meu tratamento original chegaria às telonas. Mas aquele era um filme de estúdio, o que quer dizer que as coisas que eu achava interessantes tipicamente não sobreviveriam tanto.

Whitney Ransick foi contratado originalmente como diretor. Você se lembra do seu envolvimento?

Sim, mas não quero falar nada ruim sobre ele. Direi que houve um momento em que ele me pediu para ter um gato pulando e assustando alguém. Nem preciso dizer que não escrevi aquilo porque é o clichê mais óbvio na história dos filmes de terror. Se alguém fosse escrever aquilo em *Halloween: Ressurreição*, não seria eu. Mas aquilo levou a um conceito interessante. Eu tinha uma cena de um gato andando por um beco e uma pessoa emerge da escuridão e assusta o gato. Isso era legal e tão disruptivo quanto se pode ser. É assim que se pega um clichê e lhe dá uma guinada de 180 graus. A pessoa assusta o gato, em vez do gato assustar a pessoa. Mas o conceito não sobreviveu, o que não era uma surpresa, dado o envolvimento do estúdio. A reputação do Bob Weinstein, que comandava a Dimension na época, não era a de um intelectual. Sua reputação era a de um idiota. Acho que estou me referindo aos subalternos que liam as coisas e lhe entregavam comentários porque eu não tenho certeza de que ele saiba ler de verdade, quanto mais encarar um roteiro de cento e tantas páginas.

Halloween 8 passou por três nomes: MichaelMyers.com, Halloween: A Volta Pra Casa e Halloween: Ressurreição. Qual deles era o seu título preferido?

Meu tratamento original foi intitulado *MichaelMyers.com*, que teria sido apropriado se aquele tratamento fosse filmado. Não sei se ele é apropriado para o filme que acabou sendo feito. No entanto, eu gosto. É metalinguístico. Não acho que eu tenha sido tão demente em algum momento a ponto de achar que aquele título iria muito longe. *Homecoming* não era terrível. Fazia mais sentido do que *Ressurreição*. Um amigo me disse que você sabe que uma franquia está ficando preguiçosa quando chamam algo de *Ressurreição*. Eu meio que concordo. É derivativo e completamente arbitrário. *Homecoming* é provavelmente o melhor dos três. Imagino que tenham achado ousado. Prefiro *Homecoming* para o filme que foi lançado.

O roteirista Ehren Krueger também fez parte brevemente de Halloween: Ressurreição. Você se lembra do envolvimento dele no projeto?
Não devia falar mal do trabalho de outro roteirista... mas e daí? Foda-se. Ele ganha muito dinheiro. As pessoas podem fazer e dizer coisas terríveis a meu respeito o tempo todo. Quando você está desenvolvendo o roteiro com um estúdio, há um processo em que pessoas entregam pedidos de revisão. Geralmente na primeira rodada, você tem um roteiro virgem, que ninguém viu ainda. Então, você pode receber grandes conselhos mesmo de tipos menos intelectuais, como as pessoas do estúdio. De cada dez comentários, talvez quatro sejam bons e valham a pena. Alguns são estúpidos e arbitrários, mas você segue os bons. Infelizmente, em *Ressurreição*, eu continuava recebendo o mesmo número de comentários do estúdio a cada rodada. O número nunca minguou ou diminuiu. Eu estava recebendo sugestões de pessoas sem cérebro ou sem qualquer tipo de instinto criativo. Elas só queriam antecipar o que o chefe idiota delas, Bob Weinstein, poderia querer.

Houve um momento em que a Miramax pediu a outro roteirista para fazer um tratamento original. Era o Ehren Krueger, que fez *O Chamado* (*The Ring*) e alguns dos filmes dos *Transformers*. O roteiro era tão absurdamente incompetente que você pensaria que eles nunca tinham assistido a um filme da franquia *Halloween*. Tinham todos aqueles elementos sobrenaturais, incluindo um tabuleiro Ouija. Que diabos um tabuleiro Ouija estava fazendo em *Halloween*? Aquele roteiro copiava de qualquer filme vagabundo de terror que você já tenha visto. Uma passagem tinha o Michael Myers andando pela rua, e as lâmpadas da rua começavam a piscar quando ele passava por elas. Como um roteirista, é sempre você que recebe as sugestões. Mas nesse roteiro eu precisei fazer meus comentários. Mandei mais de vinte páginas pro Moustapha comentando tudo o que havia de estúpido naquele roteiro. Ele reenviou para a Miramax e disse: "Ou seguimos adiante com o roteiro do Larry, ou vamos achar outro patrocinador".

Num estágio posterior, trouxeram o Sean Hood para escrever um tratamento baseado no meu roteiro. Achei suas contribuições boas. Ele sobrepôs algumas coisas na minha história que funcionaram no filme. Ele recebeu inúmeros pedidos de alteração e fez um bom trabalho. Ele estava ciente de como *Halloween* funcionava.

De todos os quatro finais do filme, qual você mais gostava?
Que tal nenhum deles? Meu objetivo inicial com o final de *Ressurreição* era recriar o tom definitivo do final de *Halloween H20*, que todo mundo parecia gostar. Não terminou como eu gostaria. Eu me afastei do nosso filme achando que ele carecia daquele senso de conclusão. Minha ideia original era queimar a casa com o Michael dentro. Na manhã seguinte, as autoridades estão examinando os destroços e encontram um corpo caído no chão que se senta. É claramente o Michael, mas ele está carbonizado. Aquele seria nosso último susto. As autoridades reconhecem isso como uma contração muscular, nada demais. Então o corpo se desintegra em cinzas, dando o senso de conclusão que tivemos em *H20*. Você pode voltar após ser decapitado, mas tente voltar após ser desintegrado!

Tirei a ideia de um fenômeno real que acontece em corpos carbonizados nos quais os músculos meio que se contraem. Podem se sentar de verdade. A roubada no jogo é que isso acontece durante o fogo, e não horas depois. É uma trapaça, porém menor do que o Michael sendo baleado novecentas vezes e ainda sobrevivendo sabe-se lá como.

Você ficou surpreso com a recepção um tanto fria do filme entre os fãs e os críticos?
Na verdade, não. Pelo menos, não entre os críticos. Fiquei surpreso com algumas das coisas que os fãs não gostaram. Recebi muito ressentimento dos fãs por trazer Michael Myers de volta após o final de *H20*. De todas as pessoas no mundo, você imaginaria que os fãs de *Halloween* me agradeceriam por trazê-lo de volta, mas não agradeceram. Alguns ficaram incrivelmente incomodados por termos desfeito o final de *H20*, que eles acharam muito satisfatório. Isso me surpreendeu. Mas há um pequeno grupo de pessoas que gostou. Ainda recebo críticas terríveis. *Ressurreição* é pelo menos um pouco melhor do que eles dizem. É um filme ok. Certamente não é genial e algo pelo qual eu gostaria de ser lembrado em especial, mas é ok.

Devo dizer que algumas das piores partes de Ressurreição não vieram do seu roteiro. E algumas das melhores coisas do seu roteiro não entraram em Ressurreição. Foi muito difícil desenvolver sua história com os executivos do estúdio guiando o processo?
Nunca é legal, mas acontece o tempo todo nesse mercado. Aconteceu até mesmo com Orson Welles. É prazeroso? Não, não é. Mas quando você chega no ponto em que está bancando a vida numa carreira criativa, você perde o direito de reclamar. Certamente perde o direito de reclamar quando tem pessoas à sua volta que amariam fazer o que você faz. Meu jeito de contrabalançar o desprazer de trabalhar com Bob Weinstein é que faço um monte de filme em que tenho controle total, mas que não fazem muito dinheiro. Eles são o meu legado. Então vou fazer um filme em que não tenho nenhum controle e ganho uma boa grana. Fiz filmes por 15 mil dólares e filmes por muitas centenas de milhares de dólares. Fazer filmes como *Halloween: Ressurreição* me permite fazer os filmes que realmente quero fazer.

Todos os problemas que tive em *Ressurreição* tinham a ver com os cretinos da Miramax, o cretino maior sendo o Bob Weinstein. Vou te dizer quem não foi um problema para mim: os Akkad. Nunca foi difícil trabalhar com o Malek e com o Moustapha. Os comentários deles sobre meu trabalho geralmente eram gentis e construtivos. Também me apoiavam quando tinha algo que eu não estava disposto a concordar com o estúdio. Rick Rosenthal também foi um bom diretor. Posso garantir que ele realmente entendia de cinema e fazia perguntas interessantes sobre o roteiro.

O meu trabalho em *Ressurreição* foi frustrante? Pode crer. Foi chato? Com certeza. Eu queria estrangular os executivos do estúdio? Basicamente numa frequência diária, sim. Mas, no contexto mais amplo, o que mais eu faria se não fosse isso? Ensinar ciência para adolescentes do ensino médio?

Qual é a sua cena favorita no filme?
Tem uma cena de susto em *Ressurreição* da qual eu gosto em especial. É um grande movimento de câmera quando o Freddie e a Sara estão juntos, conversando na penumbra da casa. A câmera se move e revela que o Michael está atrás deles. Adoro essa cena. Também tenho um carinho pela sequência de abertura porque ela é muito próxima de como a escrevi originalmente no roteiro. Poucas coisas permaneceram intactas, mas essa permaneceu basicamente igual.

Como viu a escolha do Busta Rhymes e da Tyra Banks como Freddie e Nora?
Escolher celebridades no elenco é um pouco cruel, não acha? Veja, os produtores adoraram o LL Cool J em *Halloween H20*. Ele teve um grande impacto na bilheteria, e todo mundo disse que foi muito legal trabalhar com ele. Realmente queriam que ele voltasse em *Ressurreição*, mas ele estava caro demais. Tinha se tornado uma celebridade maior. Mas enfiaram na cabeça que queriam outro rapper. Então, tivemos muita gente pra testar no papel de Freddie. Até mesmo o Coolio fez um teste, mas acharam que ele já estava entrando em decadência.

Freddie e Nora foram uma tentativa de alcançar a população negra. Existe esse estranho fenômeno no terror em que as pessoas adoram ver pessoas como elas sendo mortas. É por isso que são sempre os jovens que morrem nos filmes slasher, porque são eles que vão assistir aos filmes slasher. Se fizéssemos *Halloween* na casa de uns coroas, ninguém iria ver. O público quer assistir a uma versão substituta deles, mesmo que o personagem acabe sendo torturado e morto. É uma psicologia estranha, mas muito real. Então entendo porque iriam querer um elenco etnicamente diverso, o que é ótimo. Precisavam colocar um rapper no papel do Freddie? De jeito nenhum, mas colocaram. O Busta tinha meio que estabelecido suas credenciais como ator em *Encontrando Forrester* (*Finding Forrester*), que muitas pessoas gostaram. Posso te dizer que o Busta foi um cara muito bacana. Eu o encontrei rapidamente na pré-estreia e ele foi muito simpático. Gostei muito dele, apesar de saber que nem todos pensaram o mesmo.

Quanto da cena de abertura com a Jamie Lee Curtis é criação sua?
A estrutura geral já estava lá antes de eu chegar, embora eu tenha podido trazer detalhes novos. O diálogo é definitivamente meu, particularmente aquela fala inicial. Eles já sabiam como queriam ressuscitar o Michael, que ele havia trocado de papel com o paramédico e que ela havia matado o cara errado. Acredito que também queriam que a Laurie estivesse numa instituição psiquiátrica, mas isso era tudo.

Eu sabia que a Jamie Lee não queria mesmo fazer o filme. Ela estava cansada daquele processo todo e não queria fazer mais *Halloweens*. No começo, teríamos ela apenas por trinta segundos no filme, o que não era o suficiente. Deixei claro aos produtores que precisaríamos de mais do que trinta segundos se quiséssemos encerrar a história dela da maneira ideal. Eles foram até ela e jogaram alguns dólares a mais para convencê-la a aceitar uma aparição mais longa. Minha lembrança é dela doando aquele dinheiro para caridade.

Se tivesse sido procurado para fazer Halloween 9, você teria retornado à franquia?
Acho que não. O Malek Akkad estava mais do que ciente da minha falta de entusiasmo a respeito da minha experiência lidando com a Miramax. Se tivessem vindo a mim para fazer *Halloween 9*, acho que eu não teria sido muito receptivo. Contrataram vários grupos de escritores para aquele filme, mas o projeto nunca decolou. Acabei tendo uma conversa com o Malek na qual ele me perguntou se eu estaria interessado em voltar a bordo para apresentar algo. Na minha resposta, citei Voltaire quando ele foi convidado a participar de uma orgia em Paris. Eu disse: "Não, meu amigo. Uma vez um filósofo, duas vezes um pervertido".

Eu não conseguiria fazer *Halloween 9* pois sabia que não terminaria bem. E estava com dinheiro de sobra na época e não precisava fazer o filme. Uma coisa seria eles virem até mim com uma pasta cheia de dinheiro e me pedirem para escrever algo original. Mas para pedir que eu apresentasse ideias para eles, então apresentá-las para a Miramax, daí ir e voltar com alterações, sem nenhuma promessa de ser pago ou do filme ser produzido — nem pensar. Nunca levei a sério.

HALLOWEEN RESSURREIÇÃO | 2002

RICK ROSENTHAL

"Ainda mais inutilmente redundante e vergonhosamente mercenário do que a maioria das continuações de terror de terceira categoria. (...) Alguns compradores de ingresso podem até ficar irritados e impacientes enquanto esperam para ver qual personagem será o próximo a encerrar suas atividades na ponta de um objeto afiado. (...) A maioria das atuações, de acordo com a técnica do filme, não é melhor do que precisaria ser." ---- JOE LEYDON, VARIETY

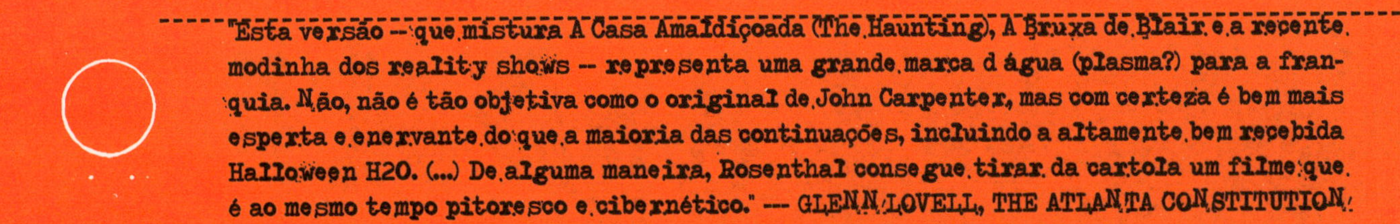

"Esta versão -- que mistura A Casa Amaldiçoada (The Haunting), A Bruxa de Blair e a recente modinha dos reality shows -- representa uma grande marca d'água (plasma?) para a franquia. Não, não é tão objetiva como o original de John Carpenter, mas com certeza é bem mais esperta e enervante do que a maioria das continuações, incluindo a altamente bem recebida Halloween H20. (...) De alguma maneira, Rosenthal consegue tirar da cartola um filme que é ao mesmo tempo pitoresco e cibernético." --- GLENN LOVELL, THE ATLANTA CONSTITUTION

"Apenas os fanáticos e os muito tolerantes permanecem interessados no mascarado Mike Myers e seu enésimo retorno (...) Mesmo a presença de Jamie Lee Curtis é incapaz de dar novo fôlego neste clone cansado, apesar de tecnicamente bem-feito. A ideia de desfocar o mito e a verdade, o ciberespaço e a realidade -- e a resposta da geração da internet --, produz algum contexto para o filme. (...) Como seu desfile de antecessores, este Halloween é um festival de sangue e tripas. O filme não consegue escapar do passado, não que ele quisesse. ---- LOREN KING, THE CHICAGO TRIBUNE

"O prólogo do filme, apresentando Curtis no que aparenta ser sua última vez num filme de Halloween, mantém a adrenalina correndo solta. Mas o diretor Rick Rosenthal logo enterra tudo sob os mesmos truques repetitivos. (...) Carpenter nunca dirigiu outro filme de Halloween após o primeirão. Sujeito esperto. Cada continuação que você pula são duas horas ganhas. Considere esta crítica uma lição de vida." --- PETER TRAVERS, ROLLING STONE

HALLOWEEN O INÍCIO

O Mal tem um destino.

Escrito e dirigido por Rob Zombie

A era da Dimension Films da franquia *Halloween* foi uma montanha-russa de sucesso criativo e comercial. Com críticas decentes e a maior bilheteria obtida entre todas as continuações até então, é fácil contar *Halloween H20* entre os triunfos. Com *Halloween: Ressurreição*, entretanto, a história foi diferente. Amplamente criticada, a sequência faturou metade da antecessora. Com o dr. Loomis e Laurie Strode agora mortos, a franquia carecia de uma direção. *Halloween* mais uma vez se encontrava perigosamente próximo de se tornar uma franquia lançada-diretamente-em-vídeo.

Em 10 de outubro de 2002, menos de dois meses após o lançamento de *Ressurreição*, o site oficial de *Halloween* postou uma pesquisa pedindo aos fãs que manifestassem suas opiniões sobre a próxima sequência. A pesquisa listava diversos caminhos possíveis, incluindo uma nova história sem a Forma, no estilo de *Halloween III*; a inclusão de um colega ou parente do dr. Loomis; a descoberta de um novo parente da linhagem de sangue Strode/Myers; a reintegração da continuidade dos *Halloweens 4-6*, e a possibilidade de abandonar Haddonfield por uma nova locação. A pesquisa encerrou um pouco antes do Halloween daquele ano.

A Trancas International Pictures gastaria os próximos anos desenvolvendo roteiros potenciais para *Halloween 9*, nenhum dos quais seria aprovado. "Na verdade, tivemos três roteiros encomendados para uma continuação", Malek Akkad contou à *Fangoria*. "Um roteiro tocava em elementos anteriores ao filme original, e o outro era um retorno a Smith's Grove. Jake Wade Wall escreveu um, Matt Venne escreveu outro e tínhamos dois roteiristas britânicos fazendo o último. Todos eles abordaram Smith's Grove de algum jeito. Mas quando você chega à nona parte desta franquia, as tramas ficam confusas, e

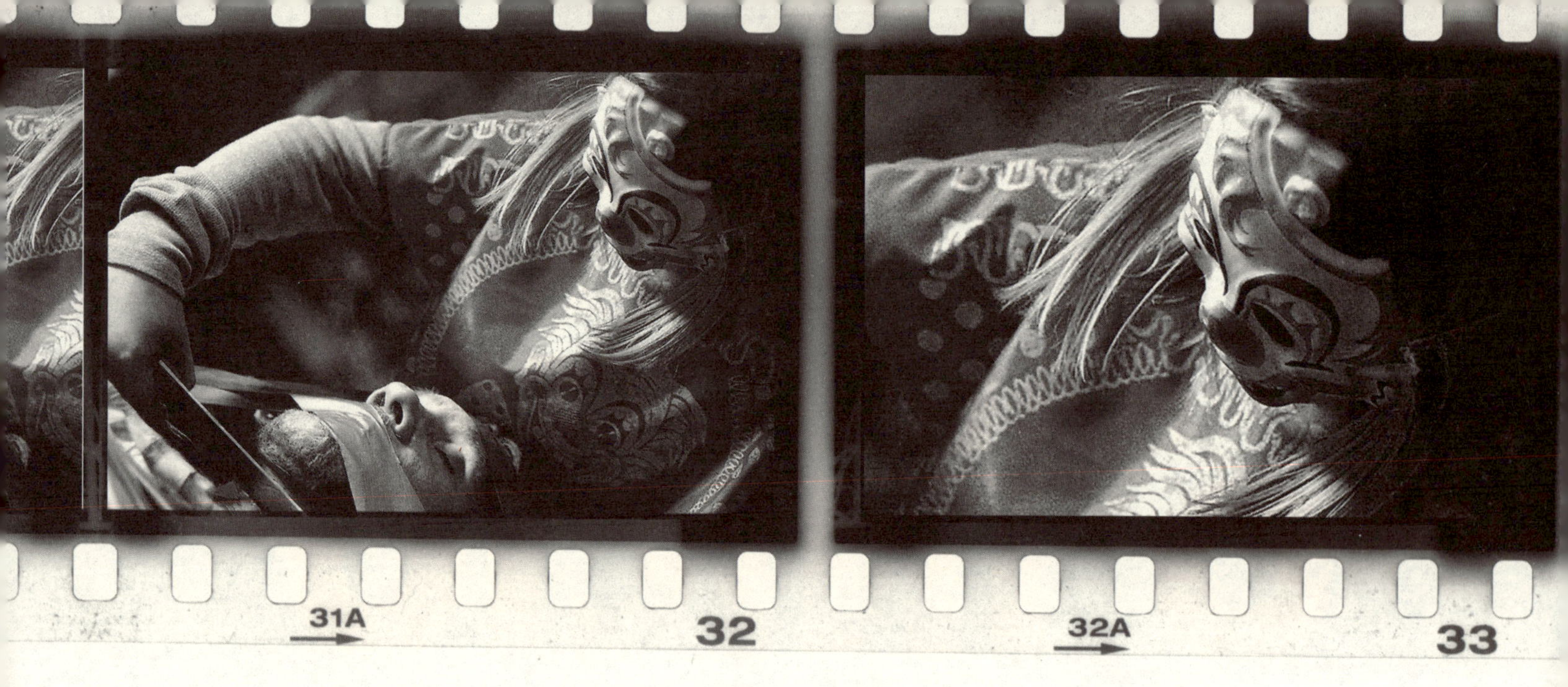

você precisa responder por todos aqueles personagens. Eram muitos caminhos que poderíamos ter seguido, mas tinha algo que não batia direito."

O desenvolvimento de *Halloween 9* foi interrompido no começo de 2005 quando os Weinstein divulgaram seu rompimento com a Disney para darem início a The Weinstein Company. Seu contrato de desligamento estipulou que a Miramax e seu acervo ficariam com a Disney, mas os Weinstein manteriam a marca Dimension. Os trabalhos em *Halloween 9* foram suspensos completamente no final daquele ano devido à trágica morte de Moustapha Akkad e sua filha num ataque terrorista na Jordânia. Malek Akkad, que havia produzido os *Halloweens 6*, *7* e *8*, assumiria o papel de supervisor da franquia. Os desenvolvimentos recomeçariam no ano seguinte.

Em 4 junho de 2006, o roqueiro-transformado-em-cineasta Rob Zombie foi anunciado como roteirista, diretor, produtor e supervisor musical do próximo *Halloween*. Não seria *Halloween 9*, mas um remake que reimaginaria a história original por completo. Por volta de 2006, Zombie estava em ascensão como cineasta, tal e qual a máquina de reboots de Hollywood. Se os remakes podiam dar um novo fôlego em franquias adormecidas como *O Massacre da Serra Elétrica*, *Terror em Amityville* e *A Profecia*, o que eles poderiam fazer por *Halloween*? Com sucessos de público como *A Casa dos 1000 Corpos* (*House of 1,000 Corpses*) e *Rejeitados pelo Diabo* (*Devil's Rejects*) debaixo do braço, Zombie já havia cimentado uma reputação como um visionário do terror-grunge.

Zombie foi na época, e continua até hoje, uma escolha controversa para um remake de *Halloween*. Seus filmes permanecem como os mais polêmicos da franquia. Estilisticamente, *Halloween: O Início* se aproxima muito mais de *Rejeitados pelo Diabo* que do original de Carpenter, quase coexistindo no mesmo mundo. O universo cinematográfico de Zombie não é de continuidade compartilhada, mas de tonalidade e atmosfera. Não é difícil imaginar o Michael Myers vivido pelo ator Tyler Mane se encontrando e, possivelmente, ficando amigo do clã Firefly. Para muitos fãs, essa foi uma mudança bem-vinda à franquia. Para muitos outros, *não*.

"Os fãs vão falar o que quiserem, mas eles não sabem como esse mercado funciona", disse Zombie à *Scream Magazine*. "Dizem 'Rob Zombie destruiu a franquia Halloween!'. Não, eu tirei a franquia do mundo de lançamentos-diretos-em-vídeo, meu amigo. É pra lá que a franquia estava indo quando cheguei. Tinham tentado fazer um filme por cinco anos com dez roteiros diferentes, e não estavam indo pra lugar nenhum."

MUITO MAIS DO QUE UM SIMPLES REMAKE

Antes de *Halloween: O Início,* Zombie era um crítico notório da inclinação de Hollywood por remakes, tendo inclusive dito que eram a pior coisa que um cineasta pode fazer. "Refazer filmes que já são ótimos é meio estúpido", ele disse à *DVD Talk* em 2003. "Não consigo ver o motivo. Entendo um pouco melhor quando refazem um filme que não era muito bom." E essa visão mudou quando ele começou a trabalhar no remake. Numa tentativa de justificar essa mudança de opinião, Zombie explicou que aquele filme não era uma cópia carbono do original de Carpenter, e sim uma reinvenção completa. Ele também citou sua própria natureza desafiadora como uma base para o remake de *Halloween*, dizendo à *Rue Morgue*: "É quase porque as pessoas disseram que eu não podia fazer, é por isso que eu devo fazer".

Nas primeiras discussões com a Miramax, Zombie sugeriu que *Halloween: O Início* fosse dividido em dois filmes, que poderiam ser filmados de uma só tacada. O primeiro serviria como um prólogo, começando com os crimes de Michael quando criança e terminando com sua fuga do Smith's Grove já adulto. O segundo filme deveria englobar o terreno coberto pelo *Halloween* original com o retorno dele a Haddonfield para perseguir Laurie Strode. O estúdio rejeitou essa abordagem de dois filmes, forçando Zombie a criar um híbrido de prólogo e remake.

"Parecia que meu primeiro Halloween era na verdade dois filmes entulhados num só. Muita informação em pouco tempo. Sempre achei que a primeira metade era melhor, porque era a minha visão". – Rob Zombie, *Fangoria*

De acordo com a versão que foi aos cinemas, *Halloween: O Início* começa em Haddonfield, em 31 de outubro de um ano não específico, no passado. Michael Myers, com dez anos, acabara de matar seu rato de estimação com um canivete, embora esconda a causa da morte ao contar à sua mãe. Após a morte do pai do menino, Deborah Myers se tornou uma stripper no inferninho Rabbit in Red, para sustentar sua família. Seu namorado, Ronnie, que mora com ela, é terrível com todo mundo dentro da casa — vulgar com a Deborah, cruel com Michael, agressivo com a bebê, Angel, e tarado por Judith, de dezessete anos. Michael adora sua irmãzinha de colo, que ele apelidou de "Boo".

Mais tarde, na escola, Michael sofre bullying e apanha de dois estudantes mais velhos. O diretor descobre um gato morto dentro da mochila de Michael, além de fotos perturbadoras de crueldade animal. Deborah é chamada para conversar sobre o assunto, embora Michael saia da escola para perseguir um dos valentões, em quem irá bater até matar enquanto usa uma máscara de palhaço. Naquela noite, ele assassina brutalmente Ronnie, Judith e o namorado dela — sempre vestindo máscaras de Halloween.

Onze meses depois, Michael é internado no sanatório Smith's Grove sob os cuidados do dr. Samuel Loomis, que tenta reabilitá-lo. Michael não mostra sinais de progresso e cessa todas as comunicações verbais. Seu único interesse parece ser apenas fazer máscaras de Halloween de papel. Ele também mata uma enfermeira, resultando num maior isolamento dos outros internos e da equipe do sanatório. Com esta quinta morte, Deborah entra numa profunda depressão e comete suicídio. Ainda bebê, Angel Myers é renomeada Laurie e é adotada pelos Strode de Haddonfield. Nas vésperas do Halloween de 2007, Michael foge do Smith's Grove durante uma transferência interna, liquidando quatro guardas de segurança no processo. Ele mata um caminhoneiro para roubar seu macacão, antes de retornar para a antiga casa de sua família, que agora se encontra decrépita. Lá ele recupera uma envelhecida máscara de Halloween e uma faca de cozinha, ambos itens que ele usou em seus crimes infames, anos atrás.

Dentro de seu velho lar, Michael percebe Laurie quando ela deposita uma chave pela portinhola de correspondência da porta, como um favor ao seu pai, corretor de imóveis. Reconhecendo de alguma maneira a sua irmãzinha caçula, Michael a persegue durante o dia inteiro, até o anoitecer. Os planos de Halloween de Laurie envolvem trabalhar como babysitter para duas crianças, ao mesmo tempo em que suas amigas se encarregam de tradições mais carnais. Enquanto isso, Loomis viaja até Haddonfield para se unir ao xerife Brackett, localizar e capturar seu paciente fugitivo antes que mais vidas sejam perdidas. Michael ataca as colegas de Laurie e seus namorados, deixando apenas a filha do xerife ainda agarrando-se à vida. Ele acabará confrontando sua irmã, que foge apavorada. Michael mata dois policiais que respondem à chacina caótica, e recebe diversos disparos feitos por Loomis. Superando esses ferimentos, ele esmaga o crânio de seu antigo médico e persegue Laurie novamente até a casa dos Myers. Uma outra batalha tem início, e eles caem da varanda do segundo andar no gramado da frente da casa. Recuperando a consciência, Laurie atira no rosto de Michael com o revólver de Loomis. Filmes caseiros do jovem Michael e sua irmãzinha bebê são exibidos durante os créditos.

Em retrospecto, a história básica do *Halloween* de Rob Zombie mudou muito pouco durante seu desenvolvimento. O remake manteve uma estrutura de três atos que envolviam os primeiros assassinatos de Michael, sua internação subsequente e a fuga até Haddonfield para encontrar Laurie. Em termos de clima, o filme é abruptamente dividido ao meio, entre o prólogo e o remake. Muitos concordariam, incluindo o próprio Zombie, que *Halloween: O Início* só funciona quando percorre um caminho próprio. Tentativas de recriar momentos do *Halloween* original apenas deixam o espectador fazendo comparações entre os dois, algo que nunca termina bem para o filme de Rob Zombie.

Se julgado a partir do original, *Halloween: O Início* é uma completa decepção. Esse é um remake que, intencionalmente, se esforça em se afastar de tudo o que veio antes. Mesmo sendo julgado como um filme de Rob Zombie, *Halloween: O Início* é um exercício surpreendentemente forte. A pergunta que você deve fazer a si mesmo é se quer ou não ver *Halloween* sob o filtro conceitual das lentes cinematográficas encardidas de Rob Zombie. Não é uma tarefa fácil para uma base de fãs profundamente devota de *Halloween* se despir de suas expectativas, mas esse é um pré-requisito para curtir o filme. Esse diretor sabe exatamente o que você está esperando e vai tentar desiludi-lo a cada instante.

Críticos acusaram Zombie de não entender o que fez o filme de John Carpenter funcionar tão bem, mas isso é claramente uma mentira. Se não entendesse, ele não teria sido capaz de subvertê-lo de forma tão completa. Essas mudanças gigantescas não são arbitrárias, mas obviamente intencionais. Onde Carpenter vira à esquerda, Zombie vira à direita — tudo como parte de um esforço para fazer deste seu próprio *Halloween*, especialmente no que diz respeito a Michael. Zombie entende sim o conceito da "Forma" — ele simplesmente o rejeita a favor de um retrato mais empático do assassino. Para muitos, essa abordagem radicalmente diferente é difícil de engolir. Se Zombie é mesmo um fã tão ardoroso do *Halloween* de John Carpenter, por que ele desmantela tudo o que funcionou tão bem, de maneira tão irreverente? Porque não faria sentido fazer de outro jeito, ele explicaria.

A reinvenção de Michael Myers em *Halloween: O Início* aborda o desgastado debate de natureza versus criação. Será que ele já nasceu mau ou ficou assim devido a alguma força externa? No *Halloween* original, Carpenter tomou todas as precauções para fugir do argumento da criação. Naquele filme, Michael não veio de um lar decadente e nem tampouco foi abusado. Seus pais pareciam pessoas respeitáveis, e ele vivia numa boa casa. Não havia motivos aparentes para que ele matasse sua irmã naquela maldita noite em 1963 (em nome desse argumento, vamos excluir por enquanto a maldição do Espinho.)

"A mística do *Halloween* original foi pisoteada e jogada na privada pelas sete continuações de merda que se seguiram após o filme de John Carpenter. Michael Myers não possuía mais uma mística. Ele era apenas um dublê (...) levando uma surra do Busta Rhymes. Acho que dar a ele uma história pregressa e apresentá-lo de uma nova maneira foi uma abordagem muito mais legítima."
– Rob Zombie, *NoiseCreep.com*

Por outro lado, o *Halloween* de Rob Zombie oferece uma abundância de elementos motivadores. O pai de Michael está morto no início do filme, deixando-o sem uma referência masculina positiva. Sua morte arruinou financeiramente a família, levando sua mãe a se tornar uma stripper. É presumivelmente por isso que ela tolera o comportamento repugnante do namorado, que abusa de Michael. Sua irmã mais velha o provoca e o rejeita. Na escola, ele é sacaneado por seus colegas e está sempre em conflito com os administradores. Zombie também inclui no jovem Michael os sinais de alerta de um serial killer em potencial: torturar e matar animais, mantendo seus cadáveres como troféus, e documentando seus atos.

Será que a vida familiar transformou Michael em assassino? Não, não totalmente. A caracterização não é assim *tão* simples. Mas, pelo menos, o ambiente em que Michael cresceu ajudou a acender o pavio de uma bomba que já existia dentro dele. Como diz o dr. Loomis: "Michael foi criado num alinhamento perfeito de fatores interiores e exteriores que deram terrivelmente errado. Uma tempestade perfeita, se você preferir. Portanto, isso criou um psicopata que não conhece e nem possui limites". O resultado é uma versão definitivamente mais humanizada do personagem. Por trás da máscara de Michael existe uma criança frágil e machucada que ainda espera pela família e pela aceitação que nunca teve. Essa abordagem mais compreensiva pode se contrapor à visão original de Carpenter, mas Zombie a sustenta firmemente.

Zombie depois jogaria a sutileza no ventilador ao fazer de Michael um brutamontes descomunal no remake, elevando-se bem acima dos demais personagens do alto de seus dois metros e tanto. No filme original de Carpenter, a Forma tinha tamanho e força medianas. Em *Halloween: O Início,* o Michael adulto consegue quebrar múltiplos jogos de correntes de metal durante sua fuga do Smith's Grove, um feito de força indiscutivelmente sobre-humana. Para muitos, essa abordagem estava muito distante da representação original. Até mesmo John Carpenter reclamou disso enquanto se apresentava para uma plateia na New York Film Academy. "Acho que [o Rob Zombie] tirou toda a mística da história ao explicar muito sobre o Michael Myers. Não ligo pra isso. Ele deveria ser uma força da natureza. Deveria ser quase sobrenatural. E também era muito grande. Não era normal."

Halloween: O Início é fascinante por ser o primeiro *Halloween* nos cinemas a nos levar para dentro do Smith's Grove durante os anos em que Michael esteve internado por lá. Nos deixam até assistir a uma de suas terapias com o dr. Loomis. É de cortar o coração ver o ânimo do doutor minguar lentamente, já que ele não consegue se conectar com seu paciente de uma maneira significativa. Quanto à sua relação com Michael, há uma clara diferença entre o Loomis deste filme e o personagem original. No filme de Carpenter, Loomis via Michael como a maldade pura, sem se solidarizar com ele ou tentar lhe ajudar de qualquer maneira. O Loomis vivido por Malcolm McDowell é bem diferente. Essa versão do personagem nunca deixa de querer ajudar Michael. Sua resignação eventual não passa de uma admissão de derrota. ("De uma forma esquisita, você se tornou meu melhor amigo. Isso mostra o quão fodida está a minha vida. Fiz tudo que podia por você. Eu te dei tudo.")

Na adaptação literária de Richard Curtis para o *Halloween* de John Carpenter, Michael é descrito como uma força reconhecidamente assustadora dentro do Smith's Grove, temido tanto pelos pacientes como pela equipe interna. *Halloween: O Início* faz uma abordagem totalmente diferente desse período. Ao contrário, Michael se torna mudo, fica totalmente imerso em si mesmo e não machuca ninguém até sua fuga. Isso dá à equipe uma falsa sensação de segurança, que faz com que baixem a guarda — apesar das afirmações de Loomis de que ele continuava sendo perigoso. Zombie citou Will Sampson no papel do chefe Bromden em *Um Estranho no Ninho* (*One Flew Over the Cuckoo's Nest*) como inspiração dessa parte de seu *Halloween*. Em *Um Estranho no Ninho*, Sampson interpreta um gigante voluntariamente mudo num hospital psiquiátrico. Muitos imaginam que ele seja deficiente auditivo, embora ele seja bem atento às falas dos demais. Essa subestimação grosseira, aliada à sua força descomunal, permite a ele fugir da instituição.

O fracasso do dr. Loomis em ajudar Michael é um dos temas principais, recorrente em *Halloween: O Início.* Algo que o Loomis de John Carpenter nunca se permitiria sentir, já que ele alegava que seu paciente estava além da cura. O Michael deste filme também está além da cura, o que não impede o Loomis de McDowell de assumir isso como um fracasso pessoal. No remake, Loomis faz parte da história de Michael desde o comecinho. Ele estava na escola no dia de Halloween, suplicando a Deborah Myers para fazer uma avaliação psicológica do Michael. Loomis não desiste de Michael naquele dia, nem nos anos seguintes. Mesmo com sua resignação eventual, ele ainda deseja ajudar seu paciente. Considere o final de ambos *Halloweens* — os dois mostram Loomis atirando em Michael múltiplas vezes. O Loomis de 1978 atira para matar. O Loomis de 2007, não. Ao contrário, ele agoniza cada vez que aperta o gatilho, implorando que Michael pare, e dessa maneira não precise atirar mais uma vez. Mesmo nesse momento terrível, ele não desistiu de seu paciente. É uma revisão interessante do personagem.

No entanto, esse Loomis não deixa de ter seu ego. Após se aposentar do Smith's Grove, ele escreve um livro sensacionalista que conta tudo sobre seu mais famoso paciente, intitulado *Os Olhos do Diabo: A História de Michael Myers* (lembre-se de que o Loomis de Donald Pleasence também havia redigido um manuscrito em *Halloween 6* chamado *Mal Encarnado: Um Estudo dos Crimes e da Patologia de Michael Myers).* Ao contrário do doutor original, o Loomis de 2007 alcançou fama e riqueza sendo o médico de Michael que sequer conseguiu ajudá-lo de verdade. O Loomis de 2007 na real ajudou a si mesmo. Como o coveiro interpretado por Sid Haig diz no filme: "Porra de dinheiro sujo de sangue".

Zombie descreve Smith's Grove sob uma luz extremamente desfavorável. A enfermeira de Michael é apática e rude. Os ordenanças são degenerados que abusam dos pacientes verbal, física e sexualmente. Os administradores são lamentavelmente ineptos. Os únicos que demonstram sinais de atenção para com Michael são Loomis e Ismael Cruz, que tem experiência em estar atrás das grades. Ele encoraja Michael a não perder a esperança. ("Você não pode deixar essas paredes te deprimirem, Mikey. Você precisa enxergar além dessas paredes, a viver dentro da sua cabeça. Nenhuma parede pode te deter lá dentro.")

Assim como Loomis, Zombie apresenta um personagem muito mais rico para o xerife Brackett do que no filme original. Sua versão do personagem abrigou um segredo sombrio por muitos anos. Ao atender o chamado do suicídio de Deborah Myers, um jovem Brackett descobriu Angel Myers abandonada em seu berço. Sem querer que a criança crescesse com o estigma de sua família legítima, Brackett a omitiu de seu relatório oficial e a deixou numa sala de emergência de uma cidade vizinha. Três meses depois, ela foi adotada pela família

Strode, que a trouxe de volta a Haddonfield. Tendo lido *Os Olhos do Diabo,* Brackett não gosta e não confia em Loomis, que ele acredita ter enriquecido com o sangue e a dor de toda uma comunidade.

A Laurie Strode de *Halloween: O Início* também é atualizada em relação à original. Não mais uma CDF tímida e virginal, a nova Laurie é, como Rob Zombie a enxerga, uma típica garota adolescente. Nascida Angel Myers, Laurie recebeu uma nova identidade quando foi adotada pelos Strode. A confissão do xerife Brackett sugere que mesmo eles desconheciam a verdadeira herança de sua filha. No *Halloween* original, a Forma parecia decidida a matar Laurie desde o início — com ou sem a conexão dos irmãos, adicionada retroativamente. Em *Halloween: O Início,* o objetivo de Michael não é matá-la, ao menos não inicialmente. Levando ela ao porão do antigo lar dos dois, ele compartilha uma antiga foto e retira sua máscara, num gesto de vulnerabilidade. Parece que o pouco de humanidade que Michael ainda mantém está implorando por aquela conexão familiar perdida. Decifrando rapidamente a situação, ela aproveita o momento, fingindo empatia antes de esfaqueá-lo na tentativa de escapar.

Como em *Halloweens* anteriores, a Dimension se meteu mais do que devia com suas sugestões autoritárias sobre como deixar o filme melhor. Algumas foram inacreditavelmente benéficas e ajudaram a controlar os impulsos criativos mais depravados de Rob Zombie. Desabafando com a *Fangoria,* o cineasta expressou sua mágoa em receber dicas dos executivos: "É uma grande perda de tempo, porque você está lidando com nonsense. Não quero dizer que ninguém mais é capaz de ter uma grande ideia, mas não era isso. Eram sugestões feitas para um filme diferente". A maioria das sugestões vieram do lado da Dimension, já que o produtor Malek Akkad encorajava Zombie a fazer o filme do jeito dele. Uma vista aleatória em qualquer versão do remake dá a entender que o cineasta gozou de uma enorme liberdade criativa ao reimaginar *Halloween* para um público mais jovem. Em relação ao desenvolvimento do remake, somos afortunados por existir um amplo material disponível que nos permite rastrear a evolução das ideias. Apesar de Zombie ter lamentando tais vazamentos de produção, eles nos permitem um insight único, se não desagradável, de seu processo criativo.

O ARGUMENTO

Nossa primeira visão sobre o remake chega na forma de um argumento embrionário do início de 2006. Em 38 páginas, essa apresentação inicial segue o mesmo formato em três atos do filme. Mesmo assim, existem muitas diferenças. Violência excessiva, delinquência sexual e um Michael adulto falante estão entre os elementos mais controversos que não chegaram às telonas do cinema.

O rascunho começa na manhã de 31 de outubro de 1978. Zombie apresenta a propriedade dos Myers como um "paraíso caipira". A abertura segue de forma parecida ao filme, mas muito mais explícita. Encontramos o Michael de dez anos dentro de um forte de lençóis no seu quarto. Usando uma máscara de palhaço, ele se masturba vendo um álbum caseiro com fotos de animais torturados. Judith entra e tira sarro da cara dele por isso, chamando-o de "pervertido insano e demente". Zombie escreve que a bebê Laurie, carinhosamente apelidada de Boo, é o "único membro realmente normal da família".

Mais tarde, na escola, alunos se juntam no anfiteatro para um evento festivo — uma sessão de *Abbott e Costello Encontram Frankenstein* (*Abbott and Costello Meet Frankenstein*). Durante o filme, dois valentões mostram a Michael uma foto da mãe dele nua no Rabbit in Red, o que dá início a uma briga. A luta faz com que o álbum de Michael caia de sua mochila, colocando-o numa grande encrenca. O diretor da escola encoraja Deborah Myers a contatar o dr. Samuel Loomis para uma avaliação psiquiátrica. Ela resiste inicialmente, mas soluça ao ver o álbum. Como no filme, Michael foge da escola. Aqui seria a parte em que ele mata um dos valentões, só que ele não faz isso. Em vez disso, Michael atrai uma menina de nove anos até a floresta, bate nela até a garota morrer e urina no cadáver dela. Você pode facilmente imaginar a reação apavorada de um executivo de estúdio para uma cena tão depravada.

A noite de Halloween se desenrola um pouco diferente aqui, como concebida originalmente. Deborah se sente desconfortável em deixar Michael sozinho com Ronnie. Então ela o deixa num baile da escola, de onde ele escapa imediatamente. Michael vai até sua casa matar Ronnie, Steve e Judith. Deborah volta do trabalho e encontra Michael do lado de fora, sentado com Boo e, um pouco mais tarde, os três corpos dentro da casa. Michael sorri do banco traseiro de uma viatura policial, enquanto os paramédicos levam as vítimas dele em macas. Ele logo é internado em Smith's Grove sob os cuidados do dr. Loomis, que insiste em mantê-lo longe dos outros pacientes. A equipe de enfermagem fracassa ao cumprir essa ordem, resultando no ataque de Michael a um paciente que zomba de um desenho dele na sala de artes. O argumento então apresenta uma montagem demorada de Loomis tentando se comunicar com Michael e fracassando miseravelmente.

O argumento de Zombie então salta quinze anos no futuro até o lar da família Loomis, onde conhecemos Ellen, a esposa do doutor. O casal discute a aposentadoria próxima de Sam e sua culpa por ter escrito diversos livros de sucesso sobre Michael, apesar de não ter sido capaz de ajudá-lo de verdade. Então, ele recebe notícias alarmantes de que o Smith's Grove será fechado e Michael, transferido a uma instituição de segurança mínima. Na última noite de funcionamento do hospital, dois ordenanças embriagados levam uma paciente até o quarto de Michael, onde a infame cena de estupro e fuga acontece (voltaremos ao assunto mais tarde). Digno de nota: o argumento não apresenta Michael com sua máscara de abóbora, como no filme, mas uma com a palavra "Boo" rabiscada grosseiramente na testa.

Enquanto assistem às imagens das câmeras de segurança no dia seguinte, os administradores do hospital observam Michael roubando um carro fora das instalações e fugindo. A inclusão deste detalhe é interessante, já que Zombie havia publicamente criticado a habilidade de Michael dirigir no *Halloween* original para depois usar um momento desses em seu próprio filme. O argumento depois irá se dispersar ao fazer Michael inicialmente se afastar de Haddonfield, e não ir até lá. Isso faz com que as autoridades dispensem a teoria de Loomis de que Michael irá voltar para casa para achar sua irmã caçula. Na verdade, Michael se afasta de Haddonfield para encontrar sua mãe, que agora vive num precário estacionamento de trailers. Ciente da fuga de Michael, ela está esperando com uma arma carregada quando ele invade o local. O assassino brutamontes segura uma foto da neném Boo, quem Deborah diz que ele nunca achará pois ela se foi para sempre. Lágrimas correm pelo rosto de Michael enquanto ele grunhe o nome de Boo com fúria. Ele se vira para encarar sua mãe, que agora colocou o cano da arma na boca. Ela puxa o gatilho, tirando sua própria vida.

Loomis encontra o xerife Brackett após chegar em Haddonfield. Juntos, eles descobrem uma série de cães mortos, todos enforcados da mesma forma, numa rota que leva até a casa dos Myers. Brackett inicialmente menospreza isso, achando ser uma pegadinha de mau gosto de Halloween, mas é obrigado a comprar a teoria de Loomis após encontrar mais um corpo de animal dentro da casa dos Myers. Os dois homens se separam para que Brackett possa procurar os registros de adoção de Angel Myers e encontrá-la antes de Michael. O restante do argumento segue de um jeito similar ao filme, com Michael perseguindo Laurie e as suas amigas, assassinando as duas e os namorados delas. Um detalhe engraçado: *Halloween: O Início* deveria originalmente apresentar uma pontinha de um personagem de *A Casa dos 1000 Corpos*. Segundo esse argumento, Tommy e Laurie estariam assistindo à maratona de terror do dr. Wolfenstein (lembre-se do apresentador fictício de terror que apareceu na cena de abertura de *A Casa dos 1000 Corpos*).

Michael acaba encurralando Laurie sozinha no porão da velha casa dos dois. Ele lhe entrega uma foto de ambos ainda crianças, apesar de ela não entender seu significado. Michael então tira sua máscara e grunhe "Boo", assustando-a. Laurie aproveita a oportunidade para esfaqueá-lo e fugir. Ela se choca com Loomis enquanto está escapando da casa, e ele atira diversas vezes em Michael. Isso faz com que ele desabe de uma escada até o porão. Brackett logo chega com reforços, apesar de seus homens não serem capazes de encontrar o corpo de Michael. Assustado, Loomis olha para as ruas quietas de Haddonfield. Nas palavras finais do argumento: "Michael se foi".

"Por trás desses olhos só encontramos escuridão. São os olhos de um psicopata."

HALLOWEEN
(2007)

O ROTEIRO VAZADO

Em 19 de janeiro de 2007, Eric "Quint" Vespe publicou uma crítica feroz de um roteiro de *Halloween: O Início* no site *AintItCool.com*. Vespe arruinou o roteiro, que considerou fundamentalmente falho, e acusou Zombie de não entender Michael Myers. "Eu queria que funcionasse, mas o roteiro que li é uma grande decepção. Com sorte, haverá algumas grandes mudanças do tratamento que li. E quero dizer *grandes*. Você pode brincar com muitas coisas... ambientação, estilo, movimento de câmeras e certos personagens, mas mexer com Michael Myers como um monstro de filme é imperdoável." O roteiro que Vespe havia lido era um tratamento inicial do ano anterior. Os fãs de *Halloween* logo seriam capazes de julgar por conta própria, já que o roteiro vazaria online no mês seguinte. Este olhar primordial a *Halloween: O Início* marca outro ponto fascinante no desenvolvimento do remake. Personagens e situações agora são apresentados com muito mais detalhes. Infelizmente, muitos dos elementos mais sexualmente cruéis daquele rascunho permaneceram, alguns mesmo com acréscimos. Além desse ponto, tais momentos geradores de arrepios começariam a desaparecer do roteiro à medida que executivos do estúdio trabalharam para controlar a visão cinematográfica de Rob Zombie.

Estranhamente, o roteiro de 2006 abre de uma maneira parecida com um tratamento inicial de *Halloween: Ressurreição*, com velhos filmes caseiros da família Myers. A câmera foca num menino que reconhecemos como sendo Michael. Em vez de aparecer malvado, como em *Ressurreição*, ele parece ser inocente e infantil, mostrando para a câmera uma careta com o sorriso banguela. O roteiro então estabelece a abertura do argumento onde Michael se masturba vendo um álbum de recortes caseiro. Essa cena introdutória também o apresenta ouvindo uma fita cassete com gravações das torturas que praticou em animais, narradas por ele.

A próxima cena, do café da manhã, mostra Ronnie sendo mais cruel com Michael do que no filme, ameaçando-o. ("Tá vendo esta mão? Quando ela curar, vou quebrá-la novamente na sua cara.") O roteiro continua com a sessão de cinema no anfiteatro do colégio — o filme agora mudou para *Planeta Proibido* (*Forbidden Planet*). Michael novamente sofre bullying, resultando em sua mãe sendo chamada à escola. Loomis agora está presente nessa reunião. Michael foge e atrai uma menina de nove anos — e não o valentão — até a floresta para matá-la. Assim como quando mata os animais, ele captura o som da morte dela em fita, para seu prazer auditivo, e novamente urina no cadáver da garota. Mais tarde naquela noite, Deborah deixa Michael na festa da escola, apesar de ele voltar para casa quando ela sai com o carro. Lá, ele mata Ronnie, Steve e Judith como no filme — exceto que ele grava em áudio os momentos finais de suas vítimas. "Aqui é o Michael e este é o fim de Ronnie." Michael também é bem mais brutal durante o assassinato de sua irmã, esfaqueando-a dezessete vezes e a *sodomizando com um taco de beisebol* (Oi?! Qualé, Rob?!).

Deborah volta pra casa naquela noite e encontra Michael respingado de sangue, segurando Boo nos degraus de entrada. O gravador ao lado dele repete os assassinatos da noite, aterrorizando sua mãe. Michael olha para ela com uma expressão neutra: "Acabou". Um noticiário detalha os eventos sinistros que ocorreram. Durante a leitura da sentença de Michael, descobrimos que seu nome completo é Michael Audrey Myers (lembre-se que o nome do meio de Michael apareceu pela primeira vez na adaptação literária de Richard Curtis e depois foi incorporado na versão televisiva de *Halloween*). A partir daí, o roteiro contém diversos momentos emocionais entre Deborah e Loomis no Smith's Grove que não aparecem no filme. Loomis a encoraja a não se culpar por não ter enxergado os problemas de Michael antes: "É impossível para uma mãe olhar dentro dos olhos de seus filhos e vê-los cometendo crimes assim. Nenhum pai é capaz de considerar tais possibilidades". Ele também lhe diz que o Michael carinhoso que ela conhecera previamente não existe mais, efetivamente, que agora eles estão lidando com uma "pessoa esvaziada como uma concha". Mesmo assim, Loomis promete fazer tudo o que estiver em suas mãos para ajudar o garoto. "Se ele estiver aí dentro, eu o encontrarei."

A deterioração psicológica de Michael neste tratamento é bem diferente da apresentada no argumento e no filme. Ele se desconecta e começa a falar sobre si mesmo na terceira pessoa. Quando perguntado por que havia matado quatro pessoas, ele responde que gosta de matar. ("Em vez de me machucar, eu estava machucando alguém. Gostei disso.") Quando assiste a filmagens caseiras, ele diz a Loomis que matou o garoto conhecido como Michael Myers em sua cabeça. Loomis então pergunta com quem ele está conversando agora. A resposta de Michael é arrepiante, simplesmente repetindo várias vezes a frase "Eu sei quem eu sou".

O roteiro então avança dezessete anos no tempo, e mostra o fechamento do Smith's Grove e um Michael saradão sendo transferido para uma instituição de segurança mínima. O personagem Ismael Cruz está presente nesse tratamento, apesar de ser chamado aqui de Marshall. É esse Marshall consternado que telefona para a casa de Loomis e dá a notícia da transferência de Michael, que o impele a retornar até Smith's Grove para intervir. Ellen Loomis também ressurge do argumento, como a esposa do doutor. Nós a encontramos desabafando com uma amiga sobre a fama involuntária que Michael trouxe a seu marido ao longo dos anos, ignorando o fato de que ele escreveu diversos livros sobre seu antigo paciente. Um amigo menciona ter visto produtos bregas à venda, tais como as camisetas WWMD (What Would Michael Do?, O Que Michael Faria?) na mesma onda das camisetas WWJD (O Que Jesus Faria?, em inglês). (Rob Zombie reciclaria essas camisetas mais tarde em seu *Halloween II*, como parte de seus comentários pouco lisonjeiros sobre os fãs mais radicais de *Halloween*.)

Antes de partir para Illinois, Loomis conta a um amigo sua teoria sobre a obsessão de Michael com máscaras: "Não sobraram outras formas convencionais de comunicação. Tudo o que havia eram as porras dessas máscaras. Michael criou centenas delas, cada uma um pouquinho diferente. Elas se tornaram sua única forma de expressão. Ele usaria uma máscara quando estivesse com fome, outra quando estivesse cansado, uma quando tivesse que cagar, uma quando estivesse apenas olhando para o nada. Aquele garoto foi o grande fracasso da minha carreira". Durante o voo, Loomis tem um pesadelo no qual um Michael adulto havia matado sua esposa e amigos em sua casa. Na vida real, Michael escapou do Smith's Grove graças aos dois ordenanças estupradores que levaram uma paciente até o quarto dele. Os administradores do hospital tentam culpar Loomis por não alertá-los o suficiente sobre Michael, mas o doutor rebate furiosamente as acusações.

Assim como no argumento, Michael passa a tarde de Halloween perseguindo Laurie e suas amigas, na escola e em casa. Ele também para no cemitério de Haddonfield para roubar a lápide de Judith e é pego no ato por um coveiro zangado, a quem ele irá surrar até a morte com um ancinho. A polícia chega para investigar a morte do coveiro logo após o anoitecer, quando Loomis encontra o xerife Brackett pela primeira vez. Enquanto isso, Michael ataca os pais da Laurie, suas duas amigas e seus respectivos namorados. Apesar dos Strode sobreviverem à noite de Halloween no argumento original do Rob Zombie, aqui não. Apenas a filha do xerife Brackett, Annie, vive para contar seu encontro com o mal em seu estado puro.

Esse tratamento original ainda apresenta uma subtrama centrada na busca de Loomis e Brackett pelo paradeiro de Laurie. Nesta versão da história, Brackett desconhecia que Laurie Strode era, de fato, a "bebê dos Myers". Os dois homens forçam a entrada na casa de Aaron Kramer, um viciado em drogas da agência de adoção de Haddonfield. Usando como desculpa o consumo ilegal de drogas de Aaron, eles revistam os registros de adoção e descobrem que Angel Myers se tornou Laurie Strode. Boa parte disso, incluindo o personagem Aaron, foi cortada e revisada antes das filmagens.

O restante do roteiro segue parecido com o filme, com exceção dos seus momentos finais. O xerife Brackett descobre sua filha à beira da morte. Michael sequestra Laurie e a leva até o velho lar da família deles e tenta se conectar com ela. Dois oficiais de polícia tentam ajudar Laurie, mas são imediatamente mortos. Loomis interrompe o encontro dos irmãos e atira em seu ex-paciente, até que ele caia inerte no chão. Então ele começa a sair dali com Laurie, mas Michael recobra a consciência e a leva como refém para fora da casa dos Myers. Brackett e seus policiais chegam, resultando num tiroteio. Loomis implora para que seu paciente libere Laurie: "Por favor, Michael. Não é culpa dela. Deixe-a ir". Após um momento de tensão, Michael solta Laurie, mas se lança sobre Loomis. Com este movimento hostil, a polícia abre fogo contra o assassino, matando-o. Ele cai de costas, sangrando de seus muitos ferimentos.

O roteiro detalha um plano plongée da polícia cercando o corpo de Michael em câmera lenta. Ouvimos uma velha gravação do jovem Michael cantando para sua mãe. Ele canta uma canção alegre sobre as coisas de que gosta: doces, bolo, sorvete, seu cachorrinho e de brincar ao ar livre. Quando a música acaba, ele pergunta o que sua mãe achou. Ela responde: "Perfeito".

A VERSÃO-MONSTRO

Foi uma infelicidade para os cineastas de *Halloween: O Início* que uma versão inicial do roteiro tenha vazado meses antes do lançamento do projeto. Infelicidade maior, já que aquele tratamento não mais refletia o filme que havia sido feito. Vazamentos assim normalmente acontecem, quando acontecem, meses ou anos após o filme alcançar suas plateias, raramente antes. Mas as desgraças do remake ainda não haviam terminado. Uma versão inacabada inicial também vazara pouco antes de uma semana da data de lançamento do filme, em agosto. Que uma versão "monstro" vazasse não era algo inédito na franquia. Os *Halloweens* *6*, *7* e *8* tiveram cortes iniciais circulando entre comunidades de fãs. A diferença era que nenhum deles aconteceu antes de seu lançamento no cinema.

"Foi uma merda", Zombie disse sobre o vazamento. "Não era uma versão-monstro. Eu odeio o termo. Nem sei o que era. Alguém, em algum ponto, roubou algo da sala de montagem. Não sei que versão era. Quando está montando um filme, você gera versões diferentes todos os dias, porque ainda está trabalhando nelas. Nunca vi. Então eu não sei."

Renderizada em 18 de maio de 2007, a versão-monstro é notória por antecipar dois eventos essenciais para a produção do remake. O primeiro foi o ciclo inicial de exibições-teste, que proveram os cineastas com comentários decisivos. O segundo foi uma série de refilmagens, ocorridas oito semanas antes da data de lançamento. Essas cenas adicionais trouxeram diversas mortes novas e reformularam drasticamente o final do filme. Como a versão-monstro foi montada numa etapa tão inicial da pós-produção, isso faz dela uma versão consideravelmente diferente do filme.

Para início de conversa, a versão contém uma subtrama que foi completamente cortada das versões oficiais, envolvendo os ineptos administradores do Smith's Grove. Essas cenas apresentavam os personagens Morgan Walker (vivido pelo ator Udo Kier) e o dr. Koplenson (interpretado por Clint Howard). No filme, Walker e Koplenson aparecem apenas brevemente quando Loomis chega em Smith's Grove após a fuga de Michael. Na versão-monstro, entretanto, eles aparecem em diversas cenas juntos. Koplenson avalia que Michael já não é mais uma ameaça e sim um custo desnecessário num sistema público sobrecarregado e que, portanto, deveria ser posto em liberdade. Walker discorda e nega sua liberação durante a audiência de Michael. A versão-monstro apresenta posteriormente uma cena muito mais longa, na qual

Loomis repreende ambos por essencialmente permitirem que seu mais perigoso paciente escape. Ainda no assunto Smith's Grove, essa versão também contém sessões adicionais de terapia entre Loomis e o jovem Michael. Isso inclui o momento quando Loomis diz a Michael que ele não irá pra casa tão cedo. O garoto responde: "Então eu não tenho mais nada a dizer". (Essa frase de efeito infelizmente está ausente das duas versões oficiais.)

No argumento e no roteiro inicial, Michael foge do Smith's Grove quando dois ordenanças trazem uma paciente até o quarto dele para violentá-la. Isso sugeriria que sua fuga não fora planejada, mas puramente oportunista (teria Haddonfield curtido um feriado tranquilo se aqueles ordenanças escolhessem um local diferente? Ou talvez se eles não estuprassem ninguém?). Zombie é cuidadoso ao não deturpar as intenções de Michael durante a sequência. Ele não intervém no estupro porque sente pena da garota sendo violentada: ele se mostra indiferente aos apuros dela. Michael apenas se envolve quando os ordenanças mexem com sua coleção de máscaras. Ao que parece, aquilo é uma ofensa imperdoável. Também vale a pena comentar que Michael mata apenas os dois estupradores aqui, enquanto nas outras versões ele também mata Ismael Cruz e diversos guardas de segurança. Num momento exclusivo da versão-monstro, vemos Michael andando livremente por Smith's Grove um pouco depois. Ele para em frente ao gramado frontal, vira lentamente a cabeça para olhar para a instituição e continua sua fuga noite adentro.

O *Halloween* de Rob Zombie reimagina Lynda por completo. No original de John Carpenter, Lynda era "totalmente" avoada e cabeça aberta. No filme de Zombie, ela é uma megera da porra. A versão-monstro contém um momento adicional dessa nova caracterização quando ela e Laurie saem da escola. Enquanto reclama de ter sido suspensa da equipe de chefes de torcida ("Eu sou a líder de torcida mais gostosa da porra toda"), Lynda foca em duas garotas ali perto que acredita estarem rindo dela ("De que merda essas duas vacas estão rindo?"). Ela as confronta jogando uma bebida na cabeça de uma delas e roubando seu livro didático, enquanto Laurie pede desculpas e tenta acalmar sua amiga. (As razões da suspensão de Lynda? Sugerir que elas dançassem nuas e "exibissem suas rachas" para que as pessoas não percebessem que elas estavam fazendo coreografias repetidas. *Classuda.*)

Como no roteiro inicial, a versão-monstro apresenta o primeiro encontro de Loomis e Brackett no cemitério de Haddonfield (no filme, eles se encontram na lanchonete da cidade). Na versão-monstro, também está faltando uma troca importante entre os dois homens, quando Brackett revela como ele sabe que Angel Myers foi adotada pelos Strode. Aqui, ele simplesmente diz a Loomis que ele está "prestes a quebrar uma promessa que fez muito tempo atrás", ao checar o bem-estar da garota.

O ato final da versão-monstro contém uma variedade de diferenças. Para começar, o namorado de Lynda é morto no furgão enquanto pega uma cerveja — e não esfaqueado contra as paredes, como no original de John Carpenter. Comparada à do filme lançado nos cinemas, a perseguição culminante é mais curta. As duas versões divergem totalmente quando Michael arrasta Laurie da viatura policial. Nos cinemas, esse momento leva a outra perseguição dentro da casa dos Myers. A versão-monstro, entretanto, segue o roteiro original com Michael fazendo Laurie de refém quando a polícia entra em cena. Um Loomis emotivo implora a seu ex-paciente para que ele poupe a vida de Laurie. ("Não é culpa dela. É minha culpa. Fui eu quem falhou com você. Por favor, deixe-a ir. Eu falhei com você, Michael.") No roteiro, Michael liberta a irmã e abaixa sua faca. No roteiro original, o assassino "mergulha" sobre Loomis, levando a polícia a atirar nele. Aqui, ele apenas dá um único passo, calmamente e sem agressão, e a polícia atira nele de qualquer maneira. O plano plongée final de Loomis lamentando a morte de Michael apresenta um áudio antigo, não de Deborah e Michael, mas da primeira sessão de terapia de Loomis e Michael.

Parafraseando as observações do próprio Zombie, *Halloween: O Início* é um filme inchado, entulhando histórias suficientes para dois filmes num só. O remake é uma batalha constante de direção narrativa — será um conto sobre um doutor fracassando em ajudar seu paciente ou sobre um assassino psicopata tentando se reconectar com sua irmã? Por causa dessa luta, os momentos finais do filme têm uma importância enorme ao contextualizar tudo o que vimos até então. Na versão-monstro, *Halloween: O Início* é sobre Loomis e Michael. O último plano reforça essa ideia, já que vemos ao desiludido psicólogo de joelhos sobre o paciente que ele nunca foi capaz de alcançar. Loomis não implora a Michael somente para salvar Laurie — ele faz isso num esforço contínuo para salvar Michael também. E a ele próprio.

A VERSÃO CINEMATOGRÁFICA

Idealmente, a versão cinematográfica de um filme e a versão do diretor são a mesma. Não é o que acontece com *Halloween: O Início*. A apresentação cinematográfica do remake foi amplamente influenciada pelos comentários de grupos de pesquisa e pelas observações do estúdio, frequentemente contrários à visão de Rob Zombie. Em certos aspectos, a versão cinematográfica é um aperfeiçoamento da versão-monstro. Em outros, não é melhor nem pior — apenas diferente. Os administradores do hospital nem aparecem nesta versão. Michael agora mata Ismael Cruz durante sua fuga numa reviravolta chocante. Como acontece com o Michael original, esse bicho-papão é impiedoso, mesmo àqueles que demonstram gentileza. Sid Haig agora aparece como o coveiro do cemitério, no lugar de Ezra Buzzington — e ele sobrevive. Zombie reformulou o ato final para ficar mais parecido com o original de John Carpenter, ao apresentar Brackett mais cedo, fazer Lynda ligar para Laurie antes de morrer, esfaqueando Bob contra a parede numa nova cena de assassinato, e fazendo Loomis perceber as crianças correndo da casa de Doyle. O comportamento malcriado de Lynda também é amenizado em comparação à versão-monstro.

Uma crítica comum nas versões-monstro e do diretor é que os primeiros sete assassinatos de Michael são motivados por questões pessoais, de alguma maneira. O valentão era cruel, Ronnie era abusivo, Steve roubou o afeto de Judith, Judith não o levou para pedir doces, a enfermeira fez um comentário depreciativo, e os dois ordenanças estupradores invadiram seu território. Isso faz com que ele pareça ser menos um bicho-papão e mais com um cara que não leva desaforo para casa. A versão cinematográfica faz mudanças sutis nesse sentido. Anteriormente, o comentário da enfermeira ao jovem Michael sobre a foto de Boo era: "Linda bebê. Não pode ser parente sua". Nos cinemas, sua fala é abreviada para "Linda bebê", o que sugere que sua morte com um garfo não fora motivada pessoalmente. A morte de Ismael nessa versão também ajuda a dissipar quaisquer percepções de que Michael mata apenas por vingança.

Entre as diferenças mais notáveis da versão cinematográfica está a fuga de Michael do Smith's Grove. Os produtores do remake estavam loucos para cortar a cena originalmente filmada de "estupro e fuga", especialmente após a recepção ruim nas pesquisas. Zombie capturou, a contragosto, uma fuga alternativa durante as refilmagens que mostrava Michael escapando enquanto era transferido por quatro guardas de segurança, todos mortos por ele de maneira brutal. (Curiosidade: Apesar do personagem do administrador vivido por Tom Towles ter sido cortado da versão cinematográfica, o ator ainda aparece em *Halloween: O Início* como um guarda, durante esta nova fuga). Diferentemente da sequência original, essa cena refilmada sugeriria que a fuga de Michael havia sido planejada, e não apenas um ato oportunista.

Loomis e Brackett agora se encontram não no cemitério, mas na lanchonete Haddonfield Burger, antes de continuarem sua conversa na delegacia. Entre o novo material está o tão necessário momento em que Brackett revela como ele levou a bebê Angel Myers até um hospital, após o suicídio de Deborah, esperando que ela conseguisse escapar do estigma de seu sobrenome. Isso ainda não explica o que Brackett quis dizer sobre quebrar uma promessa que fizera muito tempo atrás, ou se os Strode sabiam sobre o histórico familiar da Laurie — aparentemente, não. Por falar nos Strode, agora vemos Cynthia sendo morta nesta versão, algo apenas implícito na versão-monstro.

A mudança mais impactante da versão-monstro para a cinematográfica é o final. Anteriormente, vimos os homens de Brackett abrirem fogo contra Michael após ele soltar Laurie. Nada disso acontece nesta versão. Nos cinemas, Michael puxa Laurie da viatura policial e retorna para a casa dos Myers. Loomis implora que ele pare, despertando sua fúria. Michael agarra o crânio do doutor com ambas as mãos e o amassa, *aparentemente o matando*. Então, ele persegue Laurie pela casa por quase dez minutos até que ambos despencam da varanda do segundo andar para o gramado da frente. Laurie recobra o suficiente de sua consciência para atirar em seu irmão no rosto. O tema de *Halloween* é tocado sobre os gritos tortuosos dela enquanto vemos filmes caseiros de Michael e Boo ainda crianças.

Terminar *Halloween: O Início* com filmes caseiros de Michael e Laurie crianças dá à história um contexto muito diferente daquele da versão-monstro. Com este final, poderíamos concluir que o grande foco narrativo estava em Michael tentando reconquistar uma conexão familiar perdida, não na falha de seu terapeuta em reabilitá-lo. Zombie acabaria trocando o final da versão-monstro por esse efeito marginalizado na personagem Laurie Strode. Fazer Loomis e a polícia correrem apressadamente para salvá-la apenas diminuiria o papel já bastante pequeno de Laurie no filme.

No cinema, Laurie salva a si mesma. Isso transforma a personagem de donzela em perigo para uma esperta garota final. No comentário do remake, Zombie conta que quis criar uma certa ambiguidade nos momentos finais do filme. Especificamente, no momento em que Michael alcança a arma que Laurie apontava para o seu rosto. Estaria Michael tentando evitar que ela atirasse nele, mas se encontrava sem forças? Ou estaria ele tentando ajudar Laurie a mirar com firmeza, para que ela pudesse finalmente terminar o pesadelo conhecido como *a vida inteira dele*? Zombie deixa a decisão para o espectador.

Curioso é o ângulo baixo de Laurie atirando em seu irmão no rosto. Esse momento é cuidadosamente enquadrado para que não vejamos a bala acertar seu alvo, deixando seu destino um tanto incerto. Compare com o final da versão-monstro, onde os homens de Brackett fazem mais furos em Michael do que um queijo suíço. Você se perguntaria se o final da versão cinematográfica não fora filmado com a possibilidade de uma continuação em mente. No que diz respeito a Loomis, a versão dos cinemas deixa ele aparentemente morto, já que nunca o vemos sequer se contorcendo após ouvirmos seu crânio sendo esmagado.

A VERSÃO DO DIRETOR

Logo após o lançamento de *Halloween: O Início* nos cinemas, Rob Zombie expressou arrependimento por mudanças feitas no filme durante a pós-produção. Felizmente, lhe foi permitido voltar e remontar sua própria versão, sem censuras, para o lançamento em vídeo. A versão cinematográfica ainda foi relançada em DVD e Blu-ray, apesar de ter se tornado incrivelmente difícil de encontrar. Com dez minutos a mais de duração, essa segunda versão oficial é atualmente aquela com que os fãs estão mais acostumados.

Comparada com a versão cinematográfica, esta oferece uma caracterização um pouco mais solidária com Loomis. Parte disso inclui restaurar a cena da versão-monstro na qual ele consegue que Michael faça uma visita ao pátio do hospital. É onde Loomis faz um apelo desesperado ao seu paciente: "Se você não se comunicar comigo, como posso te ajudar? Estou aqui pra te ajudar. Eu me sinto um completo inútil por não conseguir conversar com você". A versão do diretor também apresenta uma série de registros diários em preto e branco, gravados por Loomis, detalhando a piora da condição mental de seu paciente. Zombie, na verdade, gravou a narração de Malcolm McDowell para essas vinhetas após *Halloween: O Início* ser lançado nos cinemas. Ao contrário da versão-monstro, esta reduz a cena do pátio e exclui Michael anunciando que não teria mais nada a dizer.

Nos cinemas, o discurso resignado que Loomis diz para Michael termina em transição com a turnê do livro do doutor, sugerindo que ele não perdeu tempo em explorar financeiramente um paciente que ele nunca chegou a ajudar de verdade. Na versão do diretor, Zombie alonga este momento para enfatizar seus sentimentos de culpa e remorso. Com um tapinha no ombro de Michael, Loomis se despede de forma tristonha: "Cuide-se, Michael. Cuide-se". Ao deixar o hospital, ele se vira e observa o lugar de seu maior fracasso, num olhar terrivelmente perturbador. Esses momentos adicionais nos permitem refletir sobre os sentimentos confusos de Loomis em relação a Michael.

A versão do diretor infelizmente restabelece a cena original do estupro e da fuga de Michael, que aqui aparece ainda mais explícita e brutal do que na versão-monstro. O personagem de Noel Kluggs também ganha muitos minutos adicionais, cada um mais terrivelmente caipira do que o próximo. Ele agora provoca Michael enquanto acompanha Ismael até o quarto dele. ("Não olha pra mim. Eu vou ser seu pior pesadelo, filho da puta. Volto aqui uma noite dessas e boto pra foder com esse teu quartinho, vai vendo só.") Falando sobre os funcionários desagradáveis do hospital, esta versão também restaura a fala da enfermeira Wynn de que a linda bebê na foto do Michael "não poderia ser parente sua", motivando-o a matá-la.

Apesar de Zombie ainda cortar a maior parte das atuações de Udo Kier e Clint Howard, ele reintroduz um momento com os dois. Antes de partir do Smith's Grove, Loomis se encontra com Walker e Koplenson para assistir às imagens da fuga de Michael gravadas com as câmeras de segurança. Um enfurecido Loomis acusa ambos de serem responsáveis, o que eles negam. O trecho de sua saída do hospital também é estendido, com Loomis insistindo que Michael estaria se dirigindo a Haddonfield. A cena termina com Walker parafraseando o primeiro *Halloween:* "Haddonfield fica a 160 quilômetros daqui!". (Ainda somos deixados no escuro, sem pistas de como Michael conseguiu viajar tão rapidamente sem sua confiável caminhonete-perua.)

Em outro momento renascido da versão-monstro, Zombie conserta um possível furo de roteiro. Como no *Halloween* original, você precisa imaginar de que maneira Michael adulto reconheceria Laurie, considerando que eles não se viam desde que eram crianças. Esta versão sugere um tipo de reconhecimento sensorial primitivo. Nos cinemas, Michael apenas vê Laurie deixar o envelope na casa dos Myers, em plena luz do dia. Mas aqui, ele pega e cheira o envelope, de alguma forma reconhecendo o perfume de sua irmã (maluquice tem cheiro?). Como recurso narrativo, o reconhecimento olfativo é um tanto inconsistente, mas é uma explicação para um mistério até então em aberto.

Por último, lembre-se de que a versão cinematográfica sugeria a morte de Loomis por esmagamento de crânio. A versão do diretor contém um momento extra, mostrando que de algum jeito ele conseguiu sobreviver ao golpe. Loomis agora se agarra à perna de Michael, na tentativa de impedir que ele vá atrás de Laurie. O assassino facilmente escapa de suas garras e segue adiante.

CENAS DELETADAS

Halloween: O Início ostenta uma autêntica cornucópia de material deletado. Algumas cenas extras são exclusivas de certas versões do filme, enquanto outras foram refilmadas ou abandonadas por completo. Devido ao excesso de cenas cortadas, este tópico irá focar apenas nos trechos omitidos mais substanciais. A primeira cena faltante de todas as três versões do filme apresenta Lou Martini, o proprietário do inferninho Rabbit in Red, onde Deborah Myers trabalha como stripper. A cena mostra Lou discutindo com um cliente bêbado enquanto o diretor Chambers liga para comunicar à Deborah sobre o mau comportamento de Michael. Uma cena posterior mostrando Lou e Deborah deixando o Rabbit in Red na noite de Halloween ainda aparece no filme, mas dessa vez numa montagem com música no lugar do diálogo.

Zombie admitiu ter filmado além da conta nas sessões de terapia iniciais de Loomis e Michael em Smith's Grove. Numa conversa deletada, Michael é perguntado sobre o que ele acha do diabo. O garoto responde que o diabo não tem nada dentro de si, sendo, portanto, vazio, um sentimento com o qual ele se identifica. Em outro encontro, Loomis finge experimentar uma das máscaras rudimentares feitas por Michael. O diretor também filmou diversas tomadas de Loomis e Deborah entrando e saindo da instituição durante o ano, as quais ele pretendia usar numa montagem. Numa dessas cenas, Deborah é abordada pelo repórter Taylor Madison na esperança de conseguir uma declaração dela sobre o filho. Ismael Cruz se apressa em escoltá-la para longe do jornalista impertinente.

Apesar de aparecer rapidamente na versão-monstro, nenhuma versão oficial de *Halloween: O Início* apresenta a audiência de Michael por completo. A cena começa com um plano demorado de Ismael Cruz e Noel Kluggs andando rumo à audiência. De forma nada surpreendente, Noel xinga e ameaça estuprar tanto Ismael quanto Michael, durante o percurso. A cena é entrecortada com filmagens de um membro do conselho, vivido pelo ator Tom Towles, contando uma piada relacionada a sexo com gorilas. Durante a audiência, o dr. Koplenson alega que Michael está "livre de quaisquer tendências violentas recorrentes" e, portanto, apto a ser transferido para uma instituição de segurança mínima (apesar do dr. Loomis estar ausente dessa reunião, ele mandou por escrito sua objeção, que é lida em voz alta). O conselheiro de Towles também se opõe: "Este é um louco de segurança máxima como eu nunca vi igual!". No final, a transferência de Michael é negada.

Originalmente, a "fuga/estupro", quando Michael escapa do Smith's Grove, demora um pouco mais do que na versão-monstro ou na versão do diretor. Após matar os ordenanças estupradores, Michael usa a chave de Noel para libertar seus companheiros de internação. Ele então ataca dois guardas no posto de vigilância antes de usar as chaves de Noel para sair de vez do hospital. Um dos guardas nesta cena é interpretado pelo ator Mark Christopher Lawrence, que voltaria no *Halloween 2* de Rob Zombie num papel menor, como um ajudante de xerife. Da maneira como a cena foi escrita, Michael deveria matar o personagem de Lawrence ao esmigalhar uma televisão em seu rosto. Esta morte seria mais tarde dada a Ismael Cruz, durante as refilmagens. (Curiosidade: Os guardas estão assistindo *A Noite dos Mortos-Vivos* original quando Michael ataca, o mesmo filme que os Elrods estavam assistindo em *Halloween II.)*

Esta cena deveria ser seguida por outra, com Loomis autografando livros após sua aparição promocional na universidade. O doutor-transformado-em-autor flerta com estudantes e se gaba do quão bom seu livro é, tudo isso parecendo ser um precursor da caracterização de Loomis como um babaca em *Halloween 2*. É ao sair da universidade que Loomis recebe uma ligação de Morgan Walker dizendo que Michael teria escapado do Smith's Grove. Esse telefonema perturbador foi mudado nas refilmagens para acontecer à noite, e dessa vez foi feito pelo dr. Koplensen (Clint Howard), já que o ator Udo Kier estava indisponível.

Mais uma cena que falta de todas as três versões mostra Michael roubando a lápide de Judith do cemitério de Haddonfield em plena luz do dia. Ele é pego em flagrante pelo coveiro vivido por Ezra Buzzington, que grita obscenidades para o assassino fugitivo numa tentativa lamentável de fazê-lo sumir. Naturalmente, Michael se livra rapidamente do rude coveiro. Em seus comentários, Zombie revela que acabou cortando a cena porque "ver Michael na luz do dia o desmistifica". Mais tarde, durante as refilmagens, ele escalaria o ator Sid Haig para o papel do coveiro. No filme, Michael rouba a lápide de sua irmã sem ser interrompido, o que o coveiro de Haig só irá descobrir ao mostrar a Loomis o caminho até o túmulo de Judith.

A última grande cena deletada de *Halloween: O Início* mostra Loomis tentando descobrir o paradeiro atual de Angel Myers por meio dos registros lacrados de sua adoção. A balconista da agência, vivida por Adrienne Barbeau, se recusa terminantemente a divulgar essa informação, apesar de Loomis afirmar que aquela seria uma questão de vida ou morte. No roteiro original, Brackett se unia a Loomis em sua jornada para conseguir tal informação. Os dois homens foram invadir a casa de um funcionário da agência, viciado em drogas, para essencialmente chantageá-lo e obter a informação, o que de fato acontece. Na cena deletada, entretanto, Loomis fica de mãos abanando.

Entrevista:

PHIL PARMET

Diretor de fotografia — Halloween: O Início

Entrevistado por Dustin McNeill

Você se considera um fã do gênero terror?
Honestamente, não posso dizer que seja um grande fã do gênero. Curto um filme ocasional de terror, mas sou muito mais ligado em outros tipos de filme. Existem alguns filmes de terror que gostei de verdade, como *O Bebê de Rosemary* e *O Chamado*. Meu problema com muitos filmes de terror é que eles costumam seguir uma certa fórmula que envelhece. A fórmula é tão batida porque é fácil de vender sem ter astros famosos no elenco.

Estive vendo sua filmografia recentemente e notei que o Michael Myers não é o primeiro filme slasher em que você trabalhou. Você também foi cinegrafista da unidade de apoio no filme A Hora do Pesadelo 6, de 1991, certo?
Isso! Um amigo meu estava fazendo a direção de fotografia desse filme e me convidou para fazer parte. Era tanto trabalho que eles precisavam de uma segunda unidade muito competente. Filmei boa parte dos efeitos especiais que não tinham muito diálogo. Esse era o tipo de coisa que a unidade principal não precisava se preocupar. Eu me lembro especificamente de fazer uma tomada com o Freddy Krueger vestido como a Bruxa Má do Oeste, voando do lado de fora da janela durante um tornado. Filmei muitas coisas no deserto também. Isso foi quase trinta anos atrás.

Seu primeiro filme com Rob Zombie foi Rejeitados pelo Diabo. Como conseguiu esse trabalho?
Rob admirou meu trabalho como cinegrafista de documentário. Na real, não acho que ele soubesse que eu era um diretor de fotografia de longas-metragens naquela época. Ele trabalhou com um produtor que me recomendou para fazer o *Rejeitados pelo Diabo*, já que o Rob estava procurando por alguém que tivesse um histórico em documentários. Então nos encontramos e começamos a conversar sobre como ele queria abordar o material. Aquele filme não foi realmente calcado no gênero terror, mas no estilo dos faroestes. Rob e eu tínhamos uma profunda admiração pelos faroestes e conhecíamos muito sobre eles. *Rejeitados pelo Diabo* era uma combinação da família Manson com *Um Estranho sem Nome* (*High Plains Drifter*).

Essa é uma boa definição. Então Rejeitados pelo Diabo ficou incrível, e o próximo filme do Rob é Halloween. Qual a abordagem que ele queria que você tivesse naquela produção?
Rob e eu nos tornamos bem coesos fazendo *Rejeitados pelo Diabo*, que acabou ficando muito bom. Nesse ínterim, fiz uns dois videoclipes para ele e participei de uma turnê. Chegamos a fazer um filme da turnê que nunca foi lançado. E foi quando estávamos na estrada que ele soube que *Halloween* havia sido aprovado.

Então imediatamente começamos a conversar sobre fazer o filme. Começamos a produção assim que a turnê foi concluída.

Agora você me deixou com vontade de assistir a esse filme perdido da turnê. Por que nunca foi lançado?

Rob dizia que aquela seria sua última turnê. Então queria documentá-la. Ele me perguntou se eu conhecia alguém que iria com ele na turnê para filmar, e eu disse: "Claro. Eu!". Então entrei no ônibus da turnê com ele e fizemos essa viagem incrível pelo país. Não tenho certeza absoluta de por que ele decidiu não finalizar o filme depois que terminamos. Achava que era um projeto interessante, já que não era realmente sobre a performance musical. Era mais sobre o que acontecia durante uma turnê, toda a logística e as complicações inerentes a isso.

Então vocês terminaram a turnê e começaram a trabalhar em Halloween. Quanto do filme você e Rob pré-visualizaram juntos? Sei que ele pode improvisar bastante, às vezes.

Não fizemos muitos storyboards do filme. Rob é um artista muito bom e ele desenha cartuns e coisa e tal. Ele ocasionalmente rabiscava uma cena importante para comunicar algo com mais precisão. Em nossas discussões iniciais sobre *Halloween*, Rob contou que queria fazer a mesma coisa que fizemos em *Rejeitados pelo Diabo,* mas aumentando um pouquinho a aposta. Eu disse: "Aumentar a aposta? Como assim?". E ele disse que queria deixar *Halloween* um pouquinho mais doentio. Basicamente filmamos como *Rejeitados pelo Diabo* ao usarmos quase que exclusivamente câmeras na mão. Isso nos deu aquele ar de documentário.

Nunca falamos de deixar *Halloween* com uma atmosfera de filme de terror tradicional. Fizemos referência a muitos filmes ao planejarmos o visual, mas não era o tipo de filme que você poderia esperar. Vimos coisas como *Alucinações do Passado* (*Jacob's Ladder*), *O Franco-Atirador* (*The Deer Hunter*), *O Silêncio dos Inocentes* (*The Silence of the Lambs*), *Repulsa ao Sexo* (*Repulsion*) e *Psicose.* Também assistimos com muita atenção à versão original de *Aniversário Macabro* (*The Last House on the Left*), que serviu como nosso filme de referência.

O Halloween original foi amplamente celebrado por sua fotografia. Em suas discussões com o Rob, em algum momento ele quis usar o filme como referência?

Nunca assistimos ao filme porque não tínhamos a intenção de copiá-lo. É claro, eu assisti ao *Halloween* original e a várias das continuações também. Sem querer desmerecer nada, mas não estávamos interessados em recriar nenhum dos visuais que já haviam sido feitos. Não foi esse o caso com muitas das sequências, em que eles também tentaram algo visualmente diferente?

Em nosso *Halloween*, sempre quisemos estar fora das percepções dos personagens, como se fosse um documentário. O que quero dizer é que nunca tentamos abordar um ponto de vista de nenhum personagem em particular. Entrávamos numa sala e falávamos o que estava acontecendo naquele lugar sem necessariamente assumir a perspectiva de alguém, como um filme de gênero mais tradicional faria. Acho que as pessoas que estudam filmes de terror vão dizer que o público costuma se identificar com os personagens ao ver através de seus olhos. Creio que nunca quisemos fazer isso em *Halloween*. Queríamos que o público se sentisse como um observador alheio ao que estava acontecendo. Isso significava abordar o material como se estivéssemos documentando acontecimentos reais, em vez de criar uma plataforma cinematográfica para assustar as pessoas, o que sei que muitos filmes de terror fazem. Eles plantam situações que depois vão acontecer e assustar as pessoas, e coisas do tipo. Nunca quisemos seguir por esse caminho.

Os críticos do Halloween de vocês costumam acusar o filme de se afastar demais do original de 1978. Como você responde a essas críticas?

Por que fazer algo que já foi feito? É como eu vejo. Sei que Rob pensa do mesmo jeito. Nosso *Halloween* foi uma oportunidade de pegar algo que já era bastante conhecido e reinventá-lo completamente. É assim que você o mantém novo e interessante. Não vi o último *Halloween*, mas duvido que seja exatamente como o original. Vou dizer que acho interessante que tenham escolhido roteiristas de comédia nesse filme mais recente. Essa abordagem funcionou muito bem com Jordan Peele em *Corra* (*Get Out*), não foi? Talvez exista uma conexão escondida entre a comédia e o terror.

Uma coisa que admiro no Halloween de vocês é o clima voyeurístico. Como você disse, estamos sempre vendo os personagens de algum ponto distante. Numa cena, espiamos Michael enquanto ele espia Laurie, Lynda e Annie.

Isso tudo nasceu da vontade de Rob de amplificar o estilo que usamos em *Rejeitados pelo Diabo*. Se você assistir ao filme outra vez, vai ver que muitos ângulos e posições de câmeras são totalmente voyeurísticos. Não me lembro de termos usado um plano de ponto de vista sequer, o que também é verdade em *Halloween*. Com esse tipo de visual, me lembro de filmes como *Retrato de um Assassino* (*Henry: Portrait of a Serial Killer*) e *Repulsa ao Sexo*. Aqueles filmes fizeram algo parecido e funcionaram muito bem. Raramente nesses filmes você consegue ver exatamente o que os personagens estão vendo. Fazer do público um observador externo é quase como se eles estivessem presentes na sala, assistindo ao desenrolar do terror. Acho que dá para sentir muito terror nesse tipo de abordagem. Isso também coloca muita ênfase na atuação, porque você está compartilhando o terror com o personagem.

Há um plano de câmera no filme que eu gostaria de lembrar que sempre achei impressionante. É depois que o jovem Michael é detido na noite de Halloween. A câmera se move pela cena do crime e tudo está congelado em seu lugar. Nós giramos de volta para o Michael no banco traseiro da viatura policial e ele se vira para encarar a câmera. É um plano fantástico.

Essa foi boa, não foi? Tentamos um plano parecido no sanatório, quando estão dirigindo até lá. O garoto que interpretou o Michael Myers tinha um rosto muito expressivo. Dizem que a arte da cinematografia está nas paisagens, mas a paisagem do rosto daquele garoto é simplesmente incrível. Não sei o que Rob disse a ele antes da cena, mas ele foi perfeito. Aquele plano funciona baseado na ironia da inocência no seu rosto contrastando com as coisas terríveis que ele acabou de fazer. É isso que deixa a cena tão poderosa. É tanto a atuação dele quanto qualquer detalhe técnico que fizemos, na minha opinião.

Existem alguns planos de que você gostou em especial no filme?

Já faz tempo que não vejo, mas me lembro de curtir o primeiro plano que apresenta o Smith's Grove, que foi feito com uma grua. Era uma noite de nevoeiro. Um plano bem simples, mas eu curti. A locação não era um sanatório de verdade, claro, mas um prédio comum com alguns adereços. Colocamos aqueles holofotes gigantescos no telhado e usamos filtros de neblina. Também curti filmar a parte interna daquela locação. Outro lugar incrível de filmar foi o exterior da casa dos Myers, particularmente à noite.

Sei que o Rob mencionou diversas vezes como foi difícil a produção de Halloween. Quais foram alguns dos seus desafios pessoais no filme?

Meu maior desafio no filme foi o Rob, porque ele estava sob muita pressão. Aquela pressão acabou escorrendo até mim. Nós dois nos divertimos muito filmando *Rejeitados pelo Diabo*, mas ele estava muito estressado com os Weinstein. Ele chegava pra trabalhar já completamente exausto com a política do estúdio. Nem mesmo sei a extensão total do que estava rolando entre eles. Só sei que ele estava desgastado com as coisas que estavam acontecendo fora da produção. Eu logo reconheci que seu comportamento em *Halloween,* de uma forma geral, não era o mesmo de antes. Algo claramente havia mudado. Ele era quase uma pessoa diferente fazendo *Halloween* e sempre atribuí isso aos conflitos dele com os Weinstein.

Não que também não tivéssemos problemas no set de filmagens. Certamente tínhamos. Lembro-me de um dia quando um sistema de iluminação montado num guindaste enorme virou acidentalmente na porta da frente da casa dos Myers.

Imagino que faça sentido que Rejeitados pelo Diabo seja uma produção mais tranquila. Aqueles eram os personagens dele que o Rob estava revisitando. Com algo mais estabelecido, como Halloween, as expectativas seriam muito maiores.

Claro. Sem mencionar que *Rejeitados pelo Diabo* também teve um orçamento muito menor do que *Halloween.* Quanto maior é o orçamento, maior é o número de pessoas metendo o bedelho. E quanto mais gente metendo o bedelho, menor o controle artístico que você tem sobre as coisas. Isso não é pouca coisa para alguém como o Rob, que é um artista tão original. É a receita para uma situação de conflito terrível quando outras pessoas dizem o que ele pode fazer ou não. Não deveria ser uma surpresa para ninguém, dada a reputação que os Weinstein tinham trabalhando com outros cineastas. Eu os encontrei umas duas vezes, mas fui um felizardo por não ter que lidar diretamente com eles. Pelo que ouvi, os agentes da lei também não acharam eles lá muito agradáveis.

O Halloween do Rob Zombie acabou tendo um número enorme de cenas deletadas e alternativas. Em algum momento você sentiu que estava filmando em excesso durante a produção original?

Não. Na verdade, não. Só teve um dia que achei que estávamos filmando em excesso. Era uma cena dentro de um carro, com o dr. Loomis e o xerife Brackett. Dirigimos com eles por umas duas horas, saindo totalmente do roteiro. Eles ficaram improvisando falas diferentes um com o outro. Ficamos lá queimando negativos. Nem tenho certeza se usamos algo daquilo na versão final do filme, talvez umas duas frases. Com filme 35mm, você quase pode ouvir o cifrão do dólar rolando dentro da câmera. Quando você grava em digital, não custa nada, mesmo se você vai embora e esquece de desligar a câmera. Se você faz isso com película, você está gastando 5 mil dólares ou mais a cada cinco minutos filmando. Algo que talvez a gente tenha filmado em excesso foram aqueles filmes caseiros em 8mm do jovem Michael e da mãe dele. Apareceram brevemente no filme quando ela está assistindo a eles sozinha no sofá, depois que o Michael foi detido.

Qual foi sua primeira impressão de como o remake foi recebido pelo público e pelos fãs?

Minha impressão é de que muitas pessoas falaram mal. Achei um desrespeito desnecessário. Não leio muito do que os críticos têm a dizer. Também não estou muito interessado em diferentes interpretações do filme, para falar a verdade. É legal que eles o interpretem, mas com muita frequência as pessoas enxergam coisas nos filmes que não estão lá. Isso acontece em muitas produções. As pessoas enxergam coisas naquilo que você criou que tem muito pouco ou mesmo nada a ver com o que quis dizer.

Minha esperança é que as pessoas irão julgar *Halloween* baseado nos seus próprios méritos, e não nos do filme original. Sim, tem sempre um motivo comercial para você fazer um remake, mas também é uma oportunidade artística. Você tem a chance de dar uma cara nova a algo antigo e familiar. Então eu queria que as pessoas em geral parassem de julgar remakes apenas comparando-os aos filmes originais. Se você chegou até o nosso *Halloween* esperando pelo filme original, então por que veio, afinal de contas? Fique em casa e assista ao original. Ele sempre estará disponível. Mas sei que não é assim que acontece. As pessoas são fãs e sempre irão comparar. No entanto, fico feliz quando escuto que as pessoas gostaram. Gostaria que o filme tivesse recebido mais elogios do que recebeu.

HALLOWEEN: O INÍCIO | 2007

ROB ZOMBIE

"É uma história de origem do pior tipo, reduzindo o que já foi um pesadelo ao nível do rotineiro e banal, alimento não para a loucura sobrenatural inspirada no Samhain, mas em textos de psicologia criminal. Ainda que Zombie continue tendo um olhar artístico, verdadeiro e inabalável, para o terror mais sublime, esse olhar foi desperdiçado aqui com uma história desnecessariamente moribunda de um sociopata, no que se refere a Halloween." MARC SAVLOV, THE AUSTIN CHRONICLE

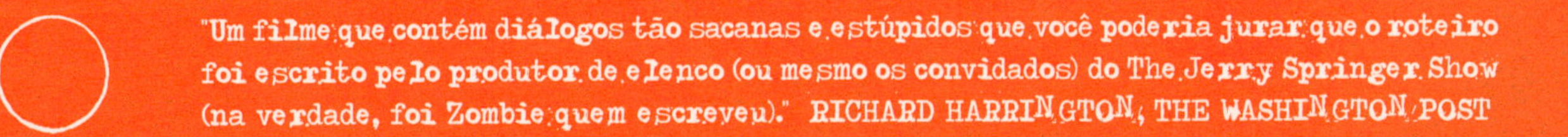

"Um filme que contém diálogos tão sacanas e estúpidos que você poderia jurar que o roteiro foi escrito pelo produtor de elenco (ou mesmo os convidados) do The Jerry Springer Show (na verdade, foi Zombie quem escreveu)." RICHARD HARRINGTON, THE WASHINGTON POST

"A identificação de Zombie com os assassinos neste filme é a coisa mais arrepiante sobre ele, mas funciona como uma benção disfarçada: este Michael Myers é mais um garoto problemático do que um bicho-papão. A versão repaginada de Zombie para o filme de 1978 nunca consegue reviver o seu caráter assustador." OWEN GLEIBERMAN, ENTERTAINMENT WEEKLY

"Executado de maneira profissional, este Halloween não é de forma alguma um constrangimento, apesar de não corresponder às expectativas. Esta versão naturalmente apresenta muito mais nudez e violência explícitas, sacrificando o clima macabro de pressentimento que foi tão brilhantemente mantido na visão atmosférica de John Carpenter sobre um pesadelo suburbano. Apenas a reprise astuta do tema musical assombroso de Carpenter faz com que esse remake pareça ser um Halloween, e não um filme slasher genérico." FRANK SCHECK, THE HOLLYWOOD REPORTER

"É uma versão mais polida, em alta fidelidade, de uma história que já passou nas telas muitas vezes desde 1978. Porém, uma vez que Zombie deixa de lado o subtexto, ele volta ao velho padrão slasher: Sangue. Tripas. Fim." TASHA ROBINSON, THE LOS ANGELES TIMES

HALLOWEEN PARTE II

Família é para sempre.

Escrito e dirigido por Rob Zombie

Na época do lançamento, o *Halloween* de Rob Zombie foi recebido com avaliações variadas, tanto pelos críticos quanto pelos fãs. Apesar de ter dividido a opinião pública, ele inquestionavelmente conquistou a bilheteria do feriado do Dia do Trabalho (nos Estados Unidos, comemorado na primeira segunda-feira de setembro), superando 30 milhões de dólares em venda de ingressos, um recorde mantido pelo menos até o fechamento da edição original deste livro. Desde *Halloween 4*, quase trinta anos antes, uma continuação de *Halloween* não liderava o ranking de bilheteria durante seu lançamento. O remake renderia a impressionante soma de 80 milhões de dólares internacionalmente, sem incluir as vendas em vídeo. Com esses números, uma sequência estava mais do que garantida.

Frustrado com suas negociações com a Weinstein Company, Zombie deixou claro que não tinha interesse em voltar para fazer *Halloween II*. Isso levou o estúdio a lidar com apresentações de ideias de inúmeros roteiristas, sem que nenhuma delas avançasse demais. Em meados de 2008, os cineastas franceses Julien Maury e Alexandre Bustillo se destacaram como favoritos para escrever e dirigir *Halloween II*. A Miramax recentemente lançara o longa-metragem de estreia da dupla, *A Invasora* (*Inside*), que recebeu críticas entusiasmadas. Isso permitiu aos cineastas a posição favorável dentro da companhia. Curiosamente, abandonaram o reboot de *Hellraiser*, já há muito protelada pela Dimension, para se dedicarem à continuação de *Halloween: O Início*.

A dupla francesa estava radiante com o trabalho, informando à revista *Rue Morgue*: "É uma honra pra gente fazer a continuação do *Halloween* do Rob Zombie, porque somos fãs do trabalho dele. Portanto, nossa visão será feita com o mais completo respeito, como uma continuidade do seu trabalho, mas também como uma evolução real do mundo que ele imaginou". Os dois criaram um argumento que, parecido com o remake de Rob Zombie, seria dividido em atos claramente divididos. A primeira metade serviria como um prólogo, seguindo os anos da adolescência de Michael no Smith's Grove, após o suicídio de sua mãe. A segunda metade iria, então, lidar com o final do filme anterior. Com Loomis agora morto, Laurie e Michael são levados a um hospital da região, com o último precisando retirar uma bala de seu cérebro.

Após uma breve homenagem ao *Halloween II* original, a história de Maury e Bustillo seguiria por um novo caminho ao trilhar uma traumatizada Laurie enquanto ela precisa aprender a lidar com sua verdadeira ascendência familiar. Isso leva a uma batalha sangrenta que resultaria na morte da personagem, mas não antes de ela vestir a máscara de seu irmão (isso, na teoria, parece incrivelmente parecido com o final do filme). Os roteiristas também revelariam que o pai biológico de Laurie não seria outro senão o xerife Brackett, fazendo dela o resultado de um caso extramatrimonial que ele manteve com a stripper Deborah Myers. Maury e Bustillo submeteram um tratamento que, na opinião de alguns, não conseguiu capturar o espírito do remake de Zombie. Falando ao site *Shock Till You Drop*, Malek Akkad demonstrou sua preocupação com algo que havia se "perdido na tradução" com a abordagem dos cineastas franceses numa tradição tão norte-americana quanto o Halloween. Em 31 de outubro de 2008, na convenção *Halloween: Trinta Anos de Terror*, Akkad oficialmente confirmou que a sequência estava andando. Apesar de ser verdade, uma grande mudança na liderança criativa estava prestes a acontecer.

Duas semanas antes, na entrega dos Scream Awards, em Los Angeles, Rob Zombie cruzou com o executivo da Dimension, Matthew Stein. O cineasta indagou sobre os andamentos de *Halloween II* no estúdio, induzindo Stein a relatar sua dificuldade em encontrar um roteirista com a visão correta. Zombie então leu um dos tratamentos propostos para a sequência, que ele simplesmente odiou. Sentindo-se responsável pela autoria criativa dos personagens do remake, Zombie se ofereceu para retornar como roteirista, diretor e produtor. Ele mais tarde explicaria que o ano que passou longe do cinema (focando na música) o ajudou a se recuperar de sua experiência em *Halloween: O Início*. O retorno de Zombie à franquia foi anunciado oficialmente nas páginas da *Variety* em 15 de dezembro de 2008.

VOLTANDO A HADDONFIELD

Rob Zombie começou a trabalhar em *Halloween II* logo após seu encontro com Matthew Stein no Scream Awards. Com as filmagens marcadas para começar em fevereiro, havia pouco tempo para o desenvolvimento da continuação. Para Zombie, o fascínio em voltar à franquia era apenas em parte devido aos seus sentimentos de autoria criativa sobre os personagens. Ele também voltou pela oportunidade de contar uma história original por inteiro com a continuação do seu remake. O cineasta assinalou de cara que não tinha nenhuma intenção em seguir os passos do *Halloween II* de 1981.

"Eu diria que a primeira metade do meu *Halloween* é um filme com a cara do Rob Zombie", o cineasta contou ao site *Female.com.au*. "Todo mundo com quem conversei sobre o filme prefere a primeira metade. E aquela foi a parte original. Quando ele se torna um remake do material do John Carpenter, aquela foi a parte que as pessoas menos gostaram."

Ao fazer *Halloween: O Início*, Zombie ganhou a confiança e o respeito do produtor da série, Malek Akkad, que considerou sua volta como uma grande vitória para a sequência. Akkad encorajou o roteirista e diretor a pensar fora da caixa na sua continuação e não se preocupar com nenhuma das regras pré-existentes — mesmo a regra rígida de seu pai sobre nunca matar Michael Myers. Como Akkad disse ao *ComingSoon.net* durante a visita deles ao set de filmagens, Zombie recebeu carta branca. "Eu disse a ele quando começamos: 'Não se sinta preso a nenhuma das regras que tivemos no passado. Quero que o filme tenha a sua visão e desejo expressar essa visão'. Acho que precisávamos romper com essas regras que foram estabelecidas ao longo da franquia. O roteiro tinha muito mais profundidade do que um filme slasher comum, e o crédito é todo dele."

Não é segredo que Zombie encarou desafios em *Halloween: O Início*, a maioria deles relacionada à suas negociações com a Dimension Films. Sem que ele soubesse na época, seus infortúnios durante a produção *Halloween II* seriam ainda piores. Um dos maiores contratempos foi ter duas semanas cortadas do cronograma de filmagens na véspera das câmeras começarem a rodar. Zombie, por sua vez, foi forçado a cortar diversas cenas enquanto os produtores lutavam para reorganizar o cronograma em função do prazo reduzido. O prazo da pós-produção de *Halloween II* também foi inesperadamente reduzido quando a The Weinstein Company anunciou a data de lançamento do filme para agosto de 2009, em vez de outubro, como Zombie fora levado a acreditar. Como se as questões do filme terminassem aí.

Os problemas de *Halloween II* compunham uma longa lista. O tempo chuvoso da Georgia provou ser uma frustração constante. Uma noite inteira de trabalho foi perdida quando a equipe do aeroporto acidentalmente passou diversas latas de negativo pelo raio x. A secretaria do estado de controle de álcool, tabaco e armas de fogo fechou as filmagens sob acusação de ambiente de trabalho insalubre. Bill Moseley abandonou o filme sem avisar após um único dia de trabalho e precisou ser substituído pelo ator Jeff Daniel Phillips, que já estava atuando em outro papel. Rob Zombie alegou, inclusive, que alguns indivíduos estavam roubando dinheiro do orçamento do filme. Resumindo, a produção de *Halloween II* foi um pesadelo tão assustador quanto o próprio filme. Tais dificuldades tiveram um enorme impacto no resultado final.

Originalmente, o roteiro de *Halloween II* de Rob Zombie era um pouco mais longo que o filme que mais tarde chegaria ao público. Ele apresentava mortes adicionais e personagens secundários que nunca chegaram à frente das câmeras, baixas do corte drástico do prazo em cima da hora. Por outro lado, o filme também conteve diversos toques de improviso que nunca apareceram em roteiro algum.

FAMÍLIA É PARA SEMPRE

O *Halloween II* de Rob Zombie começa com um flashback no sanatório Smith's Grove logo após o jovem Michael ser internado. Deborah Myers traz de presente para seu filho doente um cavalo branco de brinquedo. Michael se lembra de um sonho da noite anterior em que ela aparecia ao lado de um cavalo branco, prometendo levá-lo para casa. Tentando consolá-lo, Deborah diz a Michael para pensar nela sempre que olhar para o brinquedo. O filme então retoma logo após os momentos finais de *Halloween: O Início*. Annie e Loomis, ambos gravemente feridos, são levados ao Haddonfield General Hospital para serem tratados. O xerife Brackett encontra Laurie, ensopada de sangue, caminhando sem rumo enquanto balbucia alguma coisa sobre ter matado alguém. Ela também é levada ao Haddonfield General. Michael Myers é dado como morto e colocado no furgão do instituto médico-legal, que sofre um acidente causado por uma vaca na pista. Despertado com o choque, Michael mata os dois homens e desaparece noite adentro. No hospital, Laurie tem um pesadelo assustador no qual Michael a encontra e assassina seus cuidadores.

Saltando um ano no tempo, encontramos Laurie emocionalmente desequilibrada, vivendo com os Brackett. Apesar de seu corpo nunca ter sido descoberto, presume-se que Michael de fato morrera naquela noite. Na verdade, ele se tornou um andarilho. O dr. Loomis tirou proveito financeiro dos acontecimentos de *Halloween: O Início* ao escrever outro livro — *O Diabo Anda Entre Nós*, que é ainda mais sensacionalista do que seu último lançamento editorial. Ele também revela o segredo devastador que Brackett lhe confidenciou: Laurie Strode nasceu como Angel Myers. Loomis embarca numa turnê de divulgação do livro apesar do criticismo geral sobre ele estar lucrando com a desgraça alheia. Laurie, já perturbada psicologicamente, entra em parafuso ao descobrir sua verdadeira origem.

Com a aproximação do Halloween, Michael começa a ter alucinações fantasmagóricas de sua mãe e de si mesmo mais jovem. Essas aparições dizem a ele que é hora de levar a família para casa — incluindo Angel — e que para tanto será necessário "um rio de sangue". Com isso, ele dá início a uma nova matança, e parte para encontrar sua irmã. Na noite de Halloween, Laurie vai a The Phantom Jam, uma festa doida num celeiro onde ele afoga suas mágoas. Michael mata várias amigas de Laurie — incluindo Annie — e a leva sequestrada até uma cabana num terreno baldio. A condição mental de Laurie se deteriorou tanto que ela agora tem as mesmas visões que seu irmão. Perturbado com a morte de sua filha Annie, Brackett persegue os dois e cerca a cabana com atiradores da polícia.

Enquanto isso, uma série de humilhações públicas ajuda Loomis a perceber em que tipo de egomaníaco se transformara. Num ato de redenção, ele se apressa até o cerco policial, após assistir à cobertura do noticiário local. Enfurecido, Brackett exige que ele saia, mas Loomis fura a barricada e entra na cabana, esperando salvar Laurie. Em vez disso, Michael o esfaqueia brutalmente até a morte. Brackett consegue acertar um disparo que derruba Michael sobre ferramentas agrícolas, empalando mortalmente o assassino. Em lágrimas, Laurie diz a Michael que o ama, antes de golpeá-lo inúmeras vezes com uma faca. Ela sai da cabana, coberta de sangue e usando a máscara do irmão, tendo sucumbido por completo à loucura de sua família. A cena final mostra Laurie, toda desgrenhada, numa instituição psiquiátrica. Ela sorri de forma irritante ao ter uma alucinação com sua mãe e um cavalo branco se aproximando.

"Família é para sempre", diz o pôster do *Halloween II* de Rob Zombie. Enquanto John Carpenter se arrepende profundamente de haver estabelecido uma conexão familiar entre Michael e Laurie, Zombie abraça a ideia como parte central do tema em seus dois filmes. O ato final de *Halloween: O Início* mostra o passado de Laurie lhe alcançando na forma da matança desenfreada do seu irmão. *Halloween II* revisita a personagem um ano depois, quando ela luta com um passado que não pode suportar e do qual tampouco pode escapar. Não há terapia, festas ou ambientes acolhedores que consigam mudar sua origem ou o seu futuro. Como Angel Myers, seu destino é inevitável. Como Laurie grita ao estar bêbada: "Sou a irmã do Michael Myers! Tô muito fodida!".

A continuação de Zombie facilmente se classifica como a mais selvagem e emocionalmente crua de toda a franquia — para o bem e para o mal. Sempre desafiador, ele dobra a aposta nas qualidades mais polêmicas do seu *Halloween: O Início*. Há mais caipiras, mais profanidades e mais elementos do que poderia ser considerado estilisticamente fora de lugar no seu filme padrão de *Halloween*. Ao contrário do remake de 2007, Zombie está livre de amarras criativas de tudo o que já havia sido feito anteriormente. Ele não tem mais dívidas com o filme original de John Carpenter, pode correr livremente com os personagens e, portanto, delinear um novo território. Para espectadores de primeira viagem, isso permite uma experiência mais imprevisível, já que virtualmente qualquer coisa pode acontecer agora. Em seus melhores momentos, *Halloween II* estuda os efeitos do final do filme anterior sobre os personagens recorrentes — Laurie, Annie, xerife Brackett e Loomis.

No coração sombrio de sua nova história está uma Laurie Strode muito mais danificada. Seus ferimentos físicos podem ter sido curados desde *Halloween: O Início*, mas são os machucados internos que estão lhe consumindo. Tendo perdido pai, mãe e diversos amigos, ela está sobrecarregada por uma ansiedade paralisante e por mudanças incontroláveis de humor. Com essa nova abordagem da Laurie, Zombie está desconstruindo o arquétipo da garota final. Claro, ela sobreviveu àquela noite fatídica, mas foi incapaz de continuar com uma vida minimamente normal. *Halloween II* presenteia o espectador com um estudo doloroso de uma sobrevivente de trauma. Já não mais uma garota boazinha e tranquila, Laurie se joga de cabeça na gandaia, num esforço de anestesiar a dor, só que isso não funciona. Ela está louca para se reinventar, ser alguém que não Laurie Strode ou, pior ainda, Angel Myers.

Como se lidar com um trauma não fosse o suficiente, a já fragilizada Laurie precisa lidar com um golpe devastador após o lançamento do novo livro de Loomis. Em suas páginas, ela finalmente descobre o segredo sombrio de seu próprio passado, de que é uma Myers. Isso só piora com o fato de que o xerife Brackett, seu protetor e única figura paterna remanescente, sabia de tudo, mas escondeu a verdade dela. Enfurecida com essa revelação, ela implora que Annie seja sincera: "Me diz que você não sabia, por favor!". No final, ela supõe que Annie sabia de tudo e foge de casa. Para Laurie, as ramificações daquela descoberta são muito grandes para serem processadas. Enquanto anteriormente sofria com a culpa de ter sobrevivido, Laurie agora descobre que seus pais e amigos estão mortos porque Michael mirava especificamente nela. Como válvula de escape, Laurie procura suas novas amigas, Mya e Harley, para uma noite de birita, drogas e curtição.

Mesmo com todo seu foco na deterioração da saúde mental de Laurie, há um componente inegavelmente sobrenatural na história de *Halloween II*. Laurie e seu irmão compartilham da mesma alucinação com o jovem Michael e uma fantasmagórica Deborah, apesar do fato de que Laurie era jovem demais para se lembrar de ambos, e de que alucinações não são um esporte coletivo. Além disso, lembre-se da cena do jantar na casa dos Brackett. Laurie está curtindo sua pizza enquanto, a quilômetros dali, Michael mastiga um cachorro. Laurie passa terrivelmente mal, repentinamente, sugerindo uma conexão empática com seu irmão. Ainda que Zombie provavelmente negasse, a cena é remanescente da relação entre Jamie e Michael em *Halloween 5*. Também há o pesadelo em que Laurie se imagina matando Annie do jeito que Michael matou Ronnie no filme anterior. Isso se desenrola com detalhes que ela não teria como saber ou mesmo ouvir de alguém. Ainda que esses toques funcionem com a atmosfera de pesadelo de *Halloween II*, eles parecem contrários à abordagem mais realista do remake.

Logo após *Halloween: O Início*, Laurie se mudou para a casa de Annie Brackett e de seu pai, o xerife, que agora funcionam como figuras paternas substitutas. Apesar de sua generosidade, ambos funcionam como lembretes constantes de tudo o que Laurie perdeu no ano anterior. Isso faz com que ela tenha ressentimento deles, o que ao mesmo tempo lhe traz sentimento de culpa. Annie também luta para se recuperar de seu confronto com Michael Myers. Anteriormente uma garota extrovertida de espírito livre, agora ela é mais calada e possivelmente sofre de agorafobia, já que nunca a vemos sair de casa. De certa maneira, os traumas de Laurie e Annie fizeram com que elas trocassem de lugar.

O xerife Brackett continua entre os mais fascinantes papéis na saga *Halloween* de Rob Zombie. É nítido que o homem da lei se sente pessoalmente responsável por não ser capaz de salvar Laurie de seus demônios ancestrais. Lembre-se de que foi o próprio Brackett que roubou a bebê Laurie da cena do suicídio de sua mãe, na esperança de lhe prover um novo começo. Seu fracasso se torna ainda maior ao ter afetado a própria filha. Ainda assim, Brackett não foge de suas falhas, já que ele talvez seja o único homem bom de verdade no universo do *Halloween* de Zombie. Ao contrário, ele assume mais responsabilidades ao dar um lar a Laurie quando ela precisa — tudo isso enquanto ainda mantinha seu segredo sombrio dentro de seu pesaroso coração. Com duas garotas altamente traumatizadas debaixo de seu teto, Brackett é um homem com muitas limitações. Mesmo em seus melhores momentos, ele é incapaz de ajudá-las, ou mesmo de mantê-las em segurança, o que pode ser o seu maior medo. Ele acabará sobrevivendo a *Halloween II*, mas com cicatrizes terríveis.

Quem volta para um papel menor em *Halloween II* é o dr. Loomis, cuja autoindulgente egomania é tão incontida que ele corre o risco de se tornar um segundo antagonista na história. Como os outros personagens recorrentes, Loomis não emerge incólume de *Halloween: O Início*. Diferentemente dos demais, entretanto, ele é o único que conseguiu dinheiro e fama com a experiência. Como o próprio doutor menciona num dado momento, ele agora é o "Novo Loomis". A versão atualizada de Zombie para o personagem Loomis foi parcialmente inspirada em Vincent Bugliosi, o famoso promotor de acusação de Charles Manson. Bugliosi mais tarde coescreveria um livro sobre o caso, que venderia mais de 7 milhões de cópias e se tornaria o livro sobre crime real mais vendido de todos os tempos. Assim como Loomis, alguns críticos acusaram Bugliosi de explorar comercialmente a tragédia alheia.

Como se lançar seu novo livro no aniversário de tantas mortes não fosse ruim o suficiente, Loomis dá uma entrevista promocional em frente à verdadeira casa dos Myers. Sua assessora de imprensa se opõe: "O que

vem depois? Ir até o cemitério e dançar no túmulo das vítimas?". Neste seu último livro, Loomis insensivelmente expõe o segredo da linhagem de Laurie Strode sem nenhuma consideração de como isso poderia afetá-la. Sua assessora continua: "Você está brincando com a vida das pessoas. Isso pode repercutir muito mal". Uma dessas repercussões acontece quando o pai enlutado de Lynda Van der Klok confronta Loomis numa sessão de autógrafos. Acusando Loomis pela morte da filha, ele sacode uma arma e ameaça matá-lo. Ainda que isso pudesse fazer sua ficha cair, Loomis faz pouco caso. "É parte do trabalho, eu imagino. Alimentar o povão com conversa fiada." Originalmente no roteiro e também na primeira filmagem, o pai de Lynda deveria jogar um copo de sangue no autor. Foi durante a filmagem que Zombie planejou uma tomada alternativa envolvendo uma arma, que deixou o encontro muito mais dramático (o copo de sangue do personagem ainda pode ser visto em sua mão quando ele se aproxima da mesa de autógrafos).

"Eu comecei escrevendo o dr. Loomis como se ele ainda fosse o cara vingativo. Eu pensei: 'Isso é ridículo. Ele é um médico. Ele não vai ficar rodando por aí com uma Magnum atirando nas pessoas. É absurdo'. (...) Então eu decidi, 'Ah, vamos fazer ele mais parecido com o dr. Phil'."
– Rob Zombie, *Post Mortem with Mick Garris*

Somente após assistir à sua própria humilhação num talk show noturno junto com o "Weird Al" Yankovic que Loomis finalmente cai do cavalo. Ele traiu todos ao seu redor, incluindo a si mesmo. Sua única chance de redenção é uma aposta improvável. Assistindo às notícias na TV sobre o cerco policial a Michael, ele se apressa ao local na esperança de salvar a vida de Laurie, mesmo que isso signifique perder a própria. Emocionalmente destruído, Brackett o ataca e por pouco não atira nele. Loomis implora: "Posso expulsar o Michael daí. Por favor, *eu preciso fazer isso*. Devo isso a você". É nesses momentos finais que vemos o velho Loomis de volta, aquele que realmente queria ajudar as pessoas tempos atrás.

O final encharcado de sangue de *Halloween: O Início* deixou muita gente pensando como seria possível que Michael Myers voltasse para uma continuação após ter levado um tiro à queima roupa, bem no rosto. Zombie explica nos comentários do filme que ele não se sentiu obrigado a oferecer uma explicação para o retorno do personagem. Se os espectadores precisassem de uma, eles poderiam simplesmente supor que Laurie era uma péssima atiradora e que a bala teria pego apenas de raspão em Michael. O roteirista e diretor estava preocupado, entretanto, que o Michael de *Halloween II* estivesse inicialmente sem voz e portanto muito parecido com o Michael dos filmes anteriores. Isso não foi um problema em *Halloween: O Início,* já que Daeg Faerch teve muitas falas antes da mudez seletiva de Michael. A solução de Zombie envolveu adicionar as aparições fantasmagóricas da mãe do personagem e de sua versão criança. É por meio desses dois que os pensamentos de Michael são projetados. Então, quando a Deborah debocha de Loomis ("Ele ainda está por aí. Rico e famoso. Tudo por causa da nossa dor. Espero que esteja se divertindo."), esses são, na verdade, os ressentimentos de Michael vindo à tona.

Alguns fãs se esforçaram para decifrar quais partes da abertura de *Halloween II* são reais e quais são apenas sonhos. Para o roteirista/diretor do filme, não há mistério. Tudo o que acontece até Laurie acordar no hospital aconteceu de verdade. Tudo o que vem depois é apenas um pesadelo. Existem pistas sutis tanto durante e após essas cenas que indicam essa afirmação. Para começo de conversa, vemos a banda Moody Blues tocando "Nights in White Satin" na televisão quando Laurie acorda no hospital. A música ainda está tocando na televisão *doze minutos depois*, quando ela se abriga na cabine do vigia. Além disso, o vigia noturno que tenta lhe ajudar compartilha do mesmo nome que o ursinho de pelúcia protetor dela — Buddy. Zombie manteve a afirmação de que as cenas de hospital no seu filme foram simplesmente uma locação orgânica para continuar a história após o último filme, e não um tributo ao *Halloween II* de 1981.

Com essa nova história, Zombie traça alguns comentários sociais bem sérios a respeito do universo dos fãs de filmes de terror e dos admiradores de serial killers. Pegue, por exemplo, a cena em que Loomis encontra um fã abilolado — Chett "O Que Traz a Morte" — durante a sessão de autógrafos do seu livro: "Queria que você soubesse que o Michael é muito mais profundo do que esses outros caras — Dahmer e aquela putinha do Bundy — porque ele devora a alma de suas vítimas, sabe?". Zombie usa o desgrenhado Chett como uma crítica àquelas pessoas no universo do terror que idolatram monstros que destroem vidas. Sua camiseta com a frase "O Que Michael Myers Faria?", exposta com orgulho, é o epítome do mau gosto, mas como Loomis diz: "Mau gosto é a gasolina que abastece o sonho americano". Será que isso significa que, num sentido mais amplo das coisas, somos Chett e o Rob Zombie é Loomis, por nos vender mau gosto? *Talvez*.

Zombie também usa a continuação para confrontar uma tendência comum no subgênero slasher: a violência gratuita sem consequências. As mortes em *Halloween II* não são inventivas ou agradáveis de se ver — elas são brutais no pior sentido da palavra. A câmera permanece nos ataques furiosos de Michael até que o público se sinta inconfundivelmente desconfortável. Isso dá um peso à história que parece faltar na maioria dos slashers.

O preço da chacina de Michael nunca se torna tão real como quando o xerife Brackett descobre o corpo mutilado de sua filha. Zombie nos obriga a assistir como o pior pesadelo de um pai se torna realidade. Ele explicou sua abordagem à *Scream Magazine*: "Existe essa frase, que eu odeio, em que as pessoas discutem como são as 'mortes' num filme. Se você mata alguém num filme, você fala sobre ela como se fosse um momento divertido de se ver. Eu queria que fosse tipo: 'Você tá falando da cena em que alguém foi assassinado?'. Não morto. Não é um videogame. Eu queria deixar essas cenas nas quais alguém é assassinado horríveis de se ver".

Para muitos espectadores, a parte mais confusa de *Halloween II* envolvia o cavalo branco, tão frequentemente vista como parte das alucinações fantasmagóricas de Michael. O cavalo branco foi uma inclusão de última hora na história e não aparecia no roteiro original de filmagem. Zombie conta que estava dirigindo até o set e viu um imponente cavalo branco galopando ao lado da estrada. Achando que isso daria um forte impacto visual, ele o incorporou na história. O cavalo branco aparece primeiro como um brinquedo dado a Michael por sua mãe enquanto ele está internado no Smith's Grove. De acordo com o cineasta, as visões subsequentes que Michael tem do animal servem apenas para representar uma memória afetiva da infância, que ele combina com uma visão idealizada de sua mãe.

Alguns tentaram fazer a conexão entre o tema do cavalo branco deste filme com *Halloween: O Início*. Você talvez se lembre do Michael Myers interpretado pelo menino Daeg Faerch destruindo uma estátua de cavalo com um taco de beisebol durante os créditos finais do filme de 2007. De acordo com Zombie, aquele momento não tem relação com o novo filme. "O cavalo branco tem um significado importante, mas poderia ter sido qualquer outra coisa", Zombie disse à *Scream Magazine*. "Ela poderia ter dado a ele um caminhão de bombeiro. As pessoas não entenderam o cavalo branco. Era apenas para significar uma lembrança da infância. Poderia ter sido qualquer objeto, mas pensei em um que fosse particularmente cinematográfico."

Essa explicação parece simples demais, dada a enigmática citação usada para iniciar o filme. Citando um livro fictício de psicologia, a cartela de abertura explica que cavalos brancos são ligados ao "instinto, à pureza e o impulso do corpo físico para lançar poderosas forças emocionais, como a raiva que produz o caos e a destruição". Esse palavreado todo não parece em nada com a alegação do diretor de que seria apenas uma memória de infância. Carl Jung, o pai da psicologia analítica, em seu livro *O Homem Moderno em Busca da Alma*, oferece uma interpretação mais adequada ao papel do cavalo nas imagens oníricas: "O cavalo é um arquétipo amplamente comum na mitologia e no folclore. Como um animal, ele representa a psique não humana, o sub-humano, o lado animalesco, e portanto, o inconsciente. (...) Por ser um animal de carga, ele é facilmente relacionado com o arquétipo maternal". Essa parece ser uma definição um pouco mais correta do que a citação de abertura. (Ponto extra se você se lembrou do dr. Mixter dando uma aula sobre teoria Junguiana em *Halloween: Ressurreição*). A inclusão posterior do tema do cavalo branco significou que *Halloween II* agora começaria no passado, em Smith's Grove, antes de continuar de onde *Halloween: O Início* terminou. Por não ter planejado anteriormente essa nova cena de abertura, a equipe foi obrigada a improvisar. Em vez de voltar ao Hospital dos Veteranos na Califórnia para uma simples tomada panorâmica, Zombie recicla uma cena externa não utilizada em *Halloween: O Início*. O interior do hospital em *Halloween II* foi, na verdade, uma cabana de piscina adjacente à locação da casa do xerife Brackett. Outras ideias concebidas durante a filmagem incluíam a decisão de rasgar a máscara de Michael pela metade na cena em que Laurie se imagina matando Annie da mesma forma que o jovem Michael matara Ronnie, anos atrás.

Halloween II exigiria breves refilmagens em julho de 2009, não em Covington, na Georgia, mas em New Milford, em Connecticut. Incluída aí a nova cena em que dois caipiras atacam Michael por invadir suas terras. O assassino leva uma surra, mas logo mata ambos e a companhia feminina deles. Zombie também refilmou as mortes de Lou Martini e de Misty Dawn no inferninho Rabbit in Red. De maneira mais significativa, ele rodou um novo final para o filme, que mudou o destino de Laurie Strode, uma decisão da qual ele mais tarde se arrependeria. A versão de *Halloween II* que chegou aos cinemas incluiria esta conclusão refilmada, com o final original aparecendo na versão do diretor.

"Apenas um rio de sangue pode nos unir novamente."

HALLOWEEN II
(2009)

A VERSÃO DO DIRETOR

Assim como em *Halloween: O Início*, Rob Zombie teve permissão de voltar para montar uma versão do diretor de *Halloween II* sem cortes para o lançamento em vídeo. Com catorze minutos a mais de duração do que sua contraparte cinematográfica, Zombie tuitou que essa é a versão "verdadeira" de *Halloween II*. A mudança mais imediata é que agora a história acontece dois anos após o último filme, e não um ano, como acontece na versão dos cinemas. Isso estava de acordo com a intenção original do roteirista e diretor, embora alterada durante a pós-produção. A maior diferença nesta versão diz respeito à condição de Laurie Strode. Nos cinemas, ela ainda é funcional, de certa forma, durante sua espiral rumo à loucura. A versão do diretor, entretanto, começa com uma Laurie mais machucada e emocionalmente instável.

Uma mudança notável durante o pesadelo do hospital envolve Laurie descobrindo um poço gigante cheio de corpos, como se Michael tivesse matado absolutamente todo mundo no prédio. Mesmo sendo arrepiante, esse momento tão exagerado serve de pista para os espectadores de que aquilo tudo que estão testemunhando pode não ser real. A piada do poço gigante foi uma adição de última hora ao filme, e não fora roteirizada. Foi apenas após inspecionar a locação do hospital que Zombie viu o poço vazio e decidiu utilizá-lo.

A próxima diferença envolve uma conversa entre Laurie e Annie no café da manhã de 29 de outubro. Nos cinemas, essa cena é curta e sem nenhum acontecimento. Laurie menciona o pesadelo dela para Annie, que relembra a amiga de levar a vida "um dia de cada vez, querida". Laurie sorri, e a cena termina. A versão do diretor inclui a cena inteira, do jeito que fora filmada. O sorriso de Laurie dá lugar para a fúria: "A porra de um dia de cada vez. Se eu ouvir essa merda de frase mais uma vez!". Ela então solta uma tirada sobre sua terapeuta, mas Annie não se mostra muito receptiva. "O que quer que eu diga? Buá, buá, choradeira do caralho!". A crescente ruptura na amizade delas se torna evidente desde esta primeira interação.

Em sua versão sem cortes, Zombie expande as cenas de terapia da Laurie com a dra. Collier, vivida por Margot Kidder. Nos cinemas, ouvimos Laurie falar sobre a saudade de seus pais mortos. Na versão do diretor, ela confessa seu ressentimento por Annie, a quem ela considera ser um lembrete ambulante daquela noite terrível de dois anos atrás. A cena vai mais além, com um trecho onde Laurie percebe uma mancha de Rorschach gigantesca atrás da terapeuta, que explica: "A teoria é de que esse estímulo ambíguo aqui irá trazer seus pensamentos subconscientes à tona. Acenda a luz. O que você vê?". Laurie diz ver um cavalo branco na imagem e pergunta se isso significa que ela está louca. "Pra mim, significa que você é uma garota que gosta de cavalos brancos".

Nossa reapresentação ao dr. Loomis também foi estendida. Zombie recupera um momento extra na recepção do hotel, onde Loomis repreende sua assessora pelo jeito com que ela se veste. Esse é apenas um dos muitos momentos em que Loomis é mais escroto na versão do diretor. A cena seguinte, na conferência de imprensa, também é um pouco mais longa, com Loomis tentando emplacar uma piada ruim sobre Michael Myers que não faz ninguém rir. Ele então evoca Sigmund Freud numa observação sobre seu antigo paciente: "É o destino de todos nós direcionar nossos primeiros impulsos sexuais sobre nossas mães e nossos primeiros instintos assassinos sobre nossos pais. Agora, no caso do Michael, eu me tornei o pai substituto. O último de uma longa série de pais". A cena então se alinha com a da versão cinematográfica, onde Loomis insiste que Michael Myers está "m-o-r-t-o".

Nos cinemas, a dra. Collier aparece brevemente, e apenas uma vez. A versão do diretor amplia o seu papel com uma cena adicional mais tarde, mostrando Laurie histérica, implorando por mais remédios. Nesse ponto, ela está num turbilhão emocional. Quando a dra. Collier se recusa a simplesmente escrever outra receita, o ataque de Laurie se torna pessoal: "Foda-se você e que se foda tudo isso! Você é mais fodida do que eu, sua piranha desgraçada!". Mesmo assim, a dra. Collier dá de ombros aos insultos de Laurie. É por meio de momentos restaurados como este que vemos Laurie chegando ao fundo do poço. Os produtores de *Halloween II* ficaram inicialmente hesitantes em apresentar uma personagem tão arrasada como protagonista do filme, embora Zombie tenha brigado para manter essa caracterização tão intacta quanto possível.

Laurie e Annie continuam sua discussão do café da manhã numa briga ainda mais feia na noite de 30 de outubro. O confronto delas começa quando Annie comenta sobre Laurie estar enchendo a cara sozinha no quarto. Ficando na defensiva, Laurie reclama que ela não precisa "ouvir aquela merda toda de você!". Annie rebate: "Tenho que aguentar as suas merdas 24 horas por dia! Quer saber? Você age como se fosse a única pessoa que teve a vida arruinada. Não vou comprar essa encenação da nova Laurie". A inclusão dessas duas brigas na versão do diretor demonstra uma amizade se deteriorando. Em comparação, a versão cinematográfica sugere uma Laurie mais estável e uma amizade entre Laurie e Annie mais sólida.

A versão do diretor então restaura a cena que quebra as regras da franquia. Antes da sessão de autógrafos de Loomis, vemos Michael caminhando pelo campo em plena luz do dia *sem a sua máscara* (não é sequer a única vez que isso acontece, veja bem). Andando junto à sua versão mais jovem e à sua mãe, o trio Myers chega até um outdoor anunciando *O diabo anda entre nós*. É aqui que entendemos os pensamentos de Michael sobre o livro mercenário de Loomis, expressado por sua mãe.

Uma das mudanças mais radicais na versão do diretor envolve o xerife Brackett encontrando o corpo morto de sua filha. Nos cinemas, esta cena é mais curta e o lamento choroso do ator Brad Dourif é silenciado. A versão do diretor alonga o momento consideravelmente e restaura o áudio. A atuação assombrosa de Dourif é entrecortada com filmes caseiros da atriz Danielle Harris quando criança, que representam suas lembranças de Annie. O resultado é uma cena sobrecarregada de peso emocional, uma das mais dilacerantes de toda a franquia.

Muito do ataque da Annie e do impacto da revelação foram improvisados no set. A atriz Danielle Harris informou ao *IconsofFright.com*: "No roteiro, não havia nenhuma cena entre o Michael e a Annie. Eu pensei, 'Se vou sumir, preciso ir numa cena com o Michael, e ele tem que me alcançar em algum momento. Não posso não ter uma cena com o Tyler Mane no filme inteiro. É loucura'". Para compensar, Zombie filmou uma cena improvisada em que Michael tortura Annie no quarto dela, do qual apenas trechos muito curtos foram usados no corte final.

No roteiro original, Laurie deveria descobrir o corpo de Annie submerso numa banheira transbordante. O fã mais cuidadoso irá notar que, nas cenas deletadas, é a água da banheira que sinaliza Laurie e Mya para irem até o segundo andar. Este aspecto é ignorado no filme, apesar de um breve momento em que Mya escorrega na água enquanto se esforça para chamar a polícia. No que diz respeito à revisão, Harris revelou: "Inventamos aquela cena enquanto a filmávamos. Tudo o que eu deveria dizer era: 'Ele está na casa'. Era a única coisa. Só isso. Então você via minha cabeça pendurada para fora da banheira, e eu pensei, 'Nós não podemos terminar assim'. Eu sabia que iam me sacanear. As pessoas iam me dizer: 'Não acredito que é assim que você se foi'. Então eu pensei: 'Me deixa sair da banheira e vamos fazer no chão'".

Discutivelmente a maior mudança na versão do diretor de *Halloween II* envolve o final. Essa nova versão toma outro rumo quando Loomis entra na cabana em que Laurie e Michael estão se escondendo. Na versão cinematográfica, Michael entalha Loomis como uma lanterna de abóbora naquela que é certamente a cena da morte do doutor. Brackett consegue enquadrar Michael na mira telescópica de seu rifle e acerta um único tiro, derrubando-o sobre ferramentas de fazenda. Agora empalado, Michael se esforça para se mover. Laurie, em lágrimas, se aproxima e diz: "Eu te amo, irmão", antes de golpeá-lo até a morte com a própria faca. Ela então sai da cabana usando a máscara branca, esfarrapada. A cena dissolve para um sanatório totalmente branco. Uma Laurie enlouquecida sorri enquanto imagina sua mãe e um cavalo branco se aproximando. O final da versão cinematográfica de *Halloween II* foi capturado durante as refilmagens de julho e não representava a visão original de Rob Zombie para o filme. Desde então ele já se pronunciou a respeito.

No roteiro e na filmagem originais, o final do filme era muito mais sombrio. Loomis entra na cabana e tenta resgatar Laurie. O assassino brutamontes o agarra, e eles atravessam juntos a parede da cabana. Removendo sua máscara, Michael encara Loomis nos olhos e grita furiosamente sua primeira palavra em mais de vinte anos: "Morra!". Ele então esfaqueia Loomis apenas uma vez, e ele cai no chão. Com isso, a polícia abre fogo sobre Michael, enchendo seu corpo de balas. Laurie sai mancando da cabana um instante depois, pega a faca de Michael e vai acertar um Loomis incapacitado. Antes que consiga esfaqueá-lo, a polícia dispara diversas vezes, matando-a. O filme termina na mesma cena do sanatório, exceto que agora ela representa a visão terminal da Laurie, e não um lugar real. Nesta versão, um cover de "Love Hurts" começa a tocar.

Os executivos do estúdio realmente detestaram esta versão original do encerramento devido à sua característica definitiva. Com Michael e Laurie mortos, não havia um caminho possível para *Halloween III*. Foi a pedido deles que Laurie não apenas sobreviveu mas foi quem finalmente encerrou a ameaça de Michael, como de fato conseguiu fazer. Essa vitória parece esvaziada, entretanto, já que ela ainda sucumbe à loucura de sua família.

"Sei o que eu estava querendo dizer, com certeza", Zombie contou à *Scream Magazine*. "Um dos finais é ótimo, o outro é uma bosta. O final legítimo é o que está incluído na versão do diretor. Ela é baleada e tem aquele momento de ir-em-direção-à-luz. Isso, pra mim, funcionava, mas infelizmente os outros ficavam dizendo que eles precisavam disso, precisavam daquilo, e a produção saiu de controle nesse aspecto. (...) Odeio pra caralho o final da versão cinematográfica. Ele funciona, mas não diz nada emocionalmente pra mim. Acho que o original se conecta."

CENAS DELETADAS

Como em seu antecessor, o *Halloween II* de Rob Zombie teve material de sobra no chão da sala de montagem. Para manter o interesse do leitor, essa seção irá detalhar somente as cenas deletadas mais significativas. As cenas já discutidas aqui foram cortadas, parcial ou completamente, de ambas as versões oficiais.

Apesar da dra. Collier (Margot Kidder) receber mais tempo de tela na versão do diretor, ela ainda teria mais uma cena de terapia com Laurie que não aparece no filme. Ela conta uma antiga lenda Cherokee que diz que todos temos dois lobos lutando dentro de nós — Esperança e Medo — e que o lobo que alimentamos é aquele que acaba vencendo. Sendo uma babaca insuportável, Laurie não dá a mínima para a metáfora dos animais e responde sem estar nem aí: "Que idiotice da porra".

Halloween II teria originalmente várias cenas adicionais na cafeteria e loja de discos Uncle Meat's Java Hole, entre o Tio Meat e suas jovens funcionárias. Eles discutem sobre os méritos do cantor country Tex Ritter e sobre o vinil como uma mídia musical. Laurie chega tarde para trabalhar e logo em seguida sofre uma alucinação quando leva o lixo para fora. Ela tem uma visão de Michael enforcando-a numa árvore enorme ao lado de um parquinho infantil, ninguém parece escutar seus gritos de socorro.

Da maneira em que foi filmada originalmente, a apresentação promocional de Loomis no hotel durava um pouco mais. O evento deveria começar com uma conversa gravada em vídeo entre o jovem Michael e sua mãe no Smith's Grove. Sofrendo de um delírio de negação, Michael não entende por que ele não pode voltar para casa. Deborah tenta explicar: "Coisas ruins aconteceram, e agora sua família está desfeita". Michael insiste que ele pode consertar as coisas e juntar todos novamente. Deborah é condescendente. O vídeo termina, e Loomis sobe ao palco para fazer diversas piadas de gosto duvidoso. Ele se esquiva de qualquer noção de responsabilidade ou de lucrar com a tragédia do ano anterior. Quando lhe perguntam sobre o que achava das novas camisetas à venda online, com os dizeres "O Que Michael Myers Faria?", ele comenta: "O americano médio é mais doentio do que o próprio Michael", o que arranca vaias da plateia.

Apesar da cena em que Laurie, Annie e Brackett dividindo uma pizza aparecer no filme, ela foi reduzida de sua edição original. A cena completa mostra Brackett vocalizando sua preocupação com a ida de Laurie na festa Phantom Jam, principalmente porque um garoto morreu no ano anterior após caminhar embriagado perto dos trilhos do trem. Laurie lhe assegura que ficará bem, comentando que Michael Myers certamente está morto e de que ela não pode viver sua vida "se escondendo de um fantasma". Mais tarde, naquela noite, um Brackett furioso assiste a Loomis dar uma entrevista na TV em frente à casa dos Myers, na qual ele zomba do departamento de polícia por ter perdido o corpo de Michael, dois anos antes. Esta cena é entrecortada com filmagens do velho Michael, do jovem Michael e da fantasmagórica Deborah visitando o túmulo dela. A mãe pergunta porque eles estão ali, ao que o jovem Michael responde: "Porque tenho saudades de você".

Também foram deletadas diversas cenas na delegacia, incluindo uma na qual uma pessoa liga para reclamar de um mendigo (Michael) que revira o lixo dela procurando comida. Quando Brackett recebe a chamada, Michael desaparece, e a mulher do outro lado da linha desliga o telefone. Um oficial menciona ter recebido diversos alertas de pessoas que avistaram Michael pelo condado — todos dentro de um período de dez minutos. Brackett lamenta: "Vai ser um feriado daqueles".

Zombie filmou originalmente um material muito maior no inferninho Rabbit in Red do que o mostrado no filme. Esses trechos extras incluíam cenas de mortes alternativas para o proprietário, Lou Martini, e a stripper, Misty Dawn. Diferente do filme, Michael aparece sem máscara em ambas as mortes alternativas. Lou é despachado muito rapidamente, sem ter seu braço quebrado. Misty, completamente pelada, é perseguida até o estacionamento, onde Michael quebra seu pescoço. Ele arrasta seu corpo flácido e nu de volta para dentro e troca os letreiros de neon, de aberto para fechado, como no filme.

Uma cena extra deletada mostra o entregador de cerveja Ned Atkins descobrindo os corpos ensanguentados de Lou, Misty e Howard na manhã seguinte. Horrorizado, ele tenta ligar para o 911, mas sua garganta é cortada por Michael antes que ele consiga falar. Numa reviravolta bizarra, descobrimos que Laurie era a telefonista no outro lado da linha do 911. Ainda no telefone, Michael chega sorrateiramente por trás e corta a garganta dela, no que logo será revelado como um pesadelo. Curiosamente, a aparência de Michael não combina com seu visual de mendigo atual, mas sim com o final de *Halloween: O Início*, que teria sido a última vez que Laurie o viu de verdade. O entregador de cerveja azarado foi interpretado por Ezra Buzzington, que também atuou como o coveiro original de *Halloween: O Início*, antes de ser substituído por Sid Haig. Isso quer dizer que Buzzington tem a triste distinção de ter sido morto em ambos os filmes de *Halloween* do Rob Zombie — e de ter suas duas mortes cortadas dos filmes! Pobre diabo.

A turnê de promoção do livro do dr. Loomis foi outra parte de *Halloween II* que originalmente seria mais longa do que no filme lançado. Sua esquisita interação com Chett "O Que Traz a Morte" incluía diversas falas extras, com ele alegando que Michael Myers seria, na verdade, nosso salvador. Mais tarde, na limusine, vemos Loomis menosprezando sua já bastante humilhada assessora de imprensa e tentando cancelar uma obrigação promocional para que ele possa se encontrar com a repórter de uma cena anterior. Zombie também filmou uma tomada estendida de Loomis saindo do estúdio do talk show, furioso com sua péssima aparição ao lado do cantor de paródias Weird Al. Sua assessora vai atrás dele e insiste que a entrevista foi ótima e que irá gerar uma boa propaganda para o livro. Todas essas cenas deletadas informavam algo que nós já sabíamos: o Loomis de *Halloween II* é um babaca repugnante.

Numa cena final deletada, o xerife Brackett pede a Darren, um dos amigos de infância da Annie, para fazer companhia a ela na noite de Halloween. Os dois claramente se afastaram durante a adolescência, com Darren tendo adquirido um enorme interesse pela cultura das revistas em quadrinhos. Annie não faz o menor esforço para esconder seu evidente desconforto com a presença dele e, sem rodeios, recusa o convite para ir com ele a uma convenção de fãs. "Eu acho uma bosta" (dá pra desconfiar que esta cena, especialmente quando emparelhada com o trecho do Chett "O Que Traz A Morte", é o jeito que o Rob Zombie encontrou para mostrar o dedo do meio para o universo dos fãs geeks em geral). É importante notar, entretanto, que nos tratamentos iniciais de Zombie, Darren fora imaginado originalmente como o interesse amoroso de Annie. A atriz Danielle Harris pediu uma revisão de seu amigo de infância, acreditando que o trauma recente e a natureza agorafóbica de Annie não permitiriam que ela tivesse um novo namorado.

Uma das partes mais estranhas de *Halloween II* que não chegaram às telonas estava relacionada com as alucinações de Michael. Em ambos os cortes do filme, ele imagina sua versão mais jovem e sua mãe morta coexistindo. De acordo com Danielle Harris, o roteiro original mostrava as duas criaturas fantasmagóricas na casa dos Brackett um pouco antes do ataque sofrido por Annie. Deborah perguntaria ao filho: "Por que você não a matou da última vez?". O jovem Michael responde de primeira: "Porque ela é tão baixinha". É possível que isso fosse uma simples zoação à altura de Harris. Os trailers iniciais também apresentavam um clipe no qual Deborah e ambos os Michaels, jovem e velho, ficam parados perto do corpo quase morto de Annie, e a mãe comanda ao filho: "Mate ela, meu amor".

Da mesma forma, como constava no roteiro e mesmo no teste de elenco e de figurino, Michael não deveria ter apenas uma, mas múltiplas visões de seu eu mais jovem. Este elemento surreal de sósias deveria acontecer proeminentemente perto do final do filme, quando Laurie seria aterrorizada e cercada por múltiplos Michaels dentro da cabana. No final do filme, existe apenas um Michael jovem visto na cena, interpretado por Chase Wright Vanek. O jornalista e roteirista dos quadrinhos de *Halloween,* Philip Nutman, mencionou isso em seu artigo sobre o set de filmagens para a *Fangoria:* "Em outra parte do set, um grupo de jovens garotos, todos vestidos com a fantasia de palhaço do jovem Michael e usando perucas louras para garantir suas semelhanças com Chase, sentados em volta com seus pais entediados — até que um assistente de direção aparecesse para mostrar a eles como esfaquear com lâminas falsas de borracha. (...) Novamente, ninguém irá oferecer uma explicação a respeito da presença desses meninos ou de como eles aparecerão nas filmagens de hoje à noite".

CONCEITOS DESCARTADOS

Como mencionado anteriormente, houve diversos cortes de personagens secundários no filme, devido à redução de duas semanas do prazo de produção feita pelo estúdio. Os primeiros deles foram o motorista da ambulância, Ted Adams, e sua namorada Penny, ambos incluídos nas sinopses iniciais do elenco. De acordo com esses relatos, percebemos que Ted não seria tão repulsivo quanto os legistas que apareceram na abertura do filme. Nas sinopses de elenco, lê-se: "Infelizmente, numa rara noite de folga, Ted e sua namorada são encontrados por Michael, e Ted não sobrevive ao seu esfaqueamento brutal e à remoção de sua pele".

A próxima cena omitida se desenrolaria dentro da casa dos Myers, que apenas apareceria brevemente no final do filme, quando Loomis dá uma entrevista no gramado. No roteiro original, *Halloween II* deveria se aventurar dentro da casa assombrada para um pouco de derramamento de sangue. Tendo recebido múltiplos alertas de que Michael fora visto, o xerife Brackett manda dois oficiais — Sarah Lyons e Fred King — para averiguarem o velho lar da família. Eles investigam a casa, acreditando que Michael morrera dois anos atrás. Para a surpresa deles, o assassino está esperando lá dentro, e mata ambos, cortando a garganta de Sarah antes de esfaqueá-los. Apesar da contratação do elenco para esses papéis e do desenvolvimento dos apetrechos para os efeitos especiais dessas mortes, esta cena nunca foi filmada. Os atores Meagan Fay e Mark Christopher Lawrence ainda aparecem no filme, como os oficiais Lyons e King, ainda que em papéis muito menores. (Curiosidade: Lawrence também interpretou um malfadado vigia de segurança do Smith's Grove numa cena deletada de *Halloween: O Início.)* A trucagem da garganta cortada de Fay seria mais tarde reutilizada na morte da personagem de Octavia Spencer durante o pesadelo de Laurie no hospital.

Ainda que não totalmente cortadas do filme, as mortes de Harley e do Wolfie mudaram consideravelmente durante a produção. No filme lançado, Wolfie é esfaqueado nas costas enquanto tirava água do joelho atrás de uma árvore, e Harley é morta quando Michael irrompe pela janela traseira do furgão de Wolfie e a estrangula. Ambas as mortes são muito mais suaves do que as mortes macabras que Rob Zombie havia imaginado para o casal da festa. No roteiro original, Michael deveria decapitar o Wolfie; um molde completo da cabeça do ator chegou a ser produzido pelo artista de efeitos especiais Wayne Toth, mas não foi utilizado, já que o cronograma de filmagens necessitava de um ritmo mais rápido. Quanto à Harley? A sinopse para a escalação da personagem originalmente descrevia: "A atriz deve se sentir confortável com os moldes de rosto e cabeça para uso de efeitos especiais, já que sua morte será intensa! Estamos falando de facas no rosto inteiro!".

Entrevista:

BRANDON TROST

Diretor de fotografia — Halloween II (Rob Zombie)

Entrevistado por Dustin McNeill

Você se considera um fã do gênero?
Eu me consideraria tanto um fã quanto um não fã. Cresci vendo filmes de terror, mas os que mais ressonaram comigo foram aqueles que não eram estritamente de terror. Coisas como *O Iluminado* (*The Shining*), *O Exorcista*, *Poltergeist*. Para mim, aqueles filmes eram experiências narrativas emocionais mais completas, que iam além dos sustos. Também curto coisas mais trash, como *A Hora das Criaturas* (*Critters*) e *Brinquedo Assassino* (*Child's Play*), que são muito divertidos. Sem querer desmerecer o gênero como um todo, mas acho que tem muitos filmes de terror sendo lançados que não prestam. Existe um mercado enorme para coisas vagabundas do gênero. Esses filmes não fazem minha cabeça.

Claro, vi e curti *Halloween* desde que era um garoto. Eu era um fã, mas sou mais fã do John Carpenter de uma maneira geral. *O Enigma de Outro Mundo* é um dos meus filmes favoritos de todos os tempos. Isso é parte do que fez trabalhar no *Halloween II* do Rob Zombie ser tão especial, apenas pela chance de fazer parte daquele mundo. Ao mesmo tempo, sei que seria um filme do Rob Zombie, não um filme do John Carpenter. Eles são quase pontos opostos no espectro do terror.

Brinquei com o Phil Parmet que o Michael Myers não foi o primeiro slasher no qual ele trabalhou, já que participou da segunda equipe de filmagens de A morte de Freddy em 1991. Olhando seu IMDb, vejo que você também teve uma experiência anterior no gênero slasher, como assistente de efeitos especiais em Pânico 2. Conte um pouco sobre isso.
A verdade sobre muitos desses créditos antigos é que não eram tão oficiais. Recebi crédito nessas produções sem ter feito muita coisa. Meu pai era o coordenador de efeitos especiais na maioria desses filmes. De uma certa maneira, cresci no mercado vendo ele fazer os efeitos especiais. Então, eu estava sempre frequentado os sets de filmagem e ajudando no trabalho. E, por ser um cara dos efeitos, ele sempre era chamado para fazer filmes de terror, porque precisavam que fizesse o sangue, as tripas ou o que fosse necessário. O terror é um terreno fértil para a galera de efeitos especiais. Em *Pânico 2*, eu tinha uns quinze anos e estava ajudando meu pai durante o verão. Não foi nada oficial, mas eu estava amarradão só de estar no set. Também foi incrível estar na presença do Wes Craven. Ele é uma figura calma, muito gentil. Não esperava aquilo tudo de alguém que tinha feito tantos filmes incríveis de terror. Também me considero um grande fã do trabalho dele. Adoro *A hora da pesadelo* e, especialmente, *A Maldição dos Mortos-Vivos* (*The Serpent and the Rainbow*).

Como você foi contratado para fazer Halloween II?
Fiz diversos projetos para a produtora Neo Art & Logic, a maioria filmes lançados diretamente em vídeo para a Dimension Films. Alguém me recomendou para um produtor de *Halloween II* e fui convidado para conhecer o Rob Zombie. Na verdade, eu não tinha visto seu primeiro *Halloween*. Então, assisti ao filme e li o roteiro do segundo. Cheguei na reunião e nos entendemos de cara.

Rob tinha uma ideia bem específica do que ele queria. Ele me disse que não estava totalmente satisfeito com o resultado do seu primeiro *Halloween*, apesar de ser um sucesso bastante considerável. O filme não alcançou o nível de granulação que ele desejava. Assim, ele queria deixar o *Halloween II* um pouco mais duro nas margens. Ele disse, "Filmamos o primeiro Halloween em 35mm. Por que não filmamos este em 16mm para conseguir um pouco mais de granulação?". Achei que era uma boa ideia porque isso definitivamente iria dar ao filme um visual mais vintage, que o Rob adora. Ele é muito obcecado com qualquer coisa lançada nos anos 1970. *O Massacre da Serra Elétrica* é praticamente a fundação do seu estilo visual. Sua proposta em *Halloween II* envolvia filmar tudo com múltiplas câmeras na mão. Eu estava na mesma sintonia que ele.

Qual foi sua primeira impressão da direção que o Rob tomou com Halloween II?
Eu curti bastante. É fascinante como *Halloween II* muda de marcha assim que o filme começa. No início, quase parece que ele vai seguir como o antigo *Halloween II*, com a Laurie acordando no hospital. Então ele se transforma naquele filme de estresse pós-traumático. É um tipo bem diferente de filme slasher, do tipo que muitas pessoas nunca viram antes ou depois. Sei que os fãs mais radicais de *Halloween* não ficaram muito felizes com isso, mas também acho que está envelhecendo bem. Pode parecer suspeito que eu diga isso. Estávamos tentando fazer algo diferente. Rob definitivamente estava fazendo seu próprio filme dessa vez. Ele não estava tentando copiar o que o John Carpenter fez. Fiquei feliz em seguir naquela direção com ele. Eu propositalmente não assisti ao *Halloween* original antes de sairmos e fazermos o *Halloween II* do Rob Zombie. Não queria ser influenciado pelo filme como uma forma de apoiar a visão artística do Rob. Ele é um artista tão original e um cineasta fascinante para se trabalhar junto. É uma dessas pessoas que sabem o que é certo só pelo feeling, o que às vezes acontece totalmente de improviso. Planejávamos o máximo possível, mas as coisas sempre podem mudar. Com o Rob, sempre tem um plano, mas também não existe um plano. Eu nunca sabia em que direção íamos olhar porque as coisas podem mudar no caminho. Rob também gosta de filmar em 360º nos seus filmes. Ele quer ter a liberdade de colocar uma câmera em qualquer lugar, a qualquer momento, com pouco tempo de preparação. Por isso, filmamos com bem pouca luz, o que deixou o filme extremamente sombrio, mas queríamos que fosse assim. Não queríamos que você pudesse enxergar o que se espreitava nas sombras. Fica mais assustador desse jeito.

O Rob trouxe algum filme de referência como inspiração para o visual de Halloween II?
Só um, um filme que o Gary Oldman dirigiu, chamado *Violento e Profano* (*Nil by Mouth*). Não tenho certeza se o Gary dirigiu alguma outra coisa depois. *Violento e Profano* é um thriller dramático supertenso dos anos 1990, estrelando Ray Winstone. Oldman filmou em 16mm com lentes teleobjetivas. Ele também preencheu o quadro com muitos elementos de fundo. Visualmente, deu muita textura ao filme. Ele dá uma sensação real de desconforto.

Parece que o Rob gosta de mudar as coisas no set. Isso complica o seu trabalho?
Nem todo mundo tem a vida fácil ao trabalhar com o Rob por esse motivo. Acho que é necessário um certo tipo de espírito colaborativo para se trabalhar com ele. Você precisa ser bastante flexível na hora, mesmo que tenha se preparado originalmente para fazer algo totalmente diferente do que ele te pede pra fazer. Isso te obriga a estar atento, mas também pode ser incrivelmente recompensador.

Acho que você pode estar certo sobre o Halloween II do Rob Zombie estar envelhecendo bem. O choque inicial já baixou, e algumas pessoas estão começando a julgar o filme baseado nos seus próprios méritos, e não nos dos filmes anteriores.
Também concordo. Lembro do Rob e eu discutindo a performance e a recepção do filme quando ele foi lançado. Nosso *Halloween II* fez bonito, mas não foi um sucesso como o primeiro e não foi reverenciado pela crítica de maneira nenhuma. Achamos que o resultado foi um pouco ridículo. Chegamos a dizer um ao outro como as pessoas daqui a alguns anos começariam a perceber que aqui temos um grande filme. Claro, somos suspeitos, já que fizemos o filme. Então naturalmente vamos achar que estamos certos. Mas como um fã de cinema de maneira geral, eu realmente adoro os riscos que o filme tomou ao ir numa direção tão diferente. Reviramos *Halloween* de ponta-cabeça.

Halloween II faz algo interessante com a Laurie. Ao contrário da maioria dos filmes de terror, a vida não volta ao normal para ela. O normal já era. Essa é uma abordagem de literatura, não é?
Acho que sim. Nada ficaria bem depois do que ela passou no primeiro *Halloween*. As pessoas não conseguem esquecer ou abandonar esse tipo de trauma. A Scout também fez um trabalho incrível nesse papel. Também gosto do sentimento de dúvida que começamos a receber a respeito da personagem dela. Se esta é a sua família de verdade, como de fato é, será que ela poderia ser como eles? Se a história tivesse continuado, ela poderia ter se tornado aquela que seguiria matando? Acho que poderíamos facilmente ter ido nessa direção. Quem sabe?

Halloween II foi filmado na Geórgia, num cronograma que parecia ambicioso. Rob já citou essa produção como muito difícil de filmar. Qual foi a parte mais difícil para você, pessoalmente?
Todas elas. A produção como um todo foi difícil logisticamente. Eu achava que todo santo dia era o pior dia de filmagem. Lembro de perder uma eternidade na locação que usamos para a casa do xerife Brackett. Ela era muito pequena, e todo mundo estava zangado porque ficava se esbarrando. Ficamos com uma certa claustrofobia de filmar ali. Também estava um frio de rachar, o que é o oposto do que se poderia esperar estando tão perto de "Hotlanta", como muitas pessoas chamam a cidade de Atlanta. Nevou duas vezes.

Uma das partes mais difíceis de filmar foi quando Michael persegue Laurie do lado de fora do hospital, na abertura. Aquela sequência se desenrolou durante uma falsa chuva torrencial que tivemos que produzir. Também fazia um frio miserável e, porque estávamos filmando com as câmeras na mão, elas precisavam estar no meio da chuva. Uma coisa boa que eu me lembro dessa sequência é que voltei a trabalhar com o meu pai. Trouxeram ele para cuidar dos efeitos da chuva, o que achei muito legal.

A pior broxada de toda a produção foi quando perdemos uma noite inteira de filmagem. Lembra de quando o furgão dos legistas acerta a vaca e o Michael desperta para matar os caras na cabine? Perdemos tudo aquilo — o diálogo, a vaca, a batida, as mortes deles, tudo. Nossas latas de filmes estavam sendo enviadas de volta pra Los Angeles e passaram inapropriadamente pelo raio x do aeroporto. O dano foi além do irreparável. Não conseguimos consertar nem mesmo com computação gráfica. Então tivemos que filmar tudo aquilo de novo no que já era um cronograma superapertado. Foi péssimo receber aquela notícia.

Quais são seus momentos favoritos no filme?
Posso responder que são todos? Tenho muito orgulho do visual do filme. Acho que ele se destaca na minha filmografia de um jeito que quase não consigo articular. *Halloween II* é um filme feio, mas de propósito. Tem uma beleza única na consistência da feiura. Que também ajuda na narrativa, o que era exatamente a nossa intenção. Queríamos criar essa realidade um tanto sombria para o filme.

Adorei o resultado da festa Phantom Jam. A energia daquelas cenas deixou tudo muito real, o que meio que era mesmo. Foi como se fizéssemos uma festa num celeiro qualquer no meio do nada. Também adorei a abertura, quando Laurie está tropeçando no meio da chuva, quase catatônica. O xerife Brackett a encontra e está tentando entender o que está acontecendo. É quase poético que aquela cena tenha sido realmente filmada na chuva. Pareceu tão apropriado e melancólico naquele momento.

Meus momentos favoritos no filme têm menos a ver com o meu próprio trabalho, e mais com o trabalho dos atores. Adorei ver Brad Dourif como o xerife Brackett. Tem cenas em que ele está se esforçando tanto para ser um pai para Laurie e Annie que eu realmente gosto. É tudo tão discreto e bem feito. Lembra da cena quando o Brackett descobre sua filha morta no banheiro? Ela permanece como um dos momentos mais arrepiantes que já filmei, em qualquer produção. A atuação dele deixou aquilo tão inacreditavelmente real. E então o Rob tomou a decisão de cortar entre filmes caseiros de verdade da atriz, enquanto ele basicamente está segurando o corpo morto dela. Achei uma escolha incrível.

Dourif está incrível naquela cena. É devastador assistir a ela, o poder concentrado que existe ali. Acho que a montagem entrecortada com os filmes caseiros é da versão do diretor do Rob, não é?
Acho que sim. É bem difícil lembrar o que está na versão cinematográfica porque, para mim, não é o filme que nos preparamos originalmente para fazer. Não acho que as mudanças que foram feitas não melhoraram em nada. A versão do diretor é a versão definitiva de *Halloween II*. Aquela cena do Brackett é o filme pra mim. Não é impressionante em termos de fotografia, nem nada. É só um cara num banheiro numa atuação sensacional.

Aquela cena é um grande exemplo de como Rob confere peso dramático com as mortes. Há uma gravidade e um senso de perda em Halloween II que faltam em muitos filmes slasher.
É exatamente isso. Não nos sentimos muito desse jeito nos filmes slasher. É como se alguém morresse e é isso — quem se importa? Em *Halloween II*, você realmente sente o impacto dos assassinatos sendo cometidos. Não é necessariamente pensado para você curtir. Acho que, em parte, essa é a razão de não ter feito muito sucesso. A morte deixa as pessoas muito desconfortáveis. Não é algo com que elas queiram lidar, e nosso filme não tem medo de mostrar. Desconforto é uma parte grande do nosso filme.

O final original de Rob matou Laurie, Loomis e Michael. Os Weinstein requisitaram um final alternativo para o lançamento nos cinemas que deixasse Laurie sobreviver. Parte da motivação deles era deixar a porta aberta para futuros filmes. Como você vê os dois finais?
A única coisa boa que posso dizer sobre as refilmagens é que o tempo estava muito mais agradável, porque quando as fizemos já era verão. Filmamos em Connecticut, muito mais perto de onde Rob vivia na época. Entre os dois finais, eu definitivamente prefiro o final que nós filmamos originalmente, o que está na versão do diretor. Odeio dizer isso: "A versão que o Rob preferir é a certa". Mas é verdade. Eu mesmo cheguei a dizer isso pra ele enquanto estávamos filmando a segunda versão. E não é segredo pra ninguém que o Rob teve seus problemas com os Weinstein desde o começo.

Eu me lembro de um dia durante a filmagem em que ouvimos como os Weinstein estavam nervosos porque não estávamos fazendo o que eles chamavam de "cenas de trailer". Você sabe, o tipo de cena onde você veria o Michael Myers refletido num espelho, parecendo assustador? Acabamos conseguindo essas tomadas mais tarde, mas não tínhamos nenhuma até aquele momento. Então eles voaram até o set em Covington, na Geórgia, para nos mostrar trailers que eles tinham montado para seus outros filmes de terror, e nos pediram para fazer cenas assim. No que dizia respeito ao Rob, eles foram um pé no saco o tempo todo. Ele só queria fazer o filme do jeito dele, e acabou fazendo.

O final original tem aquele plano plongée de grua, filmando Michael, Laurie e Loomis do alto, caídos juntos no chão. Eu adorava aquilo. Não vejo por que alguém teria algum problema com aquele final. Quem pode dizer que a Laurie não sobreviveria àquilo? Sim, fizemos aquele longo plano no corredor que pode estar ou não na cabeça dela, mas nós deixamos ele ser vago de propósito. Está tudo na cabeça dela ou aquele é um lugar real? Pode ser qualquer um dos dois. Não era mesmo necessário falar que ela tinha sobrevivido.

Falando sobre deixar a porta aberta, os Weinstein tentaram montar um Halloween III sem o envolvimento do Rob. Eu sei que o Tyler Mane e a Scout Taylor-Compton não estavam confortáveis em voltar sem o Rob. Seria algo que você poderia considerar?
Eu ficaria hesitante em voltar sem o Rob. É a visão dele. É o tipo de cineasta que, tendo trabalhado com ele, você passa a respeitá-lo tanto que quer se manter leal a ele e não saltar do barco só pra pegar outro trabalho. O que é estranho é que gostei da ideia de voltar à franquia para filmar *Halloween Returns* quando o projeto estava atrelado a Marcus Dunstan e Patrick Melton. Marcus e eu nos conhecemos faz tempo, antes mesmo de eu conhecer o Rob, e ele estava interessado em me dar o filme para fotografar, mas ele acabou sendo cancelado.

Fale um pouco sobre as filmagens das sequências surreais de sonho/pesadelo de Halloween II.
Elas foram muito divertidas de filmar. Adicionaram um elemento de fantasia que você não vê muito nessas franquias. Aquelas cenas eram quase barrocas em sua apresentação. Eles nos deixaram ter esses devaneios criativos que não tinham que se conectar necessariamente com nada no filme. Então, curtimos muito deixá-los do jeito mais fantástico possível. O Wayne Toth fez todas aquelas máscaras doidas que você vê naquelas cenas. O cavalo branco foi uma inclusão bem tardia que Rob fez perto do final das filmagens. Mas é meio assim que ele gosta de trabalhar.

Além do estilo visual, acho que aquelas sequências de sonhos nos permitiram ver através das lentes com as quais o Michael Myers enxerga o mundo. Na sua mente, aqueles sonhos são o mundo. Sim, eles são brutais e violentos, mas existe um senso real de serenidade no jeito que ele vê as coisas. Como um artifício narrativo, aqueles sonhos são uma grande justaposição com o restante do filme. Acabamos gostando tanto desse estilo que acabamos reutilizando no filme seguinte que fiz com o Rob, que foi *As Senhoras de Salem* (*The Lords of Salem*).

Você assistiu ao Halloween (2018) mais recente, do David Gordon Green? E, se assistiu, o que achou?
Vi, sim. Cheguei a trabalhar bastante com aqueles caras, o grupo Rough House Pictures. Tem uma série que eu tinha acabado de fazer com o ator Danny McBride chamada *The Righteous Gemstones* [As joias virtuosas,]. Estávamos finalizando a série enquanto eles editavam o novo *Halloween*. Por causa disso, Danny me deixou ver algumas partes antes do filme ser lançado, o que foi incrível. O que não percebi na hora era que o que ele estava me mostrando era o final. Ele basicamente me deu um spoiler do filme todo sem me avisar. Fiquei, tipo: “Peraí, o que foi que acabei de assistir?”. Mas eu gostei mesmo. Curti muito que eles tenham tentado voltar ao estilo do John Carpenter do primeiro filme. Acho que foi uma grande sacada.

Entrevista:

GLENN GARLAND

Montador — Halloween II (Rob Zombie)

Entrevistado por Dustin McNeill

Você já montou e produziu uma lista de gênero de filmes notável. Você é um fã de terror?
Agora sim, mas não acho que era muito fã antes de começar a trabalhar com o Rob. Não sei se entendia tanto sobre o gênero quando ele me contratou. Eu disse pra ele especificamente: "Só pra você saber, não sou aficionado por terror". E ele falou: "Sim, é por isso que quero te contratar. Não quero que meus filmes se pareçam com todos os outros filmes de terror por aí". Rob quer que os seus filmes pareçam dramas da vida real que por acaso tenham elementos de terror. Então, sim, eu me tornei mais fã de terror com o passar dos anos. Os filmes de terror que eu gosto são, na maioria, coisas dos anos 1960 e 1970, coisas como *O Exorcista, Spider-Baby, Aniversário Macabro* e o *Halloween* original, é claro. Gosto muito dos filmes mais novos também, coisas como *A Bruxa* (*The Witch*), *Hereditário* (*Hereditary*), e *Deixe Ela Entrar* (*Let the Right One In* em inglês, ou no original sueco, *Låt den rätte komma in*). Acho que tem havido um ressurgimento incrível do terror nos últimos cinco a dez anos.

Você e o Rob uniram esforços pela primeira vez em Rejeitados pelo Diabo. Imagino que vocês se deram bem porque a parceria continua até hoje. Vocês se entendem trabalhando juntos?
Acho que temos muitas sensibilidades parecidas. Nós dois somos muito preocupados com os personagens e com a história. Não estamos muito interessados com os sustos ou em tentar deixar as pessoas enojadas. Gostamos de entrar na psicologia dos personagens. Quanto ao nosso processo... se o Rob começa a ficar frustrado com alguma coisa, não sou do tipo de ficar preocupado com isso. Sei que ele só está tentando achar a melhor solução para formatar a cena. Ele pode me dizer: "Não sei por que, mas esta cena é uma bosta". Não levo pro lado pessoal e fico: "Oh, não. Ele odeia meu trabalho e ele vai me demitir!". Acho que nesse sentido trabalhamos muito bem juntos. Ele tem ótimas ideias e quer que você troque uma ideia com ele, invente e compartilhe as suas ideias.

Qual foi sua impressão inicial quando Rob mencionou que queria fazer o remake de Halloween?
Na verdade, fiquei preocupado. Iríamos mexer com um filme clássico de terror. Sempre que eu via esses remakes no passado, eles costumavam ser inferiores ao original. Mas eu me senti melhor depois que conversei com o Rob sobre isso, porque ele tinha uma confiança enorme na sua visão. Ele realmente queria voltar às origens do Michael Myers, que é algo que o John Carpenter nunca fez. Acho que o Carpenter fez uma escolha muito interessante ao fazer do Michael Myers esse assassino sem emoções. Rob pensava igual. Nós dois achamos que o Carpenter já tinha feito isso brilhantemente no primeiro filme. Se o Rob iria fazer um remake de *Halloween*, ele iria entrar na psique daquele personagem. Ele tinha muita curiosidade em examinar o personagem de um

outro ponto de vista, de como se molda alguém como Michael Myers. Ele achava que não iria arruinar o original porque o original sempre existirá.

Rob comentou que acha que seu primeiro Halloween é realmente dois filmes entulhados em um só, que teria sido melhor se fossem dois filmes separados. Você compartilha com esse ponto de vista?

Totalmente. Quando o Rob apresentou a ideia originalmente para os Weinstein, ele queria que fossem dois filmes, mas não era o que eles queriam fazer. Estavam mais interessados em fazer um remake de *Halloween* e não na parte pregressa da história. Mas um remake ao pé da letra não era o que o Rob queria fazer. Então ele dividiu o filme em duas partes. Foi algo que deixou nós dois frustrados porque significava que teríamos que apressar a primeira parte do filme. Também estávamos frustrados com os pedidos constantes do estúdio que queriam que deixássemos o filme mais curto porque eles estavam convencidos de que as pessoas não querem ficar sentadas vendo um filme que tem duas horas ou mais. Foi uma tarefa difícil imaginar como podíamos apresentar aqueles personagens em tão pouco tempo.

Rob revirou muitos conceitos na cabeça dele. Laurie sendo uma desequilibrada incurável; o dr. Loomis, uma celebridade babaca; e o Michael, uma criança toda fodida. Os críticos diriam que tudo isso se afasta demais da fonte original. Como você responde a essas acusações?

Se você vai fazer um remake exatamente igual ao original, qual é o sentido disso? Veja só o remake de *Psicose,* do Hitchcock. Foi um exercício bem interessante, mas também um exercício fracassado. Refilmar *Psicose* plano após plano... Simplesmente não entendo a vantagem de fazer isso. Você poderia aproveitar e fazer algo novo e diferente. Entendo por que o Gus Van Sant quis fazer o que ele fez, mas não funcionou, não é? Prefiro assistir ao *Psicose* original, assim como prefiro assistir ao *Massacre da serra elétrica* original, ou o *Aniversário Macabro* original. Faça algo interessante com isso ou não faça nada. É como fazer um cover de uma canção. Você não quer que soe exatamente como a banda original. Você quer que seja uma versão única. Pessoalmente, prefiro muito mais assim.

O Halloween original teve um roteiro bem amarrado. Quase não existem cenas deletadas das quais podemos comentar. Com o Halloween do Rob Zombie, você tinha um material riquíssimo para trabalhar, e muito dele acabaria no chão da moviola. Como foi montar um filme com tanto excesso de filmagem?

Esse é o processo do Rob, na verdade, ou pelo menos era assim. Ele está fazendo bem menos nos filmes recentes. *Os Três Infernais* (*Three from Hell*) e *31* não tiveram muito material extra, mas seus primeiros quatro filmes tiveram bastante. Ele gosta de deixar os atores habitarem seus papéis. Então, às vezes, ele filma coisas que sabe que nunca vão entrar no filme. Mas essas coisas podem ajudar a informar os atores sobre como são os seus personagens. Parte do material extra é fantástico e acaba entrando no filme. Outra parte, ainda que interessante, não consegue entrar no filme porque não podemos ter um filme com três horas de duração. Às vezes, ele vai filmar alguma coisa sem a menor intenção de colocar no filme. Quando monto a primeira versão, tento colocar tudo que temos no corte porque nunca se sabe quando você tem algo especial que vai querer aproveitar aqui ou ali, mesmo que seja apenas um clipe. Os primeiros cortes dos filmes do Rob podem chegar a três horas de duração. A partir daí, começa um processo em que revisamos tudo e tentamos decidir o que deve ficar ou sair.

Que tipo de desafios você enfrentou montando o remake?

O maior desafio foi chegar numa duração aceitável porque havia muita história entulhada naquela uma hora e cinquenta minutos. No entanto, havia outras complicações. Filmamos o final do jeito como o Rob havia concebido. Então, os Weinstein quiseram aumentar o drama. Daí, voltamos e filmamos mais material. Incorporar aquele material novo foi um desafio. Outro foi a época do Michael no Smith's Grove. Rob filmou tantas coisas fascinantes ali que você quase conseguiria montar um filme inteiro com aquilo. Ele estava muito interessado em mostrar a espiral daquela criança até a loucura. Tentar aparar aquela parte do filme até uma duração aceitável foi bem complicado.

Também foi complicado acertar a fuga de Michael do sanatório. Filmamos uma versão diferente daquela, a fuga após o estupro, da qual os Weinstein não eram muito fãs. Achavam que a cena ia muito além dos limites e conseguiram convencer o Rob de filmar uma versão alternativa para o filme.

O final original do remake mostrava Michael sendo abatido pela polícia. De quem foi a decisão de trocá-lo por um final mais longo que incluía uma perseguição adicional dentro da casa dos Myers?
Aquilo foi algo com que o Bob Weinstein estava realmente preocupado. O final a que você se refere é o que o Rob havia concebido originalmente para o filme. Tem momentos em que o Rob vai assistir novamente àquele final e dizer: "É aqui que devia ter acabado. Nós devíamos ter acabado o filme aqui". Mas sempre vou dizer que o Michael pegando as tábuas e quebrando o teto para achar a Laurie — aquela é uma excelente sequência. E ele vai admitir que é. Ele só acha que aquilo era como uma cereja em cima de outra cereja, se é que isso faz algum sentido.

O Halloween que vocês fizeram teve uma versão-monstro vazada online uma semana antes do lançamento. Sendo tão comprometidos com a qualidade e o visual do filme, como vocês se sentiram?
Ficamos todos muito preocupados. Depois descobrimos que aquela versão vazou do escritório do Bob Weinstein. Ele deixou uma cópia do filme sobre a mesa e um assistente decidiu fazer um upload na internet. Acho que o assistente não trabalha mais no mercado e nunca mais trabalhará. Mas é de partir o coração. Você quer que as pessoas vejam seu filme totalmente finalizado. Também ficamos preocupados que aquilo pudesse afetar o lançamento nos cinemas, que as pessoas dissessem: "Ah, eu não preciso ver o filme que eu acabei de ver na internet". Seja lá por que motivo, isso não afetou a bilheteria, já que o nosso *Halloween* ainda mantém o recorde do feriadão do Dia do Trabalho.

Rob nunca escondeu as dificuldades que ele teve com os Weinstein para fazer Halloween. Com que frequência eles mandavam pedidos de alteração do filme e com que grau de exigência?
Os Weinstein gostam de trabalhar de um jeito que funcionou bem pra eles. Mas o Rob é um cineasta com uma visão singular. É uma parada dura porque você tem duas personalidades muito fortes trabalhando juntas. Acho que o Bob Weinstein respeitava o Rob e queria deixá-lo feliz. O maior problema era que o Bob realmente queria fazer umas mudanças. Em vez de simplesmente dizer ao Rob que mudanças eram essas, ele pediu pra alguém montar do jeito que ele achava que seria melhor para o filme. Depois que essa versão ficou pronta, o Rob ficou tão irritado que decidiu abandonar o filme. Eles podiam ter lançado como o *Halloween* do Alan Smithee, já que não seria o *Halloween* do Rob Zombie.

Verdade seja dita, o Bob ligou imediatamente pro Rob e se desculpou. Após conversarem um bocado, ele acabou conseguindo trazer o Rob de volta pro filme. Foi uma decisão equivocada. Não acho que o Bob quis ofender o Rob, mas ele certamente ofendeu. Além da duração e do final do filme, Bob também estava preocupado com a quantidade de sangue. Apesar dos filmes do Rob sempre parecerem extremos, ele não tem a tendência de exaltar a violência. A violência nos filmes do Rob Zombie é doentia e repugnante. Bob estava interessado em mostrar mais sangue, o que Rob concordou, apesar de ser algo que ele não queria fazer de verdade.

Rob deixou claro que não tinha nenhuma intenção de voltar e fazer outro Halloween, apesar de ser exatamente o que ele fez. Você sabe por que ele mudou de ideia?
Sei que ele sempre quis que fosse uma trilogia, mas foi um processo muito difícil trabalhar com os Weinstein no seu primeiro *Halloween*. Acho que inicialmente ele

estava inseguro de voltar, mas tinha um contrato de vários filmes com o estúdio que ele precisava cumprir. Fazer o segundo *Halloween* permitiu a ele terminar aquele contrato. Mas acho que o principal motivo pro Rob ter feito *Halloween II* foi que ele achou interessante explorar o trauma que a Laurie e a amiga suportam após o encontro delas com o Michael Myers.

Quais as diferenças, se houve alguma, entre montar Halloween e Halloween II?

São dois filmes muito diferentes, é claro. E em parte é por isso que o Rob queria fazer o segundo filme. *Halloween II* é muito mais uma história de fluxo de consciência que entra na psique dos personagens. Ele estava muito interessado na ideia de não sermos capazes de dizer o que era real e o que não era. Ele também queria investigar o quanto a Laurie seria uma semente do mal ou não, devido aos seus laços de sangue com o Michael Myers. É um tipo de filme muito mais abstrato do que o seu típico filme de terror. O final é quase um filme do Kubrick.

Halloween II pareceu ser mais sombrio do que o primeiro. Os filmes do Rob são sombrios, mas ele não é. Ele é na verdade muito inteligente, intelectual, uma pessoa alegre, não sombria. Trabalhar nos seus filmes, portanto, é uma alegria, nunca é desanimador. Mas ao mesmo tempo, quando você está montando uma cena, você precisa entrar na cabeça dos personagens. Você está lidando com alguém como a Laurie Strode, que perdeu os amigos e a família nas mãos do irmão psicopata dela, é sombrio e perturbador. Às vezes é difícil voltar pra casa de noite com aquilo tudo na cabeça.

Sabendo que Halloween II não é de forma alguma o típico filme de terror, qual foi a sua opnião sobre a recepção que ele recebeu após o lançamento?

Acho que muitas pessoas não gostaram que ele fosse tão abstrato, com coisas como o fantasma da mãe do Michael. Não é o seu filme clássico de terror. É muito mais como o tipo de terror de um Roman Polanski. Não acho que as pessoas soubessem o que fazer com o *Halloween II* quando o primeiro saiu. Também acho que mais pessoas começaram a reexaminar o filme ao longo do tempo e até mesmo passaram a gostar dele. Há um grande baque ao assistir esse filme pela primeira vez, mas as pessoas tendem a gostar mais do filme após o reverem várias vezes. Tem muito de carpintaria e de amor envolvidos na produção de *Halloween II*.

Preciso relembrar a cena mais angustiante do filme, quando o xerife Brackett encontra o corpo morto de sua filha. Aquela cena destrói o espectador. De onde surgiu a ideia de incorporar vídeos caseiros da atriz Danielle Harris?

Aquilo faz parte do estilo visual do Rob. Ele gosta de mostrar lembranças como velhos filmes caseiros, com frequência em Super-8, mas aqui, em fitas VHS. Ele fez isso tanto no final de *Rejeitados pelo Diabo* como em *Halloween*. Na verdade, ele fez isso antes no *Halloween*, quando a mãe do Michael se mata. Tem algo naquelas velhas filmagens caseiras, quando a vida era tão perfeita e você tinha tantas esperanças. Lá atrás, parecia que você tinha a vida inteira pela frente. É algo muito poderoso de se ver. Ver o xerife Brackett com sua filha é tão pavoroso. Ele está praticamente escorregando no sangue. Ao fazer a justaposição do vídeo caseiro, aquilo se transforma numa cena de partir o coração ao perder alguém que você ama.

Halloween II é o único a não utilizar o tema clássico de Halloween antes do finalzinho do filme. Aquela foi uma decisão consciente ou simplesmente não havia lugar no filme para encaixar a música?

Não havia lugar nenhum que parecesse apropriado. Rob tentou em diferentes cenas e nunca funcionava. Tem alguma coisa naquela trilha original que soa muito diferente do filme que o Rob fez. Não parecia certo apenas sobrepor a música em certos momentos. Aquele filme é bastante melancólico, e o tema de *Halloween* não é melancólico. É pulsante, excitante e intrigante. Ele se encaixou muito bem no final porque é quando a Laurie se transformou e possivelmente abraçou quem ela era. É uma ótima reviravolta no final, quando trazemos o tema de volta. Ele não funcionava no restante do filme.

HALLOWEEN II | 2009
ROB ZOMBIE

"Como todos os filmes do Zombie, incluindo A casa dos 1000 corpos e sua brilhante continuação, Rejeitados pelo Diabo, Halloween ii não é um filme de terror, mas uma forma de punição, não tão assustador e muito mais nauseante. A diferença é que este filme, compreensivamente renegado pelos críticos, aparenta ter sido concebido de maneira indolente em termos visuais e montado como uma colagem aleatória." ROB NELSON, VARIETY

"Apesar das limitações inerentes ao gênero, o filme acerta no alvo (...) A abordagem suja, perturbadora e mesmo lúdica de Zombie funciona perfeitamente." JOE NEUMAIER, NEW YORK DAILY NEWS

"O que você não irá sentir é o terror genuíno, porque, ao contrário de John Carpenter -- cujo filme original de 1978 é um astuto e enervante jogo de esconde-esconde --, Zombie não pretende envolver os fãs do gênero com um bombom de açougueiro feito Halloween II. Michael Myers pode inexplicavelmente surpreender suas vítimas, mas Zombie é como um camelô esquisitão, cujos truques sangrentos podem ser adivinhados com horas de antecedência." ROBERT ABELE, LOS ANGELES TIMES

"Livre dos gabaritos do Halloween original, Zombie está mirando em um alvo alucinatório, quase abstrato: um poema sinfônico sobre loucura e sadismo e laços familiares que amarram (e estrangulam). Só que o filme fica sem ideias lá pela metade, e tudo o que sobra é derramamento de sangue no vácuo." DAVID EDELSTEIN, VULTURE

"Tão claro como em seu Halloween anterior e no surpreendente (e irremediavelmente brutal) Rejeitados pelo Diabo, Zombie tem talento de sobra, mas ele está se rebaixando aqui, e dá pra suspeitar que ele sabe disso." CHUCK WILSON, LA WEEKLY

"E apesar do gore ser pleno -- empurrando definitivamente os limites da classificação etária -- as mortes são surpreendentemente repetitivas e ausentes de impacto. Entramos na cabeça do Myers, mas seu corpo parece estar agindo por osmose. Às vezes é melhor ter um assassino que não pensa." PETER HARTLAUB, SAN FRANCISCO CHRONICLE

HALLOWEEN MAIS UM

Enfrente seu destino.

Dirigido por David Gordon Green
Escrito por Jeff Fradley, Danny McBride
& David Gordon Green

A franquia se encontrava num lugar discutivelmente estranho após o *Halloween II* de Rob Zombie. Aquela sequência foi previsivelmente arrasada pelos críticos, com comentários como o de James Berardinelli da *ReelViews*: "se o filme representa a visão de Rob Zombie, então ele é cego". Financeiramente, o filme não foi exatamente um fracasso, com um faturamento global de 39 milhões de dólares. Esse total pode ter superado o de todas as continuações, exceto *Halloween H20,* mas não chegou à metade que o filme anterior havia alcançado. Uma queda similar na venda de ingressos poderia se tornar um problema para um possível *Halloween III* no mesmo orçamento.

A bilheteria da continuação também sugeria que Michael Myers poderia não ser capaz de chacinar a concorrência, como já fizera no passado. *Halloween II* foi lançado competindo de igual para igual com *Premonição 4* (*The Final Destination*), e perdeu. *Premonição 4* estrearia em primeiro lugar faturando 40 milhões de dólares na semana de lançamento, que é mais do que *Halloween II* conseguiria obter durante sua permanência completa nos cinemas. O ano de 2009 também não foi ruim para o terror, com *Atividade Paranormal* reinando soberano nas bilheterias. Também não foi um ano ruim para os filmes slashers, com remakes de *Sexta-Feira 13* e *Dia dos Namorados mMacabro*, ambos faturando mais de 90 milhões de dólares globalmente. Jason Voorhees já superara Michael Myers anteriormente, mas Harry Warden? Isso era uma derrota nova.

Nesse ponto, a franquia carecia de uma direção narrativa clara, já que *Halloween II* não havia terminado com um gancho. No cinema, apenas Laurie Strode sobrevivera aos acontecimentos do filme. De acordo com a versão do diretor, Laurie, Loomis e Michael haviam perecido no final. Isso trazia a pergunta: em algum momento um *Halloween III* neste ciclo chegou a ser cogitado? Rob Zombie havia negado novamente a possibilidade de voltar a comandar outro capítulo. Membros do elenco, como Scout Taylor-Compton, confessaram estar relutantes em voltar ao universo de *Halloween* sem o envolvimento de Zombie.

A questão mais importante: será que o público queria mesmo voltar a esse ciclo? Independentemente dos seus méritos, o *Halloween* de Rob Zombie havia dividido a base de fãs com um tom abrasivo e uma estética diferente de tudo o que eles viram antes. O *Halloween II* de Zombie dividiu ainda mais uma audiência já fragmentada ao empurrar o filme para o território do cinema B surrealista. Sendo bem claro, a franquia *Halloween* já não se parecia mais com *Halloween*.

OS GOLPES FINAIS DA DIMENSION

A estrada cinematográfica que levou a *Halloween 2018* foi longa e tortuosa. As chances desta continuação em particular chegar a acontecer eram incrivelmente mirradas. Como na seita do Espinho, o filme exigia um alinhamento preciso e inesperado de corpos celestiais. Que o roteirista/diretor/compositor e a estrela do *Halloween* original se reunissem novamente para um filme era considerado *altamente* improvável na época. Nenhum deles mediu palavras sobre não querer revisitar a franquia. Mas em 2009, *Halloween 2018* ainda estava a nove anos de distância.

O desenvolvimento do 11º *Halloween* começou bem cedo, mesmo antes de Rob Zombie terminar de filmar seu *Halloween II*. Os executivos da Dimension inicialmente desejaram ter um novo episódio nos cinemas em outubro 2010, o que obrigaria um desenvolvimento e um cronograma de produção apressados (é uma pena que Moustapha Akkad não estivesse ali para lembrar a todos como isso não tinha funcionado muito bem com *Halloween 5*, lá em 1989).

Em 12 de setembro de 2009 — menos de um mês após *Halloween II* chegar aos cinemas — os executivos da Dimension receberam uma proposta de continuação dos roteiristas Todd Farmer e Patrick Lussier. A dupla havia trabalhado no roteiro de *Dia dos Namorados 3D*, de 2009, que havia sido um sucesso estrondoso. Além de ter dirigido o filme, Lussier também trabalhou como montador em *Halloween H20* e era bem quisto na Dimension. O chefe do estúdio, Bob Weinstein, gostou da apresentação e pediu que eles a expandissem num roteiro completo, que Lussier deveria dirigir.

Com o título *Halloween 3D*, a história de Farmer e Lussier começa no final da versão cinematográfica de *Halloween II*. Naquele final, testemunhamos Michael esfaquear Loomis até a morte, na cabana. Agora descobrimos que aquilo foi uma alucinação e que era Laurie quem estava desferindo os golpes. Michael e Laurie conseguem escapar da cabana, e uma perseguição alucinante se desenrola em Haddonfield. Antes da noite acabar, o xerife Brackett está morto, Laurie, ferida, e Michael, desaparecido — este último, mais uma vez, presumidamente dado como morto. A história então salta para um ano depois, com Laurie internada na ala feminina do hospital psiquiátrico J. Burton. Ainda traumatizada, ela sofre de uma crise de identidade sobre o bem e o mal — será ela Laurie Strode ou Angel Myers? As autoridades começam a perceber sinais perturbadores de que Michael, de alguma maneira, voltou para mais uma noite de terror. Companheiros dos saudosos xerife Brackett e do dr. Loomis juram proteger o hospital, mas será que a ameaça real não está no meio deles? No final da história, Laurie terá que escolher entre a luz e a escuridão.

A pré-produção de *Halloween 3D* já dava sinais de vida enquanto o primeiro tratamento ainda estava sendo escrito. Farmer e Lussier asseguraram compromissos de retorno de Tyler Mane e Scout Taylor-Compton. Eles também contrataram o astro de *Halloween III*, Tom Atkins, para um novo papel, como médico de Laurie. Gary Tunnicliffe, voltando de *Halloween 6* e de *Ressurreição*, assinou a direção dos efeitos especiais do filme. A pesquisa de locação logo começou em Shreveport, Louisiana, para começarem a filmar em novembro.

Os roteiristas entregaram seu primeiro tratamento de *Halloween 3D* em 26 de setembro de 2009. No entanto, dois dias depois, o projeto foi repentinamente cancelado por Bob Weinstein, sem nenhuma explicação oficial. Rumores de outro *Halloween III* circulariam durante muitos anos, com o site oficial de *Halloween* chegando a anunciar um projeto para a primavera de 2014. Em outubro do mesmo ano, Malek Akkad comunicou que tal produção havia sido cancelada.

Em 15 de junho de 2015, a Dimension oficialmente anunciou *Halloween Returns* [A volta de *Halloween*], que seria escrito por Patrick Melton e Marcus Dunstan com a direção do último. Melton e Dunstan eram então mais conhecidos por terem escrito *Banquete no Inferno* (*Feast*), além da quarta, quinta, sexta e sétima partes da popular franquia *Jogos Mortais* (*Saw*). A história deles não continuaria o ciclo narrativo do remake, traçando seu próprio caminho. Largamente referido como um "reajuste" da franquia, *Halloween Returns* foi vendido como uma continuação direta do filme original de John Carpenter e, portanto, serviria como um *Halloween II* alternativo.

Esta nova história contava que Michael Myers não teria ido até o Haddonfield Memorial Hospital após ter sido baleado por Loomis — e sim apreendido pela polícia. O assassino passaria os próximos dez anos no corredor

"Eu disse: 'John, eles vão fazer esse filme com ou sem a gente. Eu não vou fazer sem você. Então, se você não fizer, eu não vou fazer. Mas eles ainda vão fazer o filme. Nós podemos nos juntar ao grupo em vez de deixá-los fazer sozinhos'."
– Jason Blum, ***The Daily Dead***

da morte. Dois adolescentes invadem a prisão na noite de sua execução, que sai inacreditavelmente mal, e termina com sua fuga... bem a tempo de outro Halloween.

Halloween Returns estava programado originalmente para começar a ser filmado na Louisiana um mês após ser anunciado, embora as câmeras nunca rodaram para este projeto. Apesar da sequência entrar em pré-produção, seu primeiro dia de filmagem foi adiado muitas vezes. Os cineastas chegaram a definir o elenco de diversos papeis principais e fizeram inúmeros testes para o novo Michael Myers. Dunstan falou em público sobre o projeto até setembro de 2015. Infelizmente, conflitos de bastidores no estúdio logo fariam a sequência descarrilar. No final de outubro, Malek Akkad confirmou oficialmente que *Halloween Returns* havia sido descontinuado. Mais notícias escabrosas estavam por vir. Em dezembro, o portal *Bloody-Disgusting* noticiou que a Dimension Films perdera os direitos de *Halloween*, encerrando seu reinado de vinte anos sobre a franquia.

Para apreciar este desenvolvimento, vamos revisá-lo no contexto. Em 1979, os irmãos Bob e Harvey Weinstein fundaram a Miramax Films, Ltda. Eles cresceram sua distribuidora independente numa operação de grande sucesso durante a década seguinte. A Miramax é comprada pela Walt Disney Company em 1993 por 60 milhões de dólares. Logo após esta compra, a Miramax cria uma subdivisão para filmes de gênero chamada Dimension Films. Pela Dimension, a Miramax lança *Halloween 6: A Última Vingança*, *Halloween H20* e *Halloween: Ressurreição*, todos com diferentes níveis de sucesso. Em 2005 acontece uma grande reviravolta, entretanto. Os Weinstein se separam da Disney para criar a Weinstein Company. A Miramax e seu vasto acervo de filmes — incluindo as três continuações de *Halloween* já mencionadas — ficam com a Disney. O selo Dimension e suas propriedades saem junto com os Weinstein para se tornar parte da companhia com o nome dos irmãos.

Como parte de um acordo de 2005, a Miramax licencia os direitos de continuação de *Halloween* para a Dimension, que eles têm permissão de manter desde que sigam produzindo novos episódios. No caso de eles pararem de fazer novos filmes de *Halloween*, os direitos retornam à Miramax. Os próximos dois filmes da franquia, *Halloween: O Início* e *Halloween II*, ambos de Rob Zombie, são feitos em 2007 e 2009 pela nova Dimension Films, agora pertencente à Weinstein Company. Em 2015, a Dimension perde os direitos sobre a série após fracassar em produzir uma nova sequência, apesar de diversas extensões contratuais. Os cobiçados direitos de *Halloween* agora são novamente revertidos à Miramax.

Que a Dimension Films desista dos valiosos direitos das sequências é curioso, especialmente levando em consideração seus esforços anteriores para manter os direitos de propriedades bem menos lucrativas. Em 2010, os Weinstein desesperadamente apressaram produções de baixíssimo orçamento de *Hellraiser* e de *Colheita Maldita* (*Children of the Corn*) para evitarem perder as franquias. Os filmes resultantes, *Hellraiser: Revelações* e *Colheita Maldita: Gênesis*, estão entre os capítulos mais mal avaliados de ambas as franquias, o que é muito profundo quando se pensa a respeito.

MIRAMAX NO COMANDO

Os executivos da Miramax, David Thwaites e Zanne Devine, imediatamente agarraram a oportunidade de desenvolver um novo *Halloween* que estivesse finalmente à altura do original. Dizem os boatos de estúdio que foi Thwaites quem sugeriu inicialmente que o próximo filme funcionasse como uma continuação direta do original, deixando de lado tudo o que havia acontecido nas sequências. Essa era uma proposta similar à sugerida por *Halloween Returns* — exceto que Thwaites queria continuar a história quarenta anos depois, e não dez. Idealmente, isso permitiria o retorno de Laurie Strode. Devine então levou a ideia para Malek Akkad, que se encontrava naquele ponto bastante frustrado com a Dimension Films por ter permitido que a franquia *Halloween* definhasse num processo infernal de desenvolvimento. Devine assegurou a Akkad que a Miramax não pretendia fazer o mesmo.

Thwaites e Devine então se voltaram para Jason Blum, fundador e CEO da Blumhouse Productions, para medir seu interesse em produzir um novo *Halloween*. A Blumhouse tinha acumulado uma lista impressionante de sucessos em terror, atravessando a década anterior, incluindo franquias líderes em bilheteria como *Atividade Paranormal*, *Sobrenatural* (*Insidious*), *A Entidade* (*Sinister*), *e Uma Noite de Crime* (*The Purge*). Isso, em parte, devido à proposta ousada de Blum em dar poder aos seus cineastas o controle criativo em orçamentos de uns poucos milhões. Essa abordagem permitiu impulsionar *Atividade Paranormal*, de 2007, que se tornou o filme mais lucrativo de todos os tempos, não apenas de terror. Sobre sua proposta ímpar de produção cinematográfica, Blum disse ao *The Hollywood Reporter*: "Os artistas ganham muito mais poder e têm muito mais o que dizer. E quando você dá poder a eles, eles querem ouvir seus comentários; não é uma briga. Eles têm o corte final. É um jeito fundamentalmente muito diferente de fazer filmes comerciais". (Curiosidade: Jason Blum aprendeu sobre o mercado de cinema durante cinco anos como executivo de aquisições na Miramax Films.)

Um autoproclamado fã de terror, Blum estava muito interessado em produzir um novo *Halloween* — mas apenas se eles pudessem trazer de volta John Carpenter de alguma forma, o que parecia muito improvável. Carpenter se tornara um crítico contundente das continuações de *Halloween* e notoriamente havia recusado fazer *Halloween H20*. Na verdade, Carpenter também havia recentemente declinado um convite de Thwaites e Devine. Mesmo assim, Blum insistiu em se reunir cara a cara com o mestre do terror, que aceitou ouvi-lo. De acordo com o próprio Blum, sua apresentação de quinze minutos pareceu não ter surtido muito efeito. Foi quando o chefe do estúdio se nivelou com o cineasta veterano.

"Eu falei sobre os *Halloweens* por muito tempo, mas não tinha assistido a todos eles. Finalmente me ocorreu: se estou gastando minha saliva à toa, por que não tento deixar o filme o melhor que eu puder? Você sabe, parar de jogar pedras do lado de fora e entrar lá e tentar fazer algo positivo."
– John Carpenter, *Rotten Tomatoes*

Essa abordagem direta pareceu finalmente convencer Carpenter, que concordou em trabalhar como produtor executivo e consultor criativo no novo capítulo. A Blumhouse e a Miramax anunciaram oficialmente sua nova coprodução de *Halloween* em 23 de maio de 2016. Esse anúncio também comunicava o retorno de Carpenter à franquia. Detalhes adicionais além desses foram poucos, exceto que a Universal Studios distribuiria o filme por meio de seu já existente contrato com a Blumhouse. Isso marcaria o primeiro envolvimento da Universal desde *Halloween III: A Noite das Bruxas*.

Apesar do novo *Halloween* ter sido anunciado oficialmente, ainda lhe faltavam muitas coisas, isto é, roteiristas, um diretor e uma data de lançamento. A Blumhouse entrevistaria diversos candidatos à direção durante 2016. Mike Flanagan, diretor habitual da Blumhouse, que previamente havia dirigido *Hush: A Morte Ouve*, *O Espelho* (*Oculus*) e *Ouija 2: A Origem do Mal* (*Ouija: Origin of Evil*), foi altamente recomendado como comandante do projeto. E mesmo assim, Flanagan negou publicamente qualquer envolvimento. "Eu já fiz meu *Halloween*, o *Hush*", ele disse ao *iHorror.com*. "*Halloween* é o filme perfeito. É um dos meus favoritos de todos os tempos, um dos filmes que mais me inspiraram como cineasta, e eu nunca poderia torná-lo melhor. A ideia de seguir os passos de Carpenter seria muito intimidadora."

Outro candidato era Adam Wingard, que havia comandado suspenses como *Você é o Próximo* (*You're Next*), *A Bruxa de Blair* e *Death Note*. Um fã confesso, Wingard buscou ativamente a oportunidade, e chegou perto de garantir o trabalho. Mais tarde, em participação no podcast *The Movie Crypt*, Wingard disse: "Na verdade, recebi um e-mail, sigiloso, em que Carpenter basicamente aprovava minha indicação para eles. Eu meio que me afastei tipo: já consegui tudo o que eu queria desse trabalho, você sabe. É como ter a aprovação do seu pai. Eu saí dali tipo: 'melhor é impossível'".

Em 9 de fevereiro de 2017, a Blumhouse anunciou que o novo *Halloween* seria escrito pela equipe composta por Jeff Fradley, Danny McBride e David Gordon Green, e este último também iria dirigir. De certa forma, os três eram escolhas extremamente não convencionais. Não havia nada em suas filmografias — *Segura as Pontas* (*Pineapple Express*), *Sua Alteza?* (*Your Highness*) e as séries de TV *Eastbound & Down* e *Vice*

Principals — que pudesse sugerir que eles tinham as habilidades necessárias para encarar uma franquia de terror de primeira linha como *Halloween*. Mas, novamente, tampouco havia algo no escopo de trabalho do comediante Jordan Peele que pudesse sugerir que ele seria a escolha certa para fazer *Corra*. Mesmo assim, esse foi o risco que Jason Blum tomou com resultados inegáveis para a Blumhouse, como uma bilheteria robusta e a conquista de um Oscar (melhor roteiro original para Jordan Peele em 2018). Para lançar o novo *Halloween*, o trio de roteiristas precisou convencer não apenas Jason Blum, mas também John Carpenter, que seria consultor do projeto.

Seguindo a ideia de fazer *Halloween 2018* ser uma continuação direta do filme original, os cineastas esperavam reintroduzir a personagem Laurie Strode na franquia. Isso se provaria um tanto difícil, dada sua morte em *Halloween: Ressurreição*, mas o novo filme já não estava mais atrelado ao velho ciclo narrativo. O próprio Carpenter estava completamente de acordo com essa abordagem diferenciada. Isso se devia largamente ao fato de que uma continuação direta poderia desfazer a conexão entre irmãos, que ele se lamentava de ter inventado em *Halloween II*. Se Jamie Lee Curtis iria ou não voltar, permanecia uma enorme dúvida, já que ela há muito havia lavado suas mãos no que dizia respeito à franquia. Jason Blum gostava muito da ideia de trazer Laurie Strode de volta, apesar de também desejar que tramas alternativas fossem consideradas, caso Curtis se recusasse a participar.

Então David Gordon Green se esforçou para apresentar o projeto pessoalmente à Jamie Lee Curtis, embora a atriz se mostrasse de difícil acesso. Green acabou se voltando para o ator Jake Gyllenhaal, a quem ele havia dirigido recentemente no filme *O que te faz mais forte* (*Stronger*), de 2017, para intervir a seu favor (Gyllenhaal é um amigo íntimo da família e afilhado oficial de Curtis). Gyllenhaal implorou a Curtis que ela se encontrasse com Green para ouvir sua apresentação, o que ela fez, em Nova York. Como Carpenter, a rainha do grito original de *Halloween* não seria tão facilmente convencida a voltar à franquia. Ela terminou a reunião pedindo que Green lhe enviasse um roteiro para avaliar, o que ele fez. A atriz leu o roteiro e ligou para o diretor na manhã seguinte, para confirmar sua participação. A volta de Curtis à franquia foi anunciada oficialmente em 15 de setembro de 2017.

Na visão de Green, havia dois caminhos possíveis que ele poderia tomar com o novo *Halloween*. Um seria criar um filme tributo em homenagem ao original, no melhor estilo de *Star Wars: O despertar da Força*. O outro seria reimaginar os anos de formação da Forma, à maneira de *Batman Begins*, que Green achava ter sido feito por Rob Zombie. O caminho do tributo dependia enormemente em garantir a volta de Curtis, o que eles tinham agora. Esta então se tornou a direção para o novo episódio. *Halloween 2018* seria estética e espiritualmente modelado a partir do original de 1978. De muitas formas, seria um retorno ao molde. Os cineastas inicialmente consideraram filmar duas partes de uma só vez, mas depois foram contra essa abordagem tão grandiosa.

Os cineastas ficaram inicialmente inseguros sobre como chamar o novo filme. Após muito debate, eles acabariam se contentando com o mais simples dos títulos — *Halloween* —, fazendo deste o terceiro filme da franquia com o mesmo nome (o primeiro filme do Rob Zombie, de 2007, não trazia nenhum subtítulo no original em inglês). (Curiosamente, o prólogo de 2011 de *O Enigma de Outro Mundo* (*The Thing*), de John Carpenter, também foi chamado de *O Enigma de Outro Mundo*. Qualé, Hollywood?!) Sobre o dilema do título, Green disse à *Entertainment Weekly:* "Chamamos de *A Forma*? Ou chamamos de *A volta de Halloween*? Como você chamaria? Tecnicamente, é o terceiro *Halloween II*. Chegou ao ponto onde nós ficamos tipo: 'Bem, não queremos deixar de convidar todo mundo. Não queremos que alguém que não seja íntimo dos filmes anteriores pense que será preciso se atualizar'. Então pensamos: pela simplicidade, vamos chamar apenas de *Halloween*".

OS HORRORES DESTE MUNDO

A nova narrativa de *Halloween 2018* conta que Michael Myers foi preso em 1978 e encarcerado em Smith's Grove, onde ele permaneceu desde então. Um dia antes de sua transferência para a prisão, dois podcasters investigativos, Aaron Korey e Dana Haines, procuram entrevistar o psiquiatra de Michael, dr. Ranbir Sartain. Um ex-aluno do saudoso dr. Loomis, Sartain é obcecado por seu paciente. Ele concorda em deixar que Aaron e Dana visitem Michael, que se mantém indiferente à presença deles. Desejando acionar uma reação, Aaron exibe a máscara branca original de Michael, que agora aparenta estar gasta e envelhecida. Isso faz com que os pacientes próximos comecem a surtar, aos berros, embora Michael permaneça inalterado.

Então, Aaron e Dana tentam entrevistar Laurie Strode, que eles encontram isolada dentro de um complexo fortemente protegido. Uma alcoólatra duas vezes divorciada, ela permanece consumida por aquela trágica noite de quarenta anos atrás. A depressão, a paranoia e a ansiedade de Laurie prejudicaram seu relacionamento com a filha, Karen, e a neta, Allyson. Esperando um dia encarar novamente seu algoz, a casa de Laurie contém uma sala antipânico e um esconderijo para as armas (ou como diz Karen, "sua jaula"). Laurie fala brevemente com os entrevistadores antes de expulsá-los.

Na noite seguinte, Michael é visto entrando no ônibus de transferência da prisão. Perturbadoramente, Laurie observa a partida do ônibus antes de se encontrar com sua família para um jantar. Ela sofre um surto emocional minutos depois e parte dali. O ônibus é encontrado mais tarde abandonado, com a maioria de seus ocupantes desaparecida ou morta. Michael mata um pai e um filho para roubar o carro deles, com o qual dirige até Haddonfield. Ele então visita o túmulo de sua irmã mais velha e encontra com Aaron e Dana já presentes. Michael então os segue até um posto de gasolina ali perto, onde mata ambos, além dos funcionários do lugar. Vestindo um macacão de mecânico, ele recupera sua máscara original no carro de Aaron, voltando a ser a Forma. O delegado Frank Hawkins, que apreendeu Michael lá em 1978, teme uma nova carnificina. Quando cai a noite, a Forma começa a espreitar pelas ruas de Haddonfield novamente. Primeiro, ele mata duas mulheres dentro de suas casas, antes de matar dois dos amigos de Allyson. Tanto o delegado Hawkins quanto Laurie respondem aos assassinatos recentes, e encontram o matador regresso. Laurie atira no ombro dele, embora Michael consiga escapar.

Com a volta confirmada da Forma, a polícia escolta Karen e o marido, Ray, até a propriedade de Laurie para garantir a segurança deles. Não conseguem encontrar Allyson, entretanto, que está num baile da escola. Depois de uma briga com seu namorado, ela parte para casa a pé com um colega. Eles logo se deparam com a Forma, um encontro do qual somente Allyson sobrevive. O delegado Hawkins, agora acompanhado de Sartain, busca Allyson para levá-la até a propriedade de Laurie. No caminho, Hawkins avista Michael e o atropela com sua viatura. Ele tenta matar o assassino inconsciente, mas acaba morto por Sartain, que revela ser um aliado secreto de Michael. O doutor conta a Allyson seu plano de reunir Michael e Laurie, que ele espera que vá fazer com que seu paciente mudo finalmente volte a falar. A Forma logo desperta e mata seu enlouquecido doutor, antes de perseguir Allyson até a casa de Laurie. Ele faz um servicinho rápido com dois policiais estacionados do lado de fora — e com o marido de Karen.

O duelo final mostra a Forma num jogo brutal de gato e rato com três gerações das mulheres Strode. Laurie é esfaqueada na barriga, ainda que consiga estourar dois dos dedos da Forma com seu rifle. Ela e Karen atraem seu algoz até a sala antipânico no porão, antes de trancá-lo lá dentro. Como Karen diz para Allyson: "Não é uma jaula, baby. É uma armadilha".

Laurie enche o porão com gás antes de colocar fogo, aparentemente matando o prisioneiro Myers. Laurie, Karen e Allyson pegam uma carona com um motorista que passava por ali. Allyson agarra com força a lâmina da Forma, enquanto a casa de Laurie arde à distância.

A sequência de crédito de abertura de *Halloween 2018* conta tudo o que você precisa saber sobre suas intenções. Nela, encontramos a mesma abóbora da abertura do *Halloween* original apodrecida e desmantelada. A cabaça lentamente volta à vida até estar finalmente restaurada em sua antiga glória. Uma versão roqueira atualizada do tema de *Halloween* toca enquanto a abóbora recupera sua forma e a vela lá dentro volta a flamejar. Esta metáfora pode não ser sutil, mas é eficaz. Após poderes psíquicos, uma seita secreta, um reality show e a sujeira caipira dos filmes de Zombie, a franquia *Halloween* precisava de um retorno decente aos moldes. O resultado é como uma comida caseira cinematográfica. (Curiosidade: A abóbora que "desapodrece" não foi feita com computação gráfica mas, ao contrário, com um esforço meticuloso do diretor de arte Richard Wright usando filmagem em time-lapse).

Halloween 2018 tenta desesperadamente se alinhar ao original de 1978 a cada passo. Parte disso envolve cobrir o mesmo terreno narrativo. A Forma novamente escapa da audiência de custódia na véspera do Halloween, e seu médico novamente se junta com a força policial da cidade para encontrá-lo. O dr. Sartain e o delegado Hawkins parecem feitos sob medida para preencher o enorme vazio deixado pelo dr. Loomis e o xerife Brackett. Tais evocações são frequentes e numerosas. Uma das maiores qualidades que este filme pega emprestado do original diz respeito a manter as coisas simples. Sobre a sabedoria narrativa de Carpenter, Green contou ao *MovieMaker.net*: "Seu conselho era sempre direto: 'Seja simples. Seja implacável'. Essas parecem ser duas qualidades contraditórias, mas elas partilham de uma motivação parecida: você não precisa de uma preparação muito elaborada, e você não precisa de um grande espetáculo".

"É um filme de garotas, agora. As garotas estão triunfantes, finalmente. Elas são as heroínas. Estão quebrando tudo. Eu adoro." – John Carpenter, *Collider*

Embora raramente seja citado como um precursor, o novo filme deve bastante a *Halloween H20* por sua observação cuidadosa dos efeitos duradouros de traumas. Se você despir aquela sequência dos maneirismos inspirados em *Pânico* e injetar uma dose do movimento #MeToo, o resultado seria *Halloween 2018*. Ambas as sequências são produtos do seu tempo. Não foram poucos os críticos que notaram como o filme de Green se conecta com o popular movimento oposto aos abusos cometidos contra as mulheres. Com seus temas evidentes de empoderamento feminino e unificação contra um agressor masculino, é fácil de ver o porquê. Jamie Lee Curtis concordaria com essas observações, embora tais similaridades não tenham sido intencionais. *Halloween 2018* foi escrito uns dez meses antes do #MeToo começar a abalar a consciência cultural.

"Não acho que David, Danny e Jeff estivessem procurando um jeito de incorporar o movimento #MeToo na história revisitada do filme", a atriz disse à *Entertainment Weekly*. "Acho que é a ocorrência natural de um zeitgeist, de uma transformação, de uma mudança de pensamento e de ação que acontece nesses momentos de enorme transformação cultural."

Ao se deparar com Laurie Strode vinte anos depois, *Halloween H20* encontra a heroína lutando com o seu passado, mas ainda segurando as pontas, mesmo com dificuldades. Essa Laurie foi uma mãe estável de seu filho, John, enquanto ainda era a reitora de uma escola preparatória de elite. Ela estava divorciada, mas isso não era culpa inteiramente sua. ("Bem, o pai é um abusador viciado em metadona e fumante inveterado.") Laurie também era uma alcoólatra em *H20*, apesar de aparentemente funcional. Nós a vemos entornar uma taça extra de Chardonnay quando Will vai até o banheiro. Ela depois menciona estar "esperando e rezando todos os anos para que seu irmão não a encontre". Sendo uma sobrevivente, essa Laurie não começa a revidar até que a Forma ataque o filho dela.

Ao se deparar com Laurie Strode quarenta anos depois, *Halloween 2018* encontra a heroína num ambiente muito mais sombrio, que está mais alinhada com a visão original de Curtis para *H20*. Essa Laurie não é nem de perto tão funcional quanto sua versão de *H20*, tendo perdido a custódia da filha, Karen, anos atrás após dois divórcios. As relações atuais de Laurie com sua filha e sua neta estão seriamente comprometidas por seu estresse pós-traumático. Desempregada, ela vive em isolamento. Seu alcoolismo é bem pior neste filme. Nós a vemos entornando garrafinhas de destilado em sua caminhonete, antes de virar a taça de vinho tinto de seu genro assim que ela chega no jantar. Como a Laurie de *H20*, ela também reza, ainda que por um motivo completamente oposto: "Você sabe que rezo toda noite para que ele fuja (...) e aí eu possa matá-lo?". Sendo uma lutadora, ela está mais do que preparada para enfrentar a Forma quando chegar a hora.

Este último ponto resume uma das maiores diferenças entre essas duas caracterizações. A Laurie de *H20* ficou na defensiva sua vida inteira e, portanto, é reativa quanto à ameaça da volta de Michael. A Laurie de *Halloween 2018*, ao contrário, se manteve na ofensiva sua vida inteira, e, portanto, é bastante proativa em relação à ameaça da volta de Michael. Curiosamente, o novo filme redefine o que significa ser uma garota final no contexto cultural de hoje em dia. Em *H20*, um Will aterrorizado pergunta à Laurie: "O que a gente faz?". Ela responde: "Tenta viver". Esse pode ter sido um objetivo aceitável para garotas finais no passado, mas já não é o suficiente agora. Sobreviver sem um encerramento tem sido um inferno para Laurie nestes últimos quarenta anos. Ela precisa desesperadamente destruir a Forma, antes que consiga esperar a cura. E Laurie definitivamente não pode contar com outro homem que chegue para salvá-la no último minuto. É essencialmente o que aconteceu no primeiro, no segundo, no quarto, no quinto, no sexto e no oitavo filmes de *Halloween* — todos viram a Forma sobreviver para retornar no próximo mês de outubro.

A nova abordagem de *Halloween 2018* sobre o arquétipo da garota final também abaixa as expectativas de que a vida voltará ao normal depois que a poeira baixar — definitivamente isso não vai acontecer. É bem mais realista e interessante explorar o fato de que as vidas de Laurie, Karen e Allyson nunca mais serão as mesmas. Karen perdeu um marido e Allyson, um pai. Os ecos de *Halloween 2018* vão afetá-las profundamente pelo resto de suas vidas. Mais e mais filmes de terror parecem estar preocupados com os efeitos perenes do estresse pós-traumático, o que se relaciona com o movimento #MeToo. "Nunca fazemos filmes sobre o que acontece após a violência", Curtis disse à *Variety* na estreia do filme. "Fazemos filmes sobre a violência, nós a glorificamos, mas nunca perguntamos sobre o que acontece depois." (Sobre o assunto da exploração dos traumas em filmes de terror, o *Halloween II* de Rob Zombie tinha muito o que dizer a este respeito, se você deixar de lado o lance do cavalo branco.)

De maneira bem interessante, o filme de Green recria diversos momentos icônicos do *Halloween* original com a Laurie no lugar da Forma. Allyson percebe Laurie a observando por uma janela do lado de fora da sala de aula. A heroína de *Halloween* depois cai de uma varanda do segundo andar e desaparece quando a Forma vai até a beirada espiar. Voltando para dentro da casa, ela emerge da escuridão por trás do assassino, que não havia notado sua presença. Essas imagens servem para igualar Laurie ao seu agressor, mas por quê? Porque Laurie agora é também uma força mortífera, pois é ela quem caça seu caçador. Ela perdeu décadas se preparando física e mentalmente para este confronto. Como a Forma, Laurie agora é uma assassina, dois lados da mesma moeda.

Ejetando Jamie Lloyd e John Tate da árvore genealógica, *Halloween 2018* posiciona Karen Nelson como a única filha da Laurie (curiosamente, Karen foi chamada tanto de Jamie quanto de Shanah em tratamentos iniciais). Descobrimos por meio de flashbacks que a obsessão paranoica da Laurie teve um efeito devastador na infância da Karen. Em vez de brincar com bonecas, a Karen aprendeu a usar armas de fogo. No lugar dos passeios tradicionais de mãe e filha, Laurie e Karen simularam exercícios intensos de isolamento dentro de casa. Também descobrimos que, em determinado momento, Laurie foi considerada uma mãe incapaz e perdeu a custódia de sua jovem filha. Karen pode ressentir sua mãe agora, que é adulta, mas ela não esqueceu seus ensinamentos. Numa brilhante demonstração de seu treinamento, ela simula um colapso e cai aos prantos durante seu confronto final com a Forma: "Mãe, socorro! Me desculpa! Eu não consigo! Desculpa!". Isso dá a seu oponente uma falsa sensação de vitória garantida. Assim que Michael entra em seu campo de visão, Karen atira nele — "Te peguei".

A neta de Laurie, Allyson, é outra inclusão interessante na história, já que ela se assemelha à Laurie de 1978 de diversas maneiras. Encontramos a garota de dezessete anos celebrando sua indicação à National Honor's Society,* enquanto planeja entrar numa universidade, o que reflete as realizações acadêmicas da Laurie com a mesma idade. Ela também foi criada para acreditar que o mundo não é "um lugar sombrio e malvado", e sim "cheio de amor e compreensão", o que lhe confere uma inocência juvenil — também não muito diferente da Laurie de 1978. Num paralelo mais sombrio, a experiência de Allyson neste filme reflete a da própria Laurie no original. Ambas são mulheres que escapam por pouco de um assassino fugitivo que já havia matado diversos de seus amigos. Enquanto Allyson faz o papel de donzela em perigo na maior parte do terceiro ato, nós reconhecemos nela o espírito guerreiro de Laurie. Na verdade, as mulheres Strode só conseguem aprisionar a Forma no porão de Laurie graças a uma facada que Laurie lhe deu na hora exata. É também com a astúcia de Allyson que ela é capaz de enganar Sartain e fazê-lo parar a viatura policial, o que permite que ela fuja correndo até a propriedade da avó.

O namorado de Allyson no filme é Cameron Elam, que aparenta ser bem charmoso no começo. Depois, ele se revela um babaca, seguindo a tradição de Brady, do *Halloween 4*. Os cineastas subvertem a expectativa ao permitirem que Cameron fosse o único do círculo de amizades de Allyson que sobrevive no filme. É revelado logo no início que Cameron tem uma conexão com o *Halloween* original, já que seu pai não é nenhum outro senão Lonnie Elam, que foi colega de escola do jovem Tommy Doyle. ("Lonnie Elam disse pra nunca ir até lá! Lonnie Elam disse que é uma casa mal-assombrada! Ele disse que coisas horríveis aconteceram lá!" Laurie: "Lonnie Elam provavelmente não vai sair da sexta série".) Lonnie Elam também é o menino que Loomis assusta para que ele não entre na casa dos Myers um pouquinho antes do final do filme. ("Lonnie, saia já daí!")

E quanto a Myers? *Halloween 2018* desnuda o personagem até sua forma mais pura desde o filme original. Ele novamente é o bicho-papão encarnado, sem nenhuma pauta ou motivação extra. Os cineastas não só retiraram a conexão de parentesco com Laurie, como também afastam quaisquer preocupações que ele ainda possa ter por aquela garota que escapou. Laurie acredita erroneamente no contrário, dizendo a Hawkins: "Ele esperou por essa noite. Ele esperou por mim". Na verdade, parece que ele *não esperou*. A Forma não se esforça em seguir ninguém após seu retorno a Haddonfield. Ele encontra Laurie pela primeira vez após matar Vicky e Dave, mas ele segue o seu caminho. Depois, ele encontra Allyson após matar Oscar, mas ele não segue a garota. Existe um argumento a ser feito de que a Forma sequer reconhece Laurie até o confronto final dos dois. Após esfaqueá-la na barriga, ele faz uma breve pausa para seu tradicional gesto de inclinar a cabeça, o que

* Sociedade norte-americana que reconhece alunos de destaque no ensino médio. [NT]

muitos interpretaram como o momento em que ele finalmente percebe quem ela é. Ao contrário da crença profundamente arraigada da Laurie, seu encontro com a Forma naquela noite se deve inteiramente às ações do dr. Ranbir Sartain.

Falando sobre o doutor-não-tão-bonzinho, o papel de Sartain rapidamente se destaca como um dos menos populares de *Halloween 2018*, devido a uma reviravolta polêmica na trama do terceiro ato. Inicialmente apresentado como um substituto de Loomis ("Ah, você é o novo Loomis?"), ele acaba revelando uma obsessão perturbadora por seu paciente mais notório. O objetivo de Sartain não é curar os anseios fatais de seu paciente emudecido, mas sim compreendê-los e, quem sabe, ouvi-lo falar algum dia. Com a batida do ônibus, Sartain coloca em prática um plano elaborado para alcançar esses objetivos (ainda que fique um tanto ambíguo na história, os produtores do filme confirmaram que Sartain havia orquestrado o acidente). De uma certa maneira, o psiquiatra do Smith's Grove é o fã número um do Michael, superando até Chet "O Que Traz A Morte", do *Halloween II* de Rob Zombie.

Sartain, assim como Laurie, tem a impressão de que ela significa alguma coisa para Michael. Ao planejar uma reunião dos dois, Sartain acredita que ele finalmente irá acionar uma resposta verbal de seu paciente. ("Apesar do meu encorajamento, ele permanece indiferente. Mas esta noite, existem tantas possibilidades.") Para muitos fãs, o personagem cruza a linha quando ele experimenta a icônica máscara branca, após matar Hawkins. É uma das muitas transgressões que ele faz antes de pagar com sua vida. Apesar de sua impopularidade, Sartain permanece como o arquiteto anônimo de tudo o que acontece no filme — a ameaça fantasma do *Halloween 2018*.

Diálogo omitido de Sartain:
Não há espetáculo maior do que reunir dois velhos amigos. Michael Myers e Laurie Strode. Uma reunião histórica. Michael, ela esteve esperando por você. Você está pronto?

"Sartain teve uma evolução interessante", disse o produtor Ryan Turek ao *ScreenRant.com*. "Nas primeiras concepções da história, ele seria uma espécie de 'tira malvado' da força policial de Haddonfield. Nessas discussões, era sobre não ter apenas Michael nas ruas, mas ter também um tipo de maldade bastante humana, alguém que fale e que seja muito carismático. Então você tem duas ameaças à solta na noite de Halloween. E então, acertadamente, eu acho, David, Danny e Jeff corrigiram o curso e filtraram algumas das ideias desse personagem muito interessante que viria a ser o Sartain. Se você fizer um filme novo de *Halloween*, você precisa ter um novo doutor, e acho que foi isso o que eles fizeram com o Sartain. Acho que é uma boa virada. Ela certamente surpreendeu as pessoas."

Do lado das forças da lei, o filme apresenta o delegado Frank Hawkins, um novo personagem com uma conexão própria com o filme original. Sartain revela que Hawkins foi o primeiro oficial a responder ao massacre de quarenta anos atrás. Na verdade, foi ele quem impediu Loomis de matar a Forma — algo pelo qual Hawkins se arrependeria mais tarde. As expressões de dor em seu rosto dizem tudo: ele sabe que as novas mortes são um resultado direto de suas ações naquela noite. Se lhe dessem a oportunidade novamente, Hawkins mataria o assassino sem hesitar, assim como o plano que fez para esta noite. Ele finalmente tem a oportunidade, após nocautear a Forma. Sartain tenta dissuadi-lo ao fingir que Michael já estaria morto, mas o delegado se mostra inabalável: "Vou estourar os miolos desse filho da puta!'. Hawkins logo tem um final trágico na lâmina do estilete de Sartain.

O desenvolvimento de *Halloween 2018* até sua versão final lançada nos cinemas é bastante interessante. O roteiro permaneceu sob constante revisão de janeiro de 2017 até começarem as filmagens, o que resultou em diversas cenas deletadas, filmadas ou não. Isso também resultou no filme ter um início e um final alternativos. Os destinos finais da Laurie Strode e da Forma também oscilaram durante esse período.

"Um mal como o dele nunca para, apenas cresce. Fica mais obscuro. Mais determinado."

HALLOWEEN
(2018)

Houve diversos rumores de que o novo *Halloween* seria exibido para uma plateia-teste no final de abril de 2018, obtendo como resposta principal o desgosto profundo do público com o final originalmente filmado. John Carpenter refutou tais boatos via Facebook, em 22 de abril: "Nem sequer temos um primeiro corte. Nada de testes com público por enquanto". Isso contestava uma afirmação recente feita por Jason Blum, que sugeria o oposto. O chefe do estúdio disse ao *Digital Spy* que ele assistira a um primeiro corte do filme em 11 de abril. Independentemente de quando os testes aconteceram, o retorno das plateias-teste foi suficiente para convencer os cineastas de escrever diversas cenas novas. As refilmagens foram programadas para meados de junho. Entre as novas cenas capturadas, estavam Laurie dando à Allyson o dinheiro da entrevista, Allyson na sala de aula, um flashback da infância de Karen, e um final totalmente novo que mostrava Laurie, Karen e Allyson se unindo contra a Forma. Os cineastas também filmaram um momento adicional na transferência de ônibus com o dr. Sartain, embora tenha sido deixado de fora do corte final.

CENAS DELETADAS

Com uma duração de uma hora e 45 minutos, *Halloween 2018* se destaca como o capítulo mais longo da franquia, com exceção dos filmes do Rob Zombie. Ainda assim, em sua montagem original, o filme durava ainda mais do que na versão que foi aos cinemas. A produção ostenta um punhado de cenas deletadas, a maioria delas cortadas por questões de ritmo, e que estão disponíveis no lançamento em vídeo.

Cronologicamente, a primeira cena deletada teria dado ao público uma reapresentação alternativa de Laurie Strode. No cinema, encontramos Laurie pela primeira vez com os apresentadores do podcast, quando ela permite que eles entrem em sua casa fortificada para uma entrevista. Na filmagem original, entretanto, nós teríamos encontrado Laurie um pouco antes da chegada deles. Essa introdução aconteceria no campo de tiro ao alvo atrás da casa dela. Ali, Laurie usa seu rifle Winchester e seu revólver Smith & Wesson para praticar disparos em diversos manequins de loja. Ela vai para dentro de casa um pouco depois para limpar suas armas de fogo (Curiosidade: Loomis também usava um revólver Smith & Wesson para disparar seis vezes em Michael Myers no primeiro *Halloween*. Sete disparos, se você estiver assistindo a *Halloween II*). Após inspecionar sua espingarda Mossberg Cruiser, Laurie carrega uma única bala em seu revólver e o aponta para o próprio queixo. Enquanto ela contempla o suicídio, nós vemos o espectro fantasmagórico da Forma por trás dela. Esse momento de tensão logo é interrompido por Aaron e Dana apertando a campainha do portão da frente.

A segunda e a terceira cenas deletadas teriam aparecido uma após a outra no filme. A primeira mostra Dana e Aaron em seu quarto de motel na manhã de 31 de outubro. Aaron espia Dana sorrateiramente no chuveiro, usando uma máscara de Michael numa tentativa de assustá-la. Ele comenta: "Quando uso isso, tem uma certa tendência ou inclinação que o legado da máscara parece inspirar". Brincando, Dana pede que ele não lhe mate. "Jamais", ele diz, se aproximando dela. "Preciso do seu sorriso." A cena subsequente mostraria Allyson correndo pela vizinhança. Perto de um jardim comunitário, ela percebe um pequeno grupo reunido em volta de uma árvore. Ela olha para cima e vê um cachorro morto enforcado em um dos galhos. Abismada com aquela cena macabra, ela continua com sua corrida. À distância, a Forma observa seu trabalho, ainda vestindo o uniforme branco do hospital.

Uma das cenas que caíram e que não foram incluídas nos lançamentos em vídeo mostra Laurie parando no centro comunitário onde sua filha trabalha como terapeuta infantil. Karen está visivelmente chateada com a visita imprevista de sua mãe, e ainda mais chateada ao descobrir que Allyson a convidara para o jantar de família daquela noite. Karen lembra à mãe que ela está proibida de ter qualquer contato com a neta. Laurie revida defensivamente, dizendo que foi Allyson quem a procurou. ("Não posso controlar quem me chama. Ela é dona do próprio nariz e está tomando suas próprias decisões.") Karen acusa a criação paranoica da Laurie de ter arruinado sua vida, o que Laurie defende como altamente necessário. Ao sair, Laurie diz à filha: "Michael Myers está deixando Smith's Grove. Passei anos requerendo sua transferência. Ele vai passar o resto da vida numa prisão no Colorado. Vou fazer o que puder pra deixar o passado para trás. Já se passaram quarenta anos. Só queria vir aqui hoje e te contar isso".

A próxima cena cortada acontece no colégio de Haddonfield, na manhã de Halloween. Num aceno ao filme original, a cena começa com um grupo de lídres de torcida gritando: "Somos de Haddonfield, com muito orgulho. Se você não escuta, vamos fazer mais barulho!" (Há também uma menção ao time Haddonfield Huskers). Então encontramos Vicky contando para uma Allyson desapontada que ela não irá ao baile daquela noite devido a um serviço de babá que pintou de última hora. Allyson vai conversar com Cameron, que tenta animá-la com uma laranja decorada como se fosse uma abóbora. Aqui Allyson se abre e conta sobre o episódio do jantar na noite anterior. "Sinto muito. Nem consegui dormir noite passada. Fiquei pensando sobre aquela confusão toda e fiquei muito triste por você ter que assistir àquilo tudo. É uma fase muito estranha pra mim e pra minha família." Cameron parece se importar de verdade nesta cena, e garante para ela: "Espere até você conhecer minha família. Ninguém tem uma família perfeita".

Não foram poucos os fãs que lamentaram a falta de castigo para Cameron depois da maneira como ele a tratou no baile da escola. Claro, ele merecia a atenção da Forma. Mas nas filmagens originais, Cameron pagaria pelo carma de suas ações. Após encontrar Allyson fora da escola, ele pede mil desculpas, aceita a responsabilidade por seus atos e oferece comprar um novo celular para ela. Quando parece que ela se mostrará receptiva aos apelos dele, a polícia de Haddonfield chega para anunciar que foi declarado um toque de recolher. Cameron responde aos policiais com hostilidade, fazendo com que eles respondam na mesma moeda. Ele é levado preso por estar bêbado no terreno da escola após mandar os policiais se foderem.

As duas cenas deletadas finais foram ambas executadas como alívio cômico. A primeira é uma versão expandida da discussão sobre o sanduíche *bánh mì* entre os policiais Richards e Francis. (Curiosidade: O policial Francis foi interpretado pelo criador de efeitos especiais vencedor do Oscar, Christopher Allen Nelson, que desenhou a versão atualizada da máscara do *Halloween 2018*.) A segunda cena acontece quando Hawkins e Sartain vasculham Haddonfield atrás da Forma. Voltando-se para Hawkins, Sartain diz: "Você já usou calcinha e sutiã?". O delegado o encara em silêncio. Um instante depois, ele percebe Sartain cutucando o nariz. Hawkins pede para ele parar, e Sartain se recusa. "Eu coço meu cérebro pelo nariz."

Falando sobre Hawkins, sua investigação inicial na casa de Julian foi severamente cortada na versão cinematográfica. Na versão inicial exibida para as plateias-teste, ele era perseguido sorrateiramente pela Forma, enquanto explorava a casa. O assassino acabaria saindo da casa e encontrando com Laurie, deixando Hawkins a salvo. Apesar de refletir as travessuras da Forma no filme original, a cena foi cortada para dar mais foco em Michael e Laurie. Embora a cena não tenha sido lançada completamente, um trecho breve dela apareceria nos trailers que promoviam o filme.

A ABERTURA ORIGINAL

Halloween 2018 pode ter encantado muitos fãs com suas referências aos filmes anteriores, mas arriscou alienar legiões de seguidores da franquia com a sua abertura original. Você pode construir quase qualquer coisa em cima da mitologia de *Halloween*, de drama entre irmãos até seitas secretas, mas o que você não pode fazer é reescrever aquela mitologia. Durante a maior parte da pré-produção do novo filme, seus cineastas planejaram fazer exatamente isso ao alterar de forma controversa o final do *Halloween* original. Pior ainda, eles miraram para matar um personagem favorito dos fãs.

No final do filme original de John Carpenter, Loomis se apressa para ajudar Laurie quando ela está sendo atacada. Ele dispara seis vezes contra a Forma, que despenca de uma varanda do segundo andar. Loomis olha para baixo e vê o assassino imóvel, então olha para Laurie, e novamente para a Forma, que agora desaparecera. No roteiro original, *Halloween 2018* deveria abrir com uma revisão desse final clássico. Nessa versão, Loomis se apressa para ajudar Laurie, mas é imediatamente estrangulado até a morte pela Forma. Laurie agarra o revólver que o doutor deixou cair e é ela quem dispara seis vezes contra a Forma, que novamente despenca da varanda. A polícia logo chega ao local — incluindo um jovem delegado Hawkins — e encontra Laurie no segundo andar, ainda apertando o gatilho de uma arma descarregada, apontada para o inconsciente Michael Myers.

A arriscada (e desaconselhável) tarefa de revisar o final de *Halloween* exigiria uma abordagem elaborada por parte dos cineastas. David Gordon Green considerou seriamente incorporar dublês de corpo em filmagens não utilizadas na produção de 1978 para alcançar o efeito. Ele chegou a escalar o diretor de arte e o supervisor dos assistentes de produção de *Halloween 2018* para os papéis de Loomis e do jovem Hawkins, respectivamente. Houve também uma breve discussão sobre rejuvenescer digitalmente Jamie Lee Curtis para interpretar a jovem Laurie, ao estilo Peter Cushing em *Rogue One: Uma História Star Wars*, mas isso foi considerado muito caro. Na verdade, a sequência como um todo foi estimada muito onerosa e abandonada antes de ser filmada. O quão perto esta abertura esteve de se tornar uma realidade? Muito perto: os cenografistas já tinham começado a construção da locação da casa de Doyle quando a cena foi cortada.

"Originalmente, íamos matar o personagem do Donald Pleasence", Carpenter contou ao *Collider*. "E pensei: 'Isso é um erro. O público não vai gostar disso. É uma revisão e não acho que a gente deva seguir por aí'. Então essa foi minha grande contribuição. Achei que os fãs iam ficar putos com isso. Não acho que você deva sequer mexer com o final do meu filme."

"Tiramos as medidas da casa, literalmente da casa do filme original", Green contou ao *The Hollywood Reporter*. "Mandamos um diretor de arte medir o quarto onde acontece o clímax daquele filme, o quarto onde Michael é jogado pra fora da varanda, e construímos metade dele antes de tomar a decisão econômica de que não conseguiríamos bancar por completo. Então, transferimos o cenário para o quarto da Laurie para o encerramento do nosso clímax. Daí ficou estranho, um reflexo subconsciente do final do nosso filme refletindo o outro filme, e era uma escolha de orçamento, não uma escolha criativa, e é o tipo de escolha em que a maioria das pessoas não reconhecem a distância da porta até o armário, até a varanda, mas aquelas pessoas que reconhecem, e mesmo as que não reconhecem... acho que existe uma conexão subconsciente em ter esses cenários espelhados que me deixa muito animado."

O FINAL ORIGINAL

Nos cinemas, o novo filme termina com Laurie, Karen e Allyson unidas para derrotar a Forma, a quem elas trancaram na sala antipânico do porão de Laurie e botaram em chamas. Mas não era assim que o filme originalmente seria concluído. No roteiro e na filmagem originais, a tão aguardada batalha entre Laurie e a Forma terminava num impasse decepcionante. Somente após a reação negativa da plateia-teste, reclamando da falta de ação e de participação de Karen e de Allyson, que os cineastas voltaram à prancheta de trabalho. O final da versão cinematográfica como conhecemos foi capturada durante as refilmagens de junho de 2018.

O final original de *Halloween 2018* começava logo após Laurie arrancar dois dos dedos da Forma com um tiro. De volta ao porão, ela encontra Karen segurando uma pistola descarregada ("Só funciona se você carregar, querida"). Nos cinemas, isso acontece quando Laurie liga os interruptores de gigantescos holofotes espalhados por sua propriedade. De acordo com o final original, ela faria ao contrário, desligando a energia, mergulhando sua casa na escuridão. Espiando através de rachaduras no piso de madeira, Laurie avista Michael e atira nele pelo teto. Correndo de volta escada acima, ela dispara várias vezes nas sombras de sua morada às escuras. Laurie então percebe Allyson no jardim da frente, chorando sobre o cadáver de seu pai. Ela corre para ajudar a neta. ("Allyson, você não pode ficar aqui. Desculpa. Não acabou. Você precisa correr. Correr e se esconder. Vá até a estrada e não olhe pra trás. Peça ajuda. Salve sua vida. Você precisa. Vá agora. Eu te amo.")

Só então a Forma aparece por trás de Allyson. Laurie o ataca usando somente uma lâmina, e um duelo brutal de facas se desenrola no gramado. Ela faz um corte no braço dele, devolvendo o ferimento que recebera quarenta anos antes, embora a Forma consiga encravar sua lâmina bem profundamente no peito dela. Karen entra na varanda, segurando um arco high-tech com o qual dispara no assassino. A flecha atravessa logo abaixo de seu ombro direito, com a haste sobressaindo em muitos centímetros. Karen e Allyson resgatam Laurie, que murmura: "Mata ele. Ele tem que morrer". Gravemente ferido, Michael deixa cair sua faca e cambaleia na floresta ali próxima, se esforçando para retirar a flecha.

EXT. FLORESTA – NOITE

A Forma, ferida. Ele puxa a flecha de seu peito e se move floresta adentro. SIRENES LAMENTAM à distância. Sua máscara BRANCA banhada pelo luar. A Forma chega até uma clareira. Ele se vira e olha de volta em direção à casa da Laurie.

Ele observa, RESPIRANDO...

Ele toca seu peito. Sente o ferimento; seus dedos faltando. Revelamos que ele está parado entre os rostos artificiais estilhaçados dos manequins. A Forma anda até uma árvore e se senta. Sua cabeça inclina de lado enquanto sua mão comprime sua roupa manchada de sangue.

Sua respiração é mais profunda. Exausta ou, possivelmente, derradeira.

Este final original é decepcionante em diversos níveis. Primeiro, ele é muito mais curto do que sua contraparte cinematográfica. A luta entre Laurie e a Forma termina quase tão rápido quanto começa. O final também não permite a Allyson fazer nada além de atrapalhar. Com Laurie e a Forma tão gravemente feridos, nenhum deles pode cantar vitória sobre uma batalha que levou quarenta anos para acontecer. Apesar desse final alternativo lamentavelmente estar ausente do lançamento em vídeo do filme, ele pode ser visto de relance no primeiro trailer.

"Acho que optamos com o final que cumpria a promessa de mostrar três gerações de Strode versus Michael Myers", disse o produtor Ryan Turek ao *ScreenRant*. "É o que tenho a dizer. Acho que acabamos optando por entregar mais daquilo que você quer ver, tanto num nível gato-e-rato, caça-e-caçador, como em forma de recompensa emocional para a maioria dos arcos de personagem que criamos para a personagem da Judy Greer, da Laurie e da Allyson."

ESCRITO, MAS NÃO FILMADO

Da forma como o roteiro do novo filme evoluiu até a produção, inúmeros momentos de personagens foram sendo escritos e retirados da história. Alguns desses momentos excluídos oferecem mais reflexões sobre as histórias pregressas e suas motivações. Outros têm repercussões maiores sobre a mitologia geral. Além dos trechos selecionados, existem outros que não serviam para muita coisa.

Um pedaço da mitologia planejado para *Halloween 2018* mas deixado de fora no final das contas envolvia a icônica casa dos Myers. Nos cinemas, nunca ouvimos qualquer menção ao endereço Lampkin Lane, número 45. O roteiro, entretanto, traz a residência de volta quando o dr. Sartain indaga sobre o destino dela. Hawkins responde: "Aquela casa velha se tornou um tipo de altar para tietes de serial killers e bandas de death metal. Vândalos detonaram a casa toda. Uma organização local da qual eu participo demoliu ela, a transformou num jardim comunitário. Uma tragédia transformada em beleza, se você quer saber". Apesar de nunca ser mencionado no filme, o tal jardim comunitário aparece numa cena deletada na qual Allyson aparece correndo. Será que a Forma teria matado o cachorro após voltar pra casa e encontrá-la demolida e transformada? É possível. Já que a casa dos Myers nunca é citada oficialmente, é possível que ela apareça em *Halloween Kills* ou *Halloween Ends* — a menos que eles também mantenham a questão do jardim comunitário (será que um pé de abóboras seria inapropriado?).

O passeio de Aaron e Dana até a casa de Laurie e a eventual conversa que tiveram seria levemente expandida no roteiro original. Dana menciona ter trazido o dinheiro de suborno devido ao histórico financeiro instável da Laurie: "Ela teve todo tipo de emprego que você possa pensar nos últimos quarenta anos, de garçonete até cosmética. Atualmente desempregada". Durante a breve conversa, os podcasters pedem para Laurie compartilhar suas lembranças daquela noite de 31 de outubro de 1978. Laurie responde: "Não tenho mais do que vagas lembranças esmaecidas daquela noite. O insight que vocês vieram buscar não existe". Ela encerra abruptamente a entrevista logo após esse comentário.

Falando sobre Aaron e Dana, os repórteres do podcast originalmente iriam resistir mais bravamente em seu encontro com a Forma no banheiro do posto de gasolina. Nos cinemas, Aaron consegue dar um belo golpe em seu algoz com o pé de cabra, antes de deixar a barra de ferro cair. Dana logo recupera a arma, mas está assustada demais para usá-la. De acordo com o roteiro,

Aaron deveria acertar a Forma "três vezes" com o pé de cabra. A arma cairia no chão, de onde Dana a pegaria para acertá-la no pé do assassino, produzindo pouco efeito. Numa fala omitida, Aaron sussurra essas palavras finais: "Dana, o que nós fizemos?". A cena então continua exatamente como no filme.

No roteiro original, o comportamento de Laurie na noite de 30 de outubro seria um pouco diferente do que no filme lançado. Nos cinemas, Laurie observa de sua caminhonete quando a Forma embarca no ônibus de transferência, entornando garrafinhas miniatura de bebida enquanto engatilha sua Smith & Wesson (a arma foi um detalhe improvisado pelos cineastas, não constava do roteiro). Ela grita quando o ônibus parte. Numa versão inicial do roteiro, Laurie se mostrava bem menos emotiva, tomando um único comprimido enquanto dizia pra si mesma: "Hora de botar o Bicho-Papão pra dormir, entendeu, garota?". (Lembre-se que no *Halloween* original Laurie igualmente se referiu a si mesma como "garota", ou "kiddo", em inglês, numa referência à sequência final do filme *Casablanca*).

A cena seguinte, do jantar, também aconteceria de forma diferente no roteiro. Nos cinemas, Laurie bebe o vinho de Ray assim que chega, para acalmar os nervos. Contudo, sua ansiedade é mais forte, e ela cai aos prantos enquanto conta ter visto o ônibus de transferência se afastar. Laurie pede desculpas pelo descontrole emocional e logo se retira. No roteiro original, o nervosismo de Laurie se manifestaria por meio de comentários inapropriados no lugar das lágrimas. Ela zomba do aperto de mãos úmido e desengonçado de Ray, antes de perguntar a Cameron se ele já dormiu com a sua neta. Ela tenta repetidamente pedir uma bebida antes de esbarrar sem querer num garçom, derrubando uma bandeja gigantesca com copos e pratos. Envergonhada, Allyson começa a chorar, e Laurie decide partir. "Sou uma péssima mãe quando não apareço e também uma péssima mãe quando apareço."

Uma inclusão relativamente tardia ao roteiro, a cena do restaurante foi escrita para substituir diversas outras cenas que foram cortadas um pouco antes do início da produção. Os cineastas originalmente planejaram que Laurie aparecesse na indicação de Allyson à Honors Society, e tivesse seu surto no local. Também seria ali que Karen e Ray seriam apresentados a Cameron pela primeira vez. Uma locação foi escolhida para a cerimônia de indicação, mas o prazo da produção estava apertado demais para incluir essas cenas. Elas acabaram condensadas na cena do restaurante que conhecemos.

Muitos fãs notaram como Laurie e Hawkins se tratam pelo primeiro nome quando seus caminhos se cruzam em frente à casa de Julian. Alguns criaram a teoria de que eles teriam sido casados em anos anteriores, mas é pouco provável que Laurie se casasse com o homem que impediu Loomis de matar seu algoz quarenta anos atrás. Um tratamento do roteiro anterior às filmagens oferecia uma possível explicação para a intimidade entre eles. Aparentemente, Laurie é uma conhecida da força policial de Haddonfield. Ao se deparar com ela na cena do crime do posto de gasolina, Hawkins comenta: "É quem penso que é? Ela liga pra delegacia pelo menos duas vezes por mês. É uma pentelha paranoica. Manda ela ir pra casa".

As páginas não filmadas do roteiro de *Halloween 2018* oferecem um pouco mais de insights sobre o dr. Sartain do que recebemos no filme. Uma pergunta óbvia colocada no roteiro, mas não no filme: como exatamente aconteceu a fuga de Michael do ônibus? No roteiro, Sartain oferece uma explicação para Hawkins, que talvez não seja inteiramente verdadeira: "O ônibus perdeu o controle após Michael surpreender o primeiro guarda, depois o motorista. Tentei me esconder, mas ele me achou. Me algemou num banco. Me olhou de cima. Fechei os olhos e quando voltei a abrir, ele tinha sumido". Os roteiristas também deram uma pista da verdadeira natureza de Sartain quando ele elogia Hawkins por ter impedido que Loomis matasse Michael em 1978. "Ele fez a coisa certa, ficando entre o discurso vingativo do dr. Loomis e o direito a um julgamento justo." Hawkins rejeita o elogio do doutor, confessando seu profundo arrependimento por ter salvado a vida de Michael naquela noite. O psiquiatra-psicopata também tinha mais falas no roteiro enquanto levava Allyson e a Forma na viatura, até a casa de Laurie. Apesar de Michael estar inconsciente, Sartain se dirige carinhosamente ao seu paciente como se ele estivesse acordado.

> ***Monólogo alternativo de Sartain:***
> *Michael, agora eu posso ver quem você é. A sensação é evidente. A emoção é estimulante. Loomis era um covarde. Ele tinha medo de mergulhar em águas tão profundas por você. Mas eu te amo e sei que você sente o mesmo. Eu libertei você desses que não querem te entender. Desses retrógrados. A sua cara quando você viu a liberdade? E então a carnificina e a confusão que nós criamos. Fico feliz por estarmos juntos, Michael.*

Nos cinemas, as palavras finais de Sartain imploram ao seu paciente para que ele "diga alguma coisa". Em silêncio, a Forma nega seu último pedido, e em vez disso deixa que sua bota faça o discurso. No roteiro inicial, as últimas palavras de Sartain eram mais assustadoras. Quando a Forma levanta sua bota, o doutor comenta: "Mas você disse que eu podia ver", o que sugeria que *Michael de fato teria conversado com seu terapeuta* no Smith's Grove. Essa implicação ousada, se chegasse ao filme, poderia ter novamente ultrapassado os limites do personagem. A atitude de Sartain se torna sombria já que ele aceita sua morte iminente ao falar com o paciente: "Vai logo". O caminho da cena no roteiro então oferece um fraseado mais eloquente sobre o que acontece a seguir: "A Forma esmigalha a cabeça do Sartain com uma pisada. Seu crânio se rompe — cagando pedaços do cérebro".

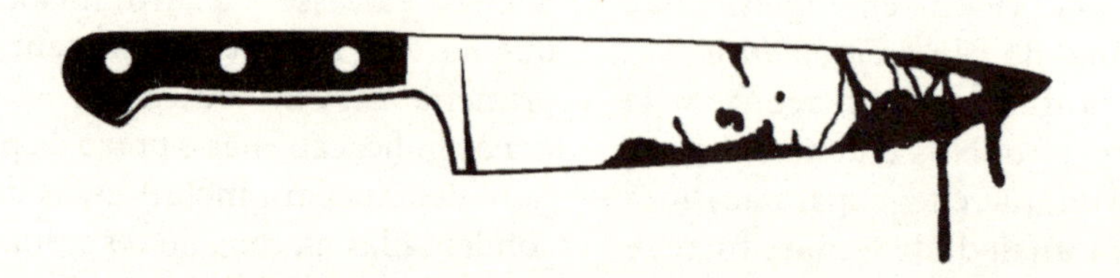

REFERÊNCIAS

Para uma continuação que ignora todos os outros nove filmes da franquia, *Halloween 2018* certamente perde um bocado de tempo fazendo homenagens a eles. Os roteiristas fizeram um esforço descomunal para reunir, de presente aos fãs, referências de todos os tipos neste episódio. As referências funcionam como um gesto de boa vontade com o restante da franquia. *Halloween 2018* não necessariamente diminui seus antecessores por não incluí-los em sua linha do tempo. Como Jamie Lee Curtis citou em mais de uma ocasião, essa continuidade alternativa é mais para "limpar o paladar" para a próxima geração.

"Em nome dos fãs, prestamos homenagem a todos os *Halloweens* que já foram lançados."
– Danny McBride, *MovieWeb*

As referências ao *Halloween* original no filme de 2018 são quase numerosas demais para serem registradas. Além das já mencionadas, a produção recria diversos momentos icônicos com Laurie agora no lugar de Michael. O filme também recria a cena da sala de aula com Allyson no lugar de sua avó. (A atriz de *Halloween*, P.J. Soles, faz a voz da professora, que mais uma vez está discursando sobre destino.) A Forma colocando o cadáver de Vicky debaixo de um lençol e pendurando Dave na parede com uma faca são ambas referências à morte de Bob no filme original. Tanto em 1978 quanto em 2018, Laurie possui um chapéu de sol com abas enormes decorando a parede. Num determinado momento, o delegado Hawkins se refere ao massacre de 1978 como "as mortes das babás", que seria o título original de Irwin Yablans para o filme. Durante a cena do restaurante, Laurie se refere a Michael como "a Forma", que é como John Carpenter e Debra Hill chamavam o assassino em seu roteiro. Laurie depois encontra o cadáver de seu genro entulhado num armário, maneira similar a como ela encontrou o corpo de Lynda em *Halloween*. Numa cena, a polícia menciona um distúrbio no número 707 da rua Meridian, que era o endereço original da locação da casa dos Myers em Pasadena, antes de ser realocado. Quando a Forma percorre as ruas de Haddonfield, crianças são ouvidas cantando os versinhos de "Black cats and goblins" do primeiro filme. Como em *Halloween H20*, Laurie repete sua frase clássica: "Faça o que eu digo". Por último, a música tocando no carro do pai e do filho antes do acidente com o ônibus é "Close to Me", da banda Heavy Young Heathens. Trata-se na verdade de um cover de uma canção improvisada que Laurie canta sozinha no primeiro *Halloween*.

Uma referência do original que não chegou a entrar no filme foi uma pontinha da ex-atriz Kyle Richards, vulgo Lindsey Wallace. Richards desde então se tornou uma estrela de reality shows após sua participação no programa *The Real Housewives of Beverly Hills*. Ela havia noticiado publicamente sua participação, embora nunca tenha sido materializada. Sempre a mulher das ideias, Jamie Lee Curtis contou ao *TooFab.com* como ela imaginava a cena: "Dá pra imaginar se a Laurie Strode estivesse no centro de Haddonfield e do nada (a Lindsey) estivesse andando até ela com suas amigas — porque agora ela é uma mulher adulta, talvez tenha filhos — e ela vê a Laurie Strode? Porque a Laurie Strode tem uma péssima reputação na cidade de ser como Pedro gritando 'Lobo!', 'Michael Myers, Michael Myers!' [Lindsey] meio que a vê e fala algo do tipo: 'Crianças, deixem (gesticula para que eles abram espaço para Laurie passar)'. Isso seria genial!". (Nota: Kyle Richards agora está prevista para retornar em *Halloween Kills*).

Existem diversas referências a *Halloween II*, a mais óbvia delas é a mulher de robe rosa sendo morta por causa de suas facas, com uma grande semelhança com a sra. Elrod. No roteiro, o marido da mulher deveria estar dormindo na sala de estar, como o sr. Elrod. No entanto, o ator contratado para esse papel não compareceu no dia de filmagem, obrigando David Gordon Green a improvisar. Isso levou à inclusão do bebê chorando naquela cena. (Curiosidade: O bebê foi dublado por Jamie Lee Curtis.) A Forma também mata a vizinha dessa mulher, que nós ouvimos falar com alguém chamada Sally — uma referência à primeira vítima de *Halloween II*, Alice. Para completar, durante o desenrolar desta cena, a Forma observa um casal — fantasiados como médico e enfermeira — que está de partida para uma festa. Mais tarde, Oscar encontra a Forma no quintal de alguém, e o confunde com o proprietário da casa, chamando ele de sr. Elrod. Outro momento de *Halloween II* recriado para o novo filme envolve a Forma dando um encontrão num garoto carregando um rádio gravador no ombro. Uma referência roteirizada, mas que não chegou ao filme, envolvia Dana lendo uma pixação poética no banheiro do posto de gasolina. Aquilo era a versão pervertida de Budd para a canção "Amazing Grace".

Enquanto a Forma percorre Haddonfield na noite de Halloween, diversas crianças fantasiadas com máscaras da Silver Shamrock de *Halloween III* podem ser vistas correndo em frente à câmera. O posto de gasolina onde Aaron e Dana param, particularmente a geladeira, possui grandes semelhanças com o local em *Halloween 4* onde a Forma também mata um mecânico para lhe roubar o uniforme. A fantasia de diabo de Oscar e a discussão jocosa na refeição entre os policiais do lado de fora da casa de Laurie relembra *Halloween 5*. A subtrama do dr. Sartain sendo um psiquiatra do Smith's Grove com um objetivo malvado é altamente evocativo do dr. Wynn, de *Halloween 6*. A já mencionada cena do banheiro com a Dana parece bastante similar a cenas de *Halloween H20* e *Halloween: O Início*. Por falar em *H20*, Laurie dirigia um carro GMC naquele filme, que pode ser visto num elevador hidráulico na oficina do posto (este detalhe também pode funcionar como outra referência de *Halloween II*). *Halloween: Ressurreição* também parece receber um aceno no posto de gasolina, onde um furgão da "Igreja Wade da Ressurreição" pode ser visto. Por último, a morte do Sartain por uma pisada no rosto recria o assassinato de Howard Boggs do *Halloween II* de Rob Zombie.

A ADAPTAÇÃO LITERÁRIA

Halloween 2018 marcou a primeira vez em trinta anos que um filme de *Halloween* recebeu uma adaptação literária oficial. Escrita por John Passarella e lançada pela editora Titan Books, o romance do novo filme oferece um enorme insight sobre as personalidades e motivações dos personagens. Baseado numa versão inicial do roteiro de filmagem, o livro de Passarella também contém as muitas cenas deletadas do filme onde elas apareceriam originalmente na história. O livro também restabelece diversos diálogos que foram cortados ao longo do filme.

Muitos desses momentos adicionais incluíam o nefasto dr. Sartain, que explica a Aaron e a Dana porque ele acredita (ou finge acreditar) que Michael Myers não representa mais um perigo para a sociedade: "Deixamos dois gatinhos na cela dele na noite passada e ambos permaneceram ilesos". Rindo, ele estende as mãos: "Sinto muito por desapontá-los". Passarella também expande o momento quando Sartain embarca no ônibus de transferência do Smith's Grove — incluindo seus comentários sussurrados dirigidos a Michael.

Curiosamente, o autor diferencia as cenas com o elenco principal das cenas da Forma de um jeito bem criativo. A maior parte do livro é escrito no pretérito, embora as cenas que envolvam o assassino são especificamente redigidas no tempo presente. Isso confere uma ênfase certeira nos momentos em que a Forma está presente na cena. Ele também descreve o final incendiário da história com detalhes muito mais vívidos do que no filme, o que faz com que você imagine como seria possível a Forma poder retornar.

> "Quando a pele das palmas das mãos da Forma começa a cozinhar contra as barras incandescentes de metal, a batalha continua. Quando os degraus da escada sobre a Forma começam a chamuscar e a desmoronar, a batalha continua. Quando o ar que a Forma respira arde seus pulmões, a batalha continua. Quando o macacão pega fogo e a Máscara começa a borbulhar e a derreter sobre a face escondida da Forma, a batalha continua. E quando toda a pele do corpo da Forma começa a queimar e a chiar, a batalha continua..."

Entrevista:

DAVID THAITES

Produtor Executivo — Halloween 2018

Entrevistado por Dustin McNeill

Você entrou na Miramax em 2015 como vice-presidente. Como descreveria seu papel na empresa?
Fui levado para a Miramax por Zanne Devine, que estava supervisionando a aquisição de filmes e programas de televisão. Meu objetivo era entrar como o chefe do departamento de cinema e construir um portfólio para a empresa. Antes da chegada do Zanne, era uma empresa de acervo pertencente à Colony Capital e à Qatar Investment Authority. A decisão tomada foi para voltar a produzir cinema. Para atingir esse objetivo, Zanne contratou gente para desenvolver e supervisionar um portfólio. Esse era o meu trabalho.

Na época, você já tinha assistido ao Halloween original? Você se considera um fã do gênero?
Sim e sim. Tenho sido um fã de horror há muito tempo. Estive envolvido num filme que tem alguns elementos assustadores chamado *Cisne Negro* (*Black Swan*). Em alguns aspectos, é um filme de terror. Também era um fã do *Halloween* original. Como muitas pessoas, acho que ele decaiu um pouco por causa das continuações, mas, definitivamente, eu era um fã. Acabei vendo uma oportunidade de pegar os direitos de *Halloween* de volta com a Dimension Films, o que achei que valeria alguma coisa. Na época, eu devo ter sido o único na Miramax que pensava assim.

Como exatamente os direitos de Halloween voltaram da Dimension para a Miramax?
Foi uma situação complicada. No divórcio da Disney com a Miramax, havia uma quantidade de títulos que foram passados numa opção de rolagem para a Dimension, como parte do acordo de liquidação. Espero não estar falando bobagem, mas acho que havia uma previsão de que eles deveriam continuar fazendo novas continuações para conseguirem manter os direitos. Naquele momento, o prazo de renovação estava se aproximando, e várias prorrogações já haviam sido concedidas. Quando entrei na Miramax e comecei a me esforçar para montar um portfólio, o primeiro lugar que você procura é no seu próprio acervo. Quais propriedades que você já possui poderiam ser potencialmente revigoradas? *Halloween* era um título que eu realmente queria por isso, mas ainda não estava acessível porque uma nova prorrogação fora concedida à Dimension. Agora que estávamos criando nosso próprio conteúdo, minha filosofia era de que estávamos no ramo de retenção de direitos, não no ramo de concessão de direitos. Em meio a uma série de dificuldades, enxerguei uma opção de recuperar os direitos de *Halloween*, já que eles ainda não tinham feito uma sequência. Estávamos negociando várias coisas com a Dimension na época. Uma delas era uma prorrogação da opção *Halloween*. Sugeri aos advogados da

Miramax que renunciássemos a várias coisas que estávamos querendo, em troca de recuperar *Halloween*. Essa parece uma boa ideia em retrospecto, mas na época todo mundo olhou pra mim e disse: "Você acha mesmo que *Halloween* vale tudo isso? O que você poderia fazer com a franquia? Já fizeram dez continuações do filme original. Algumas foram bem sucedidas, outras nem tanto". Não era exatamente uma marca premium no universo do terror naquele momento.

Ainda é muito estranho pensar na Dimension e na Miramax como entidades separadas. Quanto mais leio sobre os termos intrincados da separação delas, menos entendo.
Como eu disse, foi uma negociação muito complicada. Entrei tendo experiências em ambos os lados. Antes de trabalhar na Miramax, tive um contrato de produção com o Harvey Weinstein. Então já enxerguei dois pontos de vista. Acho que tive a vantagem da reflexão que os outros provavelmente não tinham.

Então você conseguiu retomar os direitos com a Dimension. Que caminho você tomou a partir daí?
Tive uma ideia logo de cara. É uma dessas raras ocasiões em que a ideia original que tive saiu exatamente como imaginava. Na maior parte do tempo, quando você está desenvolvendo filmes, os melhores planos não necessariamente se materializam do jeito que você esperava. Você acaba se desviando do seu plano para conseguir manter o projeto seguindo em frente. Não me lembro de viver outra situação em que o filme tenha ficado pronto exatamente da maneira como eu havia planejado no início. Isso nunca acontece.

Minha ideia inicial para o novo *Halloween* era ignorar todas as continuações e meio que resgatar a franquia. Achava que devíamos fazer uma continuação direta do primeiro filme e ignorar todo o resto. Também achava que devíamos trazer o John Carpenter de volta. Essa foi a minha ideia inicial. Falei com os meus chefes e, verdade seja dita, eles responderam: "... ok. Vamos ver se conseguimos fazer desse jeito".

Também cheguei pra fazer *Halloween* achando que precisávamos pedir permissão do público para produzir o filme. Isso era vital se quiséssemos ser aceitos pelos fãs. O que isso quer dizer, exatamente? Para mim, queria dizer trazer o John Carpenter de volta. Podíamos fazer sem ele, mas será que o filme seria bem recebido? Eu achava crucial para dar autenticidade ao nosso filme. Também acreditava que precisávamos demonstrar respeito e homenagear seu *Halloween* original. Essas coisas eram prioridade na minha cabeça quando conceituamos o projeto.

Pelo que sei, você primeiro procurou o Malek Akkad para falar sobre o filme. Eu me sinto meio mal pelo cara, considerando tudo que ele teve de passar com a Dimension durante anos.
Claro, ele passou por muita coisa, mas acho que está muito bem agora, certo? *(risos)* Mas, sim, minha primeira ligação no projeto foi pro Malek. Ele estava cético no início, quando o procuramos, e dá pra entender por quê. O Zanne e eu almoçamos com ele para falar sobre o que queríamos fazer. Acabou sendo um processo trabalhoso fazê-lo acreditar na nossa seriedade. Queríamos que ele soubesse o que havíamos planejado para desenvolver o filme da maneira adequada, respeitosamente. Queríamos fazer algo bacana, não sair correndo com a produção. Nossa abordagem foi muito cuidadosa e ele acabou percebendo isso.

E sim, Malek foi enrolado um tempão pela Dimension. Ele começou e interrompeu o trabalho várias vezes com eles, com diversos roteiros. Sempre diziam: "Vamos fazer o novo filme em breve. Vamos acelerar a produção". Houve muito esforço para tentar manter os direitos na Dimension, muitas vezes com roteiros que não estavam prontos. Sei que havia inúmeros roteiristas que estavam bastante animados para fazer parte e que trabalharam pesado. Nunca nos envolvemos com nenhum deles para fazer nosso *Halloween*. Aqueles roteiros foram originados na Dimension, e precisávamos deter todos os direitos do nosso filme.

Após Malek, vocês procuraram Jason Blum, da Blumhouse. Devido ao histórico dele, sei que é meio óbvio, mas por que ele e por que a Blumhouse?
Eu já conhecia o Jason há um tempinho. Estávamos falando sobre outros títulos para ver se ele tinha algum interesse. Toda vez que conversávamos, o Jason me perguntava: "O que é que tá rolando com o *Halloween*?". Naquele momento, não tínhamos o controle dos direitos. Então sempre soube que ele tinha interesse na franquia. Acabei ligando pra ele e disse: "Jason, conseguimos *Halloween* de volta. Quer fazer o filme?', e ele respondeu: "Claro!".

Parte da minha apresentação era que precisávamos nos diferenciar das sequências já feitas. E mais importante, precisávamos nos diferenciar da Dimension. Um jeito de fazer isso era ignorar todas as sequências. Outra parte era se apropriar do nome do Jason Blum e da marca, que era obviamente incrível e tinha toda essa atitude contemporânea, e usar isso para diferenciar o novo filme. Novamente, a coisa mais importante era o John Carpenter. Precisávamos dele para dar seu selo de aprovação e não tínhamos certeza se isso seria ou não possível. Essa era a nossa intenção.

Inacreditavelmente, você conseguiu trazer tanto o John Carpenter quanto a Jamie Lee Curtis de volta. Mas digamos que nenhum deles retornasse. Você ainda tentaria uma continuação direta do filme original?
Essa é uma ótima pergunta e... eu não sei. É muito difícil de dizer. Obviamente, nunca tivemos a garantia de que a Jamie ou o John voltariam para a franquia. John embarcou no início do processo, mesmo antes do David e do Danny. Jason foi fundamental na hora de trazer o John para a equipe, o que era tão crucial. Não tenho certeza de que a Jamie voltaria se não fosse pelo John. Honestamente, acho que a franquia e seu potencial são tão valiosos que arranjaríamos um jeito de fazer *alguma coisa*. Não teríamos abandonado o projeto sem o John ou a Jamie, mas trazê-los de volta era o nosso Plano A. Não sei como seria o nosso Plano B.

O novo Halloween acabou sendo um mega sucesso, a maior bilheteria de um filme slasher de todos os tempos. O desempenho do filme foi uma surpresa pra você?
É claro! Você sempre sonha em fazer filmes de sucesso, mas nada é garantido. As pesquisas indicavam que havia bastante interesse no filme, desde o início. Todo mundo tinha boas expectativas, mas mesmo assim os resultados foram uma agradável surpresa.

Você não escreveu o filme, mas o projeto nasceu das suas ideias. Você deve ter muito orgulho do produto final, mas sente uma espécie de autoria criativa desse projeto?
Tenho muito orgulho e sou muito feliz por estar envolvido. É muito gratificante ter um plano que se materializa desse jeito, porque na maioria das vezes isso não acontece. Também é ótimo ter uma ideia fora da caixinha que dá certo. Sinto uma autoria criativa parcial sobre o filme, mas diria que sou um acionista minoritário. Muita gente fez um trabalho tremendo para fazer o novo *Halloween* daquele jeito. Pessoas como Jason Blum, John Carpenter, David Gordon Green, Danny McBride, Jeff Fradley, Jamie Lee Curtis, Bill Block, Ryan Turek, Couper Samuelson, e todo mundo que também fez parte.

Entrevista:

JOHN PASSARELA

Autor: Adaptação literária — Halloween 2018

Entrevistado por: Dustin McNeill

Como conseguiu o trabalho para adaptar o novo Halloween?

Foi basicamente devido à minha relação com a Titan Books. Quando me ofereceram *Halloween*, eu já tinha feito três romances adaptados da série *Supernatural* para a editora e estava terminando o meu quarto. Também tinha adaptado a série *Grimm* para eles. Então o pessoal da Titan estava familiarizado comigo e com o meu trabalho. Eles me mandaram um e-mail questionando sobre minha agenda de trabalho, que estava bem desocupada na época. Então perguntaram se eu era fã de *Halloween* e se estaria interessado em fazer a adaptação. Disse sim para as duas perguntas.

Você escreveu adaptações para diversas franquias de peso. Você mencionou Supernatural e Grimm, mas você também fez livros para Buffy e Angel antes disso. O que é mais difícil? Escrever uma história original dentro de um arco já estabelecido ou adaptar um filme ao qual você ainda não assistiu?

Ambos têm seus próprios desafios. Numa franquia, você precisa ser capaz de contar sua história dentro de um mundo que já existe. Não pode mudar muito ou mexer no passado dos personagens, de onde eles se encontram emocional e psicologicamente. Nas séries, costumamos observar que uma história em particular acontece entre esse e aquele episódio.

Num romance adaptado, você está tentando pegar um roteiro de 110 páginas e transformá-lo num romance de 350 páginas. Isso significa expandir cada página do roteiro em três páginas de manuscrito. O desafio é que você não pode se desviar demais daquilo que o filme é. *Halloween* foi minha primeira adaptação nesse sentido, a propósito. A primeira coisa que fiz foi pedir conselhos de autores que conhecia de uma comunidade de escritores tie-in.* Uma dica que recebi foi escrever o romance como se o filme fosse baseado no livro. O que isso significa? Bem, quando está adaptando um filme a partir de um livro, você começa cortando muitas coisas. Você diminui os diálogos e as cenas, talvez combine personagens. Eu meio que reverti esse conceito, expandindo cenas que já estavam no roteiro.

Meu objetivo foi escrever um romance que, se alguém fosse assistir ao filme e ler o livro, não acharia que fossem experiências distintas. Queria que o romance parecesse completar o filme, porque eu sou capaz de incluir mais detalhes, mais diálogos, mais cenas.

* "Tie-in" é uma adaptação literária lançada simultaneamente com o filme. [NT]

Então você já era um fã da franquia?
Claro! É o filme favorito da minha esposa. Ela assiste ao filme com a irmã todo ano no Halloween. Quando a Titan me mandou um primeiro e-mail de convite, abri um enorme sorriso no rosto porque sabia que ela ia ficar tão animada quanto eu. Mas, mesmo pensando lá atrás, quando o filme foi lançado, eu sempre curti. Aquela foi a primeira coisa que fiz quando me contrataram. Fui assistir de novo ao filme original porque ainda estava esperando que eles me enviassem o roteiro.

Que prazo você teve para escrever a adaptação?
Eles me contataram no final de março. Só recebi o roteiro no início de abril e precisava entregar no final de maio. Então não tinha muito tempo para reinventar a roda, por assim dizer. Acho que acabei de escrever a coisa toda em uns 45 dias. Precisavam ser 80 mil palavras. Sei que fiz 50 mil delas somente no mês de maio. Eu não podia começar a escrever enquanto não tivesse o roteiro, mas uma coisa que fiz foi assistir novamente ao *Halloween* original para ter certeza de que a história estava fresquinha na minha cabeça.

O roteiro, como a maioria deles, não traz tantos detalhes assim. Como você padronizou sua redação se aproximando tanto do filme?
Logo de cara, perguntei se eles tinham algumas imagens de apoio para me mandar. Eu conhecia os atores, mas não sabia como seria o visual deles no set. Talvez alguém fosse loiro na vida real, mas precisasse pintar os cabelos no filme. Eu não tinha nenhuma ideia sobre isso. Já estava há algumas semanas escrevendo quando eles finalmente me deram acesso aos arquivos digitais do filme. Eram mais de 30 mil imagens do set tiradas em todos os dias da filmagem. Não estavam organizadas ou rotuladas de forma alguma. Então perdi o final de semana inteiro fazendo isso. Elas também não estavam em ordem, o que significava que eu tinha de procurar entre 10 ou 20 mil fotos para achar uma determinada cena. Lembra da parte quando o Michael entra no ônibus de transferência? É quase no comecinho do filme, mas só foi filmada bem mais tarde, o que a tornava um pouquinho difícil de achar.

Eu já havia escrito diversas cenas antes de ganhar acesso àqueles arquivos. Uma das cenas era a de abertura no pátio do Smith's Grove, que eu havia imaginado de um jeito completamente diferente do que aparecia no filme. Imaginei o pátio tendo muitas plantas e árvores e caminhos para que eles passeassem. Então vi o primeiro trailer e percebi que ele se parecia muito mais com um tabuleiro de xadrez gigante de concreto vermelho e branco. Daí precisei voltar e reescrever aquela cena.

Os cineastas costumam se desviar do roteiro quando estão no set. Como isso afetou seu trabalho?
Foi difícil, porque eles mudaram muitas coisas durante as filmagens. A primeira vez que vi o filme foi na noite de estreia, e foi uma experiência bastante esquisita. Eu sabia o roteiro de cor, o livro de cor, e agora o filme estava passando na minha frente como uma terceira entidade. Então tudo estava colidindo dentro do meu cérebro. "Espera aí, que cena é essa? Cadê aquela outra cena? Eles mudaram esse diálogo. O que que tá acontecendo agora?". *(risos)* Acho que meu livro é um pouco mais fiel ao roteiro do que o filme porque existem cenas nas quais eles meio que deram um polimento e também cenas que adicionaram. Por exemplo, no roteiro, eles têm muito mais material no baile da escola, que eu expandi ainda mais. Mas no filme, tudo acontece num piscar de olhos. Tem um plano com o DJ, alguns dançarinos, o ginásio e praticamente já acabou.

Quais foram algumas mudanças de diálogo que mais chamaram a sua atenção?
Eu me lembro de que as cenas com a Vicky tomando conta do Julian tinham diversos diálogos alternativos bem engraçados, mas nenhum deles estava no roteiro. A cena em que o pai e o filho estão no carro também era diferente. No filme, o garoto está falando sobre ser um bailarino. No roteiro original, eles conversavam

sobre um jogo de futebol universitário, que é o que aparece no livro. Recebi um roteiro revisado mais tarde que incluía o material das refilmagens, mas não apresentava nenhuma das mudanças de diálogo. Também rolaram muitas cenas que eles cortaram do filme e que mantive no roteiro. Nenhuma delas mudava a trama, o que me faz pensar que foram cortadas por uma questão de tempo.

Parece que você precisou trabalhar num ritmo louco para entregar no prazo. Você via abóboras e máscaras brancas quando fechava os olhos toda noite?
(risos) Quando estou com um prazo desses, procuro viver o livro enquanto estou escrevendo. Quando escrevo sem um prazo, tenho tendência a procrastinar um pouco mais. *Halloween* meio que ganhou vida na minha cabeça enquanto eu o adaptava. De repente, meu trabalho se tornou bastante real, uma vez que comecei a ver as imagens dos atores naquelas cenas. Isso se tornou pessoal pra mim. Eu terminava de escrever uma cena de morte e então sentia um pouco de luto como se alguém realmente tivesse morrido. Foi estranho.

Na minha opinião, o primeiro *Halloween* é um filme de terror bastante direto. Ele se foca mais no suspense e no medo. O novo *Halloween*, por causa da maneira como foi editado, parece mais um thriller com menos apego a esses momentos de suspense. Não dá pra chegar a essa conclusão lendo o roteiro, que é tudo o que eu tinha pra trabalhar. Então, tentei escrever suspense no livro sempre que podia. Acho que deixou o clima do livro um pouquinho diferente do filme.

Também incluí algumas mortes no meu livro que não foram parar nas telas de cinema. Lembra a cena em que Michael mata a mulher com o machado? Aquilo acontece fora de cena, e mesmo fora da página, no roteiro, mas vi como uma oportunidade de expansão naquele momento. Fiz algo parecido com a morte do Dave, que também aparece no livro, mas não no filme. No filme, eles apenas encontram seu cadáver.

Michael Myers é um personagem único, quase um não personagem, diriam alguns. Seu livro inteiro é no pretérito — exceto pelas cenas com o Michael. Fale um pouco sobre essa abordagem.
Quis tratar Michael como se estivesse sempre no momento, sem pensar muito à frente ou sobre o que tinha acabado de acontecer. Então, sempre que redijo cenas do seu ponto de vista, eu escrevo no tempo presente, porque acho que ele aproveita cada momento como único. Ele não é o tipo de cara que se arrepende ou que reflete sobre o seu próprio trabalho. Não é um planejador. Você também não quer entregar muito com um personagem desse tipo. Ele é aquilo que faz. Com qualquer outro assassino, você poderia querer abordar suas motivações, mas não com ele. Não existe um diálogo interno acontecendo ali.

O novo Halloween apaga a conexão fraterna entre a Laurie e o Michael, que havia sido um ponto de virada de trama significativo na sequência. Como você enxerga essa mudança?
Com o Michael, acho que o terror fica mais forte quando é mais nebuloso, sem estar conectado a nada. Quando assisto ao original, só vejo o Michael se fixando na Laurie após ela dar uma passada na casa dele. Não enxergo isso como se ele estivesse tentando matar sua irmãzinha. Posso ver por que o John Carpenter gostaria de mudar isso. Talvez ele não queira que as pessoas se sintam seguras, tipo: "Ah, ele só está indo atrás dela porque ela é sua parente". Acho que o John poderia querer que o Michael fosse uma ameaça mais existencial, onde pudesse ameaçar qualquer pessoa. Ele não é só o pior pesadelo da Laurie, ele poderia ser o pior pesadelo de qualquer um. Mas, em geral, Hollywood quer uma explicação para tudo. Não gostam de perguntas sem respostas.

Por falar em fixação, no novo filme a Laurie parece estar convencida de que Michael ainda é obcecado por ela. Mas ele não parece estar, parece? Nunca faz nenhum esforço para segui-la.

Percebi isso. É quase como se a fixação fosse exclusivamente por parte da Laurie, nessa história. O mesmo pode ser dito do Sartain, que é o motivo de ele tentar entregar Michael na porta da casa dela. Talvez seja apenas ilusão deles que Michael tenha uma fixação a respeito da Laurie. Sei que o roteiro passou por diversas revisões. Então eu teria a curiosidade de ver se os tratamentos iniciais lidavam com o assunto de maneira diferente. É um assunto interessante.

Se começou a escrever o romance em abril, isso quer dizer que você estava trabalhando com o roteiro que continha o final originalmente planejado do filme, que foi filmado e depois removido. Qual foi sua impressão daquele primeiro final?
Não parecia como um final de verdade. Pelo menos, não pra mim. Disseram que eu trabalharia com o roteiro final usado nas filmagens, mas li o que me mandaram e imediatamente chamei meu editor e perguntei: "É assim mesmo que eles vão terminar o filme? Este é o tratamento final?". Não fazia sentido, talvez estivesse faltando uma ou duas páginas. Então li online a respeito das exibições-teste e das refilmagens. Eles me enviaram o roteiro revisado logo depois disso.

Não cheguei a adaptar o final original quando disseram que iriam mudá-lo. Daí não precisei reescrever nada. Na minha opinião, o final revisado melhorou bastante porque parecia mais conclusivo. Michael não está exatamente a seis palmos abaixo da terra, mas ainda tem jeito de final. O primeiro final mostrava a Karen participando mais e a Allyson participando menos. Pelo que eu me lembro, a Karen dispara com um arco do gramado. Então acaba com o Michael vagando pelo campo de tiro ao alvo da Laurie, onde estão todos os manequins. Ele só fica ali na floresta quando o filme termina. Ao revisar o final, decidiram transformar a casa da Laurie numa armadilha mortal, o que deu um propósito maior para a casa dela na história. Também deu à Laurie um plano que estava faltando para ela no roteiro original, que seria encurralar Michael na casa e então incendiá-la com ele dentro. Curti bastante. Antes, era só uma batalha no gramado da frente, e que vença o melhor psicopata. E não tenho certeza de quem realmente vencia.

Uma parte do novo Halloween que parece ser odiada quase universalmente é o dr. Sartain. O que você acha do personagem e da reviravolta na trama, com ele sendo um vilão?
Também percebi essa reação nele. Acho que é comum haver o desejo, especialmente em filmes de terror, de ter essa grande reviravolta no final. Às vezes pode parecer um tanto forçado. Então é uma questão de equilíbrio. Se você entrega muito no início, não vai surpreender ninguém. Mas se for muito vago com isso, daí a reviravolta não parece ser merecida. Com o Sartain, posso dizer que estavam tentando acalmar os espectadores, fazendo com que acreditassem que ele era um grande especialista sobre o Michael Myers, essencialmente um Loomis 2.0, e então mudar a expectativa de todo mundo com a reviravolta. Acho que no roteiro eles deram um pouquinho mais de pistas sobre seus verdadeiros objetivos do que no filme. Uma coisa que incluíram nas refilmagens, mas deletaram ainda assim foram aqueles flashbacks em que Sartain ajuda Michael a fugir do ônibus de transferência.

Eu acharia interessante ver mais cenas do Sartain orquestrando coisas por debaixo dos panos. Por exemplo, por que o Michael está sendo transferido para a prisão tão repentinamente? Por que agora, depois de todos esses anos? E por que às vésperas do Halloween? Sartain obviamente não iria querer perdê-lo como um paciente. Então ele ajeita aquela transferência de tal modo que ele consegue ajudar o Michael a escapar. Nunca descobrimos de verdade a profundidade dos seus atos ao ajudar o Michael.

No Halloween original e nas continuações que se seguiram, a garota final é geralmente salva no último instante por um homem. No novo

Halloween, Laurie não está contando com a ajuda de ninguém. Ela está pronta para salvar a si mesma. Como você vê essa atualização do arquétipo da garota final?
Acho que é uma boa tendência que estamos vendo. Sua protagonista precisa agir, não reagir. Então é ótimo ter uma mulher que não está esperando por um homem que a venha salvar. A Laurie é uma grande personagem, nesse sentido. Eu meio que senti uma vibe meio Sarah Connor em *O Exterminador do Futuro 2* (*Terminator 2*) no roteiro, quase como se ela fosse uma referência para a atualização do papel. Acho que funciona muito bem. É ótimo ver a Laurie assumir as rédeas da sua vida neste filme.

Fiquei realmente comovido com a última frase do seu romance, da maneira que ela aborda a Allyson. A história termina com ela segurando a faca do Michael, que você descreveu como "uma fonte de medo transmutada num totem de força". Que frase excelente para terminar o livro. Fale um pouco sobre isso.
No roteiro original, a Laurie entrega a faca para a Allyson, mas não há nenhuma explicação do motivo ou do que aquilo pode significar. Li em algum lugar que tem pessoas que acham que a Allyson irá se transformar numa assassina, mas não é de forma alguma como eu vejo. Eu estava tentando encontrar algum motivo significativo para aquele gesto. Acho que este pode ser possivelmente o último *Halloween* com a Jamie Lee Curtis. Então talvez estejam preparando a Allyson para ser a nova garota final que poderia continuar com a franquia. Talvez Laurie entregando a faca para a Allyson seja como passar a tocha, digamos assim. Isso foi muito antes de saberem que filmariam mais duas continuações de uma só vez com a Jamie. No entanto, existe uma ambiguidade no final. Talvez a Laurie morra, talvez não. Talvez a Forma morra, talvez não.

Como personagem, Allyson não tinha muito o que fazer no roteiro original antes das refilmagens. Ela tinha mais cenas, porém menos coisas pra fazer, se é que isso faz algum sentido. Acho que ela se tornou uma participante mais ativa no final revisado. Quando começaram a reestruturar o filme na pós-produção, tiraram muitas coisas com a Allyson porque estavam tentando deixar o filme com maior protagonismo da Laurie. Não quiseram incluir nenhuma cena nova com ela, mas removeram cenas com a Allyson. É meio que uma adição por subtração. Ao reduzir o número de cenas da Allyson, o peso do filme recaiu mais sobre a Laurie.

No filme, vemos o Michael trancado num porão em chamas, mas não vemos exatamente ele pegando fogo. Seu livro tem uma descrição sobre isso, e bastante intensa. Em algum momento você se preocupou que os cineastas pudessem contradizer esse final no próximo filme?
É basicamente a mesma coisa que acontece, mas com menos descrição. Eu me inclinei um pouco mais em direção à fatalidade no livro, porque eles cortam muito antes no filme. Acho que cortam talvez meia página antes daquela última cena, porque quando o filme volta até o quarto em chamas, Michael já não está mais lá. Essa é a única diferença de verdade. Eu me lembro de pensar: "Eles provavelmente vão me dizer que estou indo longe demais com esse final, que não querem ver o Michael tão machucado pelo fogo", mas nunca disseram nada a respeito. Também não diria que o coloquei numa morte certa. Então talvez conseguisse escrever uma escapatória para ele, se fosse preciso.

Li especulações online sobre todas as maneiras diferentes de como ele poderia ter sobrevivido. Uma pessoa achava que seria legal se a máscara agora estivesse derretida sobre a sua pele e fosse parte dele. Quem sabe se vão fazer isso ou não. Não acho, entretanto, que os dedos dele vão voltar a crescer.

HALLOWEEN | 2018

DAVID GORDON GREEN

"Quer gritar maldito assassino? Então o novo Halloween é a doce-travessura assustadora que você estava esperando." PETER TRAVERS, ROLLING STONE

"Quando David Gordon Green anunciou que estava assumindo a franquia Halloween, houve uma confusão generalizada. (...) Green consegue algo que é ao mesmo tempo uma homenagem e uma evolução do clássico de 1978, com momentos criados para criar ressonâncias que não são apenas reencenações, e sim parte do seu conceito maior sobre cicatrizes causadoras de trauma. (...) Ele pode ter sido uma escolha improvável, mas indubitavelmente foi incrivelmente eficaz." RICHARD WHITAKER, AUSTIN CHRONICLE

"Ao mandar Michael apresentar seus maiores sucessos — como se esconder no banco de trás e inesperadamente se levantar —, Green reduz o personagem que simbolizava o mistério definitivo e o transforma numa máquina para agradar o público, tão desgastada quanto sua máscara perfeitamente envelhecida. Embora imagine que, quando você está a uma faca de distância da aposentadoria, ninguém pode culpá-lo por parecer um pouquinho cansado."
---- JEANNETTE CATSOULIS, THE NEW YORK TIMES

"Nesse momento em 2018, um filme que apresenta três gerações de mulheres vitimizadas unidas contra um homem predatório está destinado a encontrar um público. Nostalgia e catarse; sangue e sororidade. O novo Halloween não teria como dar errado, mesmo se fosse situado no Dia da Árvore. É um serviço aos fãs bastante atraente, ostentando muitos toques de mestre e outros, em menor número, decepcionantes." ---- MICHAEL PHILLIPS, CHICAGO TRIBUNE

KILL KILL, KILL

O TERROR CONTINUA.

Dirigido por David Gordon Green
Escrito por Danny McBride, Scott Teems e David Gordon Green

Noite de 8 de setembro de 2021. A pré-estreia de *Halloween Kills: O Terror Continua* aconteceu em grande estilo na 78ª edição do Festival Internacional de Cinema de Veneza. Presente no evento, a protagonista Jamie Lee Curtis também foi homenageada com um prêmio especial pelo conjunto de sua obra, iniciada quarenta e três anos antes, justamente no papel de Laurie Strode. Em entrevista ao *The Hollywood Reporter*, Jamie Lee afirmou estar honrada com o reconhecimento por uma carreira que, segundo ela, está longe de terminar. "Estou trabalhando mais e me sentindo mais criativa do que nunca". Entre os seus filmes marcantes, ela fez questão de citar *True Lies*, *Um Peixe Chamado Wanda* e, é claro, *Halloween*.

Enquanto fechávamos a edição deste livro do selo Macabra, *Halloween Kills* ainda não havia estreado. O lançamento oficial para o mercado norte-americano, incluindo salas de cinema e o serviço de streaming *Peacock*, da NBCUniversal, ocorreria um mês depois do festival, em 15 de outubro de 2021. Portanto, o texto a seguir não apresenta spoilers. Ao menos nada que não havia sido revelado pelos *trailers* do longa-metragem, o décimo segundo da franquia. Para fugir de palpites furados, reunimos informações de entrevistas, da campanha de divulgação e das resenhas dos poucos críticos que tiveram o privilégio de assistir ao filme antes de todo o mundo, na romântica capital da região italiana do Vêneto. Considere este texto como um pequeno bônus da edição brasileira, feito sob medida para você, darksider do futuro.

SEGUNDO ATO: A MAIS PURA ANARQUIA

Halloween Kills é o segundo volume da trilogia assinada pelo diretor David Gordon Green, que marcou a volta de Jamie Lee Curtis e John Carpenter, este agora como consultor e compositor. Inicialmente, a ideia era produzir uma história em duas partes. "Nós íamos filmá-las de uma só vez, do começo ao fim, mas achamos melhor segurar a onda", contou o roteirista Danny McBride ao *Entertainment Weekly* em junho de 2018, quando o primeiro longa estava em fase de divulgação. McBride temia que, se o filme não agradasse aos fãs, "nunca mais conseguiríamos trabalho. Então, é melhor não sentar por um ano inteiro esperando o lançamento de mais um filme que ninguém iria gostar". O temor não se confirmou — *Halloween 2018* obteve um enorme sucesso de público e crítica e se tornou o mais rentável de todos, contabilizando US$255 milhões em bilheteria. Jamie Lee Curtis brincou, dizendo que gostaria de viajar com o diretor para Las Vegas qualquer dia desses, pois ele saberia como "ganhar dinheiro pra cacete".

A recepção estrondosa de *Halloween 2018* abriu as portas para duas continuações. *Halloween Kills* foi anunciado para outubro de 2020, mas o lançamento precisou ser adiado por um ano, em decorrência da pandemia de Covid-19. O capítulo final da trilogia, *Halloween Ends* [O *Halloween Termina*, em tradução livre] é esperado para outubro de 2022.

Halloween Kills começa exatamente onde terminou o anterior: com Michael Myers aprisionado no porão da casa em chamas, enquanto três gerações de mulheres da família Strode escapam numa caminhonete. Laurie então é levada ao hospital para tratar dos ferimentos provocados em sua batalha com o assassino mascarado. Trata-se de uma clara referência a *Halloween II* (a continuação original, ainda que o segundo longa de Rob Zombie para a franquia também tenha início com uma sequência dentro de um hospital, que logo descobrimos ser um pesadelo premonitório de Laurie). Mas as semelhanças param por aí, já que a linha de tempo alternativa criada por David Gordon Green *deletou* todos os acontecimentos do filme de 1981 em diante. Laurie e Michael nunca foram irmãos, e agora é ela quem se mostra obcecada pela "Forma". A eterna rainha do grito não é mais uma menina, muito menos indefesa, perambulando grogue pelas instalações do Haddonfield Memorial. Os trailers de *Halloween Kills* entregavam que Laurie daria alta a si mesma, disposta a perseguir Michael Myers, mesmo estando ferida. A empoderada sexagenária consegue liderar os moradores de Haddonfield numa caçada ao maníaco. Este, aparentemente, segue inabalável até seu antigo lar, deixando uma linha reta de corpos pelo caminho. Mas peraí, como Michael sobreviveu à morte certa do último filme? Nenhuma explicação sobrenatural aqui. Ele apenas aproveita a presença dos bombeiros que tentavam apagar o incêndio na casa cheia de armadilhas. Lembre-se, este é só o segundo capítulo. Aconteça o que acontecer, Laurie e Michael precisam chegar vivos até a noite das bruxas de 2022.

"Você tenta dar aos fãs o que eles querem, mas você não pode entregar uma resolução. É um capítulo completo, com começo, meio e fim, mas é preciso deixar algumas portas abertas" - confidenciou David Gordon Green ao podcast *Fred, The Festival Insider*, em Veneza: "*Halloween Kills*, em particular, é o segundo de uma trilogia. A ideia é que o primeiro filme apresentaria os novos personagens e, em alguns casos, reapresentaria personagens pré-existentes. Já este capítulo é pura anarquia, caos".

O inferno parece estar mesmo à solta em *Halloween Kills*. Um dia após a pré-estreia, o *site Rotten Tomatoes* publicou uma análise das primeiras críticas do filme, e concluiu que "o capítulo do meio da nova trilogia [...] ostenta uma impressionante contagem de corpos, mesmo que sacrifique um pouco da sutileza [do clássico original] no processo". John Carpenter parece não se importar com isso. O diretor, sempre elogiado por seu *Halloween* de 1978 sugerir mais do que mostra em termos de violência, parecia bastante empolgado justamente com a carnificina do filme. Não que Carpenter tenha evitado abraçar a sanguinolência em vários momentos de sua cinematografia (*Enigma do Outro Mundo*, À Beira da Loucura, *Vampiros*... a lista é grande). Ao site *Indiwire*, ele comentou logo após assistir ao corte final de *Halloween Kills*: "O filme é incrível. É engraçado, intenso e brutal, um filme slasher multiplicado por cem, por mil. É enorme. Eu nunca vi nada igual: a contagem das mortes!".

Jamie Lee Cutis suspeita que a inspiração para a agressividade do filme venha do tempo em que vivemos. "Há uma frase em *Halloween Kills* que diz: 'O sistema está falido'. Bem, você sabe, o sistema está falido no mundo todo, e as pessoas estão se rebelando em todos os lugares numa fúria coletiva contra a máquina, contra os sistemas injustos". Gordon Green não se afasta muito em sua análise: "O [filme de 2018] era mais sobre o isolamento pós-Michael vivido por Laurie, e sobre sua tentativa de vingança. Era pessoal. Este filme agora é mais sobre o desdobramento de uma comunidade que adere ao caos. É sobre como o medo se espalha de uma forma viral". Um tema bastante coerente para um filme lançado ainda em tempos de coronavírus.

Assim como seu antecessor, *Halloween Kills* também ganhou uma adaptação literária, lançada simultaneamente com o longa-metragem. O autor, Tim Waggoner, é um especialista neste tipo de romance, tendo escrito adaptações para franquias como *Resident Evil*, *Triplo X*, *Kingsman* e *A Hora do Pesadelo*. Com 320 páginas, o livro certamente vai além do roteiro original. "Eu li a adaptação que John Passarela fez do filme anterior, para que meu livro pudesse ser uma continuação digna, dentro do possível" — ele contou numa entrevista ao blog *Novel Pro Junkie*. "Adorei escrever cenas sob os pontos de vista do Michael e da Laurie. Foi um prazer entrar na mente desses dois personagens tão icônicos". Sobre achar a voz de um personagem que é famoso por não falar nunca, Waggoner reflete: "Michael é uma força

"Nunca houve título de filme mais verdadeiro... A contagem de corpos é fenomenal. Nós amamos essas coisas." – Stephanie Bunbury, *Deadline*

implacável da natureza - frio, impiedoso, totalmente intransponível. Isso faz dele um dos maiores monstros da história do cinema de terror, mas como ele não interage com outros personagens, é mais difícil mostrá-lo tendo algum tipo de conexão com eles".

A trilha sonora de *Halloween Kills*, novamente assinada pelo trio John Carpenter, seu filho Cody e o guitarrista Daniel Davis, também teve seu lançamento simultâneo com o filme, e chegou ao mercado em CD, vinil e nos principais canais de streaming.

Resta agora aguardar o episódio derradeiro da trilogia. Jamie Lee Curtis leu o roteiro de *Halloween Ends* pela primeira vez no avião, rumo à pré-estreia no festival de Veneza. O que podemos esperar? De acordo com ela, o último filme "amplifica a história dos dois anteriores num nível existencial". David Gordon Green confirma que o filme terá um tom próprio: "Eu me engajo fazendo algo diferente. Se fosse apenas me repetir, deixaria o filme nas mãos de outra pessoa. Quando você tem essa oportunidade dentro de uma franquia já estabelecida, é muito divertido pensar em como você pode mostrar tonalidades e perspectivas diferentes, e evoluir".

Nada garante que Michael Myers não ressurgirá depois, mesmo que o final de *Halloween Ends* pareça definitivo. Já aconteceu antes, como você constatou com detalhes neste livro. Se "a Forma" realmente é a personificação do medo em seu estado puro, faz sentido que seja indestrutível. Não importa. Havendo ou não novas inclusões na franquia, a história criada por John Carpenter e Debra Hill em 1978, e recontada tantas vezes, nunca há de morrer. *Halloween* é, portanto, imortal.

We get closer and closer until we s
HALLOWEEN MASK. It is a large, full
not a monster or ghoul, but the pal
MAN weirdly distorted by the rubber

Finally, CAMERA MOVES IN CLOSE on
blank, empty, a dark, staring sock
CREDIT.

FADE IN:

Black screen. SUPERIMPOSE:

HADDONFIELD, ILLINOIS

OCTOBER 31, 1963

DISSOLVE TO:

EXT./INT. MYERS HOUSE - NIGHT - SUBJECTIVE POV (PANAGLIDE)

It is night. We move toward the rear of the house through SOMEONE'S POV. CAMERA MOVES UP to a Jack-O-Lantern glowing brightly on a windowsill. It is a windy night and the curtains around the Jack-O-Lantern ruffle back and forth. Suddenly we hear voices from inside the house.

SISTER (V.O.)
My parents won't be back till ten.

BOYFRIEND (V.O.)
Are you sure?

O CARPINTEIRO DE HADDONFIELD

por **MACABRA™**

Era para ser só mais uma produção de baixo orçamento e prazo apertadíssimo. O lucro, se viesse, seria conquistado numa longa viagem pelas estradas norte-americanas, levando as pouquíssimas cópias em 35mm de cidade em cidade, para exibições em drive-ins e cinemas poeira. Produtos baratos e descartáveis, os *exploitation movies*, como eram chamados na época, serviam para pagar as contas dos seus realizadores e, quem sabe, financiar seus próximos lançamentos. Roger Corman seguiu esse script em sua impressionante carreira de quase sete décadas e mais de quinhentos filmes produzidos. Mas algo inesperado estava para acontecer daquela vez. Por onde passava, a estreia de Michael Myers e Laurie Strode conquistava uma legião crescente de fãs, no melhor estilo propaganda boca a boca. Em pouco tempo, a crítica também se renderia, tecendo elogios raros para filmes do gênero e chegando a comparar seu jovem diretor com o inigualável Alfred Hitchcock. A despretensiosa fita de terror ganharia o mundo, rendendo 70 milhões de dólares (para um orçamento de apenas 300 mil) e se tornaria o filme independente mais lucrativo da história — recorde que manteve por duas décadas, até ser desbancado por *A Bruxa de Blair*, de 1999.

É até difícil entender o impacto produzido por *Halloween* em 1978. Mesmo não sendo o primeiro slasher do cinema,* ele certamente impulsionou o gênero, destacando-se como um dos mais inovadores de todos e iniciando uma nova era de terror nos anos 1980. Se hoje muitas cenas parecem previsíveis, é porque você já viu incontáveis reinterpretações, homenagens, paródias e cópias descaradas feitas do original nas últimas quatro décadas. Não tenha dúvida, o *Halloween* de John

* Qual o primeiro slasher da história? O assunto é controverso, dependendo de para qual cinéfilo geek você perguntar. Os critérios variam: contagem de corpos, assassinos misteriosos, muitas vezes mascarados e sem motivação aparente... Alguns notáveis concorrentes ao título: *O Massacre da Serra Elétrica* (Tobe Hooper, 1974), *Noite do Terror* (Bob Clark, 1974), *Torso* (Sergio Martino, 1973), *Banho de Sangue* (Mario Bava, 1971), *Seis Mulheres para o Assassino* (Mario Bava, 1964), *A Tortura do Medo* (Michael Powell, 1960). John Carpenter cita *Psicose* (1960) como o "maior slasher de todos os tempos".

Carpenter é um marco na história da sétima arte, e o longa-metragem que colocou o nome de seu cineasta definitivamente na lista dos mais influentes de seu tempo.

John Carpenter é um homem renascentista contemporâneo. Diretor, roteirista, produtor, ator, compositor, músico. Sua lista de créditos no IMDB é bastante extensa, e vale ao leitor curioso perder um tempinho para descobrir pérolas que geralmente não entram em suas filmografias selecionadas. Nas entrevistas, ele sempre se apresenta com muita simpatia e bom humor, mesmo quando destila críticas ácidas ao showbiz, um mundinho que ele conhece tão bem. Em mais de quarenta anos de profissão, Carpenter passeou pelos mais diversos gêneros: comédia, romance, biografia, faroeste, ação, sci-fi, suspense e (claro!) terror — muitas vezes combinados dentro de um mesmo filme. Já trabalhou sob encomenda de grandes estúdios e também em produções independentes com o dinheiro mais do que contado. Experimentou sucessos inesperados e fracassos retumbantes.* E, apesar de inevitáveis exceções para um artista tão prolixo, ele quase sempre alcança um padrão de qualidade bem acima da média. Se até mesmo seus filmes mais fracos costumam reunir ingredientes bons o bastante para valerem a pena, seus melhores trabalhos são reconhecidos, merecidamente, como verdadeiras obras-primas. E você não precisa confiar na minha opinião. John Carpenter tem fãs muito mais respeitáveis do que eu, como Quentin Tarantino, Jason Blum, Sam Raimi ou Guillermo del Toro, por exemplo. Martin Scorcese é um que não lhe poupa elogios:

"Seus filmes sempre têm uma qualidade artesanal — cada corte, cada movimento, cada escolha de enquadramento e posicionamento de câmera, sem mencionar cada nota musical (ele compõe suas próprias trilhas), tudo parece ter sido criado ou colocado manualmente pelo próprio cineasta. Seu senso de composição é bastante exigente e preciso, seu controle de movimento dentro e fora do quadro é de arrepiar. São tantos os momentos absolutamente surpreendentes nos seus filmes — o assassinato da garotinha com a casquinha de sorvete em *Assalto à 13ª DP*, as aparições de Michael Myers bem no cantinho do quadro em *Halloween*; as aparições da criatura em seu aterrorizante remake de *O Enigma do Outro Mundo*. E a ambientação em seus filmes é criada e mantida de forma tão cuidadosa. Sou um grande admirador de *A Bruma Assassina*, a ambientação, o clima de mistério. Mas também adoro *Eles Vivem*... um dos melhores trabalhos de um ótimo diretor americano."

Matt e Ross Duffer, criadores de *Stranger Things*, também estão no time de admiradores nada secretos do autor de *Halloween*. No projeto conceitual da série, conhecido no jargão audiovisual como bíblia, os irmãos Duffer resumem as aventuras de Eleven e seus amigos como "*ET* com John Carpenter". Os riffs obscuros de sintetizador, os planos cuidadosamente estilizados, os movimentos de câmera baseados nos pontos de vista dos personagens e o uso de efeitos especiais práticos (combinados com computação gráfica) ajudaram a compor a estética do sucesso da Netflix. A terceira temporada é a mais "carpinteresca" até agora, com múltiplas referências a *O Enigma de Outro Mundo* e *A Bruma Assassina*. No livro *Stranger Fans* (Darkside Books, 2019), o escritor Joseph Vogel dedica um capítulo inteiro para dissecar as influências de Carpenter na série. "Junto com Spielberg e Stephen King, John Carpenter é talvez o terceiro nome mais citado na Divina Trindade dos Irmãos Duffer", afirma Vogler.

No Brasil, o mestre do terror também conquistou seguidores ilustres. Em seu livro *Três Roteiros*, Kleber Mendonça Filho cita *Assalto à 13ª DP* como uma das influências fundamentais de *Bacurau*. O diretor pernambucano fez questão de colocar uma composição de John Carpenter na trilha de seu filme de 2019, vencedor do Troféu do Júri no Festival de Cannes. Os sintetizadores pesados da música "Night" embalam uma roda de capoeira. *Bacurau* traz ainda um easter egg para os fãs do autor de *Halloween*: a escola municipal da cidade que desapareceu do mapa se chama Professor João Carpinteiro.

* Um mesmo filme reúne o melhor exemplo de fracasso e sucesso na carreira de John Carpenter: *O Enigma de Outro Mundo*. Fiasco de bilheteria nos cinemas, aos poucos foi ganhando status de cult, a ponto de se transformar em seu filme mais popular e respeitado.

Joãozinho nasceu no estado de Nova York em 1948. Seu pai, violinista e professor de música, foi transferido para o estado do Kentucky, onde a família Carpenter era vista como ianques, os nortistas que venceram a guerra civil. (Apesar do Kentucky ter se mantido neutro durante o conflito, o estado pertence ao Cinturão da Bíblia, região culturalmente associada aos antigos estados confederados.) O garoto nunca se enturmou de verdade na escola e era visto pelas garotas como um cara meio esquisito. Para contornar a solidão, ele contava com a música e, é claro, o cinema. O rock and roll, os filmes de caubói e o terror sci-fi dos anos 1950 e 1960 foram fundamentais para o desenvolvimento estético do futuro cineasta. Nesse período, nenhum outro diretor exerceu maior impacto em John Carpenter que o veterano Howard Hawks.

Com uma carreira iniciada no cinema mudo, Hawks assinou 47 filmes, até se aposentar em 1970. Dirigiu épicos (*Terra dos Faraós*, 1955), suspenses noir (*À Beira do Abismo*, 1946, com Humphrey Bogart), musicais (*Os Homens Preferem as Loiras*, 1953, com Marilyn Monroe) e filmes sobre a Primeira e a Segunda Guerra Mundiais (*Patrulha da Madrugada*, 1930, e *Águias Americanas*, 1943). São suas as primeiras adaptações de *Scarface: A Vergonha de uma Nação* (1932) e de *The Thing From Another World* (1951), lançado no Brasil como *O Monstro do Ártico*. Mas foi nos westerns que Hawks deixou sua principal marca em Carpenter.

"Eu entrei nesse ramo para fazer faroestes", afirmou John Carpenter em entrevista à New York Film Academy. Mas ele chegou atrasado, os estúdios, os críticos e mesmo o público não pareciam mais se interessar pelo gênero. Nada mais fora de moda que um caubói, então. Curiosamente, um dos primeiros trabalhos dele, ainda como estudante da University of South California (a mesma de George Lucas), contava as desavenças de um garoto que sonhava em ser vaqueiro na cidade grande. *The Resurrection of Broncho Billy* ganhou o Oscar de melhor curta-metragem de 1970. Ao site *justinbeahm.com*, Carpenter contou: "Era ridículo, mas ganhou um prêmio da Academia. Um dos caras da produção — eu não — conseguiu ir à cerimônia. No dia seguinte, Bernard Canter, chefe do departamento de cinema da universidade, levou o Oscar num saco de papel para mostrar pra gente. Foi o mais perto que cheguei de um Oscar. Num saco de papel".

Ainda que chegasse a assinar dois westerns como roteirista nos anos 1990 (os telefilmes *El Diablo* e *Blood River*), a decadência do gênero fez com que Carpenter precisasse adaptar sua paixão, disfarçando seus faroestes em suspenses, ficções científicas ou thrillers sobrenaturais. "O terror me achou", ele diria. De fato, há muito de Howard Hawks, Sergio Leone e John Ford em sua obra. Um dos exemplos mais escancarados deve ser *Vampiros*, de John Carpenter. Mas é possível encontrar convenções do Velho Oeste em *Dark Star*, *Fantasmas de Marte*, *O Príncipe das Sombras* ou *A Bruma Assassina*. E em quase todos os filmes que fez com Kurt Russel, seu John Wayne particular (a exceção seria a cinebiografia *Elvis*, de 1979).

Quentin Tarantino parece ter decifrado as semelhanças, e claramente buscou inspiração num dos principais longas de Carpenter para criar sua segunda incursão nos westerns. As referências são tantas que muitos fãs consideram *Os Oito Odiados* (*The Hateful Eight*) uma adaptação livre de *O Enigma de Outro Mundo*. Um exagero, é certo. Mas além de Russel como protagonista, os dois filmes compartilham muitos detalhes. Alguns meramente visuais, como planos cinematográficos univitelinos, objetos de cena (tabuleiro de xadrez, forca) e peças de figurino parecidas (o chapéu e os óculos escuros usados por Kurt Russel em 1982 e por James Parks em 2015). As principais coincidências, entretanto, são conceituais: a nevasca lá fora que torna a fuga impossível, personagens enclausurados que não confiam uns nos outros, os dois sobreviventes que dão uma trégua esperando o final inevitável. Tire a criatura mutante que veio do espaço, e realmente os dois filmes têm muito em comum. Até o mesmo compositor, Ennio Morricone. Além do material inédito, a trilha do bangue-bangue tarantinesco resgatou três músicas do sci-fi oitentista: "Eternity", "Bestiallity" e "Despair". Morricone ganhou o Oscar com *Os Oito Odiados*, e não consta que tenha levado a estatueta num saco de papel para mostrar a John Carpenter.

Depois de se aventurar com alguns curtas-metragens, John Carpenter iniciou oficialmente sua carreira com *Dark Star*, uma paródia de ficção científica que ele produziu, dirigiu, escreveu e compôs a trilha. O longa começou como um projeto de faculdade, e levou cinco anos até ser completado, já que as filmagens eram interrompidas sempre que o dinheiro acabava. Você não precisaria ser lá muito perspicaz para constatar a falta de verba — o monstro do filme, por exemplo, era uma bola de praia com garras (procure no Google por "beach ball alien"). *Dark Star* foi lançado no cinema em 1974. Aos 26 anos, Carpenter achou que assim que o público assistisse ao filme e percebesse "o gênio que eu era... uma limusine iria me buscar e me levar até os grandes estúdios de Hollywood". Tempos mais tarde, ele reavaliaria *Dark Star* com muito bom humor: um ótimo filme universitário, um péssimo filme profissional. Com citações de duas obras-primas de Stanley Kubrick, *2001* e *Dr. Fantástico*, a história de *Dark Star* não é de se jogar completamente fora. Tanto que o corroteirista e ator Dan O'Bannon reaproveitaria algumas de suas ideias anos mais tarde ao escrever *Alien, o Oitavo Passageiro* para o diretor Ridley Scott.

Ainda que o motorista da limusine não tenha aparecido, não demoraria tanto até que o talento de John Carpenter começasse a despertar interesse. Em 1976, o diretor apresentaria seu faroeste primordial. *Assalto à 13ª DP* conta a história de um cerco a uma delegacia quase abandonada, na véspera do dia em que o prédio será desativado. Lá dentro, um oficial, um sargento, duas secretárias, um civil e três prisioneiros que seriam transportados para uma prisão estadual precisam se unir para combater uma gangue de atiradores revoltados com a morte de um de seus líderes. É uma história simples e bastante intensa, levemente inspirada por um dos clássicos de Howard Hawks com John Wayne, *Onde Começa o Inferno* (*Rio Bravo*, 1959). *Assalto à 13ª DP* nem de longe bateu recordes de bilheteria nos Estados Unidos, mas seria aclamado pela crítica europeia após sua exibição nos festivais de Cannes e de Londres em 1977.

Sendo o primeiro filme "de verdade" de Carpenter, e não um projeto universitário, *Assalto* pode ser visto como a pedra fundamental de seu estilo — assim como *Cães de Aluguel* está para Tarantino ou *A Noite dos Mortos-Vivos*, para George A. Romero. "As ideias ditas uma só vez morrem inéditas", afirmaria Nelson Rodrigues, um autor que era obcecado por seus temas preferidos e não se cansava de repeti-los. Pois as obsessões de John Carpenter já se mostravam presentes. Em geral, ele conta histórias de pessoas comuns que se veem obrigadas a lutar por suas vidas em locais claustrofóbicos.* Carpenter segue quase à risca as unidades do teatro grego, propostas por Aristóteles quatro séculos antes de Cristo: poucos personagens, pouquíssimas locações, narrativa concentrada em curtos espaços de tempo, geralmente 24 horas ou menos. Seus protagonistas não buscam aventuras, estão ocupados demais com suas vidas, até que uma bomba cai em seus colos. *Shit happens!* O mal atravessa seus caminhos por acaso, e não como uma forma de penitência por seus pecados. A grande motivação dos seus personagens não é a redenção, mas a sobrevivência.

A ausência de um moralismo punitivo, tão banalizado no gênero do terror, aproxima o estilo do diretor ao horror cósmico de H.P. Lovecraft. O universo não está preocupado com nossos atos, somos insignificantes demais para isso. Carpenter reforça os conceitos do cosmicismo lovecraftiano em sua *Trilogia do Apocalipse*. *O Enigma de Outro Mundo*, *Príncipe das Sombras* e *À Beira da Loucura* refletem sobre o fim do indivíduo, o fim de Deus, o fim do da realidade. Ou, resumindo, o fim do mundo. O que fazemos enquanto ele não chega? Ora, mascamos chicletes e chutamos umas bundas. Ei, acabaram os chicletes!

* Curioso pensar que Carpenter nunca dirigiu um filme de zumbis. Os assaltantes do 13º Distrito, os mendigos liderados por Alice Cooper em *O Príncipe das Sombras*, os fantasmas de Marte, os infectados em *O Enigma de Outro Mundo*, os piratas do além-túmulo em *A Bruma Assassina*, até mesmo o Michael Myers imortal da franquia... Todos poderiam ser facilmente adaptados como mortos-vivos. Mas os vilões de John Carpenter têm algo de mais perigoso. Eles pensam. Sim, até o Alice Cooper!

Se John Carpenter não perde tempo dando lições de moral em seus espectadores, não quer dizer que ele seja um alienado. O diretor nunca escondeu suas posições progressistas, que entram em seus filmes de maneira orgânica, nunca panfletária. *Alguém Me Vigia*, telefilme lançado 1978, é um bom exemplo (e uma das pérolas pouco conhecidas do mestre). Leigh Michaels, a protagonista, é uma mulher solteira e independente que muda de cidade para começar um novo emprego numa estação de TV. Ela se destaca no que faz e não precisa cair nas cantadas baratas de um dos colegas de trabalho para mostrar sua competência. Sua melhor amiga, Sophie (interpretada por Adrienne Barbeau, futura esposa de John Carpenter), é abertamente lésbica, e isso nunca se torna uma questão. Sophie não é a vilã do filme, veja você... Leigh passa a ser assediada por um stalker, e quando a polícia faz pouco caso das ameaças, ela toma as rédeas da investigação e enfrenta sozinha o problema. Uma história bastante moderninha para a programação de TV aberta nos anos 1970.

Claro, não podemos falar sobre a visão de mundo de John Carpenter sem mencionar um de seus filmes mais politizados. *Eles Vivem*, você deve saber, é uma ficção científica em que um desempregado andarilho descobre um par óculos de sol com lentes especiais. Por elas, é possível enxergar a verdadeira face dos extraterrestres que controlam o mundo por meio de mensagens subliminares que mandam a população obedecer e consumir. Segundo Carpenter, não se trata de uma ficção, e sim um documentário sobre a era Regan/Thatcher. Assistir ao filme serviu como um "momento eureca" para o artista e designer Shepard Fairey, que ganharia notoriedade com sua campanha de arte de rua, Obey Giant [obedeça o gigante]. "O filme tem uma mensagem muito forte sobre o poder do comercialismo e sobre como as pessoas são manipuladas pela publicidade. [...] a obediência é a mais valiosa moeda de troca", declarou Shepard, também conhecido pelo design do poster HOPE [esperança], da campanha presidencial de Barack Obama em 2008. Ser um artista identificado com a esquerda não fez com que John Carpenter cancelasse suas amizades mais conservadoras. Ao menos não com Kurt Russel, seu parceiro em cinco longas-metragens e que, nas palavras do diretor, "está à direita de Átila, o Huno". Como convivem tão bem com visões tão opostas? "Não falamos sobre política. Conversamos sobre filmes", ensina Carpinter.

Com o reconhecimento da crítica por *Assalto à 13ª DP* seguido pelo sucesso de público de *Halloween*, John Carpenter conseguiu firmar seu nome como um cineasta autoral, mesmo quando era contratado para dirigir um filme de estúdio. É *John Carpenter's Christine* e não *Stephen King's Christine* o título do filme sobre o carro assassino, baseado no romance do Rei. Essa autoridade, conquistada, segundo o próprio Carpenter, por sorte, permitiu que ele fizesse uma obra coesa e versátil, apesar de nunca se descolar do rótulo de cinema de gênero. *Starman*, *Eles Vivem*, *Fuga de Nova York*, *Fuga de Los Angeles*, *Os Aventureiros do Bairro Proibido*... todos clássicos que sobreviveram às locadoras de vídeo, e que continuam a influenciar os pesadelos de milhares de fãs.

Hollywood sabe o valor da grife John Carpenter, e nos últimos anos vem revirando o baú para alimentar sua máquina de remakes. *Assalto à 13ª DP* (2005), *O Nevoeiro* (2005), *The Thing* (2011), sem falar, claro, nas muitas continuações, remakes e reboots de *Halloween* destrinchados neste livro. Havia uma nova versão de *Os Aventureiros do Bairro Proibido* prevista, com Dwayne "The Rock" Johnson reinterpretando o papel que já foi de Kurt Russel. A produção foi cancelada em novembro de 2020. O roteirista Chip Proser contou ao site *Screen Rant* que sua história seria "bem menos racista" que a da comédia de ação de 1986, com seus estereótipos sobre os chineses e seu herói branco que salva o dia. Eram tempos diferentes, e outros clássicos da Sessão da Tarde que retratavam "povos exóticos", como *Indiana Jones e o Templo da Perdição*, também envelheceram com muitas reticências, mas nem por isso deixaram de ser amados. Em conversa com estudantes da New York Film Academy, Carpenter rebaixa o papel do herói loirinho: "[Jack Burton] é um idiota branquelo [...] todos os asiáticos em China Town que lidam com misticismo e artes marciais são competentes, muito mais do que ele. Ele é muito pior que os demais, mas não sabe, ele acha que é esperto". Para a mesma plateia, Carpenter dá sua opinião sobre os remakes de seus títulos: "Minha parte favorita [...] é que quando alguém quer refilmar algo que eu escrevi ou criei a ideia original, eu estico o braço e eles põe um cheque na minha mão. E aí eu não preciso fazer nada. Minha vida inteira fiquei bolando como ganhar dinheiro sem fazer nada. Então, até onde eu sei, o novo *Fuga de Nova York* (ainda sem previsão de lançamento) é um absoluto sucesso".

Com a chegada do século XXI, John Carpenter ensaiou uma aposentadoria. *Fantasmas de Marte* (2001) seria seu último filme. O diretor declarou estar cansado de lidar com os produtores e os estúdios de Hollywood. O longa-metragem não está entre os mais bem-avaliados de sua coleção, e certamente é o que tem aparência mais tosca, descontando o amadorístico *Dark Star*. Mas Carpenter continuou fiel ao seu estilo, e o filme é quase um epílogo nostálgico de sua obra. Há uma névoa misteriosa, câmeras com ponto de vista dos assassinos, uma horda que ataca uma delegacia, a desconfiança entre os membros da equipe isolados num ambiente hostil, Pam Grier causando, Ice Cube curtindo uma onda de Snake Pilssken* e Natasha Henstridge soberana no papel da garota final, quase uma Laurie Strode com armas de laser.

Quatro anos depois, Carpenter aceitaria o convite para participar da série de antologia *Mestres do Horror*, capitaneada por Mick Garris. Alguns dos cineastas mais casca-grossa do cinema fantástico, como Tobe Hooper (*Poltergeist*), Dario Argento (*Suspiria*) e Takashi Miike (*Audition*) dirigem episódios de uma hora cada. John Carpenter assinou dois capítulos: "Pesadelo Mortal", na primeira temporada, e "Pro-Life", na segunda.

Em 2011, John Carpenter voltaria aos cinemas para seu (até que se prove o contrário) último filme: *Aterrorizada*. "A história chegou em minhas mãos na hora certa, e me fez querer voltar à direção porque é um filme pequeno numa única locação. Com corredores claustrofóbicos e sombrios. Um elenco reduzido. Era exatamente o que eu queria fazer quando voltasse a dirigir longas", ele disse ao site *Blood Disgusting*. O filme conta a história de um grupo de jovens mulheres internadas à força numa instituição psiquiátrica nos anos 1960. Curiosamente, foi rodado num hospital em atividade. Numa área isolada, segundo o diretor, para proteger os verdadeiros pacientes dos "loucos do cinema".

Na última década, John Carpenter reinventou-se numa carreira musical. Com trilhas sonoras originais tão influentes quanto seus próprios filmes, seu talento como compositor nunca foi um segredo para ninguém. Mas depois de se afastar (pela segunda vez) da cadeira de diretor, Carpenter tem se dedicado a gravar discos para filmes imaginários — cabe ao ouvinte criar as histórias. Desde 2015, ele já lançou três volumes da coleção de álbuns *Lost Themes*, com músicas inéditas, além de uma antologia com regravações de suas trilhas mais importantes entre 1974 e 1998. Carpenter também resgatou o prazer de tocar ao vivo, como quando era baixista de uma banda de covers dos Beatles e dos Rolling Stones no Kentucky. Junto com seu filho Cody e seu afilhado Daniel Davies (filho de Dave Davies, do The Kinks), John passou a se apresentar em palcos ao redor do mundo. As turnês foram interrompidas durante a pandemia de Covid-19, mas o entusiasmo do rock star permanece em alta. Durante o lançamento de *Lost Themes III: Alive After Death*, em fevereiro de 2021, Carpenter contou à tradicional revista *Kerrang!* seu processo atual de composição: "Eu e Cody jogamos um pouco de videogame, então descemos para improvisar umas músicas, depois voltamos para jogar um pouco mais".

Faixas como "Dead Eyes" [Olhos mortos], "Vampire's Touch" [O toque do vampiro] ou "Dripping Blood" [Pingando sangue] também renderiam ótimos títulos de longas-metragens. *John Carpenter's Turning the Bones* [Revirando os ossos] ... Por que não? "Eu faço a trilha. Você fecha os olhos e cria o filme", sugere o carpinteiro que sonhava em fazer faroestes, foi descoberto pelo terror e acabou mudando a história do cinema.

* Inicialmente, o filme foi pensado para ser uma continuação do personagem vivido por Kurt Russel, e se chamaria *Escape from Mars*.

SILVER SHAMROCK
NOVELTIES
SANTA MIRA, CALIFORNIA

CARPENTER'S MOVIES

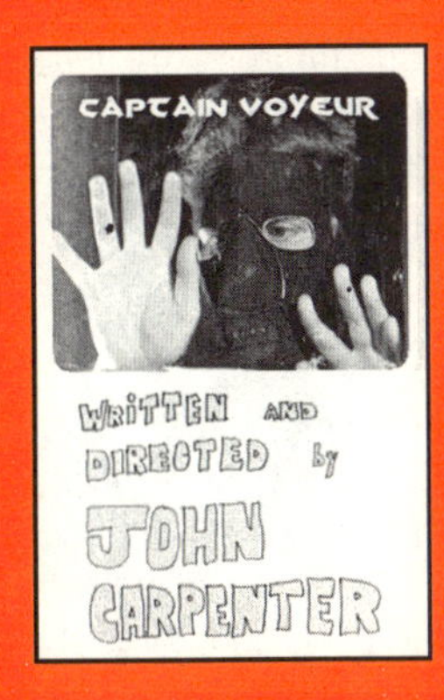

CAPITÃO VOYEUR

Captain Voyeur • 1969

Roteiro e direção: Carpenter

Curta-metragem em preto e branco que Carpenter produziu ainda como estudante da University of South California. Um funcionário de escritório é, na verdade, o Capitão Voyeur. Vestido de capa e cueca samba-canção, o stalker mascarado perambula pela noite observando mulheres em momentos de intimidade. Apesar do tom farsesco, é possível reconhecer o estilo embrionário que seria aperfeiçoado em *Halloween*.

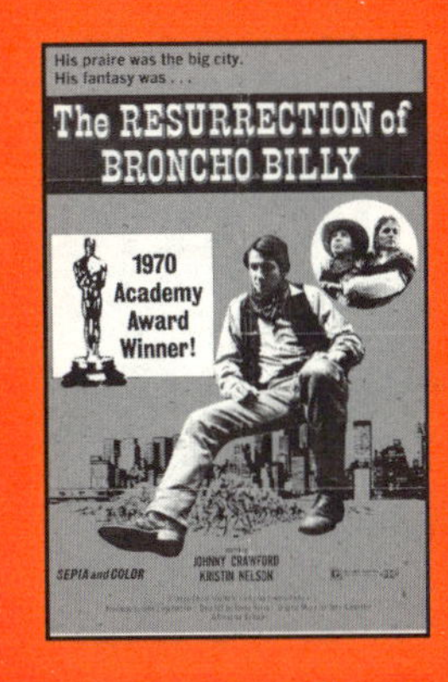

A RESSURREIÇÃO DE BRONCHO BILLY

The Resurrection of Broncho Billy • 1970

Roteiro (com Nick Castle, Trace Johnson, John Longenecker e James Rokos), montagem e trilha: Carpenter • Direção: James Rokos

A melancólica história de um rapaz que sonha em ser um caubói numa cidade grande e moderna. Seu jeito de ser é pouco bem visto pelos demais, e em sua cabeça elee cavalga em prados verdes com uma bela donzela em sua garupa. Um dos corroteiristas do filme é Nick Castle, o Michael Myers do filme original. Vencedor do Oscar de melhor filme de curta-metragem.

DARK STAR

Dark Star • 1974

Roteiro (com Dan O'Bannon), direção e trilha: Carpenter

Três astronautas (e uma bola de praia alienígena) singram o espaço sideral a bordo da *Dark Star*. O computador da nave é danificado após uma chuva de asteroides e inicia a contagem de detonação de uma bomba inteligente. A única esperança da tripulação é ensinar fenomenologia para a bomba, que passa a acreditar ser Deus.

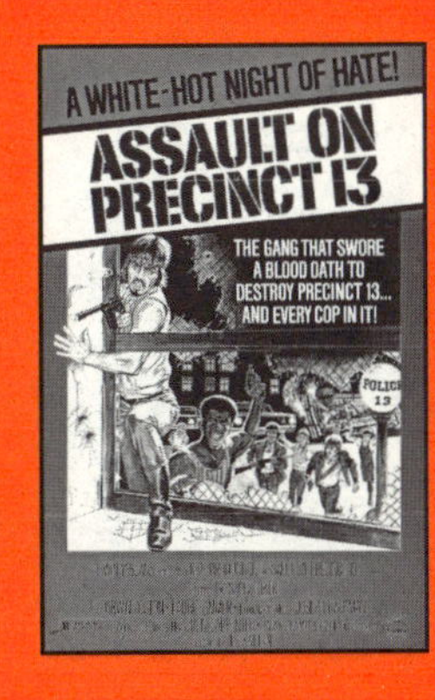

ASSALTO AO 13ª DP

Assault on Precinct 13 • 1976

Roteiro, direção, montagem e trilha: Carpenter

O 13º distrito policial de Los Angeles será transferido para um novo endereço. Na véspera de seu fechamento, uma equipe reduzida toma conta da delegacia. Incomunicáveis com o restante do mundo, eles precisam enfrentar sozinhos uma gangue armada que fará de tudo para invadir o prédio. Primeiro filme em 35mm do diretor, e a primeira vez que Carpenter trabalhou com Debra Hill, na época, sua continuísta. A cena da garotinha assassinada no caminhão de sorvete se tornou um marco do cinema.

OS OLHOS DE LAURA MARS

Eyes of Laura Mars • 1978

Roteiro (com David Zelag Goodman): Carpenter • Direção: Irvin Kershner

Laura Mars é uma renomada fotógrafa de moda em Nova York. Seus editoriais polêmicos são ambientados como cenas de crime estilizadas. Quando um serial killer começa a eliminar modelos próximos a ela, Laura desenvolve um senso paranormal perturbador: ela consegue testemunhar as mortes pelos olhos do assassino. John Carpenter escreveu os dois primeiros tratamentos do roteiro. Irvin Kershner, de *O Império contra-ataca*, dirigiu o thriller, estrelado por Faye Dunaway, Tommy Lee Jones e Brad Dourif (*Chucky*).

ZUMA BEACH

Zuma Beach • *1978*

Roteiro (com W.A. Schwarz e John Herman Sharner): Carpenter • Direção: Lee H. Katzin

Uma cantora em crise profissional decide passar o dia na praia procurando inspiração para novas composições. Comédia açucarada feita para a TV, sob encomenda da estrela de sitcom Suzanne Sommer. Carpenter disse ter pensado em "dirigir, por cerca de dez segundos", mas que seu amigo Richard Kobritz felizmente lhe fez desistir da ideia.

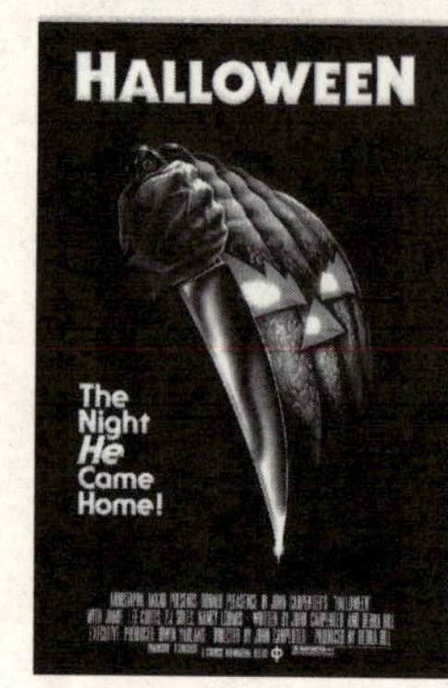

HALLOWEEN: A NOITE DO TERROR

John Carpenter's Halloween • *1978*

Direção, roteiro (com Debra Hill), produção e trilha: Carpenter

O pequeno Michael Myers mata sua irmã a facadas. Já adulto, ele foge do sanatório onde passou os últimos quinze anos, retorna à sua cidade natal de Haddonfield e adquire uma obsessão fatal pela adolescente Laurie Strode. O primeiro filme a ser assinado com o nome de Carpenter no título. O resto é história.

ALGUÉM ME VIGIA

Someone's Watching Me • *1978*

Direção e roteiro: Carpenter

Telefilme de grande repercussão na época (estreou na NBC no auge do sucesso de *Halloween* nos cinemas), mas que ficou muito tempo fora de catálogo, e muitos consideram seu filme "perdido". Outro suspense Hitchcockiano de John Carpenter. Uma diretora de TV é vigiada constantemente por um maníaco sexual. A polícia não leva o problema muito a sério, e a protagonista precisa se defender por conta própria. A atriz Lauren Hutton declarou ter sido o melhor papel de sua carreira.

BETTER LATE THAN NEVER

Better Late Than Never • *1979*

Roteiro (com Robert Stitzel e Greg Strangis): Carpenter • Direção: Richard Crenna

Comédia feita para a TV. Velhinhos se revoltam contra a tirania dos enfermeiros e da administração da casa de repouso onde vivem. Eles se metem em tremendas confusões e chegam a invadir um trem para fugirem das tardes de bingo e do cardápio insosso do asilo. Dirigido por Richard Crenna, o Coronel Trautman, da franquia *Rambo*.

ELVIS

Elvis • *1979*

Direção: Carpenter • Roteiro: Anthony Lawrence

Biografia do Rei do Rock feita para a TV, dois anos após sua morte (se você acredita que Elvis morreu). É 1969. Elvis está prestes a fazer seu primeiro show em quase dez anos, no International Hotel, em Las Vegas. Apreensivo, ele recorda os momentos mais importantes de sua vida e de sua carreira. Primeiro filme de John Carpenter com Kurt Russel, até então conhecido por seu trabalho como ator em filmes infantojuvenis da Disney e ex-membro do Clube do Mickey.

A BRUMA ASSASSINA

The Fog • *1980*

Direção, roteiro (com Debra Hill), e trilha: Carpenter

Um nevoeiro misterioso traz uma horda sobrenatural que busca vingança por um crime acontecido cem anos antes. Segundo filme do diretor com Jamie Lee Curtis. Carpenter creditou a ideia a Debra Hill. Ao visitarem as ruínas de Stonehenge num dia de nevoeiro, ele teria perguntado o que ela achava que havia debaixo da neblina. "Fantasmas", respondeu Debra. Com essa premissa, ele agora tinham a missão de escrever um filme.

FUGA DE NOVA YORK

Escape from New York • *1981*

Roteiro (com Nick Castle), direção, e trilha (com Alan Howart): Carpenter

O ano é 1997. O Força Aérea Um é sequestrado e cai sobre Manhattan. Nesse futuro alternativo, a ilha foi transformada numa prisão a céu aberto, onde a lei não existe. O presidente dos Estados Unidos é feito refém, e só um homem será capaz de salvá-lo: Snake Plissken.

HALLOWEEN II: O PESADELO CONTINUA

Halloween II • *1981*

Roteiro (com Debra Hill), direção (não creditada), trilha (com Alan Howart) e produção: Carpenter • Direção: Rick Rosenthal

Michael Myers invade o hospital de Haddonfield para tentar terminar o que não conseguiu fazer no filme original: matar Laurie Strode. John Carpenter aceitou trabalhar no filme porque sabia que ele seria feito de qualquer maneira. "Estava desesperado com o roteiro, pois não havia mais história", contou o diretor. A ideia de transformar Laurie em irmã de Myers veio daí, uma decisão apressada da qual ele se arrepende até hoje. Carpenter dirigiu cenas extras para dar mais ritmo ao filme.

ENIGMA DE OUTRO MUNDO

The Thing • *1982*

Direção: Carpenter • Roteiro: Bill Lancaster • Trilha: Ennio Morricone

Refilmagem do clássico de 1951 de Howard Hawks, a versão de Carpenter é mais fiel à novela de ficção científica de 1938 de John W. Campbell Jr., *Who gets there?*. A equipe de uma base científica norte-americana na Antártida é atacada por uma criatura alienígena mutante que assimila a forma de suas vítimas. Um a um, os membros da estação vão sendo infectados, e os sobreviventes não sabem mais em quem confiar. Maior orçamento de Carpenter até então, o filme apanhou feio na bilheteria para outro filme lançado naquele verão: *ET, o Extraterrestre*.

HALLOWEEN III: NOITE DAS BRUXAS

Halloween III: Season of the Witch • *1982*

Roteiro (com Nigel Kneale, não creditados), produção e trilha (com Alan Howart): Carpenter • Roteiro e direção: Tommy Lee Wallace

Investigando o assassinato de um paciente em seu hospital, um médico e a filha da vítima descobrem um plano para sacrificar milhares de crianças na noite das bruxas. Único exemplar da franquia sem Michael Myers.

CHRISTINE: O CARRO ASSASSINO

Christine • *1983*

Direção, trilha (com Alan Howart): Carpenter • Roteiro: Bill Phillips

O CDF Arnie Cunningham compra um Plymouth Fury vermelho, ano 1958, e se dedica a restaurá-lo. O carro, batizado de Christine, tem uma personalidade possessiva, e elimina todos que maltratam ou que se aproximam do garoto. Carpenter aceitou fazer o filme para se recuperar do fracasso de bilheteria de *O Enigma de Outro Mundo*. Curiosamente, ele e o roteirista Bill Phillips já haviam começado a desenvolver outra adaptação de Stephen King, *A incendiária*, mas o projeto desandou e foi assumido por outro diretor.

PROJETO FILADÉLFIA

The Philadelphia Experiment • *1984*

Roteiro (não creditado, com Michael Janover, William Gray, Wallace C. Bennett): Carpenter • Direção: Stewart Raffill

Em 1943, a marinha norte-americana testa uma tecnologia que tornará um navio de guerra invisível aos radares inimigos. Mas a experiência dá errado, e o navio desaparece. Dois de seus tripulantes viajam no tempo, até o distante ano de 1984. John Carpenter deveria dirigir o filme, e escreveu o primeiro tratamento do roteiro. Segundo ele, "uma baboseira total, mas uma ótima história". Ao contrário do que muitos conspiracionistas acreditam, não se trata de uma história real (será?).

O HOMEM DAS ESTRELAS

Starman • *1984*

Direção: Carpenter • Roteiro: Bruce A. Evans, Raynold Gideon, Dean Riesner

Ficção científica romântica. Um alienígena cai na terra e precisa da ajuda de um humano para voltar ao seu lar. *Starman* pode ser considerado uma versão mais adulta para a premissa de *ET*. Jeff Bridges foi indicado ao Oscar de melhor ator pelo papel do extraterrestre que assume a aparência de um homem, o recém-falecido Scott. Jenny, a viúva, é sua única esperança de escapar dos militares que o procuram pelo país. "Quis fazer um filme para provar que John Carpenter não era tão sombrio", disse o diretor.

O ERRO FATAL

Black Moon Rising • *1986*

Roteiro (com Desmond Nakano e William Gray): Carpenter • Direção: Harley Cokeliss.

Sam Quint (Tommy Lee Jones) precisa recuperar um arquivo confidencial escondido num carro ultra tecnológico que foi roubado por criminosos procurados pelo FBI. Segundo Carpenter, uma história do tipo "roubaram meu carro e agora vou roubar ele de volta".

AVENTUREIROS DO BAIRRO PROIBIDO

Big Trouble in Little China • *1986*

Direção, trilha (com Alan Howart): Carpenter • Roteiro: Gary Goldman, David Z. Weinstein, W.D. Richter

Um caminhoneiro ajuda seu amigo, dono de um restaurante chinês, a resgatar sua noiva das garras de um feiticeiro imortal no submundo do bairro Chinatown, em San Francisco. A comédia fantástica de artes marciais foi mais um fiasco de bilheteria da dupla Carpenter e Kurt Russel que se tornaria um favorito do público com o passar dos anos. Carpenter reclamou na época da interferência do estúdio, que queria que o filme fosse uma cópia de *Indiana Jones*.

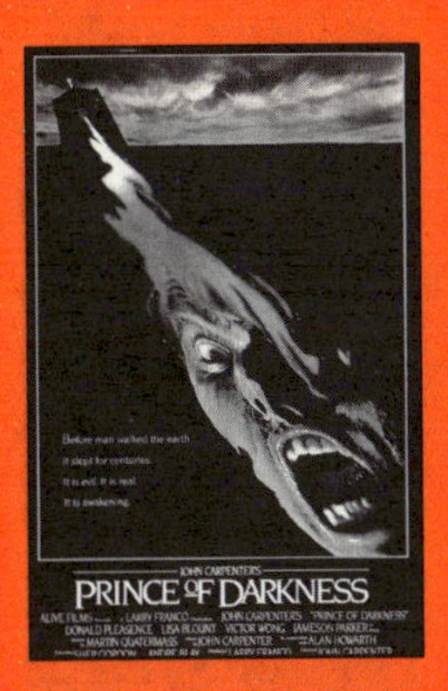

O PRÍNCIPE DAS SOMBRAS

Prince of Darkness • 1987

Roteiro (sob o pseudônimo Martin Quatermass), direção e trilha (com Alan Howart): Carpenter

Um padre católico e um físico quântico convocam cientistas para combaterem Satã, aprisionado há milênios na forma de um líquido gosmento dentro de um recipiente alienígena. Nessa mistura de ficção científica com terror sobrenatural, Jesus teria sido um extraterrestre que veio ao nosso planeta alertar sobre os perigos do Anti-Deus. Alice Cooper, fã de filmes de terror, visitava o set de filmagens e acabou convidado por Carpenter para interpretar o líder dos mendigos endemoniados que cercam a igreja.

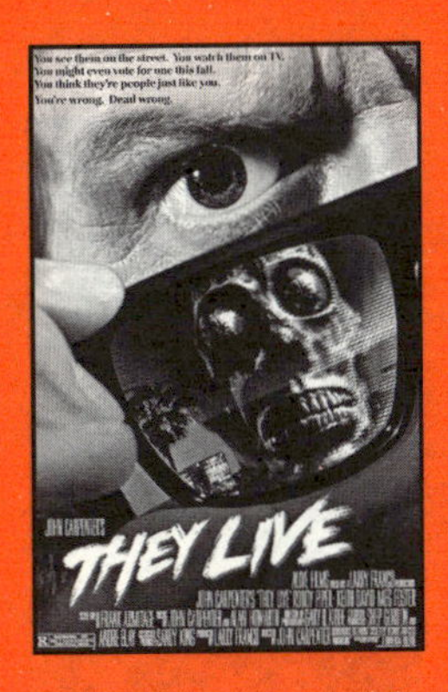

ELES VIVEM

They Live • 1988

Roteiro (sob pseudônimo Frank Armitage), direção e trilha (com Alan Howart): Carpenter

Um homem comum descobre que poderosos alienígenas vivem entre nós, e usam métodos de hipnose coletiva que nos obrigam a obedecer e consumir. Só é possível enxergar a verdade usando óculos de sol especiais, distribuídos pela resistência humana. Baseado no conto "Eight O'Clock in the Morning", de Ray Faraday Nelson. A clássica cena da luta de rua entre os personagens vividos por Rody Piper e Keith David foi ensaiada durante duas semanas e levou três dias para ser filmada.

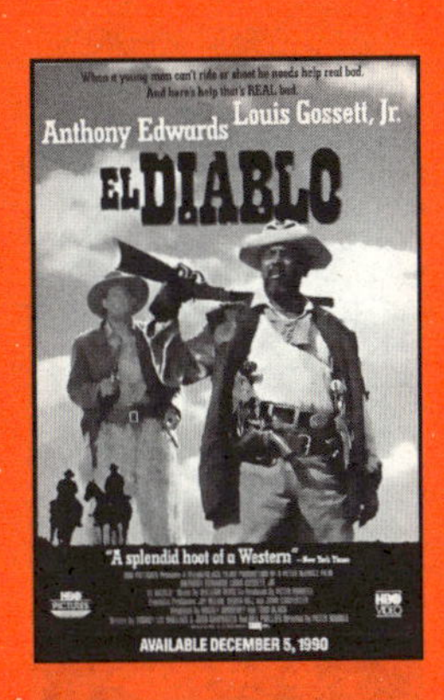

EL DIABLO

El Diablo • 1990

Roteiro (com Tommy Lee Wallace e Bill Phillips): Carpenter • Direção: Peter Markle

Comédia de faroeste. Um bandido conhecido como El Diablo sequestra uma estudante. Seu professor promete salvá-la, mas como não leva jeito de herói, decide procurar o lendário Kid Durango para lhe ajudar. A HBO queria que John Carpenter dirigisse o telefilme, mas ele amarelou: "Me ofereceram uma boa grana, mas acho que fiquei com medo de fazer um western", ele admitiu ao site italiano *Sugarpulp*.

BLOOD RIVER

Blood River • 1991

Roteiro: Carpenter • Direção: Mel Damski

Após vingar a morte de seu pai, o jovem Jimmy Pearls precisa fugir do verdadeiro mandante do crime. Ele pega uma carona rio abaixo com Winston Patrick Culler, um caubói idoso cheio de truques e artimanhas (na verdade, um homem da lei disfarçado). John Carpenter escreveu esse divertido roteiro no final dos anos 1970 para seu ídolo John Wayne, que deveria interpretar o papel de Winston. Infelizmente, o maior caubói da história do cinema morreu antes do filme entrar em produção. O projeto só sairia da gaveta doze anos depois.

MEMÓRIAS DE UM HOMEM INVISÍVEL

Memoirs of an Invisible Man • 1992

Direção: Carpenter • Roteiro: Robert Collector e Dana Olsen

Após um acidente com uma tecnologia secreta desenvolvida para o governo americano, o investidor Nick Holloway fica invisível. Ele é perseguido por um inescrupuloso agente da CIA, enquanto tenta descobrir como voltar ao normal e engrenar num romance com a bela Alice (Daryl Hannah). Um projeto não autoral de Carpenter, feito sob encomenda para o comediante Chevy Chase, que queria fazer "filmes sérios". Inspirado no livro de H.F. Saint.

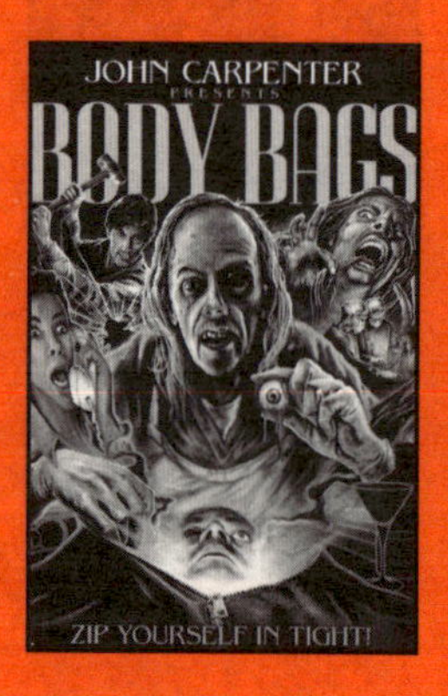

TRILOGIA DO TERROR

John Carpenter presents Body Bags • *1993*

Direção (com Tobe Hooper) e trilha (Com Jim Lang): Carpenter • Roteiro: Billy Brown e Dan Angel

O filme é uma antologia com três segmentos. John Carpenter dirigiu os dois primeiros. Em *Gas Station*, a nova funcionária de uma loja de conveniência enfrenta um maníaco assassino logo na sua primeira noite no trabalho. Em *Hair*, fios de cabelo ganham vida própria e ameaçam um homem que faz um tratamento alternativo contra a calvície. Carpenter atua no papel do médico-legista alucinado em vinhetas que antecedem cada história. O terceiro segmento (*Eye*) é assinado por Tobe Hooper.

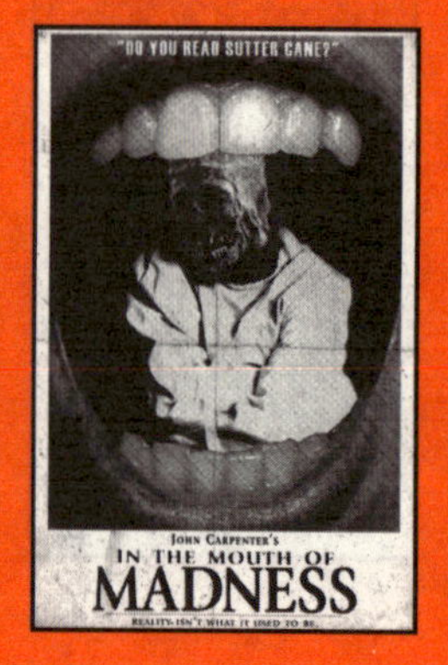

À BEIRA DA LOUCURA

In the Mouth of Madness • *1995*

Direção, trilha (com Jim Lang): Carpenter • Roteiro: Michael de Luca

Você lê Sutter Cane? O autor recluso de best-sellers de terror está desaparecido. Muitos de seus leitores sofrem surtos psicóticos após devorarem seus romances. O investigador John Trent está convencido que isso tudo não passa de um golpe publicitário e, para desmascarar essa farsa, viaja até Hobb's End. Ele mal pode imaginar que a pequena cidade retratada nos livros de Sutter, e que não consta nos mapas, é na verdade o marco zero do fim do mundo.

A CIDADE DOS AMALDIÇOADOS

Village of the Damned • *1995*

Roteiro (não creditado, com David Himmelstein), direção e trilha (com Dave Davies): Carpenter

Remake do clássico de Wolf Rilla (1960) e baseado no livro *The Midwich Cuckoos*, de John Wyndham, o filme mostra a macabra cidade de Midwich, onde dez mulheres engravidam no dia em que um estranho desmaio acomete a todos. Seus filhos nascem na mesma data e são idênticos uns aos outros, além de manifestarem poderes paranormais. Amedrontada, a população planeja maneiras de se livrar das misteriosas crianças. Último filme de Christopher Reeve (*Super-Homem*) antes do acidente que o deixou tetraplégico.

FUGA DE LOS ANGELES

Escape from LA • *1996*

Roteiro (com Debra Hill e Kurt Russel), direção e trilha (com Shirley Walker): Carpenter

Continuação do filme de 1981. Mais uma vez, Snake Plissken é "convidado" para uma missão suicida. Dessa vez, a ação acontece na ilha de Los Angeles, separada do continente após um terremoto, e para onde são deportados os subversivos que desobedecem o sistema. Feito sob encomenda para Kurt Russel, que queria interpretar o anti-herói caolho mais uma vez. Peter Fonda (*Easy Rider*), Pam Grier (*Jackie Brown*), Bruce Campbell (*Evil Dead*) e Steve Buscemi (*Cães de aluguel*) fazem participações especiais.

VAMPIROS DE JOHN CARPENTER

John Carpenter's Vampires • *1998*

Direção e trilha: Carpenter • Roteiro: Dan Jakobi

James Wood é Jack Crow, um caçador de vampiros contratado pelo Vaticano para impedir que o líder dos sugadores de sangue encontre a Cruz Negra de Béziers. A relíquia da época das cruzadas permitiria aos vampiros atacarem mesmo sob a luz do sol. O filme ganharia uma continuação (*Vampires: Los Muertos*, 2002) lançada diretamente em vídeo, produzida por John Carpenter, e dirigida por Tommy Lee Wallace, com Jon Bon Jovi no elenco . Baseado no romance *Vampire$*, de John Steakley.

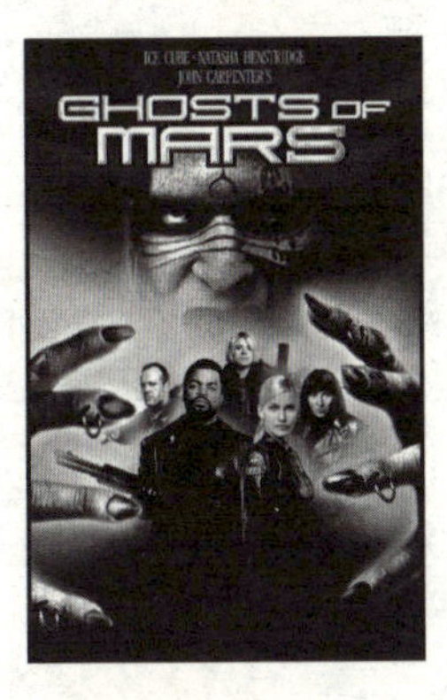

FANTASMAS DE MARTE

Ghosts of Mars • *2001*

Roteiro (com Larry Sulkis), direção e trilha: Carpenter

No século XXII, um grupo de policiais é enviado até uma área distante do planeta vermelho para escoltar o prisioneiro Desolation Williams (Ice Cube). Mas o local se transformou num palco de guerra, após humanos inadvertidamente terem descoberto ruínas de uma antiga civilização marciana.

EPISÓDIO: "PESADELO MORTAL"

Masters of Horror: S1xE8 — Cigarette Burns • *2005*

Direção: Carpenter • Roteiro: Drew McWeeny e Scott Swan • Trilha: Cody Carpenter

Kirby Sweetman, um vendedor de filmes raros para colecionadores, é contratado para encontrar a única cópia existente de *La Fin Absolue Du Monde*. Segundo a lenda, todos os espectadores desse filme enlouqueceram e acabaram morrendo de forma trágica. Kirby aceita o desafio, correndo riscos cada vez maiores enquanto avança com sua investigação. Com Udo Kier, de *Bacurau*. A trilha é assinada por outro Carpenter: Cody, filho do diretor.

EPISÓDIO: "PRO-LIFE"

Masters of Horror: S2xE5 — Pro-Life • *2006*

Direção: Carpenter • Roteiro: Drew McWeeny e Scott Swan. • Trilha: Cody Carpenter

Um homem armado invade uma clínica de aborto para tirar sua filha de lá, custe o que custar. A gravidez de Angelique é indesejada: o filho que espera é fruto de um estupro... cometido por um demônio. Não há tempo para o aborto, a gestação sobrenatural não dura nove meses, mas apenas poucas horas. Angelique dá à luz um bebê-monstro com pernas de aranha que se arrasta pela clínica, e logo, logo o pai chifrudo virá buscá-lo. Com Ron Perlman (*Hellboy*).

ATERRORIZADA

The Ward • *2011*

Direção: Carpenter • Roteiro: Michael e Shawn Rasmussem

Em 1966, a jovem Kristen é hospitalizada na ala feminina de um instituto psiquiátrico. Ela tem a companhia de mais quatro internas, todas com a mesma idade mas com personalidades bem distintas. Kristen planeja escapar, mas as coisas não serão tão fáceis. As garotas são assombradas pelo fantasma de Alice, uma ex-interna que morreu de forma misteriosa.

SOBRE AS FONTES

Ainda que a maior parte da pesquisa deste livro tenha envolvido argumentos, roteiros, versões-monstro e entrevistas com cineastas, os autores também procuraram fontes externas para refletirem sobre a franquia. Esses trabalhos são citados durante o texto, embora um punhado mereça menção especial aqui. Acima de tudo, nos apoiamos nos ombros daqueles que produziram material extra para os lançamentos em vídeo (VHS, Laserdisc, DVD e Blu-ray) de *Halloween* ao longo dos anos. Dos comentários em áudio, programetes e documentários, eles têm sido uma fonte gigantesca de informação.

Também somos muito agradecidos à *Fangoria Magazine* por documentar o legado de *Halloween* de maneira tão completa, à medida que ele se atualizava. As seguintes edições da revista foram especialmente úteis: 8, 15, 22, 23, 49, 78, 79, 87, 94, 147, 148, 151, 166, 167, 176, 177, 206, 214, 215, 225, 264, 265, 266, 285 e a edição especial *Fangoria Legends Presents: John Carpenter*. Além delas, as edições 54 e 55 da *Scream Magazine* foram valiosas pela entrevista imparcial com Rob Zombie.

Este livro é um trabalho editorial independente, fruto de uma pesquisa apaixonada, feita de fã pra fã. Nos debruçamos em inúmeros livros e materiais garimpados com carinho para nos atermos à realidade da obra. Não é autorizado por e nem afiliado às distribuidoras Trancas International Films, Miramax Films, Dimension Films, Blumhouse Productions ou com qualquer outra entidade relacionada à franquia Halloween. A nossa pesquisa contou também com vários livros, como: *The Man Who Created Halloween*, de Irwin Yablans; *Skin Shows: Gothic Horror and the Technology of Monsters*, de Jack Halberstam; *Games of Terror*, de Vera Dika; *Into the Unknown: The Fantastic Life of Kneale*, de Andy Murray; e *John Carpenter: The Prince of Darkness*, de Gilles Boulenger. Também curtimos *Os Olhos do Diabo* e *O diabo anda entre nós*, do dr. Samuel Loomis.

AGRADECIMENTOS

Muitíssimo obrigado a Natalie Tomaszewski por editar esta besta-fera. Um obrigado muito especial a George Todoroff por esculpir uma capa incrível para a edição americana!

Muito obrigado a Steve VanMeter pelo suporte técnico, orientação espiritual e revisão de texto.

Dustin gostaria de agradecer ao café, o elixir dos deuses.

Ele também gostaria de agradecer à sua esposa, Lindsay, por seu apoio e paciência enquanto este livro ganhava forma. Obrigado a Gigi por cuidar das crianças e permitir que ele escrevesse.

Travis gostaria de agradecer à sua família; a Steve Barton, a Jonathan Barkan e a todos os seus entrevistados no *Dread Central* por fazerem parte de sua jornada como escritor ainda em formação; a Darren, Greg e Andy pela companhia incrível na convenção *H40*; a George, Josh e Micah por sua amizade; e, é claro, a Dustin por lhe convidar nesta jornada e por ser um grande parceiro de viagem.

Também, ao café. Sem dúvida nenhuma, café. Preferencialmente com essência de baunilha francesa, talvez com um Marlboro para acompanhar.

Todos os envolvidos na produção deste livro agradecem também a Debra Hill pela sua enorme responsabilidade no universo significativo e imagético de *Halloween*, e pela construção da final girl que amamos, Laurie Strode.

Os autores gostariam de agradecer em conjunto a: Justin Beahm, Larry Brand, Kenny Caperton, Dean Cundey, Richard Curtis, Rob Draper, Daniel Farrands, Dominique Othenin-Girard, Glenn Garland, Renae Geerlings, Nicholas Grabowsky, Robert Harders, Sean Hood, Stef Hutchinson, Andrew Kasch, Ben Living, Patrick Lussier, Peter Marullo, Phil Parmet, John Passarella, Scott Pensa, David Pollison, Larry Rattner, Octavio Loĭpez SanjuaĬn, Jacob Simmons, Skip Schoolnik, John Squires, Matt Taff, David Thwaites, Brandon Trost, Lito Velasco, Tommy Lee Wallace, Kevin Williamson, Robert Zappia,

Este livro é dedicado à memória do Poderoso Chefão de *Halloween*.

Moustapha Akkad
1930 – 2005

E ao roteirista Larry Brand, que faleceu logo após nossa entrevista. Larry tinha um carinho especial por *Halloween: Ressurreição*, em uma combinação de humor e humildade. Descanse em paz, querido senhor.

DUSTIN MCNEILL é fã de filmes de terror, e uma de suas obsessões são os filmes mais antigos do gênero. É autor de seis livros lançados pela editora Harker Press, entre eles *Phantasm Exhumed*, *Slash of the Titans*, *Adventures in Amity: Tales From the Jaws Ride*. O autor também escreveu para as revistas *HorrorHound Magazine* e *DVD Active*. Atualmente vive em Greensboro com sua esposa e dois filhos. Dustin também se gaba por ter feito um meme que foi retuitado por Jamie Lee Curtis e Rob Zombie.

TRAVIS MULLINS é redator convidado do site *Dread Central* desde 2017. Nesse papel, ele entrevistou ícones como Fairuza Balk (*Jovens Bruxas*), Kevin Williamson (*Pânico*), Jerry O'Connell (*Pânico 2*), e Sandy Johnson (*Halloween*). Seu trabalho no *Dread Central* o permitiu exercer a função de consultor na edição de colecionador de *O Massacre da Serra Elétrica: A Nova Geração*, lançada pela Scream Factory em 2018. Fã de *Halloween* desde a infância, trabalhou apaixonadamente ao lado de seu amigo Dustin McNeill para fazer *Halloween: O Legado de Michael Myers*, sua primeira publicação impressa.

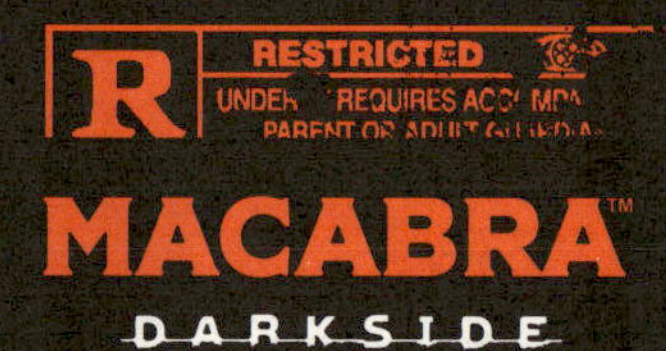

FEAR IS NATURAL ©MACABRA.TV DARKSIDEBOOKS.COM